잘 고른
300제

추 리 논 증

JN412512

LEET 메가로스쿨

2027

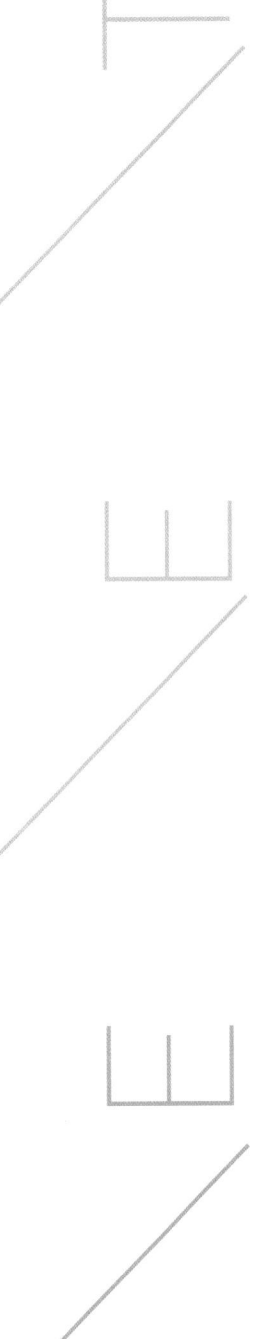

성공을 위한 러닝메이트,
메가로스쿨
—

메가로스쿨은 2008년부터 현재까지
로스쿨 수험생들과 함께
합격의 꿈을 이뤄가고 있습니다.

LEET 고득점 성공의 시작,
메가로스쿨 언어논리연구소가 함께 합니다

법학적성시험이 2008년에 처음 시행된 이후부터 현재까지 기출 문항이 축적되었으나 수험생들이 이 문항만으로 실전을 준비하는 데는 한계가 있었습니다. 이에 수험생들은 PSAT, 수능, M·DEET, PEET 등의 여타 국가시행시험의 기출 문항을 실전 연습을 위한 대안으로 삼아 활용해 왔습니다.

법학적성시험 기출 문항의 대안으로 PSAT, 수능, M·DEET, PEET의 문항들이 사용된 것은, 이러한 국가시행시험들이 전문 지식을 평가하는 것이 아니라 특정 분야의 교육을 이수하거나 업무를 수행할 수 있는 소양과 자질을 평가한다는 점에서 법학적성시험과 유사한 취지 및 출제 원리를 표방하기 때문입니다. 특히 해당 시험들은 법학적성시험보다 앞서 시행된 공신력 있는 시험으로써 다년간 축적된 기출 문항과 그에 대한 연구 결과들이 법학적성시험 개발 및 연구의 토대가 되었다고 볼 수 있습니다. 실제로 앞서 언급한 시험들의 제시문 제재나 문항 유형 등은 상호 영향을 미치고 있으므로, 법학적성시험을 대비하면서 다른 국가시행시험의 기출 문항들을 참고하는 것은 필수적이라고 할 수 있습니다. 하지만 어떠한 기준이나 가이드 없이 무작정 그 문항들을 풀기만 하는 것은 길지 않은 수험 기간 동안 준비할 것이 많은 수험생들에게 비효율적이라 할 수 있으며, 실전 적응력을 방해할 수도 있습니다.

법학적성시험은 전문대학원 진학 시험이라는 점에서 여타 시험들에 비해 상대적으로 높은 난이도로 출제되고 있으며, 제시문 구성이나 문항 출제 방식에서도 다른 시험과는 구별되는 특징이 있습니다. 그러므로 수험생들은 법학적성시험과 여타 국가시행시험들 간의 유사점과 차이점 등을 알고, 그에 따라 전략적으로 필요한 것만을 취하여 법학적성시험을 대비한다는 목적에 부합하는 방식으로 활용해야 합니다. 기존에는 법학적성시험만을 위하여 여타 시험의 기출 문항들을 체계적으로 선별한 교재 자체가 별로 없었던 데다가, 몇 없는 교재들마저도 수록 문항의 활용 전략이나 풀이 방법 등을 상세히 제시하지 않았으며, 최근 변화하는 출제 경향도 잘 반영하지 않았습니다.

메가로스쿨 언어논리연구소에서는 이러한 기존 콘텐츠들의 한계를 인식하여, 법학적성시험에서 측정하고자 하는 능력을 배양하는 데 국가시행시험의 기출 문항들이 유의미하게 활용될 수 있도록 하고자 본 교재를 기획하였습니다. 그리하여 본 교재에는 국가시행시험 기출 문항 중 법학적성시험 대비에 최적화된 문항만 선별하여 수록하였으며, 법학적성시험의 유형과 특성을 고려한 맞춤형 문제 풀이 전략 및 해설을 상세하게 제시함으로써 단순히 해당 문항을 이해하는 것에서 더 나아가 법학적성시험의 문제 해결력을 높이는 데 도움을 주고자 하였습니다.

지난 2014년 「잘고른 250제」 발간 이후 LEET의 문항분류체계 및 출제 경향성의 변화, 국가시행시험 신규 기출 문항의 축적 등에 따라 '더 잘고른' 교재에 대한 요청이 있었기에, 「잘고른 300제」가 탄생하였습니다. 이번 개정판은 최근 PSAT, 수능 기출 문항을 분석한 후 LEET 적합형 문항을 선별하고 LEET식 문항 접근 전략 및 풀이방식에 따라 해설을 작성하여, 「잘고른 300제」를 더욱 업그레이드하였습니다.

본 교재가 법학적성시험을 준비하는 수험생의 전략적 학습을 도와 그 기량을 향상시키고,
더 나아가 법조인이 되는 데도 기여할 수 있기를 바랍니다. 수험생 여러분의 합격을 기원합니다.

메가로스쿨 언어논리연구소 연구원 일동

로스쿨 합격의 핵심, LEET 제대로 알기

점점 높아지는 LEET 반영비율
법학전문대학원 합격의 당락은 LEET로 결정된다!

▶ 언어이해

언어이해는 다양한 분야의 학문적 또는 학제적 소재를 활용하여 법학전문대학원 교육에 필요한 언어이해 능력, 의사소통 능력 및 종합적인 사고능력을 측정한다.

내용 영역	규범	인문		사회	과학기술
		사학 · 철학	문학비평 · 예술		
	법학, 윤리에 대한 탐구	철학, 역사 등 인간의 본질과 문화에 대한 탐구	소설, 음악, 미술, 영화 등 문학 및 예술에 대한 탐구	정치, 경제 등 사회 현상에 대한 탐구	자연 현상, 기술 공학에 대한 탐구

문항 유형	주제, 구조, 관점 파악	정보의 확인과 재구성	정보의 추론과 해석	정보의 평가와 적용
	제시문의 주제, 구조, 전개 방식을 파악하거나 인물 혹은 이론이 가진 관점을 파악하는 유형	제시문에 나타난 정보의 재구성 및 추출된 정보를 확인하는 유형	제시된 정보를 바탕으로 새로운 정보를 추론하거나 제시문에 포함된 논증의 결론, 전제 등을 찾는 유형	제시문에 주어진 논증의 타당성을 평가하거나 새로운 사례에 적용하는 유형

출제 경향

언어이해는 2019학년도부터 30문항(10개의 제시문)으로 구성되어 출제되고 있으며, 그 비중이 규범 3, 인문 3, 사회 2, 과학기술 2의 비율로 출제되는 경향이 유지되고 있다. 문항 유형의 경우 최근에는 '주제, 구조, 관점 파악' 유형의 비중이 낮고, 나머지 세 유형은 비슷한 비중으로 출제되고 있다.

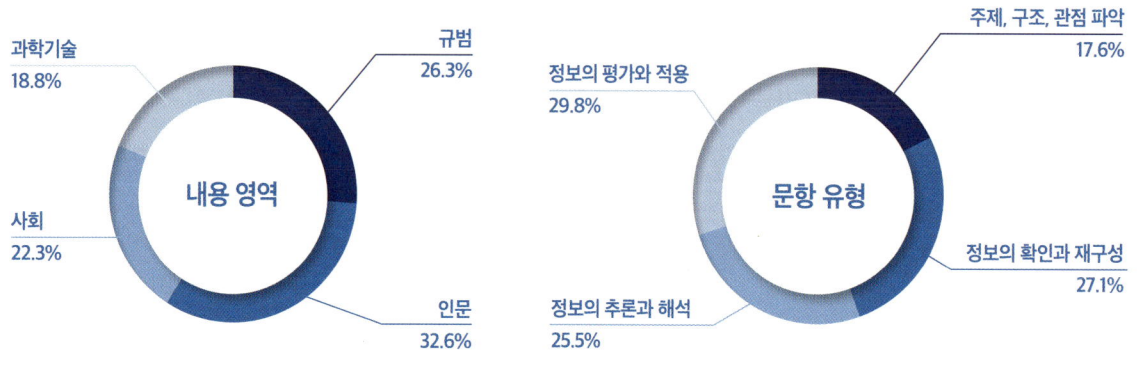

※ 2009~2026학년도 누적 기준 (문항 유형은 2015학년도~2026학년도 누적 기준입니다.)

LEET 구성 및 특징

법학적성시험(Legal Education Eligibility Test)은 법학전문대학원 교육을 이수하는 데 필요한 수학능력, 기본적 소양 및 잠재적인 적성을 측정하는 시험이다.

2010 ~ 2018학년도		
영역	문항	시험 시간 (분)
언어이해	35	80 (문항당 2분 17초)
추리논증	35	110 (문항당 3분 8.5초)
점심		
논술	2	120
3개 영역	72	310

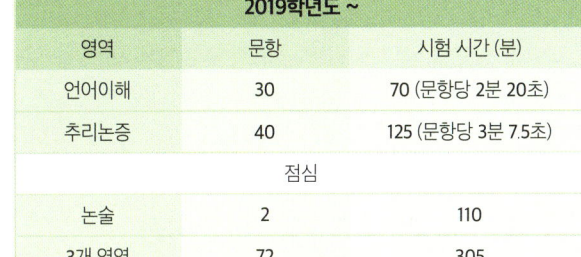

2019학년도 ~		
영역	문항	시험 시간 (분)
언어이해	30	70 (문항당 2분 20초)
추리논증	40	125 (문항당 3분 7.5초)
점심		
논술	2	110
3개 영역	72	305

※ 2009학년도 언어이해 40문항, 추리논증 40문항, 논술 3문항 (총 360분)

▶ 추리논증

추리논증은 일상적 소재와 다양한 분야의 학문적인 소재를 활용하여 법학전문대학원 교육에 필요한 추리 능력과 논증 능력을 측정한다.

내용 영역	논리학수학	인문	사회	과학기술	법규범
	명제화된 언어와 수리적 정보에 대한 탐구	철학, 역사, 언어 등 인간의 본질과 문화에 대한 탐구	사회 현상에 대한 탐구	자연 현상, 기술 공학에 대한 탐구	법학, 규범, 윤리에 대한 탐구

문항 유형	언어 추리	모형 추리	논증 분석	논쟁 및 반론	논증 평가 및 문제 해결
	언어로 진술된 정보나 원리로부터 새로운 정보를 추론하는 유형	기호, 수, 그래프 등과 같은 비언어적 정보로부터 새로운 정보를 추론하는 유형	제시문에 나타난 정보 재구성 및 정보 분석 능력을 측정하는 유형	둘 이상의 견해의 논쟁 상황에서 논증 비교 분석 및 비판 능력을 측정하는 유형	논증에 대하여 종합적으로 평가할 수 있는 능력을 측정하는 유형

출제 경향

법학적성시험 개선에 따라 2019학년도부터 총 문항이 40문항으로 늘어나면서 내용 영역 면에서 '법규범' 영역이 비중 있게 출제되고 있으며, 이에 비해 '논리학수학' 영역의 경우 문항 비중이 점차 축소되고 문제 해결 과정도 간결해지는 경향을 보인다. 문항 유형 면에서는 '언어 추리' 유형의 비중이 가장 높다. 다만 최근에는 추리 유형과 논증 유형이 골고루 출제되고 있어, 이에 따라 '논쟁 및 반론'이나 '논증 평가 및 문제 해결' 유형의 비중도 낮지 않은 편이다.

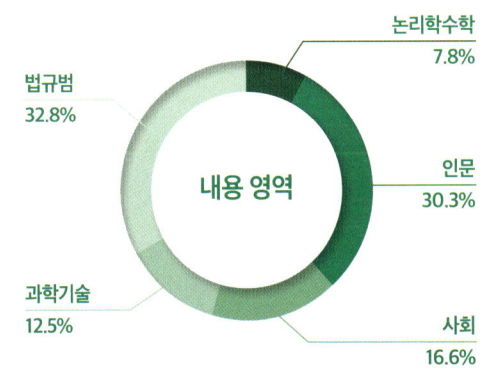

논리학수학 7.8%
법규범 32.8%
내용 영역
인문 30.3%
과학기술 12.5%
사회 16.6%

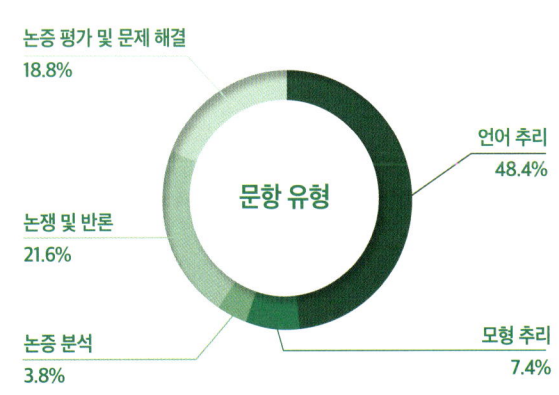

논증 평가 및 문제 해결 18.8%
문항 유형
언어 추리 48.4%
논쟁 및 반론 21.6%
논증 분석 3.8%
모형 추리 7.4%

※ 2019~2026학년도 누적 기준

왜 PSAT 기출 문항을 풀어야 하는가

LEET는 시행 횟수가 적어 누적된 기출 문항만으로는 한계가 있다
법학적성시험과 출제원리가 유사한 PSAT 기출 문항 중
법학적성시험 대비에 **최적화된 문항만을 공략하라**

LEET 추리논증과 PSAT의 차이점

	PSAT	LEET 추리논증
문항 구성	● 추리 영역이 논증 영역에 비해 현저하게 비중이 큼	● 추리 영역과 논증 영역이 골고루 구성
제시문 성격	● 법규, 홍보문, 연설문, 대화, 조사 자료 등 실용적 성격의 글까지 다양하게 제시됨	● 학술적인 글이 논증으로 제시됨 ● 일상 언어로 구성된 글도 논변 형식의 논증으로 제시
평가 요소	● 제시되는 정보의 양이 LEET에 비해 적고, 제시된 정보의 이해를 돕기 위해 상세한 설명이 추가적으로 전개됨 ● 제시문의 1차 독해로 문제 해결이 가능한 문항이 다수 ● 수리 계산의 비중이 LEET에 비해 높음 ● LEET에 비해 난이도가 낮음	● 제시되는 정보의 양이 많고, 개념이 압축적으로 전개됨 ● 제시문의 1차 독해 후, 논리구조를 분석해야 문제 해결이 가능한 문항이 다수 ● 경쟁 선지 제거가 쉽지 않음 ● PSAT에 비해 난이도가 높음

LEET와 PSAT - 내용 영역 비교

PSAT 기출

2025년도 5급 공채 상황판단

14. 다음 글을 근거로 판단할 때, 己가 받은 작년과 올해 성과평가 등급은?

△△과는 직원 6명(甲~己)에 대해 매년 성과평가를 실시하여 1명에게는 가장 높은 S등급, 2명에게는 A등급, 3명에게는 가장 낮은 B등급을 부여한다. 甲~己는 올해 성과평가 등급을 받은 뒤 아래와 같은 <대화>를 나누었다. 이들은 대화 전까지 자신의 작년과 올해 성과평가 등급은 알고 있었지만, 다른 직원의 성과평가 등급은 모르고 있었다.

<대화>
甲 : 나는 작년보다 등급이 올랐어.
乙 : 나도 작년보다 등급이 올랐어.
丙 : 그래? 나는 그대로야.
丁 : 나는 甲, 乙, 丙 너희들이 작년이랑 올해 어떤 성과평가 등급을 받았는지 알겠어.
戊 : 나는 너희 말을 들으니 우리 모두가 작년이랑 올해 어떤 성과평가 등급을 받았는지 알겠어.
己 : 이제 나도 알겠어.

	작년	올해
①	S	A
②	S	B
③	A	S
④	A	B
⑤	B	A

LEET 기출

2026학년도 추리논증

32. 다음으로부터 추론한 것으로 옳지 <u>않은</u> 것은?

P법학전문대학원에 지원한 갑, 을, 병, 정, 무 5명의 법학적성시험점수와 면접점수를 나열하면 다음과 같다.

○법학적성시험점수 : 80, 85, 90, 95, 100
○면접점수 : 70, 75, 80, 85, 90

두 점수의 평균이 85점 이상이면 최종 합격하며 이들의 점수와 관련하여 알려진 사실은 다음과 같다.

○을은 면접점수가 법학적성시험점수보다 높다.
○면접점수가 75점인 학생은 법학적성시험점수가 95점이다.
○병의 두 점수의 평균은 85점이 아니다.
○정의 두 점수의 평균은 80점이다.
○면접점수가 85점인 학생은 법학적성시험점수가 90점이다.

① 갑은 법학적성시험점수가 면접점수보다 20점 이상 높다.
② 을의 두 점수의 평균과 병의 두 점수의 평균은 같다.
③ 정의 법학적성시험점수는 80점이다.
④ 무의 법학적성시험점수는 갑의 법학적성시험점수보다 높다.
⑤ 갑과 무는 P법학전문대학원에 최종 합격한다.

상세분석 두 문항 모두 일부 제시된 정보를 통해 알 수 있는 정보를 추리해 내는 문항이다. 주로 적성평가의 성격을 띠고 있는 LEET와 PSAT에서 자주 출제되는 유형이다.

PSAT 기출

2024년도 5급 공채 언어논리

다음 글의 ㉠과 ㉡에 대한 평가로 적절한 것만을 <보기>에서 모두 고르면?

문장이란 단어들로 이루어진 연쇄이다. 문법적인 연쇄의 조건을 완전하게 제시하기란 쉽지 않지만 적어도 다음 두 가지를 유의해야 한다. 첫째, ㉠ '문법적인'이라는 개념은 '의미가 있는'이라는 개념과 동일시될 수 없다. 아래의 (1)과 (2)는 둘 다 무의미하지만, (1)은 (2)와 달리 문법적이다.

(1) 색깔 없는 녹색 관념들이 모질게 잔다.

(2) 모질게 없는 잔다 관념들이 색깔 녹색.

아마도 한국어 화자라면 (1)을 자연스럽게 읽겠지만 (2)는 아무 관계 없이 나열된 단어들을 읽을 때처럼 읽을 것이며, (2)보다는 (1)을 훨씬 더 쉽게 기억할 것이다.

둘째, ㉡ 특정 언어에서 '문법적인'이라는 개념은 '그 언어에서의 사용 빈도에 대한 통계적 순위에서 상위에 있는'이라는 개념과 동일시될 수 없다. 한국어 화자가 현실의 담화 상황에서 듣거나 보았을 가능성이 거의 없다는 점에서 (1)과 (2)는 통계적인 측면에서 차이가 없다. 그러나 (1)과 (2)는 문법적인가에서 차이가 난다. 다른 예를 보자. 실제 한국어 사용에서 "나는 산더미 같이 큰 … 보았다."의 줄임표 자리에 '빈대를'이나 '그러나'가 출현할 빈도는 사실상 0이다. 그렇지만 줄임표 자리에 전자를 넣으면 문법적 연쇄가, 후자를 넣으면 비문법적 연쇄가 만들어진다. 빈도에 의존하는 것은 문법적 연쇄와 비문법적 연쇄 사이의 차이를 선명하게 제시하고는 싶으나 언어의 현실이 너무 복잡해서 완벽하게 제시할 수 없는 벽에 부딪힌 언어학자가 채택한 편의적인 방법일 뿐이다. 실제 언어에서 어떤 연쇄의 사용 빈도가 높은가 낮은가는 그 연쇄가 문법적인가 그렇지 않은가와 별개인 것으로 나타난다.

<보기>

특정 언어에서 기존에 문법적이지만 무의미하다고 여겨지던 문장이 일정 시간이 흐른 후 의미도 있으면서 문법적인 문장으로 그 언어의 화자들에게 받아들여지는 현상이 다수 발견된다면, ㉠과 ㉡은 둘 다 약화된다.

LEET 기출

2025학년도 추리논증

다음으로부터 추론한 것으로 옳은 것만을 <보기>에서 있는 대로 고른 것은?

문장이 가지고 있는 의미를 흔히 '명제'라고 부른다. 다음은 명제란 무엇인가에 대한 서로 다른 두 견해이다.

갑 : 문장이 표현하는 명제는 곧 그 문장이 참인 가능세계들의 집합이다. 예를 들어, "수철이는 키가 크다"라는 문장과 "수철이는 학생이다"라는 문장은 서로 다른 명제를 표현하는데 이는 수철이가 키가 큰 가능세계들의 집합과 수철이가 학생인 가능세계들의 집합이 서로 다른 집합이기 때문이다. 만약 어떤 문장이 모든 가능세계에서 참이라면, 그 문장이 표현하는 명제는 모든 가능세계들의 집합이다. 가령, "3은 홀수이거나 홀수가 아니다"라는 문장이 표현하는 명제는 모든 가능세계들의 집합이다.

을 : 명제는 일종의 순서쌍이다. 예를 들어, "3은 홀수이다"라는 문장이 표현하는 명제는 '3'이 가리키는 대상과, '홀수이다'가 가리키는 속성으로 구성된 순서쌍으로 이해될 수 있다. '3'이 가리키는 대상을 m, '홀수이다'가 가리키는 속성을 F라고 할 때, "3은 홀수이다"가 표현하는 명제는 $\langle m, F \rangle$이다. 또 다른 사례로 "수철이는 희영이를 사랑한다"라는 문장이 표현하는 명제는 '수철'이 가리키는 대상과, '희영'이 가리키는 대상, '사랑한다'가 가리키는 2항 관계로 구성된 순서쌍으로 이해될 수 있다. '수철'이 가리키는 대상을 a, '희영'이 가리키는 대상을 b, '사랑한다'가 가리키는 2항 관계를 R이라고 한다면, "수철이는 희영이를 사랑한다"라는 문장이 표현하는 명제는 $\langle a, b, R \rangle$이다.

<보기>

갑과 을은, '수철'과 '희영'이 서로 다른 대상을 가리킨다고 할 때, "수철이는 희영이를 사랑한다"라는 문장과 "희영이는 수철이를 사랑한다"라는 문장이 서로 다른 명제를 표현한다는 데 동의한다.

상세분석 　두 문항 모두 언어학적 소재를 바탕으로 하여 출제되었다. 특정 사례를 분석하여 각 견해가 제시되었고, <보기>에서는 또다른 사실을 제시하여 각 견해와 매칭시킨다. '논증'은 LEET와 함께 PSAT에서도 빈출되므로, PSAT 문항도 분석할 필요가 있다.

📋 LEET와 PSAT - 문제 해결 사고 단계 비교

PSAT 기출

2024년도 5급 공채 상황판단

다음 글을 근거로 판단할 때 옳은 것은?

<전략>

제○○조(지진조기경보체제 구축·운영) ① 기상청장은 지진관측 즉시 관련 정보를 국민에게 알릴 수 있는 지진조기경보체제를 구축·운영하여야 한다.

② 기상청장은 다음 각 호의 경우 즉시 지진조기경보를 발령하여야 한다.

1. 규모 5.0 이상으로 예상되는 지진이 국내에서 발생한 경우

2. 규모 5.0 이상으로 예상되는 지진으로서 국내에 상당한 영향을 미칠 것으로 예상되는 지진이 국외에서 발생한 경우

<후략>

<보기>

국외에서 규모 6.0으로 예상되는 지진이 발생하였으나 그 지진이 국내에 영향을 미치지 않을 것으로 예상된다면, 기상청장은 즉시 지진조기경보를 발령하지 않아도 된다.

LEET 기출

2025학년도 추리논증

다음으로부터 추론한 것으로 옳은 것만을 <보기>에서 있는 대로 고른 것은?

<전략>

< 1안 >

제○조 의료인이 주의의무를 다하였으나 불가항력으로 인한 의료사고로 피해가 발생한 경우 그 피해는 국가가 보상한다.

< 2안 >

제○조 의료사고로 피해가 발생한 경우 의료인이 주의의무를 다하였는지 여부를 묻지 아니하고 그 피해는 국가가 보상한다. 국가는 보상 후 의료인이 주의의무를 다하지 못한 경우에 한하여 그에게 보상액을 청구할 수 있다.

<후략>

<보기>

의료인이 주의의무를 다하였으나 불가항력으로 인하여 의료사고가 발생한 경우에는 <1안>에 따르든 <2안>에 따르든 환자는 국가로부터 피해의 보상을 받을 수 있다.

상세분석

제시문 분석 과정

두 문항 모두 법규정을 토대로 선지의 정오를 판단한다. PSAT는 주로 단일 조문이 출제되지만, LEET는 여러 조항이 출제되는 경우도 있다. 위 문항은 <보기>에 제시된 특정 상황을 고려하여 조문과 매칭시켜 풀이한다.

문제 해결 과정

PSAT 문항의 경우, 국외에서 규모 6.0으로 예상되는 지진이 발생하였으므로, 제2항 제2호를 적용한다. 해당 규정에 따르면 국외에서 발생한 규모 5.0 이상으로 예상되는 지진은 국내에 상당한 영향을 미칠 것으로 예상되어 기상청장이 즉시 지진조기경보를 발령하여야 한다. 따라서 <보기>에 제시된 것처럼 국내에 영향을 미치지 않을 것으로 예상된다면, 기상청장에게는 즉시 지진조기경보를 발령할 의무가 없다.

LEET 문항의 경우, 의료인이 주의의무를 다하였으나 불가항력으로 인하여 의료사고가 발생한 사실이 있다. <제1안>에 따르면 의료인이 주의의무를 다하였으나 불가항력으로 인한 의료사고로 피해가 발생한 경우에 그 피해는 국가가 보상하므로, 이 경우에는 국가가 보상해야 한다. <제1안>과 <제2안>의 차이는 의료인이 주의의무 여부이고, <제2안>은 의료인이 주의의무 여부를 따지지 않으므로 <제2안>에 따라서도 국가가 보상해야 한다.

📑 PSAT 기출 문제 활용 시 유의점

PSAT의 모든 문항이 LEET 학습에 도움이 되는 것은 아니다

PSAT은 언어논리와 상황판단, 그리고 자료해석이라는 세 과목으로 구성된 시험이다. 그리고 LEET는 언어이해와 추리논증, 그리고 논술로 구성된 시험이다. LEET의 경우 독해력을 평가하는 과목인 언어이해가 별도로 있기 때문에, 추리논증에서는 추론 능력과 비판 능력을 측정한다. 그런데 PSAT은 독해력을 평가하는 과목이 따로 없어 언어논리와 상황판단에 해당 문항이 다수 포함되어 있다. 그래서 모든 PSAT 문항이 LEET 추리논증 학습에 도움이 되는 것이 아니다. 또한 LEET 출제 기준이나 출제 원리에 대해 충분히 분석하지 않은 채 PSAT 문제들을 많이 풀기만 하는 것은 LEET 문제 해결력을 높이는 데 비효율적일 수 있다. 그래서 LEET에 적합한 PSAT 문제만을 연습하는 것이 LEET 고득점에 도움이 될 것이다.

PSAT 제시문과 LEET 제시문을 구별하여 분석할 필요가 있다

LEET 추리논증은 추리력과 논증력을 측정하고자 하기 때문에 제시문 자체가 하나의 완결된 논증으로 구성된 것이 많다. 또한 소재 역시 학술적인 글이며, 문제를 해결하는 데 필요한 정보의 양도 많다. 무엇보다 1차 독해를 통해 파악된 정보들의 이해만으로 문제를 해결하지 못할 때가 많고, 정보들 간의 논리적 구성을 다시 한 번 분석해야 경쟁 선지를 제거하여 정오를 판단할 수 있다. 그래서 한 문항을 푸는 데 할당된 시간이 PSAT보다 LEET가 많은 것이다. (LEET: 40개 문항, 125분 / PSAT: 40개 문항, 90분) 그래서 PSAT 문제에만 익숙해질 경우 LEET 문제를 해결하는 데 어려움을 겪을 수 있으므로 PSAT 문제를 학습할 때도 문제의 정오답만 확인하는 것에서 나아가 LEET 제시문을 분석하는 것처럼 PSAT 제시문을 분석하는 훈련이나 가이드가 필요하다.

잘고른 300제 추리논증 활용하기

잘고른 300제 추리논증은,

- ☑ LEET 기출 유형에 부합하거나 LEET 연습을 위해 필요한 문항만을 선별하였다.
- ☑ 모든 시험의 문항을 LEET식 문항 접근 전략 및 풀이 방식에 따라 해설하였다.
- ☑ 출제자의 시선에서 LEET 활용 팁이나 선지 구성 원리 등을 제시하였다.

📖 교재 구성

문제편

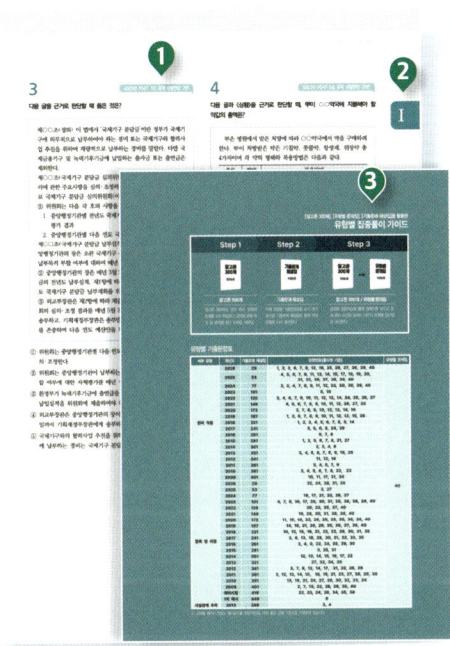

❶ 기출 시험 및 연도 표시

문항별 기출 시험 및 연도를 표기하여 본 문항의 출처 확인 가능

❷ 인덱스

문항 유형에 따라 구분된 단원별로 인덱스를 표시하여
문항과 해설을 수월하게 찾을 수 있음

❸ 유형별 집중풀이 가이드

유형별 접근법 및 기출 논리를 완성할 수 있도록 유형별 기출문항표를
활용한 유형별 집중풀이 가이드 제시

해설편

❹ 정답 / 난이도

정답과 더불어 문항별 난이도를 상·중·하로 표시하여
자신의 실력 점검 가능

❺ 내용 영역

법학전문대학원협의회 분류 기준에 따라 제시문의 소재 및 내용 구분

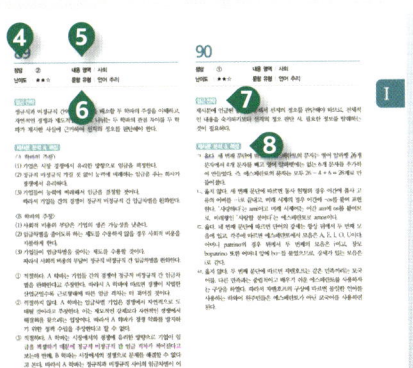

❻ 문항 유형

법학전문대학원협의회 분류 기준에 따라 각 문항의 문항 유형 구분

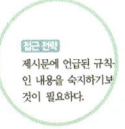

❼ 접근 전략

해당 문제의 유형 및 특성에 대한 설명과 문제 해결을 위한 방법 기재

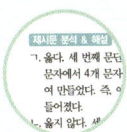

❽ 제시문 분석 & 해설

제시문의 내용과 흐름을 한눈에 볼 수 있도록 재구성하고, 정답뿐만
아니라 오답의 근거를 찾을 수 있도록 모든 선지를 상세히 해설

Contents

2027학년도 LEET 대비

메가로스쿨
잘고른 300제

추리논증

LEET

I
언어 추리

메가로스쿨
잘고른 300제

추리논증

유형별 집중풀이 가이드

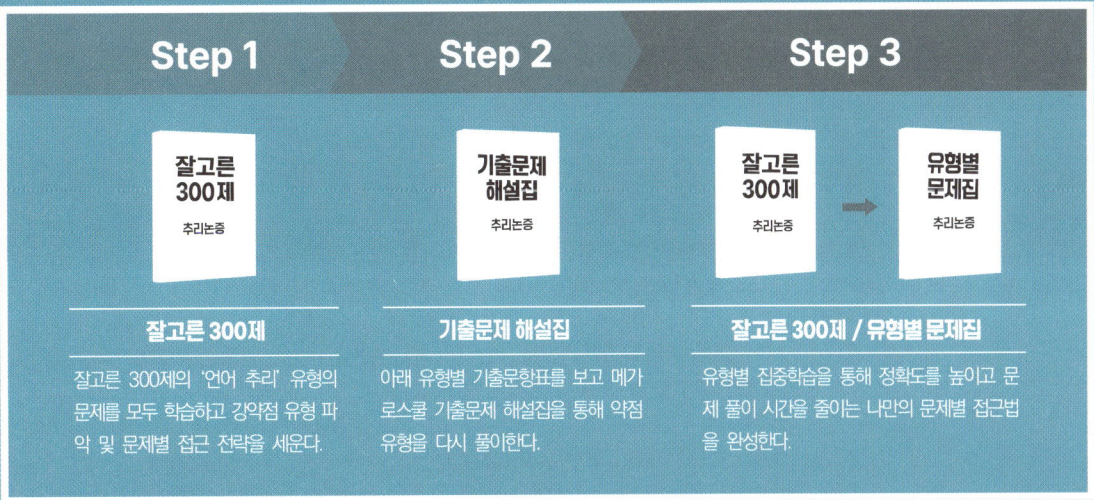

잘고른 300제
잘고른 300제의 '언어 추리' 유형의 문제를 모두 학습하고 강약점 유형 파악 및 문제별 접근 전략을 세운다.

기출문제 해설집
아래 유형별 기출문항표를 보고 메가로스쿨 기출문제 해설집을 통해 약점 유형을 다시 풀이한다.

잘고른 300제 / 유형별 문제집
유형별 집중학습을 통해 정확도를 높이고 문제 풀이 시간을 줄이는 나만의 문제별 접근법을 완성한다.

유형별 기출문항표

세부 유형	학년도	기출문제 해설집	문항번호(홀수형 기준)	유형별 문제집
원리 적용	2026	29	1, 2, 3, 6, 7, 9, 12, 16, 25, 26, 27, 36, 39, 40	40
	2025	53	4, 5, 6, 7, 9, 11, 12, 14, 15, 17, 18, 19, 20, 31, 32, 36, 37, 38, 39, 40	
	2024	77	2, 3, 4, 7, 8, 9, 11, 12, 23, 30, 38, 39, 40	
	2023	101	5, 10	
	2022	125	3, 4, 6, 7, 9, 10, 11, 12, 13, 14, 24, 25, 26, 27	
	2021	149	4, 5, 6, 7, 8, 9, 10, 11, 12, 26, 27, 32	
	2020	173	2, 7, 8, 9, 10, 12, 13, 14, 16	
	2019	197	1, 3, 6, 7, 8, 9, 10, 11, 12, 13, 15, 26	
	2018	221	1, 2, 3, 4, 5, 6, 7, 8, 9, 14	
	2017	241	3, 5, 6, 8, 24, 29	
	2016	261	6, 7, 8	
	2015	281	1, 2, 5, 6, 7, 8, 21, 27	
	2014	301	2, 3, 4, 6	
	2013	321	3, 4, 5, 6, 7, 8, 9, 18, 25	
	2012	341	11, 13, 16	
	2011	361	3, 4, 5, 7, 9	
	2010	381	3, 4, 5, 6, 7, 8, 22, 23	
	2009	401	10, 11, 17, 31, 34	
함축 및 귀결	2026	29	22, 24, 28, 31, 35	
	2025	53	3, 27	
	2024	77	16, 17, 31, 32, 36, 37	
	2023	101	4, 7, 8, 16, 17, 26, 30, 31, 35, 36, 38, 39, 40	
	2022	125	20, 23, 35, 37, 40	
	2021	149	19, 29, 30, 31, 38, 39, 40	
	2020	173	11, 15, 18, 23, 26, 28, 29, 35, 38, 39, 40	
	2019	197	14, 16, 21, 28, 29, 35, 36, 37, 38, 40	
	2018	221	10, 13, 15, 19, 21, 22, 23, 29, 30, 31, 35	
	2017	241	2, 9, 13, 18, 28, 30, 31, 32, 33, 35	
	2016	261	2, 4, 9, 22, 24, 28, 29, 30	
	2015	281	3, 25, 31	
	2014	301	12, 13, 14, 15, 16, 17, 22	
	2013	321	27, 32, 34, 35	
	2012	341	5, 7, 8, 12, 14, 17, 21, 22, 26, 28	
	2011	361	2, 12, 13, 14, 15, 16, 19, 21, 23, 27, 28, 29, 30	
	2010	381	13, 19, 21, 24, 27, 28, 30, 32, 33, 34	
	2009	401	2, 7, 13, 22, 28, 29, 35, 40	
	예비시험	419	22, 23, 24, 26, 34, 35, 38	
	1차 예시	449	6	
사실관계 추리	2012	288	3, 4	

※ 교재별 페이지 번호는 메가로스쿨 2027학년도 대비 출간 교재 기준으로 기재되어 있습니다.

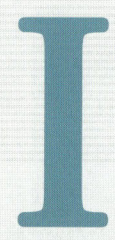

I

언 어 추 리

언어 추리란?

언어로 표현된 정보를 읽고 그 정보가 함축하고 있는 것, 또 그 정보로부터 귀결되는 것 등을 추리할 수 있는 능력을 측정하고자 하는 유형이다. 나아가 제시된 정보에서 발견된 원칙을 구체적 사례에 적용할 수 있는 능력이 있는지를 평가하고자 한다.

언어 추리 학습법

❶ 제시된 정보가 어떤 것을 함축하는지 추론할 때

진술 A가 참일 경우 진술 B도 반드시 참이 될 때, 진술 A가 진술 B를 '함축'한다고 한다. 언어 추리 문제에서 함축된 정보는 명시적으로 드러나 있지 않으므로 주어진 진술로부터 함축된 정보를 추리하여 문제를 풀어야 하는 경우가 많다.

이때, 유의할 점은 추리논증에서 추리는 일상적으로 사용되는 느슨한 추리가 아니라는 것이다. 제시된 정보가 아닌데 나 자신의 배경 지식이나 암기된 여타 지식을 활용해서 추론을 해서는 안 된다. 가령, '친구가 오늘 모임에 우산을 가져온 사실'로부터 우리는 '그 친구가 우산을 지녔다'는 것을 파악할 수 있다. 그렇지만 이로부터 "모임이 끝나고 비가 올 것이다."라고 단정하기는 어렵다. 일상적으로는 친구가 비가 올 것을 예상해서 우산을 가져왔을 거라고 생각하지만, 추리논증에서는 다른 전제가 추가되지 않는 한 우산을 가져온 것과 비가 올 것이라는 것 사이에 필연성이 없다고 추론하는 것이 옳다.

❷ 규범을 이해하고 사례에 적용할 때

법적인 추론에는 여러 사례들을 관통하는 법규나 규칙, 원칙이 무엇인지를 추론하는 것이 있을 수 있고, 또 반대로 법규 등으로부터 특정 사례가 어떤 결론에 이를 수 있는지를 추론하는 것이 있을 수 있다. 이러한 일은 법을 토대로 하는 전문 영역에서 실제로 필요한 능력과 직접적으로 관련되어 있다.

법 규정은 '일정한 법적 요건을 갖추면 그에 따른 효과가 발생한다.'는 방식으로 규정되어 있는 경우가 많다. 여기서 구체적 사례가 법적 요건을 갖추었는지 파악하는 것이 중요한데, 법적 요건에 제시된 '행위'와 행위의 '주체'를 하나하나 찾아서 구체적 사례와 일대일로 대응(이를 추리논증에서는 '포섭'이라고 한다)시키는 연습을 해야 한다.

▶ 언어 추리 문항 예시

I

7. 다음 글과 〈상황〉을 근거로 판단할 때, A와 B의 값으로 옳게 짝 지은 것은?

> ○○국 법원은 손해배상책임의 여부 또는 손해배상액을 정할 때에 피해자에게 과실이 있으면 그 과실의 징도를 반드시 참작하여야 하는데 이를 '과실상계(過失相計)'라고 한다. 예컨대 택시의 과속운행으로 승객이 부상당하여 승객에게 치료비 등 총 손해가 100만 원이 발생하였지만, 사실은 승객이 빨리 달리라고 요구하여 사고가 난 것이라고 하자. 이 경우 승객의 과실이 40%이면 손해액에서 40만 원을 빼고 60만 원만 배상액으로 정하는 것이다. 이는 자기 과실로 인한 손해를 타인에게 전가하는 것이 부당하므로 손해의 공평한 부담이라는 취지에서 인정되는 제도이다. 한편 손해가 발생하였어도 손해배상 청구권자가 손해를 본 것과 같은 원인에 의하여 이익도 보았을 때, 손해에서 그 이익을 공제하는 것을 '손익상계(損益相計)'라고 한다.
>
> 예컨대 타인에 의해 자동차가 완전 파손되어 자동차 가격에 대한 손해배상을 청구할 경우, 만약 해당 자동차를 고철로 팔아 이익을 얻었다면 그 이익을 공제하는 것이다. 주의할 것은, 국가배상에 의한 손해배상금에서 유족보상금을 공제하는 것과 같이 손해를 일으킨 원인으로 인해 피해자가 이익을 얻은 경우이어야 손익상계가 인정된다는 점이다.
>
> 따라서 손해배상의 책임 원인과 무관한 이익, 예컨대 사망했을 경우 별도로 가입한 보험계약에 의해 받은 생명보험금이나 조문객들의 부의금 등은 공제되지 않는다. 과실상계를 할 사유와 손익상계를 할 사유가 모두 있으면 과실상계를 먼저 한 후에 손익상계를 하여야 한다.

〈상 황〉

> ○○국 공무원 甲은 공무수행 중 사망하였다. 법원이 인정한 바에 따르면 국가와 甲 모두에게 과실이 있고, 손익상계와 과실상계를 하기 전 甲의 사망에 의한 손해액은 6억 원이었다. 甲의 유일한 상속인 乙은 甲의 사망으로 유족보상금 3억 원과 甲이 개인적으로 가입했던 보험계약에 의해 생명보험금 6천만 원을 수령하였다. 그 밖에 다른 사정은 없었다. 법원은 甲의 과실을 A%, 국가의 과실을 B%로 판단하여 국가가 甲의 상속인 乙에게 배상할 손해배상금을 1억 8천만 원으로 정하였다.

8. 〈사실 관계〉의 (가)와 (나)에 들어갈 방법으로 옳은 것은?

> 채무자가 채무를 이행할 수 있는데도 하지 않을 경우, 채권자가 직접 돈을 뺏어오거나 할 수 없고 법원에 신청하여 강제적으로 채무를 이행하게 할 수밖에 없다. 이렇게 강제로 이행하게 하는 방법은 상황에 따라 다른데, K국에서 법으로 인정하고 있는 방법은 세 가지이다. 'A방법'은 채무자가 어떤 행위를 하여야 하는데 하지 않는 경우, 채무자의 비용으로 채권자 또는 제3자에게 하도록 하여 채권의 내용을 실현하는 방법이다. 'B방법'은 목적물을 채무자로부터 빼앗아 채권자에게 주거나 채무자의 재산을 경매하여 그 대금을 채권자에게 주는 것과 같이, 국가 기관이 직접 실력을 행사해서 채권의 내용을 실현하는 방법이다. 이 방법은 금전·물건 등을 주어야 하는 채무에서 인정되며, 어떤 행위를 해야 하는 채무에 대하여는 인정되지 않는다. 'C방법'은 채무자만이 채무를 이행할 수 있는데 하지 않을 경우에 손해배상을 명하거나 벌금을 과하는 등의 수단을 써서 채무자를 심리적으로 압박하여 채무를 강제로 이행하도록 만드는 방법이다. 'C방법'은 채무자를 강제하여 자유의사에 반하는 결과에 이르게 하는 것이므로 다른 강제 수단이 없는 경우에 인정되는 최후의 수단이다.

〈사실 관계〉

○ K국은 통신회사가 X회사 하나였는데 최근 통신서비스 시장개방에 따라 다수의 다른 통신회사가 설립되어 공급을 개시하였다.

○ K국의 X회사는 소비자 Y에게 계약에 따라 통신서비스를 제공할 의무가 있는데 요금 인상을 주장하며 이행하지 않았다. Y가 X회사의 강제 이행을 실현할 수 있는 방법은 통신서비스 시장 개방 전에는 ☐(가)☐ 방법, 시장 개방 후에는 ☐(나)☐ 방법이다.

상세분석 두 문항은 '원리 적용' 유형으로, 제시된 규범을 이해하여 구체적인 상황에 적용할 수 있는지를 평가하는 '규범 이해 및 적용' 문제라고 할 수 있다.

❶ 인지 활동 유형의 유사점
규범을 정리하는 과정이 우선적으로 요청되고, 실제 사례나 상황에 규범을 적용해 가는 추리 능력을 평가한다는 점에서 두 문항의 인지 활동 유형은 유사하다고 할 수 있다.

❷ 난이도 수준의 유사점
주어진 규범 정보의 양도 유사하고, 답을 찾는 과정이 크게 어렵지 않다는 점에서 두 문항의 난이도 수준도 유사하다.

1

2025년 PSAT 5급 공채 언어논리 30번

다음 글의 ㉠에 대한 판단으로 적절한 것만을 〈보기〉에서 모두 고르면?

기업의 경영자는 개인적인 이득을 위해 기업의 성적표라고 할 수 있는 재무제표상에서 당해 이익을 높이거나 낮추고 싶어 한다. 이익이 너무 낮으면 경영상의 책임을 추궁당할 수 있고, 이익이 너무 높으면 시장의 기대치가 높아져 추후 성과에 대한 부담이 될 수 있기 때문이다. 이와 같은 개인적 이득을 위해 경영자가 외부에 보고될 재무제표에 개입하는 행위를 ㉠'이익조정'이라고 부른다. 이는 실제로 빈번히 나타나는데, 기업이 준수해야 하는 회계기준의 범위를 넘어서지만 않는다면 분식회계와 같은 '이익조작'으로 간주되지는 않는다.

이익조정은 다양한 방식으로 이루어질 수 있는데, 크게 두 가지 유형으로 분류된다. 한 가지는 '실물이익조정'으로, 생산이나 판매에 대한 의사결정을 통해 다양한 물적·인적 자원이나 자금의 흐름에 실제로 영향을 주면서 이익을 조정하는 것이다. 예를 들어 경영자는 비정상적인 가격 할인, 자산 처분, 연구개발비 삭감 등을 통해 당기 이익을 일시적으로 높일 수 있다.

또 다른 유형은 실질적인 자원의 흐름과는 무관하게 회계처리 방식의 변경을 통해 이익을 조정하는 것이다. 이는 장부상의 이익에만 반영될 뿐 실제 기업의 생산이나 판매에 대한 의사결정을 변경시키는 것은 아니기 때문에, '장부상 이익조정'이라고 불린다. 예를 들어 경영자는 감가상각방법을, 매년 동일한 비용으로 처리하는 정액법에서 초기에는 많은 비용을 배분하다가 매년 조금씩 줄이는 정률법으로 변경함으로써 장부상의 이익을 조정할 수 있다.

보기

ㄱ. 기업 A의 경영자는 회계기준에 어긋나지 않는 범위에서 당기 이익을 높여 신규 상장 시 자신이 보유한 주식의 발행가액을 높게 책정하고자 생산량을 비정상적으로 늘렸다. 이는 실물이익조정에 해당한다.

ㄴ. 기업 B의 경영자는 경기가 불확실한 상황에서 내년도 이익 목표를 높게 설정하지 않기 위해, 일시적으로 광고비를 대폭 늘려 지출한 뒤 회계기준에 맞게 장부에 반영하여 당해 연도 이익을 낮췄다. 이는 장부상 이익조정에 해당한다.

ㄷ. 기업 C의 경영자는 내년에도 연임하기 위해 당해 연도 적자를 회피하고자 회계기준의 범위 내에서 재고자산의 단가를 종전과는 다른 방식으로 계산하는 회계 선택을 통해 이익을 상향 조정했다. 이는 장부상 이익조정에 해당한다.

① ㄱ   ② ㄴ   ③ ㄱ, ㄷ
④ ㄴ, ㄷ   ⑤ ㄱ, ㄴ, ㄷ

2

2023년 PSAT 5급 공채 상황판단 24번

다음 글과 〈상황〉을 근거로 판단할 때 옳은 것은?

제○○조(입주민대표회의 구성) ① 입주민대표회의는 공동주택의 각 동별로 선출된 입주민대표자(이하 '동대표자'라 한다)들로 구성된다.

② 동대표자는 동대표자 선출공고에서 정한 각종 서류 제출 마감일(이하 '서류 제출 마감일'이라 한다)을 기준으로 해당 동에 주민등록을 마친 후 계속하여 6개월 이상 거주하고 있는 입주민 중에서 선출한다.

③ 서류 제출 마감일을 기준으로 다음 각 호의 어느 하나에 해당하는 사람은 동대표자가 될 수 없고, 이에 해당하면 그 자격을 상실한다.

  1. 미성년자, 피성년후견인 또는 피한정후견인
  2. 파산자
  3. 금고형 또는 징역형의 실형 선고가 확정되고 그 집행이 끝나거나 집행이 면제된 날부터 2년이 지나지 아니한 사람
  4. 금고형 또는 징역형의 집행유예 선고가 확정되고 그 유예기간 중에 있는 사람

④ 동대표자가 임기 중에 제2항에 따른 자격요건을 충족하지 않게 된 경우나 제3항 각 호에 따른 결격사유에 해당하게 된 경우에는 당연히 퇴임한다.

〈상 황〉

K공동주택은 A, B, C, D동으로 구성되어 있고, 甲은 A동, 乙은 B동, 丙은 C동, 丁은 D동의 입주민이다.

① K공동주택의 입주민대표회의는 A, B, C, D동의 동별 구분 없이 선출된 입주민대표자들로 구성된다.

② 서류 제출 마감일이 2023. 3. 2.이고 선출일이 2023. 3. 31.인 A동대표자 선출에서, 2023. 3. 20.에 성년이 되는 甲은 A동대표자가 될 수 있다.

③ 서류 제출 마감일이 2023. 1. 2.인 B동대표자의 선출에서, B동에 2022. 7. 29. 주민등록을 마쳤고 계속 거주하여 온 乙은 B동대표자로 선출될 자격이 있다.

④ 징역 2년의 실형 선고를 받고 2020. 1. 1.에 그 집행이 종료된 丙이 C동대표자 선출을 위한 서류 제출 마감일인 2023. 1. 2. 현재 파산자인 경우, C동대표자로 선출될 수 있다.

⑤ 임기가 2023. 12. 31.까지인 D동대표자 丁에 대하여 2023. 3. 7.에 징역 6개월 집행유예 1년의 선고가 확정된다면, 丁은 D동대표자의 직에서 당연히 퇴임한다.

3

다음 글을 근거로 판단할 때 옳은 것은?

제○○조(정의) 이 법에서 '국제기구 분담금'이란 정부가 국제기구에 의무적으로 납부하여야 하는 경비 또는 국제기구와 협력사업 추진을 위하여 재량적으로 납부하는 경비를 말한다. 다만 국제금융기구 및 녹색기후기금에 납입하는 출자금 또는 출연금은 제외한다.

제○○조(국제기구 분담금 심의위원회) ① 국제기구 분담금 관리에 관한 주요사항을 심의·조정하기 위하여 외교부장관 소속으로 국제기구 분담금 심의위원회(이하 '위원회'라 한다)를 둔다.
② 위원회는 다음 각 호의 사항을 심의·조정한다.
  1. 중앙행정기관별 전년도 국제기구 분담금 납부실적 및 자체평가 결과
  2. 중앙행정기관별 다음 연도 국제기구 분담금 납부계획

제○○조(국제기구 분담금 납부실적에 대한 자체평가 등) ① 중앙행정기관의 장은 소관 국제기구 분담금의 전년도 납부실적 및 납부목적 부합 여부에 대하여 매년 자체평가를 실시하여야 한다.
② 중앙행정기관의 장은 매년 3월 31일까지 소관 국제기구 분담금의 전년도 납부실적, 제1항에 따른 자체평가 결과 및 다음 연도 국제기구 분담금 납부계획을 위원회에 제출하여야 한다.
③ 외교부장관은 제2항에 따라 제출된 납부실적 등에 대한 위원회의 심의·조정 결과를 매년 5월 31일까지 기획재정부장관에게 송부하고, 기획재정부장관은 송부받은 위원회의 심의·조정 결과를 존중하여 다음 연도 예산안을 편성하여야 한다.

① 위원회는 중앙행정기관별 다음 연도 국제기구 분담금 납부계획을 심의·조정한다.
② 위원회는 중앙행정기관이 납부하는 국제기구 분담금의 납부목적 부합 여부에 대한 자체평가를 매년 실시하여야 한다.
③ 환경부가 녹색기후기금에 출연금을 납입하였다면 환경부장관은 해당 납입실적을 위원회에 제출하여야 한다.
④ 외교부장관은 중앙행정기관의 장이 제출한 납부실적을 매년 3월 31일까지 기획재정부장관에게 송부하여야 한다.
⑤ 국제기구와의 협력사업 추진을 위하여 시민단체가 스스로 국제기구에 납부하는 경비는 국제기구 분담금에 해당한다.

4

다음 글과 〈상황〉을 근거로 판단할 때, 甲이 ○○약국에 지불해야 할 약값의 총액은?

甲은 병원에서 받은 처방에 따라 ○○약국에서 약을 구매하려 한다. 甲이 처방받은 약은 기침약, 콧물약, 항생제, 위장약 총 4가지이며 각 약의 형태와 복용방법은 다음과 같다.

종류	형태	복용방법
기침약	알약	1일 3정 복용(매 아침, 점심, 저녁 식사 후)
콧물약	캡슐	1일 1정 복용(매 점심 식사 후)
항생제	알약	1일 2정 복용(매 아침, 저녁 식사 후)
위장약	캡슐	항생제 1정 복용 시 1정씩 함께 복용

○○약국의 약 종류와 가격은 다음과 같다.

종류	1정당 가격(원)	비고
기침약	300	같은 종류의 약을 10정 이상 구매 시, 해당 약 구매액의 10% 할인 (단, 캡슐 형태의 약에 한정)
콧물약	200	
항생제	500	
위장약	700	

〈상황〉

甲은 병원에서 다음과 같이 처방을 받았다.
○ 기침약 3일치
○ 콧물약, 항생제 각 7일치
○ 위장약

① 19,220원   ② 19,920원   ③ 20,200원
④ 20,320원   ⑤ 20,900원

5

2023년 PSAT 5급 공채 상황판단 40번

다음 글과 〈상황〉을 근거로 판단할 때, X임야와 Y임야의 산지전용 허가권자를 옳게 짝지은 것은?

다음은 ○○국가의 민원인 질의에 대한 챗봇의 답변내용 중 일부이다.

Q : 산지전용은 무엇이며 허가권자는 누구인가요?

A : 산지전용이란 산지를 본래의 용도(조림(造林), 입목의 벌채 등) 외로 사용하기 위해 그 형질을 변경하는 것을 말합니다. 산지전용을 하려는 사람은 산지의 종류 및 면적 등의 구분에 따라 허가권자의 허가를 받아야 합니다. 허가권자는 보전산지인지 그렇지 않은 산지인지에 따라 다릅니다. 보전산지는 산림청장이 임업생산과 공익을 위해 지정하는 산지로서 산림청장 소관입니다. 보전산지에는 산림자원의 조성 등 임업생산 기능의 증진을 위해 지정하는 임업용산지와 재해방지, 국민보건휴양 증진 등 공익 기능을 위하여 지정하는 공익용산지가 있습니다. 산지전용 허가권자는 다음과 같습니다.

> ○ 산지면적 200만 m^2 이상(보전산지의 경우 100만 m^2 이상) : 산림청장
> ○ 산지면적 50만 m^2 이상 200만 m^2 미만(보전산지의 경우 3만 m^2 이상 100만 m^2 미만)
>   – 산림청장 소관인 국유림의 산지인 경우 : 산림청장
>   – 산림청장 소관이 아닌 국유림, 공유림 또는 사유림의 산지인 경우 : 시·도지사
> ○ 산지면적 50만 m^2 미만(보전산지의 경우 3만 m^2 미만)
>   : 시장·군수·구청장

Q : 산지전용 허가를 받기 위해서는 어떤 서류를 제출해야 하나요?

A : 산지전용허가신청서와 사업계획서, 도면을 제출하여야 합니다. 도면으로는 지적도와 임야도를 제출하는데, 이것은 지도나 지형도와는 개념이 다릅니다. 지적도와 임야도를 보면 해당 필지의 모양, 주변 필지와의 경계를 알 수 있습니다. 물론 지도와 마찬가지로 지적도와 임야도에도 축척을 사용합니다. 1/1,200의 대축척 도면은 좁은 지역을 상세하게 표시하고, 1/6,000의 소축척 도면은 넓은 지역을 간략하게 표시합니다. 지적도는 1/1,200 축척을 사용하고, 임야도는 1/6,000 축척을 사용합니다. 임야는 다른 지목의 토지보다 넓어서 1/1,200 축척의 도면에 전체 면적을 담기 어렵기 때문입니다.

Q : 산지면적을 표시할 때 여러 단위를 쓰지 않나요?

A : 토지의 면적은 미터법(m^2)으로 표기하는 것이 원칙이나, 일상에서 '평'으로 표기하기도 합니다. 1평은 3.3m^2입니다. 그런데 산지는 면적이 넓어 편리하게 'ha(헥타르)'나 '정보(町步)'로 표기하기도 합니다. 1ha는 가로와 세로가 각각 100m인 정사각형의 면적을 말하며 1정보는 3,000평입니다.

〈상 황〉

개발업자 甲은 X임야와 Y임야에 대한 산지전용 허가를 받고자 한다. X임야는 산림청장이 국민보건휴양 증진을 위해 보전산지로 지정한 국유림으로서 산지면적이 100정보이며, Y임야는 甲의 소유로서 산지면적이 50ha이다.

	X임야	Y임야
①	시·도지사	시장·군수·구청장
②	산림청장	산림청장
③	산림청장	시·도지사
④	시·도지사	시·도지사
⑤	산림청장	시장·군수·구청장

다음 글에서 추론할 수 없는 것은?

인간 대상 연구를 수행하는 자가 소속된 모든 대학이나 병원 등의 기관은 「생명윤리 및 안전에 관한 법률」에 따라 기관생명윤리위원회(IRB)를 반드시 설치해야 한다. IRB는 연구 대상자의 보호에 관한 윤리에 중점을 두고 연구를 심의한다. 인간이 연구 대상자가 되는 연구라면 모두 심의의 대상이고, 여기에는 임상시험, 실험조사, 심층 인터뷰, 설문조사 등을 수행한 경우가 포함된다. 따라서 인간 대상 연구를 수행하려는 기관 소속 연구자들은 IRB에 연구계획서를 제출하여 심의를 받고, IRB 규정을 준수해야 한다.

기본적으로 IRB의 심의 절차는 심의 규정에 따라 진행되는데, 이때 가장 중요한 평가 사항은 연구자가 연구 대상자로부터 적법한 절차에 따라 참여에 대한 동의를 받았는가이다. IRB는 연구 대상자가 서명한 동의서뿐만 아니라 연구의 잠재적 위험 가능성, 개인정보의 취득 여부와 보관 및 폐기 방법, 연구 결과의 활용 계획 등과 같은 정보가 연구계획서에 포함되어 있는지 확인한다. 그리고 연구 대상자로부터 참여 동의를 받기 이전에 이러한 내용을 충분히 설명했는지 확인한다.

이러한 심의 과정에서는 연구 대상자의 특성이 중요하게 고려된다. 예를 들어 만일 연구 대상자가 외국인일 경우 동의서 양식을 비롯한 모든 문서화된 정보는 연구 대상자가 온전히 이해할 수 있는 언어로 제공되어야 한다. 또한 정확한 의사소통을 위해 필요하다면 통역사 등을 입회자로 참석하게 하여 연구에 대한 설명과 질의응답이 원활하게 이루어질 수 있도록 해야 한다.

취약한 환경에 있는 연구 대상자에 대한 적절한 보호 여부도 IRB의 심사에서 관건이 된다. 연구 참여를 거부할 경우 조직의 위계상 상급자로부터 받게 될 불이익에 대한 우려가 참여의 결정에 영향을 줄 가능성이 있는 연구 대상자가 이러한 유형에 해당된다. 설령 연구자와 직접적인 연관이 없을지라도 같은 기관에 소속된 구성원들의 경우 이러한 유형에 해당하는 것으로 간주해야 한다. 이에 IRB는 이들의 참여 동기가 윤리적 측면에서 타당한지, 참여 결정이 위력이나 권위에 의한 것이 아니라 진정한 자발적 선택에 의한 것인지를 엄밀하게 심사한다.

① 대학 소속 연구자가 중국인 유학생들을 심층 인터뷰하는 경우 연구에 대한 설명을 위해 통역사를 입회자로 참여시킬 수 있다.

② 병원 소속 연구자가 임상시험 이전에 개발 중인 약의 효과와 안전성에 관한 문헌들을 조사하는 경우 IRB의 심의를 받아야 한다.

③ 병원 의사가 임상시험을 수행하는 경우 참여하려는 환자들에게 해당 시험의 잠재적 위험 가능성에 대해 충분히 설명해야 한다.

④ 대학원생이 학위논문을 위해 설문조사를 수행하는 경우 연구 대상자에 관한 개인정보의 보관·폐기 방법을 연구계획서에 밝혀야 한다.

⑤ 대학 교수가 소속 대학의 학생들을 대상으로 실험조사를 수행하는 경우 연구 대상자를 적절히 보호하는지 IRB의 심의를 받아야 한다.

다음 글을 근거로 판단할 때 옳은 것은?

제○○조 ① 국토교통부장관은 자동차정책기본계획(이하 '기본계획'이라 한다)을 5년마다 수립·시행하여야 한다.

② 국토교통부장관은 제1항에 따라 기본계획을 수립하거나 수립된 기본계획을 변경하려는 경우에는 관계 중앙행정기관의 장 및 시·도지사의 의견을 들은 후 국가교통위원회의 심의를 거쳐 확정한다. 다만 다음 각 호의 어느 하나에 해당하는 경우에는 그러하지 아니하다.

1. 기본계획에서 정한 부문별 사업비용을 100분의 15 이내의 범위에서 변경하는 경우
2. 기본계획에서 정한 부문별 사업기간을 1년 이내의 범위에서 변경하는 경우
3. 관계 법령의 개정 또는 관련 계획의 변경에 따라 기본계획의 내용 변경이 부득이한 경우
4. 계산착오, 오기, 누락 또는 이에 준하는 사유로서 그 변경 근거가 분명한 사항을 변경하는 경우

③ 국토교통부장관은 기본계획의 수립·변경이 확정된 때에는 그 날부터 20일 이내에 관계 중앙행정기관의 장 및 시·도지사에게 통보하고, 이를 공고(인터넷 게재를 포함한다)하여야 한다.

① 기본계획에 대해 의견을 제출한 시·도지사는 그 의견에 따라 기본계획의 변경이 확정되었을 경우 이를 공고하여야 한다.

② 관계 법령의 개정에 따라 기본계획의 내용 변경이 부득이한 경우, 국토교통부장관은 기본계획을 변경하려면 관계 중앙행정기관의 장 및 시·도지사의 의견을 들어야 한다.

③ 국가교통위원회는 심의를 거쳐 확정된 기본계획을 관계 중앙행정기관의 장 및 시·도지사에게 20일 이내에 통보하여야 한다.

④ 기본계획에서 정한 부문별 사업기간을 2년의 범위에서 변경하는 경우, 국가교통위원회가 이를 심의·확정한다.

⑤ 기본계획에서 정한 부문별 사업비용을 20% 증가시키는 내용의 변경만 있는 경우, 국토교통부장관은 관계 중앙행정기관의 장 및 시·도지사의 의견을 들어야 한다.

8

다음 글의 ㉠ ~ ㉢에 들어갈 내용으로 적절한 것을 바르게 짝지은 것은?

외부효과는 영국 경제학자 아서 세실 피구(Arthur Cecil Pigou)가 1920년에 출간한 『후생경제학』에서 처음 사용한 용어다. 외부효과는 어떤 사회에서나 한 사람의 행동이 의도치 않게 다른 사람에게 혜택을 베풀거나 피해를 입히게 되는 것을 말한다. 한 경제학자는 외부효과를 이렇게 표현했다. "   ㉠   "

외부효과는 외부경제와 외부불경제로 구분된다. 외부경제는 어떤 행동의 당사자가 아닌 사람에게 편익을 유발하는 것으로 긍정적 외부효과라고도 한다. 반면 외부불경제는 어떤 행동의 당사자가 아닌 사람에게 비용을 발생시키는 것으로 부정적 외부효과라고도 한다.

긍정적 외부효과의 예로는 과수원 주인과 양봉업자의 관계를 들 수 있다. 과수원 근처에서 양봉을 하면 과수원에 꽃이 필 때 벌들이 꽃에 모여들어 양봉업자는 꿀을 많이 채취할 수 있고 과수원 주인은 꽃에 수정이 많이 되어 더 많은 과일을 얻을 수 있다.   ㉡   역시 긍정적 외부효과의 사례다.

부정적 외부효과의 예로는 대기오염, 소음 공해 등을 들 수 있다. 간접 흡연이라고 하는 외부효과는 널리 알려져 있지만 컴퓨터의 외부효과에 대해선 많은 사람이 잘 알지 못한다. 정보 기술은 전 세계 온실가스 배출량의 약 2퍼센트를 발생시키는데, 두 번의 구글 검색이 커피 한 잔의 물을 끓이는 것과 똑같은 양의 온실가스를 배출한다고 한다.

외부효과의 문제점은 이를 발생시키는 행위가 사회가 필요로 하는 것보다 과소 또는 과다하게 발생한다는 것이다. 이를 해결하기 위해 보조금을 지급하거나 세금을 부과하는 경우가 있다. 보조금 또는 세금을 통해 자신이 의도치 않게 발생시키는 혜택이나 피해에 대한 대가를 본인에게 부여하는 것이다. 일례로 통행료가 없는 도로는 막히게 되는데, 이때 사람들에게 혼잡세를 받는다면 도로의 교통량은 줄어들 것이다. 이 경우 혼잡세는 다른 사람에게 가하는   ㉢   의 대가인 셈이다.

① ㉠ : 악화가 양화를 구축한다.
  ㉡ : 자기 집 앞을 깨끗하게 청소하여 그 앞을 지나가는 사람에게 상쾌함을 선사하는 것
  ㉢ : 긍정적 외부효과

② ㉠ : 보이지 않는 손이 개인이 설정한 목표를 자신도 모르게 달성하게 한다.
  ㉡ : 전염병 예방 접종을 하여 다른 사람에게 전염될 가능성을 스스로 차단해 주는 것
  ㉢ : 부정적 외부효과

③ ㉠ : 그 누구도 섬이 아니다.
  ㉡ : 상인이 가난한 사람들을 위해 낮은 가격으로 물건을 판매하는 것
  ㉢ : 부정적 외부효과

④ ㉠ : 그 누구도 섬이 아니다.
  ㉡ : 전염병 예방 접종을 하여 다른 사람에게 전염될 가능성을 스스로 차단해 주는 것
  ㉢ : 부정적 외부효과

⑤ ㉠ : 보이지 않는 손이 개인이 설정한 목표를 자신도 모르게 달성하게 한다.
  ㉡ : 상인이 가난한 사람들을 위해 낮은 가격으로 물건을 판매하는 것
  ㉢ : 긍정적 외부효과

9

다음 글을 바탕으로 〈보기〉의 ㉠ ~ ㉢에 들어갈 내용으로 가장 적절한 것을 바르게 짝지은 것은?

허블 망원경과 제임스웹 망원경의 큰 차이는 망원경 구경(D)의 차이, 관측 파장의 차이, 관측 궤도의 차이라는 3가지로 요약할 수 있다. 망원경의 구경이 클수록 우주에서 오는 미세한 빛의 신호를 더 잘 모을 수 있어서 그 구경의 제곱에 비례하여 멀리 있는 천체를 더 잘 볼 수 있다. 그뿐만 아니라 구경이 큰 광학계일수록 해상도가 더 좋다. 레일리(Rayleigh) 지표에 따르면 망원경의 각 해상도 값(θ)은 파장의 값이 λ인 빛에 대해서 다음과 같이 나타낼 수 있다.

$$\theta = 1.22\lambda / D$$

해상도가 좋아지면 단순히 상이 선명해지는 것뿐만 아니라 어두운 천체를 더 잘 볼 수 있게 된다. 멀리 있는 별은 점광원으로 취급되는데 점광원의 경우 망원경에 맺히는 상은 그 망원경의 회절 한계에 해당하는 크기로 나타난다. 어떤 상이 잘 보이는지의 여부는 배경의 잡음에 비해 얼마나 그 상의 신호가 잘 보이는지에 따라 결정이 되는데 큰 망원경일수록 별의 상이 작아져서 배경의 잡음에 의한 영향을 덜 받게 된다. 그런 이유로 망원경의 관측 효율은 단순히 망원경 구경 면적인 D^2에 비례하는 것이 아니고 상이 작아짐에 의해 얻을 수 있는 효과인 D^2까지 곱한 D^4에 비례하여 좋아진다. 제임스웹 망원경의 구경은 허블 망원경의 구경보다 약 2.7배 큰데, 이러한 구경의 차이만으로도 약 50배 가까이 성능의 차이가 발생한다.

허블 망원경과 제임스웹 망원경의 또 다른 차이는 허블 망원경은 가시광선을, 제임스웹 망원경은 적외선을 주된 관측 파장으로 삼는다는 점이다. 제임스웹 망원경이 적외선으로 우주를 관측하게 된 이유는 제임스웹 망원경의 원래 연구 목표가 우주 초창기를 관측하여 우주의 시초를 알아내는 것이었기 때문이다. 빛의 속력은 유한하기 때문에 먼 곳에 있는 천체를 관측한다는 것은 그 천체의 현재 모습을 보는 것이 아니라 빛이 그 천체와 관측자 사이를 여행하는데 걸린 시간에 해당하는 만큼의 과거 천체의 모습을 보게 되는 것이다. 따라서 우주의 초창기를 보려면 매우 먼 곳에 있는 천체를 관측하면 된다. 그러나 우주의 팽창에 관한 허블의 법칙에 따르면 먼 곳에 있는 천체일수록 우리로부터 더 빠른 속도로 멀어지고 있다. 과거의 작은 우주에서 나온 빛의 파장은 현재의 큰 우주에서는 그만큼 긴 파장으로 적색이동(redshift)되어 있다. 그래서 천문학자들은 적색이동을 거리를 측정하는 척도로 사용한다. 적색이동이 5에서 6 정도가 되면 은하에서 나온 빛이 가시광선으로는 관측이 어려울 정도로 긴 파장으로 이동하였기 때문에, 먼 과거를 보려면 가시광선보다 더 긴 파장의 빛인 적외선 관측이 필수적이다.

허블 망원경과 제임스웹 망원경의 마지막 차이는 그 궤도에 있다. 허블 망원경은 지구를 중심에 둔 궤도를 따라 움직이는 반면, 제임스웹 망원경은 태양을 중심에 둔 라그랑주2라는 궤도를 따라 움직인다. 라그랑주2는 지구 궤도와 같은 평면상에 있으면서도 지구에 비해 태양으로부터 멀리 떨어져 지구의 궤도를 감싸고 있다. 제임스웹 망원경이 라그랑주2에 위치하게 된 이유는 제임스웹 망원경이 적외선 망원경이기 때문이다. 적외선은 열에 민감하여 지구나 망원경 자체에서 나오는 열복사에 의한 빛이 관측을 저해하는 잡음으로 잡힌다. 그러한 잡음을 최소화하려면 망원경을 지구라는 열원으로부터 가능한 멀리 떨어진 차가운 공간에 놓아야 한다. 이에 더해 제임스웹 망원경은 태양 빛을 최대한 차단하기 위해서 태양을 향하는 쪽으로 태양 빛 차단판을 설치하였다.

보기

망원경의 각 해상도 값이 [㉠] 해상도가 좋아지며 우주의 초창기를 보기 위해서는 가시광선보다 파장이 더 [㉡] 적외선으로 천체를 관찰하여야 한다. 또한 적외선 망원경의 성능을 높이기 위해서는 열에 의한 잡신호를 통제하여야 하므로 라그랑주2에 위치한 망원경이 지구의 정왼쪽에 위치하고 태양 및 지구와 일직선상에 있는 경우 빛 차단판은 망원경의 [㉢]에 위치시켜야 한다.

	㉠	㉡	㉢
①	작아질수록	긴	오른쪽
②	작아질수록	짧은	오른쪽
③	작아질수록	긴	왼쪽
④	커질수록	짧은	오른쪽
⑤	커질수록	긴	왼쪽

10

다음 글을 근거로 판단할 때 옳은 것은?

제○○조(특허심판원) ① 특허·실용신안·디자인·상표에 관한 심판(이하 '심판사건'이라 한다)을 관장하게 하기 위하여 특허청 장 소속으로 특허심판원을 둔다.
② 특허심판원에 특허심판원장(이하 '원장'이라 한다)과 심판관 을 둔다.
제□□조(심판관 등의 지정) ① 원장은 각 심판사건에 대하여 제 △△조에 따른 합의체를 구성할 심판관을 지정하여야 한다.
② 원장은 제1항에 따라 지정된 심판관 중에서 1명을 심판장으 로 지정하여야 한다.
③ 제2항에도 불구하고 원장은 특히 중요하다고 인정되는 심판 사건에 대해서는 원장 스스로 심판장이 될 수 있다.
④ 심판장은 그 심판사건에 관한 사무를 총괄한다.
제△△조(심판의 합의체, 심리 등) ① 심판은 3명 또는 5명의 심 판관으로 구성되는 합의체가 한다.
② 제1항의 합의체의 합의는 과반수로 결정한다.
③ 심판은 구술심리 또는 서면심리로 한다. 다만 당사자가 구술 심리를 신청하였을 때에는 서면심리만으로 결정할 수 있다고 인 정되는 경우 외에는 구술심리를 하여야 한다.
④ 구술심리는 공개하여야 한다. 다만 공공의 질서 또는 선량한 풍속에 어긋날 우려가 있으면 그러하지 아니하다.

① 심판의 합의체는 심판장 1명과 심판관 1명으로 구성될 수 있다.
② 원장이 심판장으로서 심판사건에 관한 사무를 총괄하는 경우가 있다.
③ 합의체의 합의는 심판관 전원의 일치된 의견으로 결정한다.
④ 당사자가 구술심리를 신청한 경우에는 서면심리로 심판할 수 없다.
⑤ 서면심리로 심판하는 경우 그 심리는 공개하여야 한다.

11

다음 글을 근거로 판단할 때 옳은 것은?

제○○조 ① 누구든지 다음 각 호의 경우를 제외하고는 공개된 장소에 영상정보처리기기를 설치·운영하여서는 아니 된다.
  1. 범죄의 예방 및 수사를 위하여 필요한 경우
  2. 시설안전 및 화재 예방을 위하여 필요한 경우
  3. 교통단속을 위하여 필요한 경우
  4. 교통정보의 수집·분석·제공을 위하여 필요한 경우
② 누구든지 불특정 다수가 이용하는 목욕실, 화장실, 탈의실 등 개인의 사생활을 현저히 침해할 우려가 있는 장소의 내부를 볼 수 있도록 영상정보처리기기를 설치·운영하여서는 아니 된다. 다만 교도소, 정신보건시설 등 사람을 구금하거나 보호하는 시설 에 대하여는 그러하지 아니하다.
③ 제1항 각 호에 따라 영상정보처리기기를 설치·운영하는 자 (이하 '영상정보처리기기운영자'라 한다)는 정보주체가 쉽게 인 식할 수 있도록 다음 각 호의 사항이 포함된 안내판을 설치하는 등 필요한 조치를 하여야 한다. 다만 군사시설, 국가중요시설 및 국가보안시설에 대하여는 그러하지 아니하다.
  1. 설치 목적 및 장소
  2. 촬영 범위 및 시간
  3. 관리책임자 성명 및 연락처
④ 영상정보처리기기운영자는 영상정보처리기기의 설치 목적과 다른 목적으로 영상정보처리기기를 임의로 조작하거나 다른 곳 을 비춰서는 아니 되며, 녹음기능은 사용할 수 없다.

① 영상정보처리기기운영자는 영상정보처리기기를 공개된 장소에 설치· 운영하는 경우 해당 영상정보처리기기의 녹음기능을 사용할 수 있다.
② 교도소에서는 수형자가 이용하는 목욕실의 내부를 볼 수 있도록 영 상정보처리기기를 설치·운영할 수 있다.
③ 범죄수사를 위하여 공개된 장소에 설치된 영상정보처리기기는 그 설 치 목적과 다른 목적으로 임의로 조작하거나 다른 곳을 비출 수 있다.
④ 교통정보의 수집·분석·제공을 위한 목적으로는 공개된 장소에서 영 상정보처리기기를 설치·운영할 수 없다.
⑤ 공개된 장소에 영상정보처리기기를 설치·운영하는 경우, 그 장소가 국가보안시설이라 하더라도 설치 목적·장소, 촬영 범위·시간 등이 명시된 안내판을 설치하여야 한다.

12

다음 글과 〈상황〉을 근거로 판단할 때 옳은 것은?

제○○조 ① 법원은 소송비용을 지출할 자금능력이 부족한 사람의 신청에 따라 또는 직권으로 소송구조(訴訟救助)를 할 수 있다. 다만 패소할 것이 분명한 경우에는 그러하지 아니하다.
② 제1항의 신청인은 구조의 사유를 소명하여야 한다.
제○○조 소송구조의 범위는 다음 각 호와 같다. 다만 법원은 상당한 이유가 있는 때에는 다음 각 호 가운데 일부에 대한 소송구조를 할 수 있다.
  1. 재판비용의 납입유예
  2. 변호사 보수의 지급유예
  3. 소송비용의 담보면제
제○○조 ① 소송구조는 이를 받은 사람에게만 효력이 미친다.
② 법원은 소송승계인에게 미루어 둔 비용의 납입을 명할 수 있다.
제○○조 소송구조를 받은 사람이 소송비용을 납입할 자금능력이 있다는 것이 판명되거나, 자금능력이 있게 된 때에는 법원은 직권으로 또는 이해관계인의 신청에 따라 언제든지 구조를 취소하고, 납입을 미루어 둔 소송비용을 지급하도록 명할 수 있다.

※ 소송구조 : 소송수행상 필요한 비용을 감당할 수 없는 경제적 약자를 위하여 비용을 미리 납입하지 않고 소송을 할 수 있도록 하는 제도
※ 소송승계인 : 소송 중 소송당사자의 지위를 승계한 사람

〈상 황〉

甲은 乙이 운행하던 차량에 의해 교통사고를 당했다. 이에 甲은 乙을 상대로 불법행위로 인한 손해배상청구의 소를 제기하였다.

① 甲의 소송구조 신청에 따라 법원이 소송구조를 하는 경우, 甲의 재판비용 납입을 면제할 수 있다.
② 甲이 소송구조를 받아 소송을 진행하던 중 증여를 받아 자금능력이 있게 되었더라도 법원은 직권으로 소송구조를 취소할 수 없다.
③ 甲의 신청에 의해 법원이 소송구조를 한 경우, 甲뿐만 아니라 乙에게도 그 효력이 미쳐 乙은 법원으로부터 변호사 보수의 지급유예를 받을 수 있다.
④ 甲이 소송비용을 지출할 자금능력이 부족함을 소명하여 법원에 소송구조를 신청한 경우, 법원은 甲이 패소할 것이 분명하더라도 소송구조를 할 수 있다.
⑤ 甲이 소송구조를 받아 소송이 진행되던 중 丙이 甲의 소송승계인이 된 경우, 법원은 소송구조에 따라 납입유예한 재판비용을 丙에게 납입하도록 명할 수 있다.

13

다음 글을 근거로 판단할 때 옳은 것은?

제○○조(의료 해외진출의 신고) ① 의료 해외진출을 하려는 의료기관의 개설자는 보건복지부장관에게 신고하여야 한다.
② 보건복지부장관은 제1항에 따른 신고를 한 의료기관의 개설자에게 의료 해외진출의 신고확인증을 발급하여야 한다.
제○○조(외국인환자 유치에 대한 등록) ① 외국인환자를 유치하려는 의료기관은 다음 각 호의 요건을 갖추어 특별시장·광역시장·특별자치시장·도지사 또는 특별자치도지사(이하 '시·도지사'라 한다)에게 등록하여야 한다.
  1. 외국인환자를 유치하려는 진료과목별로 전문의를 1명 이상 둘 것
  2. 의료배상공제조합 또는 보건복지부령으로 정하는 의료사고 배상책임보험에 가입하였을 것
② 외국인환자를 유치하려는 비의료기관은 다음 각 호의 요건을 갖추어 시·도지사에게 등록하여야 한다.
  1. 보건복지부령으로 정하는 보증보험에 가입하였을 것
  2. 국내에 사무소를 설치하였을 것
③ 시·도지사는 제1항에 따라 등록한 의료기관(이하 '외국인환자 유치의료기관'이라 한다) 및 제2항에 따라 등록한 비의료기관(이하 '외국인환자 유치사업자'라 한다)에게 등록증을 발급하여야 한다.
④ 제1항 및 제2항에 따른 등록의 유효기간은 등록일부터 3년으로 한다.
⑤ 제4항에 따른 유효기간이 만료된 후 계속하여 외국인환자를 유치하려는 자는 유효기간이 만료되기 전에 그 등록을 갱신하여야 한다.

① 의료 해외진출을 하려는 의료기관의 개설자는 시·도지사에게 등록하여야 한다.
② 외국인환자 유치를 위해 시·도지사에게 등록하려는 의료기관이 보건복지부령으로 정하는 의료사고배상책임보험에 가입하지 않는다면 의료배상공제조합에는 가입하여야 한다.
③ 외국인환자 유치사업자는 등록일부터 3년이 지난 후에도 그 등록의 갱신 없이 계속하여 외국인환자를 유치할 수 있다.
④ 외국인환자를 유치하려는 비의료기관이 시·도지사에게 등록하기 위해서는 진료과목별로 전문의 1명 이상을 두어야 한다.
⑤ 시·도지사는 국내에 사무소를 설치하지 않은 비의료기관에게 외국인환자 유치사업자 등록증을 발급할 수 있다.

14

2025년 PSAT 5급 공채 상황판단 3번

다음 글을 근거로 판단할 때 옳은 것은?

제○○조 ① 이 법에서 '외국인성명 문서'란 행정기관이 외국인과 관련된 권리관계 또는 사실관계 등을 등록·등재하거나 확인·증명 등을 하기 위하여 외국인의 성명을 포함하여 작성 또는 발급하는 문서를 말한다.

② 외국인성명 문서에 외국인의 성명을 표기할 때는 로마자로 된 성명(이하 '로마자성명'이라 한다)을 표기하고 괄호 안에 한글로 된 성명(이하 '한글성명'이라 한다)을 병기하는 것을 원칙으로 한다.

제□□조 ① 로마자성명은 외국인등록증에 기재된 로마자성명으로 표기함을 원칙으로 한다.

② 제1항에 따른 로마자성명이 없는 경우에는 외국인 여권의 기계판독영역에 기재되어 있는 로마자성명으로 표기한다.

③ 외국인이 여권을 소지하고 있지 않거나 소지한 사실이 없는 경우에는 외국인이 국적을 둔 정부에서 발급한 공문서에 기재된 로마자성명으로 표기할 수 있다.

④ 제1항부터 제3항까지의 로마자성명은 대문자로 표기하되, 성(Surname)과 이름(Given name)의 순서로 표기한다. 이 경우, 성과 이름은 띄어쓰기를 하며 이름 사이에도 띄어쓰기를 할 수 있다.

제◇◇조 ① 한글성명은 가족관계등록부, 외국인등록표 및 그 밖에 행정기관에서 발행하는 공적 서류·증명서에 기재된 한글성명으로 표기함을 원칙으로 한다.

② 제1항에 따른 한글성명이 없는 경우에는 제□□조에 따른 외국인의 로마자성명을 기준으로 원래 성명의 원지음(原地音)을 따라 한글로 표기하되, 문화체육관광부장관이 정하여 고시하는 「외래어 표기법」에 따라 표기함을 원칙으로 한다.

③ 한글성명은 성과 이름의 순서로 표기하되, 성과 이름을 붙여 쓴다.

① 성이 '湯'이고 이름이 '鈺'인 외국인은 외국인성명 문서에 성명을 '湯鈺'으로 표기하여야 한다.

② 로마자로 이름이 'Koko Katherine'이며 성이 'Brown'인 외국인의 외국인성명 문서에 표기된 로마자성명에는 띄어쓰기를 2번 할 수 있다.

③ 외국인의 한글성명이 외국인등록표에 기재되어 있더라도, 외국인성명 문서에는 로마자성명을 기준으로 원래 성명의 원지음을 「외래어 표기법」에 따라 한글로 달리 표기할 수 있다.

④ 로마자로 성이 'White'이며 이름이 'John', 한글로 성이 '화이트'이며 이름이 '존'인 외국인은 외국인성명 문서에 'White John(화이트 존)'으로 표기된다.

⑤ 여권을 가지고 있는 외국인이 외국인등록을 하지 않았다면, 해당 외국인의 외국인성명 문서에는 한글성명만 표기하여야 한다.

15~16

2025년 PSAT 7급 공채 상황판단 9~10번

다음 글을 읽고 물음에 답하시오.

○○국은 노후의 건강증진 및 생활안정을 도모하고 부양가족의 부담을 덜어줌으로써 국민 삶의 질을 높이기 위해 노인장기요양보험제도를 시행 중이다. 이를 통해 고령이나 노인성 질병 등의 사유로 혼자 일상생활을 하기 어려운 노인에게 신체활동 또는 가사활동 지원 등의 장기요양급여를 제공하고 있다.

노인장기요양보험제도는 소득에 관계없이 심신기능의 상태를 고려한 요양 필요도에 따라 장기요양 인정을 받은 자에게 서비스를 제공하는 것이다. 이는 국민기초생활보장대상자 등 특정 저소득층을 대상으로 제공되는 기존 노인복지서비스와 차이가 있다.

노인장기요양보험제도 수급자(이하 '수급자'라 한다)가 제공받을 수 있는 급여로는 재가(在家)급여, 시설급여, 복지용구급여, 특별현금급여 네 가지가 있다. 재가급여는 노인요양시설에 입소하지 않은 수급자의 가정을 방문하여 제공하는 방문요양, 방문목욕, 방문간호와 재가 노인을 일정 시간 동안 요양기관에서 보호해 주는 주·야간보호로 이루어져 있다. 시설급여는 수급자를 노인요양시설에서 장기간 보호해 주는 것을 말한다. 복지용구급여는 심신기능이 저하되어 일상생활을 영위하는 데 지장이 있는 수급자에게 일상생활·신체활동 지원 및 인지기능의 유지·향상에 필요한 용구를 구입하거나 대여해 주는 것을 말한다. 단, 시설급여 수급자의 경우 복지용구급여는 제공받지 못한다. 특별현금급여는 수급자가 천재지변, 신체 또는 정신 등의 사유로 재가급여나 시설급여를 받을 수 없어 그 가족 등으로부터 방문요양에 상당하는 서비스를 받을 때 지급하는 현금급여를 뜻하며, 수급자에게 매월 15만 원씩 지급한다.

한편 노인장기요양보험제도 수급자에게는 본인부담금이 발생한다. 급여별 본인부담금은 다음과 같다. 재가급여의 경우 해당 장기요양급여비용의 100분의 15, 시설급여는 100분의 20, 복지용구급여는 100분의 15이다. 다만 국민기초생활보장대상자에게는 본인부담금이 발생하지 않는다.

15. 윗글을 근거로 판단할 때, 〈보기〉에서 옳은 것만을 모두 고르면?

보기

ㄱ. 노인장기요양보험제도의 지원 대상은 국민기초생활보장대상자 등 특정 저소득층이다.

ㄴ. 노인요양시설에 입소해 장기간 보호받고 있는 수급자 A는 그 기간 동안 방문목욕급여를 받을 수 없다.

ㄷ. 시설급여 수급자 B는 신체활동 지원에 필요한 용구인 성인용 보행기 대여에 대한 복지용구급여를 받을 수 없다.

ㄹ. 재가급여나 시설급여를 제공받을 수 있음에도 가족으로부터 방문요양에 상당하는 서비스를 받는 C는 특별현금급여를 제공받을 수 있다.

① ㄱ, ㄴ   ② ㄱ, ㄹ   ③ ㄴ, ㄷ

④ ㄴ, ㄹ   ⑤ ㄷ, ㄹ

16. 윗글과 〈상황〉을 근거로 판단할 때, 甲~丙을 이번 달 수급 현황에 따른 본인부담금이 높은 순서대로 나열한 것은?

〈상 황〉

○ 노인장기요양보험제도 급여별 장기요양급여비용은 다음과 같다.

급여 유형	급여 내용	급여비용
재가급여	방문요양	2만 원/시간
	방문목욕	7만 원/회
	방문간호	4만 원/시간
	주·야간보호	1만 원/시간
시설급여	노인요양시설 보호	7만 원/일
복지용구급여	복지용구 구입	복지용구 구입비
	복지용구 대여	복지용구 대여료

○ 노인장기요양보험제도 수급자 甲~丙의 이번 달 수급 현황은 다음과 같다.

수급자	수급 내역	비고
甲	방문목욕 10회, 복지용구(전동침대) 구입	전동침대 구입비 30만 원
乙	주·야간보호 45시간, 방문요양 28시간	국민기초생활보장대상자
丙	노인요양시설 보호 11일	–

① 甲 > 乙 > 丙
② 甲 > 丙 > 乙
③ 乙 > 丙 > 甲
④ 丙 > 甲 > 乙
⑤ 丙 > 乙 > 甲

17

다음 글을 근거로 판단할 때 옳은 것은?

제○○조 이 법에서 '우주손해'란 우주물체의 발사·운용 등으로 인하여 발생된 제3자의 사망·부상 및 건강의 손상과 같은 인적 손해와 재산의 파괴·훼손·망실과 같은 물적 손해를 말한다.

제□□조 ① 우주손해가 발생한 경우에는 해당 우주물체 발사자가 그 손해를 배상할 책임이 있다. 다만 우주공간에서 발생한 우주손해의 경우와 국가 간의 무력충돌, 적대행위로 인한 우주손해의 경우에는 고의 또는 과실이 있는 때에 한한다.

② 우주물체 발사자가 배상하여야 하는 책임한도는 2천억 원으로 한다.

제◇◇조 ① 우주물체의 발사허가를 받고자 하는 자는 손해배상을 목적으로 하는 책임보험에 가입하여야 한다.

② 제1항에 따라 가입하여야 하는 보험금액은 제□□조 제2항에 따른 손해배상책임 한도액의 범위 안에서 우주물체의 특성, 기술의 난이도, 발사장 주변 여건 및 국내외 보험시장 등을 고려하여 과학기술정보통신부장관이 정하여 고시한다.

③ 정부는 우주물체 발사자가 배상하여야 할 손해배상액이 제2항의 보험금액을 초과하는 경우에 이 법의 목적을 달성하기 위하여 필요하다고 인정할 때에는 우주물체 발사자에 대하여 필요한 지원을 할 수 있다.

제△△조 이 법에 따른 손해배상청구권은 피해자 또는 그 법정대리인이 그 손해를 안 날부터 1년 이내에 행사하지 아니한 경우 또는 우주손해가 발생한 날부터 3년이 경과한 경우에는 시효로 인하여 소멸한다.

① 우주물체의 발사허가를 받고자 하는 자는 보험금액 2천억 원의 책임보험에 가입하여야 한다.

② 우주공간에서 제3자에게 우주손해가 발생한 경우 해당 우주물체 발사자가 과실 여부에 관계없이 그 손해를 배상할 책임이 있다.

③ 과학기술정보통신부장관은 우주물체 발사자가 우주손해 발생 시 배상하여야 하는 책임한도를 2천억 원 이상으로 정하여 고시하여야 한다.

④ 우주물체 발사자는 우주물체의 발사·운용 등으로 인하여 건강 손상에 따른 손해를 입은 제3자에게는 손해를 배상할 책임이 없다.

⑤ 우주물체의 발사로 2022. 1. 2. 물적 손해를 입은 제3자가 그 손해를 2025. 2. 15. 알게 된 경우 그 자는 손해배상청구권이 없다.

18

다음 글의 (가)와 (나)에 대한 분석으로 적절한 것만을 〈보기〉에서 모두 고르면?

한 국가는 여러 지역으로 구성된다. 이 지역들 각각이 발전 혹은 퇴보했는지 알려졌다고 하자. 이때 그 국가의 발전 혹은 퇴보 여부는 어떻게 판단할까? 다음과 같은 두 가지 방법이 제안되었다.

(가) 한 국가에서 어떤 지역도 퇴보하지 않으면서 한 개 이상의 지역이 발전했다면 그 국가가 발전했다고 판단한다. 마찬가지로 한 국가에서 어떤 지역도 발전하지 않으면서 한 개 이상의 지역이 퇴보했다면 그 국가는 퇴보했다고 판단한다. 발전한 지역도 있고 퇴보한 지역도 있을 경우, 한 국가의 발전 여부를 판단할 수 없다.

(나) 한 국가의 발전이나 퇴보 여부는 가중평균값을 이용하여 판단하되, 이 값이 양(+)이라면 이 국가는 발전한 것으로, 음(−)이라면 이 국가는 퇴보한 것으로 본다. 이때 가중평균값은 각 지역의 발전과 퇴보의 정도를 0을 기준으로 정량화한 후, 이 수치에 각 지역별 가중치를 곱한 값들을 모두 더한 값이다. 지역별 인구나 면적 등 각 지역의 중요성이 고려된 지표가 가중치를 만들 때 사용된다. 가중치는 0보다 큰 값이고 그 총합은 1이다.

보기

ㄱ. (가)는 두 개 이상의 지역이 퇴보한 경우 한 국가가 퇴보했다고 판단한다.

ㄴ. (나)는 큰 폭으로 발전한 지역이 작은 폭으로 퇴보한 지역보다 많은 경우 한 국가가 발전한 것으로 판단한다.

ㄷ. 한 국가에 대하여 (가)를 이용하여 발전했다고 판단한 경우 중 (나)를 이용하여 퇴보했다고 판단하는 경우는 없다.

① ㄱ　　　　　② ㄷ　　　　　③ ㄱ, ㄴ
④ ㄴ, ㄷ　　　　⑤ ㄱ, ㄴ, ㄷ

19

다음 글과 〈상황〉을 근거로 판단할 때, 과거에 급제한 아들이 분재 받은 밭의 총 마지기 수는?

조선시대의 분재(分財)는 시기가 재주(財主) 생전인지 사후인지에 따라 구분할 수 있다. 별급(別給)은 재주 생전에 과거급제, 생일, 혼인, 출산, 감사표시 등 특별한 사유로 인해 이루어지는 분재였으며, 깃급[衿給]은 특별한 사유 없이 재주가 임종이 가까울 무렵에 하는 일반적인 분재였다.

재주가 재산을 분배하지 못하고 죽는 경우 재주 사후에 그 자녀들이 모여 재산을 분배하게 되는데, 이를 화회(和會)라고 했다. 화회는 재주의 3년 상(喪)을 마친 후에 이루어졌다. 자녀들이 재산을 나눌 때 재주의 유서나 유언이 남아 있으면 이에 근거하여 분재가 되었으나, 그렇지 못한 경우에는 합의하여 재산을 나누어 가졌다. 조선 전기에는 『경국대전』의 규정에 따랐는데, 친자녀 간 균분 분재를 원칙으로 하나 제사를 모실 자녀에게는 다른 친자녀 한 사람 몫의 5분의 1이 더 분재되었다. 그러나 이때에도 양자녀에게는 차별을 두도록 되어 있었다. 조선 중기 이후에는 『경국대전』의 규정이 그대로 지켜지지 못하고 장남에게 많은 재산이 우선적으로 분재되었다. 깃급과 화회 대상 재산에는 별급으로 받은 재산이 포함되지 않았다.

※ 분재 : 재산을 나누어 줌
※ 재주 : 분재되는 재산의 주인

〈상 황〉

○ 유서와 유언 없이 사망한 재주 甲의 분재 대상자는 아들 2명과 딸 2명이며, 이 중 딸 1명은 양녀이고 나머지 3명은 친자녀이다.

○ 甲이 별급한 재산은 과거에 급제한 아들 1명에게 밭 20마지기를 준 것과 두 딸이 시집갈 때 각각 밭 10마지기씩을 준 것이 전부였다.

○ 화회 대상 재산은 밭 100마지기이며 화회는 『경국대전』의 규정에 따라 이루어졌다.

○ 과거에 급제한 아들이 제사를 모시기로 하였으며, 양녀는 제사를 모시지 않는 친자녀 한 사람이 화회로 받은 몫의 5분의 4를 받았다.

① 30　　　　　② 35　　　　　③ 40
④ 45　　　　　⑤ 50

20

다음 글과 〈상황〉을 근거로 판단할 때, 〈보기〉에서 옳은 것만을 모두 고르면?

제○○조(검정고시의 시행 및 공고) ① 검정고시위원회는 연 2회 이상 고등학교 졸업학력 검정고시(이하 '검정고시'라 한다)를 시행하여야 한다.

② 검정고시위원회는 검정고시를 시행하기 2개월 이전에 시험의 일시·장소, 원서접수, 그 밖에 검정고시의 시행에 관한 사항을 공고하여야 한다.

제□□조(응시자격) ① 검정고시 시행일을 기준으로 다음 각 호의 어느 하나에 해당하는 사람은 검정고시에 응시할 수 있다.

1. 중학교 졸업자 및 이와 같은 수준 이상의 학력이 있다고 인정된 사람

2. 고등학교에 준하는 각종학교의 졸업자 또는 졸업예정자

3. 소년원학교에 재학 중인 보호소년 중 18세 이상으로 고등학교 교육과정을 이수 중인 사람

② 제1항에도 불구하고 다음 각 호의 어느 하나에 해당하는 사람은 검정고시에 응시할 수 없다.

1. 고등학교를 졸업하였거나 재학 중인 사람

2. 고등학교에서 퇴학(자퇴한 경우를 포함한다. 이하 같다)한 사람으로서 퇴학일부터 제○○조 제2항에 따른 공고일까지의 기간이 6개월 이상이 되지 않은 사람. 다만 「장애인복지법」에 따라 등록한 장애인으로서 신체적·정신적 장애로 학업을 계속하는 것이 불가능하여 퇴학한 사람은 제외한다.

〈상 황〉

검정고시위원회는 2024년도에 6. 15.(1회차) 및 12. 14.(2회차) 두 차례 검정고시를 시행하기로 하였고, 해당 검정고시의 시행에 관한 사항을 2024. 4. 12. 및 10. 11. 각각 공고하였다.

보기

ㄱ. 고등학교 졸업예정자로서 2024. 9. 24. 기준 18세 이상인 甲은 2024년도 2회차 검정고시에 응시할 수 있다.

ㄴ. 고등학교 1학년에 재학하던 중 해외유학을 목적으로 2023. 11. 23. 자퇴한 乙은 2024년도 1회차 검정고시에 응시할 수 없다.

ㄷ. 보호소년으로서 소년원학교에서 고등학교 교육과정을 이수 중이고 생년월일이 2006. 7. 15.인 丙은 2024년도 2회차 검정고시에 응시할 수 있다.

ㄹ. 「장애인복지법」에 따라 등록한 장애인으로서 고등학교에 재학중 신체적 장애로 학업을 계속하는 것이 불가능하여 2024. 6. 10. 자퇴한 丁은 2024년도 2회차 검정고시에 응시할 수 있다.

① ㄱ, ㄷ   ② ㄱ, ㄹ   ③ ㄴ, ㄹ

④ ㄱ, ㄴ, ㄷ   ⑤ ㄴ, ㄷ, ㄹ

21

다음 〈A국 사업타당성조사 규정〉을 근거로 판단할 때, 〈보기〉에서 옳은 것만을 모두 고르면?

〈A국 사업타당성조사 규정〉

제○○조(예비타당성조사 대상사업) 신규 사업 중 총사업비가 500억 원 이상이면서 국가의 재정지원 규모가 300억 원 이상인 건설사업, 정보화사업, 국가연구개발사업에 대해 예비타당성조사를 실시한다.

제△△조(타당성조사의 대상사업과 실시) ① 제○○조에 해당하지 않는 사업으로서, 국가 예산의 지원을 받아 지자체·공기업·준정부기관·기타 공공기관 또는 민간이 시행하는 사업 중 완성에 2년 이상이 소요되는 다음 각 호의 사업을 타당성조사 대상사업으로 한다.

1. 총사업비가 500억 원 이상인 토목사업 및 정보화사업

2. 총사업비가 200억 원 이상인 건설사업

② 제1항의 대상사업 중 다음 각 호의 어느 하나에 해당하는 경우에는 타당성조사를 실시하여야 한다.

1. 사업추진 과정에서 총사업비가 예비타당성조사의 대상규모로 증가한 사업

2. 사업물량 또는 토지 등의 규모 증가로 인하여 총사업비가 100분의 20 이상 증가한 사업

보기

ㄱ. 국가의 재정지원 비율이 50%인 총사업비 550억 원 규모의 신규 건설사업은 예비타당성조사 대상이 된다.

ㄴ. 민간이 시행하는 사업도 타당성조사 대상사업이 될 수 있다.

ㄷ. 지자체가 시행하는 건설사업으로서 사업완성에 2년 이상 소요되며 전액 국가의 재정지원을 받는 총사업비 460억 원 규모의 사업 추진 과정에서, 총사업비가 10% 증가한 경우 타당성조사를 실시하여야 한다.

ㄹ. 총사업비가 500억 원 미만인 모든 사업은 예비타당성조사 및 타당성조사 대상사업에서 제외된다.

① ㄱ, ㄴ   ② ㄱ, ㄷ   ③ ㄴ, ㄷ

④ ㄴ, ㄹ   ⑤ ㄷ, ㄹ

22

2025년 PSAT 5급 공채 상황판단 21번

다음 글을 근거로 판단할 때 옳은 것은?

제○○조(수출입규제폐기물의 수출허가) ① 수출입규제폐기물을 수출하려는 자는 환경부장관의 허가를 받아야 한다. 허가받은 사항을 변경하려는 경우에도 또한 같다.

② 환경부장관은 수출입규제폐기물의 수출허가 신청 또는 변경허가 신청을 받은 경우에는 다음 각 호의 어느 하나에 해당하면 이를 허가할 수 있다.

  1. 국내에서 해당 폐기물을 환경적으로 건전하고 적정하게 처리하기 위하여 필요한 기술과 시설을 가지고 있지 아니한 경우

  2. 해당 폐기물이 수입국에서 재활용을 위한 산업의 원료로 필요한 경우

③ 환경부장관은 제2항에 따른 수출허가를 하려는 경우에는 수출하려는 수출입규제폐기물의 수입국 및 경유국의 동의를 받아야 한다.

④ 환경부장관은 제2항에 따른 허가를 할 때 물리적·화학적 특성이 같은 수출입규제폐기물을 국내의 같은 세관 및 수입국의 같은 세관을 통하여 같은 자에게 두 번 이상 수출하는 경우에는 12개월의 범위에서 기간을 정하여 한꺼번에 허가할 수 있다.

⑤ 제1항에 따라 수출허가 또는 변경허가를 받은 자는 다른 자에게 자기의 명의나 상호를 사용하여 수출입규제폐기물을 수출하게 하거나 수출입규제폐기물 수출허가서 또는 변경허가서를 빌려주어서는 아니 된다.

① 환경부장관은 수입국의 동의가 없어도 경유국의 동의를 받아 수출입규제폐기물의 수출허가를 할 수 있다.

② 수출입규제폐기물을 수출하는 것은 허가를 받아야 하지만, 그 허가받은 사항을 변경하는 것은 허가 대상이 아니다.

③ 환경부장관이 수출입규제폐기물의 수출허가를 할 경우, 같은 자에게 수출하더라도 수입국의 세관이 동일하지 않으면 기간을 정하여 한꺼번에 허가할 수 없다.

④ 수출입규제폐기물의 수출허가를 받은 자는 다른 자에게 자기의 상호를 사용하여 수출입규제폐기물을 수출하게 할 수 있다.

⑤ 국내에서 특정 수출입규제폐기물을 환경적으로 건전하고 적정하게 처리하는 데 필요한 기술과 시설을 가지고 있다면, 해당 폐기물이 수입국에서 재활용을 위한 산업의 원료로 필요한 경우에도 환경부장관은 수출허가를 하여서는 안 된다.

23

2017년 PSAT 5급 공채 상황판단 26번

다음 글을 근거로 판단할 때, 〈상황〉의 ㉠에 들어갈 금액으로 옳은 것은?

법원이 진행하는 부동산 경매를 통해 부동산을 매수하려는 사람은 법원이 정한 해당 부동산의 '최저가매각가격' 이상의 금액을 매수가격으로 하여 매수신고를 하여야 한다. 이때 신고인은 최저가매각가격의 10분의 1을 보증금으로 납부하여야 입찰에 참가할 수 있다. 법원은 입찰자 중 최고가매수가격을 신고한 사람(최고가매수신고인)을 매수인으로 결정하며, 매수인은 신고한 매수가격(매수신고액)에서 보증금을 공제한 금액을 지정된 기일까지 납부하여야 한다. 만일 최고가매수신고인이 그 대금을 기일까지 납부하지 않으면, 최고가매수신고인 외의 매수신고인은 자신이 신고한 매수가격대로 매수를 허가하여 달라는 취지의 차순위매수신고를 할 수 있다. 다만 차순위매수신고는 매수신고액이 최고가매수신고액에서 보증금을 뺀 금액을 넘어야 할 수 있다.

〈상 황〉

甲과 乙은 법원이 최저가매각가격을 2억 원으로 정한 A주택의 경매에 입찰자로 참가하였다. 甲은 매수가격을 2억 5천만 원으로 신고하여 최고가매수신고인이 되었다. 甲이 지정된 기일까지 대금을 납부하지 않은 경우, 乙이 차순위매수신고를 하기 위해서는 乙의 매수신고액이 최소한 (㉠)을 넘어야 한다.

① 2천만 원

② 2억 원

③ 2억 2천만 원

④ 2억 2천 5백만 원

⑤ 2억 3천만 원

24

다음 글과 〈상황〉을 근거로 판단할 때 옳은 것은? (단, 기간을 일(日)로 정한 때에는 기간의 초일은 산입하지 않는다)

제○○조(위원회의 직무) 위원회는 그 소관에 속하는 의안과 청원 등의 심사 기타 법률에서 정하는 직무를 행한다.

제△△조(안건의 신속처리) ① 위원회에 회부된 안건을 제2항에 따른 신속처리대상안건으로 지정하고자 하는 경우 의원은 재적의원 과반수가 서명한 신속처리대상안건 지정요구 동의(이하 "신속처리안건지정동의")를 국회의장에게, 안건의 소관 위원회 소속 위원은 소관 위원회 재적위원 과반수가 서명한 신속처리안건지정동의를 소관 위원회 위원장에게 제출하여야 한다. 이 경우 의장 또는 안건의 소관 위원회 위원장은 지체 없이 신속처리안건지정동의를 무기명투표로 표결하되 재적의원 5분의 3 이상 또는 안건의 소관 위원회 재적위원 5분의 3 이상의 찬성으로 의결한다.

② 의장은 제1항에 따라 신속처리안건지정동의가 가결된 때에는 해당 안건을 제3항의 기간 내에 심사를 마쳐야 하는 안건(이하 "신속처리대상안건")으로 지정하여야 한다.

③ 위원회는 신속처리대상안건에 대한 심사를 그 지정일부터 180일 이내에 마쳐야 한다. 다만, 법제사법위원회는 신속처리대상안건에 대한 체계·자구심사를 그 지정일, 제4항에 따라 회부된 것으로 보는 날 또는 제□□조에 따라 회부된 날부터 90일 이내에 마쳐야 한다.

④ 위원회(법제사법위원회를 제외한다)가 신속처리대상안건에 대하여 제3항에 따른 기간 내에 신속처리대상안건의 심사를 마치지 아니한 때에는 그 기간이 종료된 다음 날에 소관 위원회에서 심사를 마치고 체계·자구심사를 위하여 법제사법위원회로 회부된 것으로 본다.

⑤ 법제사법위원회가 신속처리대상안건에 대하여 제3항에 따른 기간 내에 심사를 마치지 아니한 때에는 그 기간이 종료한 다음 날에 법제사법위원회에서 심사를 마치고 바로 본회의에 부의된 것으로 본다.

⑥ 제5항에 따른 신속처리대상안건은 본회의에 부의된 것으로 보는 날부터 60일 이내에 본회의에 상정되어야 한다.

제□□조(체계·자구의 심사) 위원회에서 법률안의 심사를 마치거나 입안한 때에는 법제사법위원회에 회부하여 체계와 자구에 대한 심사를 거쳐야 한다.

〈상 황〉

○ 국회 재적의원은 300명이고, 지식경제위원회 재적위원은 25명이다.

○ 지식경제위원회에 회부된 안건 X가 3월 2일 신속처리대상안건으로 지정되었다.

① 안건 X는 국회 재적의원 중 최소 150명 또는 지식경제위원회 위원 중 최소 13명의 찬성으로 신속처리대상안건으로 지정되었다.

② 지식경제위원회는 안건 X에 대해 당해년도 10월 1일까지 심사를 마쳐야 한다.

③ 지식경제위원회가 안건 X에 대해 기간 내 심사를 마치지 못했다면, 90일을 연장하여 재심사 할 수 있다.

④ 지식경제위원회가 안건 X에 대해 심사를 마치고 당해년도 7월 1일 법제사법위원회로 회부했다면, 법제사법위원회는 당해년도 9월 29일까지 심사를 마쳐야 한다.

⑤ 안건 X가 당해년도 8월 1일 법제사법위원회로 회부되었고 법제사법위원회가 기간 내 심사를 마치지 못했다면, 다음 해 1월 28일에 본회의에 부의된 것으로 본다.

25

2025년 PSAT 5급 공채 상황판단 22번

다음 글을 근거로 판단할 때 옳은 것은?

제○○조(목적) 이 규정은 외국에 발신하는 공문서와 국가의 중요문서, 그 밖의 시설 또는 물자 등에 대한민국을 상징하는 휘장(徽章) 등으로 사용하기 위한 나라문장(紋章)에 관하여 필요한 사항을 정함을 목적으로 한다.

제00조(사용·도안 등) ① 나라문장은 휘장이나 철인(鐵印)으로 하여 사용한다.

② 나라문장은 가운데에 원으로 된 태극을 그리고 이를 무궁화 꽃잎 5개가 감싸도록 하며, 꽃잎 아래쪽에 한글로 '대한민국'을 표기한다.

③ 제2항의 태극의 윗부분은 빨간색, 아랫부분은 파란색으로 하며, 무궁화 꽃잎은 금색으로 한다. 다만 나라문장을 철인으로 하여 사용할 때는 색을 넣지 않는다.

제○○조(사용) 나라문장은 다음 각 호의 문서, 시설 또는 물자에만 사용할 수 있다.

  1. 외국·국제기구 또는 국내 외국기관에 발신하는 공문서
  2. 1급 이상 상당 공무원의 임명장
  3. 훈장과 훈장증 및 대통령 표창장
  4. 국가공무원 신분증
  5. 국공립 대학교의 졸업증서 및 학위증서
  6. 재외공관 건물
  7. 정부 소유의 선박 및 항공기
  8. 화폐

제○○조(위치) 문서에 휘장이나 철인을 사용할 때에는 해당 문서의 중앙상단부에 오도록 한다.

① 1급 공무원에게 수여되는 국무총리 표창장의 경우, 나라문장을 사용할 수 있다.

② 나라문장을 철인으로 하여 사용할 경우, 무궁화 꽃잎은 금색으로 하여야 한다.

③ 국제연합(UN)의 산하 전문기구인 세계보건기구(WHO)가 대한민국 정부에 발신하는 공문서의 경우, 나라문장을 사용할 수 있다.

④ 미국에 소재하는 대한민국 대사관 건물에 사용하는 나라문장에는 대한민국을 무궁화 꽃잎 아래쪽에 영어로 표기한다.

⑤ 대한민국 정부가 주한 영국대사관에 발신하는 공문서에 나라문장을 사용하는 경우, 나라문장은 해당 문서의 중앙상단부에 위치한다.

26

2016년 PSAT 5급 공채 상황판단 7번

다음 글과 〈상황〉을 근거로 판단할 때, A와 B의 값으로 옳게 짝지어진 것은?

○○국 법원은 손해배상책임의 여부 또는 손해배상액을 정할 때에 피해자에게 과실이 있으면 그 과실의 정도를 반드시 참작하여야 하는데 이를 '과실상계(過失相計)'라고 한다. 예컨대 택시의 과속운행으로 승객이 부상당하여 승객에게 치료비 등 총 손해가 100만 원이 발생하였지만, 사실은 승객이 빨리 달리라고 요구하여 사고가 난 것이라고 하자. 이 경우 승객의 과실이 40%이면 손해액에서 40만 원을 빼고 60만 원만 배상액으로 정하는 것이다. 이는 자기 과실로 인한 손해를 타인에게 전가하는 것이 부당하므로 손해의 공평한 부담이라는 취지에서 인정되는 제도이다.

한편 손해가 발생하였어도 손해배상 청구권자가 손해를 본 것과 같은 원인에 의하여 이익도 보았을 때, 손해에서 그 이익을 공제하는 것을 '손익상계(損益相計)'라고 한다. 예컨대 타인에 의해 자동차가 완전 파손되어 자동차 가격에 대한 손해배상을 청구할 경우, 만약 해당 자동차를 고철로 팔아 이익을 얻었다면 그 이익을 공제하는 것이다. 주의할 것은, 국가배상에 의한 손해배상금에서 유족보상금을 공제하는 것과 같이 손해를 일으킨 원인으로 인해 피해자가 이익을 얻은 경우이어야 손익상계가 인정된다는 점이다. 따라서 손해배상의 책임 원인과 무관한 이익, 예컨대 사망했을 경우 별도로 가입한 보험계약에 의해 받은 생명보험금이나 조문객들의 부의금 등은 공제되지 않는다. 과실상계를 할 사유와 손익상계를 할 사유가 모두 있으면 과실상계를 먼저 한 후에 손익상계를 하여야 한다.

〈상 황〉

○○국 공무원 甲은 공무수행 중 사망하였다. 법원이 인정한 바에 따르면 국가와 甲 모두에게 과실이 있고, 손익상계와 과실상계를 하기 전 甲의 사망에 의한 손해액은 6억 원이었다. 甲의 유일한 상속인 乙은 甲의 사망으로 유족보상금 3억 원과 甲이 개인적으로 가입했던 보험계약에 의해 생명보험금 6천만 원을 수령하였다. 그밖에 다른 사정은 없었다. 법원은 甲의 과실을 A%, 국가의 과실을 B%로 판단하여 국가가 甲의 상속인 乙에게 배상할 손해배상금을 1억 8천만 원으로 정하였다.

	A	B
①	20	80
②	25	75
③	30	70
④	40	60
⑤	70	30

27

다음 글에 대한 추론으로 적절한 것만을 〈보기〉에서 모두 고르면?

대마는 크게 두 가지 유형의 화학물질을 가지고 있다. 테트라하이드로칸나비놀(THC)과 칸나비디올(CBD)이다. 이들은 화학식이 같지만 화학구조는 다르다. 두 물질은 세 개의 고리에 알킬 사슬과 수산기가 붙어 있다. 다만 THC는 CBD에 없는 테트라하이드로퓨란 고리를 가진다. 테트라하이드로퓨란 고리는 THC를 3차원으로 만들어 신경전달물질의 수용체와 더욱 친화적으로 결합하도록 만든다.

THC는 정신 활성 성분으로 이는 사람의 기분을 좋게 만들고 취한 듯한 상태로 이끈다. 이에 반해 CBD는 정신 활성 효과가 거의 없다. 이러한 차이 때문에 미국은 THC가 0.3% 이하로 포함된 대마, 대마 품종, 파생물 및 추출물 등을 헴프로, 그 외의 것들은 마리화나로 부른다. THC 성분이 0.3% 이하가 되도록 품종이 개량된 대마나 THC가 0.3% 이하인 대마 오일, 대마에서 추출한 CBD 등이 모두 헴프인 셈이다.

THC와 CBD가 각각 다른 효과를 내는 이유는 두 물질의 작용 기전을 파악함으로써 알 수 있다. 두 물질은 엔도칸나비노이드 시스템(ECS)을 통해 우리 몸에 작용한다. ECS는 에너지 균형이나 음식 섭취, 지질과 당 대사를 조절하는 중요한 메커니즘으로 세 가지 요소인 엔도칸나비노이드, 칸나비노이드 수용체, 효소가 상호작용하며 이뤄진다.

먼저 엔도칸나비노이드는 몸속에서 합성되는 물질로 칸나비노이드 수용체인 CB1, CB2와 결합하여 기분이나 통증, 식욕, 면역 반응 등을 조절한다. 엔도칸나비노이드가 만들어지면 이것이 수용체와 만나 신경에 영향을 미치는데 보통 식욕이 올라가거나 통증이 억제되는 등의 반응이 나타난다. 일정 시간이 지나면 효소가 엔도칸나비노이드를 분해하며 일련의 반응이 사라진다.

THC는 CB1, CB2 수용체와 직접 결합하여 작용한다. 그중 CB1과 더 강하게 결합하는데 CB1은 주로 뇌에, CB2는 말초 신경에 위치한다. THC가 뇌 쪽에 위치한 CB1과 강하게 결합하면 도파민이 과도하게 분비되어 환각, 기억력 저하, 기분 변화 등의 향정신성 작용을 유발한다. THC는 주로 뇌에서 작용하기 때문에 대마를 장기적으로 사용할 경우 단기 기억 상실이나 정신적 병증 등의 큰 부작용으로 이어질 수 있다.

이에 반해 CBD는 CB1, CB2와 직접 결합하지 않는다. 대신 CBD는 엔도칸나비노이드의 일종인 아난다마이드를 소포체로 옮기는 효소의 작용을 억제해 세포 내에 아난다마이드가 더 오래 머물도록 한다. 즉 아난다마이드가 CB1, CB2와 결합해 작용하는 과정이 더 오래 지속되도록 하여 통증을 완화하거나 염증을 완화하는 작용을 하는 것이다.

쾌감이나 중독성과는 무관한 CBD는 암이나 발작, 불안증세의 치료에 유용하다는 연구가 여럿 있다. 2018년 미국은 CBD 약물을 뇌전증 치료제로 사용하는 것을 승인했다. 뇌전증 발작을 일으키던 환아가 고순도의 CBD를 복용하면 발작 증상이 즉시 호전되기 때문이다.

www.megals.co.kr

보기

ㄱ. CBD에는 테트라하이드로퓨란 고리가 없어 아난다마이드의 작용을 둔화시킨다.

ㄴ. THC는 아난다마이드를 소포체로 옮기도록 하여 CBD에 비해 상대적으로 강력한 부작용이 나타난다.

ㄷ. 세 개의 고리에 알킬 사슬과 수산기가 붙어 있는 물질 중 헴프에 속하는 물질이 있다.

① ㄱ   ② ㄷ   ③ ㄱ, ㄷ
④ ㄴ, ㄷ   ⑤ ㄱ, ㄴ, ㄷ

I

28

다음 글을 근거로 판단할 때, 〈보기〉에서 옳은 것만을 모두 고르면?

무릇 오곡이란 백성들이 생존의 양식으로 의존하는 것이기에 군주는 식량 증산에 힘쓰지 않을 수 없고, 재물을 쓰는 데 절약하지 않을 수 없다.

오곡 가운데 한 가지 곡식이 제대로 수확되지 않으면 이것을 근(饉)이라 하고, 두 가지 곡식이 제대로 수확되지 않으면 이것을 한(旱)이라고 한다. 세 가지 곡식이 제대로 수확되지 않으면 이것을 흉(凶)이라고 한다. 또 네 가지 곡식이 제대로 수확되지 않으면 이것을 궤(饋)라고 하고, 다섯 가지 곡식 모두 제대로 수확되지 않으면 이것을 기(饑)라고 한다. 근이 든 해에는 대부(大夫) 이하 벼슬하는 사람들은 모두 봉록의 5분의 1을 감봉한다. 한이 든 해에는 5분의 2를 감봉하고, 흉이 든 해에는 5분의 3을 감봉하고, 궤가 든 해에는 5분의 4를 감봉하며, 기가 든 해에는 아예 봉록을 주지 않고 약간의 식량만을 지급할 뿐이다.

곡식이 제대로 수확되지 않으면 군주는 먹던 요리의 5분의 3을 줄이고, 대부들은 음악을 듣지 않으며, 선비들은 농사에 힘쓸 뿐 배우러 다니지 않는다. 군주는 조회할 때 입는 예복이 낡아도 고쳐 입지 않고, 사방 이웃 나라의 사신들에게도 식사만을 대접할 뿐 성대한 잔치를 베풀지 않는다. 또 군주가 행차할 때 수레를 끄는 말의 수도 반으로 줄여 두 마리만으로 수레를 끌게 한다. 길을 보수하지 않고, 말에게 곡식을 먹이지 않으며, 궁녀들은 비단옷을 입지 않는다. 이것은 식량이 부족함을 백성들에게 인식시키고자 함이다.

보기

ㄱ. 대부 이하 벼슬하는 사람이 근(饉)이 들었을 때 받을 수 있는 봉록은 궤(饋)가 들었을 때 받을 수 있는 봉록의 4배일 것이다.

ㄴ. 오곡 모두 제대로 수확되지 않으면 대부 이하 벼슬하는 사람들은 봉록과 식량을 전혀 지급받지 못했을 것이다.

ㄷ. 곡식이 제대로 수확되지 않으면 군주가 행차할 때 탄 수레는 곡식을 먹인 말 두 마리가 끌었을 것이다.

ㄹ. 곡식이 제대로 수확되지 않으면 군주는 먹던 요리를 5분의 4로 줄였을 것이다.

① ㄱ   ② ㄷ   ③ ㄱ, ㄴ
④ ㄴ, ㄹ   ⑤ ㄱ, ㄷ, ㄹ

29

다음 글을 근거로 판단할 때 옳은 것은?

제○○조(행위제한) ① 사람이 거주하지 아니하거나 극히 제한된 지역에만 거주하는 섬으로서 자연생태계 보전을 위하여 환경부장관이 지정하여 고시하는 도서(이하 '특정도서'라 한다)에서 다음 각 호의 어느 하나에 해당하는 행위를 하여서는 아니 된다.
1. 건축물 또는 공작물의 신축·증축
2. 택지의 조성, 토지의 형질변경, 토지의 분할
3. 도로의 신설
4. 폐기물을 매립하거나 버리는 행위
② 제1항에도 불구하고 다음 각 호의 어느 하나에 해당하는 경우에는 제1항을 적용하지 아니한다.
1. 군사·항해·조난구호 행위
2. 재해의 발생 방지 및 대응을 위하여 필요한 행위
3. 국가가 시행하는 해양자원개발 행위
③ 제2항에 따른 행위를 한 자는 그 행위의 내용과 결과를 환경부장관에게 통보하여야 한다.
제○○조(허가) 환경부장관은 특정도서의 지정 목적에 지장이 없다고 인정하는 경우에는 다음 각 호의 어느 하나에 해당하는 행위를 허가할 수 있다. 다만 문화유산으로 지정된 특정도서에 대하여는 미리 국가유산청장과 협의하여야 한다.
1. 국가나 지방자치단체가 등산로, 산책로, 공중화장실, 정자 등을 설치하는 행위
2. 자연생태계의 연구·조사를 목적으로 하는 행위

① 특정도서에서의 도로 신설이 군사 행위인 경우 그 행위의 내용과 결과를 환경부장관에게 통보할 필요가 없다.

② 특정도서에 거주하는 주민은 재해발생 방지를 위해 필요한 경우에도 특정도서에서의 공작물 신축 행위를 할 수 없다.

③ 환경부장관이 특정도서에서 건축물의 증축을 허가하기 위해서는 미리 국가유산청장과 협의하여야 한다.

④ 민간기업이 영리 목적으로 특정도서에 산책로를 설치하려는 경우 환경부장관은 이를 허가할 수 있다.

⑤ 특정도서에서 자연생태계의 연구·조사를 목적으로 하는 행위에 대해 환경부장관의 허가를 얻으면 그 행위를 할 수 있다.

30

다음 글을 근거로 판단할 때, 〈사례〉에서 甲이 乙에게 지급을 청구하여 받을 수 있는 최대 손해배상액은?

채무자가 고의 또는 과실로 인하여 채무의 내용에 따른 이행을 하지 않으면 채권자는 채무자에게 손해배상을 청구할 수 있다. 채권자가 채무불이행을 이유로 채무자로부터 손해배상을 받으려면 손해의 발생사실과 손해액을 증명하여야 하는데, 증명의 어려움을 해소하기 위해 손해배상액을 예정하는 경우가 있다.

손해배상액의 예정은 장래의 채무불이행 시 지급해야 할 손해배상액을 사전에 정하는 약정을 말한다. 채권자와 채무자 사이에 손해배상액의 예정이 있으면 채권자는 실손해액과 상관없이 예정된 배상액을 청구할 수 있지만, 실손해액이 예정액을 초과하더라도 그 초과액을 배상받을 수 없다. 그리고 손해배상액을 예정한 사유가 아닌 다른 사유로 발생한 손해에 대해서는 손해배상액 예정의 효력이 미치지 않는다. 따라서 이로 인한 손해를 배상받으려면 별도로 손해의 발생사실과 손해액을 증명해야 한다.

〈사 례〉

甲과 乙은 다음과 같은 공사도급계약을 체결하였다.

○ 계약당사자 : 甲(X건물 소유주) / 乙(건축업자)
○ 계약내용 : X건물의 리모델링
○ 공사대금 : 1억 원
○ 공사기간 : 2015. 10. 1. ~ 2016. 3. 31.
○ 손해배상액의 예정 : 공사기간 내에 X건물의 리모델링을 완료하지 못할 경우, 지연기간 1일당 위 공사대금의 0.1%를 乙이 甲에게 지급

그런데 乙의 과실로 인해 X건물 리모델링의 완료가 30일이 지연되었고, 이로 인해 甲은 500만 원의 손해를 입었다. 또한 乙이 고의로 불량자재를 사용하여 부실공사가 이루어졌고, 이로 인해 甲은 1,000만 원의 손해를 입었다. 甲은 각각의 손해발생사실과 손해액을 증명하여 乙에게 손해배상을 청구하였다.

① 500만 원　② 800만 원　③ 1,300만 원
④ 1,500만 원　⑤ 1,800만 원

31

다음 글과 〈상황〉을 근거로 판단할 때, A가 지급하여야 하는 총액은?

중세 초기 아일랜드 법체계에는 자유의 몸인 사람을 모욕할 경우 모욕한 사람이 모욕당한 사람에게 지급해야 하는 배상금인 '명예가격'이 존재했고, 액수도 천차만별이었다. 예를 들어 영주의 명예가격은 5쿠말이었다. 이는 주교의 명예가격과 동일했다. 주교를 모욕했을 경우 젖소 10마리나 은 20온스를 지급해야 했다. 부유한 농민의 명예가격은 젖소 2.5마리에 그 사람에게 딸린 하인 한 사람 당 젖소 0.5마리를 더한 것이었다.

명예가격은 사람 목숨에 대한 배상금과 별도로 지급했다. 만일 누군가 사람을 죽였다면, 그 범죄자는 살해에 대한 배상인 10쿠말 외에 명예가격을 따로 얹어 지급해야 했다. 그를 죽임으로써 그의 존엄을 짓밟았기 때문이다. 부상에 대한 배상도 마찬가지였다. 다른 사람에게 어떤 종류이든 상처나 부상을 입히면 그 상해에 대한 가격에 명예가격까지 지급해야 했다. 왕이나 영주 또는 주교에게 상해를 가했을 경우 2쿠말, 부유한 농민의 경우는 젖소 2마리, 소작농이나 다른 남자의 경우는 젖소 1마리, 그리고 여성이나 아이의 경우 은 1온스를 상해에 대한 배상으로 지급해야 했다. 이와 비슷하게 어떤 사람이 다른 사람의 재물을 훔치거나 손해를 끼쳤을 경우, 훔치거나 손해를 끼친 재산가치의 세 배의 배상액에 소유자의 명예가격을 더하여 지급해야 했다.

영주의 보호를 받는 소작농이나 영주의 아내 또는 딸을 다치게 하거나 죽이는 행위는 피해자의 명예를 훼손한 것이 아니라 그 피해자를 보호하는 사람의 명예를 훼손하는 것이었다. 따라서 이러한 살해, 부상 또는 손해 등에 대한 영주의 명예가격도 해당 사안 각각에 따로 청구되었다.

〈상 황〉

A는 자신이 살고 있는 지역의 주교를 죽이고, 영주의 얼굴에 상처를 입히고, 영주의 아내의 다리를 부러뜨리고, 각각 하인을 10명씩 거느리고 있는 부유한 농민 2명을 죽이는 큰 사고를 냈다.

① 은 209온스
② 은 219온스
③ 은 229온스
④ 은 239온스
⑤ 은 249온스

32

다음 글과 〈정보〉를 근거로 추론할 때 옳지 않은 것은?

외계행성은 태양계 밖의 행성으로, 태양이 아닌 다른 항성 주위를 공전하고 있는 행성이다. 외계행성을 발견하면, 그 행성이 공전하고 있는 항성의 이름 바로 뒤에 알파벳 소문자를 붙여 이름을 부여하게 되는데, 발견된 순서에 따라 알파벳 b부터 순서대로 붙인다. 예를 들어, '글리제 876 d'는 '글리제 876' 항성 주위를 공전하는 외계행성이며, 이 행성계 내의 행성 중에서 세 번째로 발견되었음을 알 수 있다.

한편 행성은 그 특성에 따라 다양한 별칭을 얻기도 한다. 행성은 질량을 기준으로 지구형 행성과 목성형 행성으로 구분된다. 이 기준의 경계는 다소 불분명한 편이나, 일반적으로 목성 질량의 0.9배 이상은 목성형 행성, 그 미만은 지구형 행성(지구처럼 목성보다 작은 질량을 가진 행성)으로 불린다. 목성형 행성은 다른 행성에 미치는 영향에 따라 사악한 행성, 선량한 행성으로 불리기도 한다. 질량이 큰 목성형 행성이 항성 가까이에 있을 경우, 항성을 흔들고 다른 행성의 공전궤도를 교란시키거나 소행성을 날리는 경우가 많기 때문에 사악한 행성이라는 별칭을 얻게 된다. 반면, 항성에서 멀리 떨어져 있는 경우, 내부의 다른 지구형 행성으로 날아가는 소행성이나 혜성을 막아주는 역할을 하므로 선량한 행성으로 불린다.

또한 표면온도에 따라 뜨거운 행성과 차가운 행성으로 구분된다. 항성으로부터 적절한 거리를 유지하고 있어 표면이 지나치게 뜨겁지도 차갑지도 않아 생물이 생존하는 데 필요한 액체 상태의 물이 존재할 수 있는 표면온도를 갖는 행성을 골디락스 행성이라고 부른다.

〈정 보〉

최근 국제 공동연구팀이 고성능 망원경으로 핑크색 외계행성을 발견했으며, 이 핑크색 외계행성은 'GJ 504 b'로 명명되었다. 역대 발견된 외계행성 중에서 가장 질량이 작은 이 핑크색 외계행성은 목성 질량의 4배이고, 목성이 태양 주위를 도는 궤도보다 9배 더 먼 거리에서 항성 주위를 공전하는 것으로 전해졌다. 공동연구팀은 "행성의 표면온도는 섭씨 약 238도이며, 약 1억 6,000만 년 전 생성된 것으로 추정된다. 그리고 물과 외계 생명체는 존재하지 않는 것으로 확인되었다"고 밝혔다.

① 'GJ 504 b'는 목성형 행성이다.

② 'GJ 504' 항성 주변을 돌고 있는 행성 중 발견된 것은 총 2개이다.

③ 역대 발견된 외계행성은 모두 지구보다 질량이 크다고 볼 수 있다.

④ 'GJ 504 b'는 골디락스 행성이라 불릴 수 없다.

⑤ 'GJ 504 b'가 내부의 다른 지구형 행성으로 날아가는 소행성이나 혜성을 막아주는 역할을 하게 된다면, 선량한 행성으로 불릴 수 있다.

33

다음 〈민간위탁 교육훈련사업 계약〉을 근거로 판단할 때, 〈보기〉에서 계약 위반행위만을 모두 고르면?

〈민간위탁 교육훈련사업 계약〉

(가) 계약금액(사업비)은 7,000만 원이고, 계약기간은 1월 1일부터 12월 31일까지이다.

(나) 甲은 乙에게 사업비의 50%에 해당하는 금액을 반기(6개월)별로 지급하며, 乙이 청구한 날로부터 14일 이내에 지급하여야 한다.

(다) 乙은 하반기 사업비 청구시 상반기 사업추진실적과 상반기 사업비 사용내역을 함께 제출하여야 하며, 甲은 이를 확인한 후 지급한다.

(라) 乙은 사업비를 위탁받은 교육훈련 이외의 다른 용도로 사용하여서는 안 된다.

(마) 乙은 상·하반기 사업비와는 별도로 매 분기(3개월) 종료 후 10일 이내에 관련 증빙서류를 구비하여 甲에게 훈련참여자의 취업실적에 따른 성과인센티브의 지급을 청구할 수 있다.

(바) 甲은 (마)에 따른 관련 증빙서류를 확인한 후 인정된 취업실적에 대한 성과인센티브를 취업자 1인당 10만 원씩 지급한다.

보기

ㄱ. 乙은 9월 10일 교육훈련과 관련없는 甲의 등산대회에 사업비에서 100만 원을 협찬하였다.

ㄴ. 乙은 1월 25일에 상반기 사업비 지급을 청구하였으며, 甲은 2월 10일에 3,500만 원을 지급하였다.

ㄷ. 乙은 8월 8일에 하반기 사업비 지급을 청구하면서 상반기 사업추진실적 및 사업비 사용내역을 제출하였다.

ㄹ. 乙은 10월 9일에 관련 증빙서류를 구비하여 성과인센티브의 지급을 청구하였으나, 甲은 증빙서류의 확인을 거부하고 지급하지 않았다.

① ㄱ, ㄷ   ② ㄴ, ㄹ   ③ ㄱ, ㄴ, ㄷ

④ ㄱ, ㄴ, ㄹ   ⑤ ㄴ, ㄷ, ㄹ

다음 글과 〈법조문〉을 근거로 판단할 때, 甲이 乙에게 2,000만 원을 1년간 빌려주면서 선이자로 800만 원을 공제하고 1,200만 원만을 준 경우, 乙이 갚기로 한 날짜에 甲에게 전부 변제하여야 할 금액은?

돈이나 물품 등을 빌려 쓴 사람이 돈이나 같은 종류의 물품을 같은 양만큼 갚기로 하는 계약을 소비대차라 한다. 소비대차는 이자를 지불하기로 약정할 수 있고, 그 이자는 일정한 이율에 의하여 계산한다. 이런 이자는 돈을 빌려 주면서 먼저 공제할 수도 있는데, 이를 선이자라 한다. 한편 약정 이자의 상한에는 법률상의 제한이 있다.

〈법조문〉
제○○조 ① 금전소비대차에 관한 계약상의 최고이자율은 연 30%로 한다.
② 계약상의 이자로서 제1항에서 정한 최고이자율을 초과하는 부분은 무효로 한다.
③ 약정금액(당초 빌려주기로 한 금액)에서 선이자를 사전 공제한 경우, 그 공제액이 '채무자가 실제 수령한 금액'을 기준으로 하여 제1항에서 정한 최고이자율에 따라 계산한 금액을 초과하면 그 초과부분은 약정금액의 일부를 변제한 것으로 본다.

① 760만 원
② 1,000만 원
③ 1,560만 원
④ 1,640만 원
⑤ 1,800만 원

다음 글을 근거로 판단할 때 옳은 것은?

○ 상호를 양도하기 위해서는 영업을 폐지하여야 한다. 영업을 함께 양도하는 경우에도 상호를 양도할 수 있다.
○ 영업주(상점주인)가 자신을 대신하여 물건을 판매할 지배인을 고용한 경우, 지배인은 물건을 판매하면서 영업주를 위하여 판매한다고 고객에게 표시하지 않아도 그 판매행위는 영업주가 한 행위와 같은 것으로 본다.
○ 타인의 부탁을 받고 타인의 물건을 자신의 이름으로 직접 매매하고 그 대가를 받는 사람은, 그 물건을 매수한 사람에 대하여 매매로 인하여 발생하는 권리를 직접 취득하고 의무를 부담한다.
○ 고객의 물건을 창고에 보관해 주고 대가를 받는 것을 영업으로 하는 사람이 그 보관 물건의 멸실이나 훼손으로 인하여 책임을 부담해야 하는 경우, 고객은 물건이 출고된 날로부터 1년 이내에 그 책임을 물을 수 있다.
○ 합병을 하는 회사의 일방 또는 쌍방이 주식회사 또는 유한회사인 때에는 합병 후 존속하는 회사 또는 합병으로 인하여 설립되는 회사는 주식회사 또는 유한회사이어야 한다. (회사의 종류에는 합명회사, 합자회사, 유한책임회사, 주식회사, 유한회사가 있다)

① 갑 주식회사와 을 유한회사는 합병을 통해 두 회사를 모두 소멸시키고 새로운 병 합명회사를 설립할 수 있다.
② '진국설렁탕'이라는 명칭으로 식당을 운영해 온 갑은 자신이 영업을 계속하면서 '진국설렁탕'이라는 명칭을 을에게 양도할 수 있다.
③ '안전창고'라는 명칭으로 물건보관의 영업을 해 온 갑은 을의 물건을 보관하던 중 관리직원의 실수로 그 물건을 훼손했는데, 을은 그 물건을 찾아갔다. 을은 2년 뒤 갑에게 손해배상을 청구할 수 있다.
④ '명품가구대리점' 주인 갑을 대신하여 가구를 판매하기 위해 고용된 지배인 을은 갑이 주인이라는 것을 밝히지 않고 고객 병과 침대 매매계약을 체결하면서 받은 계약금을 가지고 잠적하였다. 병은 갑에게 잔금을 지급하면서 침대의 인도를 청구할 수 있다.
⑤ 갑은 을에게 자신의 물건을 을의 이름으로 팔아줄 것을 부탁하면서 물건 값의 5%를 수고의 대가로 지급하기로 하였다. 을은 친구 병을 믿고 매매계약을 체결한 후 대금도 받기 전에 먼저 갑의 물건을 넘겨주었다. 병에게 물건대금의 지급을 청구할 수 있는 사람은 갑이다.

36

2012년 PSAT 5급 공채 상황판단 6번

다음 글에 근거할 때, 옳게 추론한 것을 〈보기〉에서 모두 고르면?

○○국은 양원제이면서 양당제 국가이다. ○○국의 상원의원과 하원의원 선거구는 동일하며, 총 26개이다. 상·하원의원 모두 임기는 4년이다. 하원의원 선거는 1970년에 처음 실시되었고, 상원의원 선거도 그로부터 2년 후에 처음 실시되었다. ○○국의 하원의원 선거 투표율은 1982년부터 1990년까지 지속적으로 하락했다. 1982년 선거에서는 총 유권자의 30%가 투표에 참가하였고, 투표자의 59%가 여당을, 41%가 야당을 지지하였다. 하지만 1990년 선거에서는 총 유권자의 80% 이상이 투표에 참여하지 않았으며, 투표자 중 54%가 여당을, 46%가 야당을 지지하였다. 1990년 선거에서 투표율이 가장 높은 선거구는 37%의 투표율을 보인 A선거구였고, 이 투표율은 1970년 이후 가장 높은 수치였다. 그 다음은 31%의 투표율을 보인 B선거구였다. A·B선거구를 제외한 나머지 24개 선거구 각각의 투표율은 1982년과 1986년의 해당 선거구의 투표율보다 더 낮았다.

※ 상원의원 선거와 하원의원 선거는 매 4년마다 실시되었다.

---- 보기 ----

ㄱ. 1980년에는 상원의원 선거가 실시되었다.

ㄴ. 1984년 선거의 투표율은 30% 미만에 머물렀다.

ㄷ. A선거구의 투표율은 매 선거마다 다른 선거구보다 더 높았다.

ㄹ. 1990년 선거에서 A·B선거구를 제외한 24개 선거구 가운데 투표율이 20%를 넘는 선거구가 있을 수 있다.

ㅁ. 1982년부터 1990년 사이의 하원의원 선거에서 여당과 야당의 득표율 차이는 지속적으로 줄어들었다.

① ㄱ, ㄴ   ② ㄱ, ㄹ   ③ ㄱ, ㄹ, ㅁ

④ ㄴ, ㄷ, ㄹ   ⑤ ㄴ, ㄷ, ㅁ

37

2012년 PSAT 5급 공채 상황판단 31번

다음 글에 근거할 때, 옳은 것을 〈보기〉에서 모두 고르면?

○ 甲국은 지역 A와 B로 이루어져 있고 두 지역의 인구수는 같다. 이 국가의 중앙정부와 A, B지역의 지방정부는 소득에 비례하여 소득세를 징수하며, 그 총액은 공공지출의 총액과 동일하다. 중앙정부는 두 지역의 주민으로부터 징수한 소득세 전체액수의 50%씩을 두 지역에 이전한다. 지방정부는 자체 징수한 소득세와 중앙정부로부터 이전받은 소득세 모두를 공공부문에 지출한다. A지역의 주민 1인당 소득은 $100, B지역은 $200이다. 중앙정부의 소득세율은 주민 1인당 소득의 20%이며 지방정부의 주민 1인당 소득세율은 10%이다. 그런데 내년부터 甲국은 중앙정부의 소득세율은 10%로, 지방정부의 소득세율은 20%로 각각 조정할 예정이다.

○ 주민 1인당 소득대비 공공부문 이득비율 공식은 다음과 같다.
주민 1인당 소득대비 공공부문 이득비율(%)

$$= \frac{주민\ 1인당\ 공공지출 - 주민\ 1인당\ 소득세}{주민\ 1인당\ 소득} \times 100$$

○ A, B지역의 내년도 주민 1인당 소득은 올해와 동일하다고 가정한다.

---- 보기 ----

ㄱ. 甲국의 조세정책의 변화로 A, B지역 모두의 공공지출은 증가할 것이다.

ㄴ. 올해 A지역의 주민 1인당 소득대비 공공부문 이득비율은 10%이다.

ㄷ. 내년 A지역의 주민 1인당 소득대비 공공부문 이득비율은 5%p 증가할 것이다.

ㄹ. 내년 B지역의 주민 1인당 소득대비 공공부문 이득비율은 −2.5%이다.

① ㄱ, ㄴ   ② ㄱ, ㄷ   ③ ㄴ, ㄹ

④ ㄱ, ㄷ, ㄹ   ⑤ ㄴ, ㄷ, ㄹ

38

다음 글의 밑줄 친 ⊙~㉣ 가운데 '부사적 지능'의 의미로 사용된 것을 모두 고르면?

열매를 따기 위해서 침팬지는 직접 나무에 올라가기도 하지만 상황에 따라서는 도구를 써서 열매를 떨어뜨리기도 한다. 누구도 침팬지에게 막대기를 휘두르라고 하지 않았다. 긴 막대기가 열매를 얻는 효과적인 방법이라고는 할 수 없다. 여하튼 침팬지는 인간처럼 스스로 이 방법을 고안했고 직접 나무를 오르는 대신 이 방법을 쓴 것이다. 이를 두고 침팬지는 ⊙지능적으로 열매를 딴다고 할 만하다.

동일한 문제를 똑같이 잘 해결하는 두 개의 시스템 중 하나가 다른 것보다 훨씬 복잡하게 구성되어 있다면 둘 중 어떤 것이 더 지능적이라고 말할 수 있을까? 아마도 더 단순하게 구성된 시스템을 더 ⓒ지능적이라고 말해야 할 것이다. 똑같은 일을 훨씬 적은 힘을 들여 처리할 수 있으니 말이다. 그렇다고 더 단순한 해결책을 더 지능적인 해결책이라고 한다면, 간단하고 단순한 것을 지능적인 것의 반대로 여기는 일반적인 사고방식에 위배되는 것처럼 보인다. 따라서 '지능'이라는 말의 의미를 구분할 필요가 있다.

와트의 원심력 조절 기계를 생각해보자. 외부의 영향을 받지 않고 항상 일정하게 증기기관의 회전수를 유지시켜주는 이 기구는 단순하지만 섬세한 장치이다. 이 기계의 시스템은 역학 과정을 수행하여 일정한 회전수를 유지한다는 정해진 목표를 제대로 수행한다. 이를 놓고 '이 기계는 주어진 과제를 ⓒ지능적으로 해결하고 있다'고 말할 수 있다. 여기서 '지능적으로'라는 부사를 통해서 의미하는 바는 어떤 것이 외부에서 주어진 과제를 효율적으로 수행하고 있다는 것이며, 이런 의미의 '지능'을 '부사적 지능'이라고 부를 수 있다. 반면, 또 다른 의미의 '지능'은 '명사적 지능'이라고 불리는 것이다. 명사적 지능을 가진 주체는 주어진 과제를 수행하는 과정에서 실수를 하기도 하고 이 과정을 수행하는 데 필요한 것보다 더 많은 것을 동원하기도 하지만, 여러 수단 중에서 하나를 선택하고 그 결과를 미리 예상한다. 어떤 것을 '지능적'이라고 여길 때에는 이 두 의미 중 하나만이 적용될 수 있다는 점을 잊지 말아야 한다.

뛰어난 체스 컴퓨터는 대부분의 사람들을 상대로 체스 게임에서 상대방보다 더 ㉣지능적으로 말을 움직인다. 하지만 많은 과학자들은 체스 컴퓨터와는 다른 의미에서 지능적인 로봇을 꿈꾼다. 즉, 인간과 동일한 의미에서 지능적인 로봇을 만드는 것이 그들의 과제인 것이다.

① ⊙, ㉢
② ㉡, ㉢
③ ⊙, ㉡, ㉣
④ ⊙, ㉢, ㉣
⑤ ㉡, ㉢, ㉣

39

다음 규정을 근거로 판단할 때 옳은 것은?

제○○조 ① 법률이 헌법에 위반되는 여부가 재판의 전제가 된 때에는 당해 사건을 담당하는 법원은 직권 또는 당사자의 신청에 의한 결정으로 헌법재판소에 위헌여부의 심판을 제청한다.
② 법률의 위헌여부심판의 제청신청이 기각된 때에는 그 신청을 한 당사자는 헌법재판소에 위헌여부의 심판을 청구할 수 있다.
③ 제2항에 의한 헌법소원심판은 위헌여부심판의 제청신청을 기각하는 결정을 통지받은 날로부터 30일 이내에 청구하여야 한다.
제○○조 ① 국가 공권력의 행사 또는 불행사로 인하여 헌법상 보장된 기본권을 직접 침해받은 자는 법원의 재판을 제외하고는 헌법재판소에 헌법소원심판을 청구할 수 있다. 다만 다른 법률에 구제절차가 있는 경우에는 그 절차를 모두 거친 후가 아니면 청구할 수 없다.
② 헌법소원의 심판은 그 사유가 있음을 안 날부터 90일 이내 또는 그 사유가 있은 날부터 1년 이내에 청구하여야 한다.
제○○조 체포·구속·압수 또는 수색을 할 때에는 적법한 절차에 따라 검사의 신청에 의하여 법관이 발부한 영장을 제시하여야 한다.

① 살인죄로 인하여 사형선고를 받은 조직폭력배 A는 그 판결이 헌법상의 생명권을 침해한다는 이유로 헌법소원심판을 청구할 수 있다.

② 임산부에게 낙태를 허용하는 것이 인간의 존엄성을 침해한다고 생각하는 국회의원 B는 낙태 정당화 사유를 정하고 있는 관련 법률 규정의 위헌여부심판을 청구할 수 있다.

③ 영장 없이 체포되어 구속·수감 중인 C는 다른 법률의 구제절차가 없는 경우, 일정한 기간 내에 헌법상의 권리인 신체의 자유가 침해되었음을 이유로 헌법소원심판을 청구할 수 있다.

④ 간통죄로 기소되어 재판을 받고 있는 회사원 D는 관련 법률 규정이 자신의 행복추구권을 침해하고 있다는 이유로 기소후 90일 이내에 직접 헌법재판소에 위헌여부심판을 청구할 수 있다.

⑤ 회사 간부로부터 회사의 세무비리를 폭로하지 못하도록 강요받은 그 회사의 고문변호사 E는 그 사실이 있는 날부터 1년 이내에 헌법상의 권리인 양심 및 표현의 자유가 침해당했다는 이유로 헌법소원심판을 청구할 수 있다.

40

다음 규정을 근거로 판단할 때 옳은 것을 〈보기〉에서 모두 고르면?

제○○조 평온[1]·공연[2]하게 동산을 양수[3]한 자가 선의[4]이며 과실 없이 그 동산을 점유한 경우에는 양도인이 정당한 소유자가 아닌 때에도 즉시 그 동산의 소유권을 취득한다.

제○○조 전조(前條)의 경우에 그 동산이 도품(盜品)이나 유실물(遺失物)인 때에는 피해자 또는 유실자는 도난 또는 유실한 날로부터 2년 내에 그 물건의 반환을 청구할 수 있다. 그러나 도품이나 유실물이 금전인 때에는 그러하지 아니하다.

제○○조 양수인이 도품 또는 유실물을 경매나 공개시장에서 또는 같은 종류의 물건을 판매하는 상인으로부터 선의로 매수한 때에는 피해자 또는 유실자는 양수인이 지급한 대가를 변상하고 그 물건의 반환을 청구할 수 있다.

제○○조 유실물은 법률에 정한 바에 의하여 공고한 후 1년 내에 그 소유자가 권리를 주장하지 않으면 습득자가 그 소유권을 취득한다.

※ 1) 평온(平穩) : 평상시의 상태
   2) 공연(公然) : 불특정 또는 다수의 사람이 알 수 있는 상태
   3) 양수(讓受) : 권리·재산 및 법률상의 지위 등을 남에게서 넘겨받음 ↔ 양도(讓渡)
   4) 선의(善意) : 당해 사실을 모르고 있는 경우

보기

ㄱ. A가 밤늦게 길을 가다가 MP3기기를 주웠는데 MP3기기의 소유자를 알 수 없는 경우, 습득자인 A가 공고없이 MP3기기의 소유권을 취득한다.

ㄴ. A가 한 달 전에 잃어버린 자전거를 B가 평온·공연하게 선의이며 과실 없이 중고 자전거판매점에서 구입하여 타고 다니는 것을 알았을 경우, A는 B가 지급한 대가를 변상하고 자전거의 반환을 청구할 수 있다.

ㄷ. A가 3년 전에 도난당한 시계를 B가 정육점 주인 C로부터 선의취득한 경우, A는 B가 지급한 대가를 변상하고 시계의 반환을 청구할 수 있다.

ㄹ. A가 B 소유의 카메라를 빌려 사용하고 있는 C로부터 평온·공연하게 선의이며 과실 없이 그 카메라를 구입하여 사용하고 있는 경우, A는 카메라의 소유자가 된다.

① ㄱ, ㄴ   ② ㄱ, ㄷ   ③ ㄴ, ㄷ
④ ㄴ, ㄹ   ⑤ ㄷ, ㄹ

41~42

다음 글을 읽고 물음에 답하시오.

대한민국 국제사법

제○○조(목적) 이 법은 외국적 요소가 있는 법률관계에 관하여 국제재판관할에 관한 원칙과 준거법※을 정함을 목적으로 한다.

제○○조(혼인의 성립) ① 혼인의 성립요건은 각 당사자에 관하여 그 본국법에 의한다.

② 혼인의 방식은 혼인거행지법 또는 당사자 일방의 본국법에 의한다.

제○○조(혼인의 일반적 효력) 혼인의 일반적 효력은 다음 각 호에 정한 법의 순위에 의한다.

1. 부부의 동일한 본국법
2. 부부의 동일한 상거소지법(常居所地法)※
3. 부부와 가장 밀접한 관련이 있는 곳의 법

제○○조(부부재산제) ① 부부재산제※에 관하여는 제○○조(혼인의 일반적 효력) 규정을 준용한다.

② 부부가 합의에 의하여 다음 각 호의 법 중 어느 것을 선택한 경우에는 부부재산제는 제1항의 규정에 불구하고 그 법에 의한다. 다만, 그 합의는 일자(日字)와 부부의 기명날인 또는 서명이 있는 서면으로 작성된 경우에 한하여 그 효력이 있다.

1. 부부 중 일방이 국적을 가지는 법
2. 부부 중 일방의 상거소지법(常居所地法)
3. 부동산에 관한 부부재산제에 대하여는 그 부동산의 소재지법

※ 준거법 : 재판에서 기준으로 삼는 법. 국제사법에서는 내국인과 외국인, 외국인과 외국인 사이의 법률 분쟁을 해결하기 위해서 당사자들이 대한민국 법원에 소를 제기한 경우, 그 사건에 적용하여야 할 본국법 또는 외국법

※ 상거소지 : 상시 거주하는 장소

※ 부부재산제 : 혼인을 한 당사자가 혼인 당시에 재산을 가지고 있거나 혼인 후에 새로이 재산을 취득하는 경우 그 재산의 귀속과 관리에 관련된 제도

41. 다음 〈상황〉에서 A군과 B양의 혼인의 성립요건에 관하여 대한민국 법원에서 다툼이 있을 때 적용할 준거법은?

〈상 황〉

대한민국 국적인 A군(당시 만 20세)은 2002년 미국에서 유학 중 일본 국적의 유학생인 B양(당시 만 19세)을 만나 부모의 동의 없이 독일에서 혼례를 올리고 현재 미국 X주에서 살고 있다.

① 대한민국 법

② 일본 법

③ 독일 법

④ 미국 X주 법

⑤ A군에게는 대한민국 법이, B양에게는 일본 법이 각각 적용된다.

42. 다음 〈상황〉에서 C와 D의 부부 재산문제를 해결하기 위해 적용해야 하는 준거법은? (다만 제시된 내용 이외의 다른 조건은 없는 것으로 가정한다.)

〈상 황〉

미국의 X주에서 혼례를 올리고 그 이후로 5년간 계속 미국의 Y주에 거주하고 있는 법률상 부부 C(대한민국 국적)와 D(일본 국적)는 1억 달러 상당의 로또에 당첨되었다. 두 사람은 당첨 금액 중 절반은 미국의 Z주의 부동산에 투자하였고, 나머지는 Y주의 한 은행에 예치하였다.

그런데 C와 D는 부부 간에 재산의 소유나 관리에 관한 다툼이 생길 경우를 대비하여 "부부 간의 부동산 문제는 당해 부동산 소재지법에 따라 해결한다."고 서면으로 합의하였는데, 날짜를 기입하지 않은 채 서명한 후 보관해 두었다. 한국을 방문한 C와 D는 어떤 문제로 인해 갈등을 겪게 되었다. 두 사람은 결국 부부 간의 재산문제를 해결하기 위해 대한민국 법원에 제소하였다.

① 대한민국 법　　② 일본 법　　③ 미국 X주 법
④ 미국 Y주 법　　⑤ 미국 Z주 법

43

다음 글을 근거로 판단할 때 옳은 것은?

제○○조(도서관자료의 납본) ① 누구든지 도서관이 수집·정리·보존하는 도서관자료(온라인 자료는 제외한다. 다만 온라인 자료 중 국제표준자료번호를 부여받은 온라인 자료는 포함한다. 이하 이 조에서 같다)를 발행 또는 제작한 경우 그 발행일 또는 제작일부터 30일 이내에 그 도서관자료를 국립중앙도서관에 납본하여야 한다. 수정증보판인 경우에도 또한 같다.
② 국가, 지방자치단체 및 공공기관이 제1항에 따라 도서관자료를 국립중앙도서관에 납본하는 경우에는 디지털파일 형태로도 납본하여야 한다.
③ 국립중앙도서관은 제1항 및 제2항에 따라 도서관자료를 납본한 자에게 지체 없이 납본 증명서를 발급하여야 하며, 납본한 도서관자료의 전부 또는 일부가 판매용인 경우에는 그 도서관자료에 대하여 정당한 보상을 하여야 한다.
제○○조(온라인 자료의 수집) ① 국립중앙도서관은 국내에서 서비스되는 온라인 자료 중에서 보존가치가 높은 온라인 자료를 선정하여 수집·보존하여야 한다.
② 국립중앙도서관은 온라인 자료가 기술적 보호조치에 따라 수집이 제한되는 경우 해당 온라인 자료 제공자에게 협조를 요청할 수 있고, 요청을 받은 자는 특별한 사유가 없으면 이에 따라야 한다.
③ 국립중앙도서관은 제1항에 따라 수집하는 온라인 자료의 전부 또는 일부가 판매용인 경우에는 그 온라인 자료에 대하여 정당한 보상을 하여야 한다.
제○○조(국제표준자료번호) 도서 또는 연속간행물(온라인으로 발행 또는 제작되는 도서 및 연속간행물을 포함한다)을 발행 또는 제작하고자 하는 공공기관, 개인 및 단체는 그 도서 또는 연속간행물에 대하여 국립중앙도서관으로부터 국제표준자료번호를 부여받아야 한다.

※ 납본 : 도서관자료를 발행·제작하는 자가 일정 부수를 법령으로 정하는 기관에 의무적으로 제출하는 것

① 온라인 자료에 대해 국제표준자료번호를 부여받아 납본한 경우, 국립중앙도서관은 지체 없이 납본 증명서를 발급하여야 한다.
② 공공기관이 국제표준자료번호를 부여받지 않은 온라인 자료를 발행한 경우, 디지털파일 형태의 납본의무가 있다.
③ 도서관자료를 납본한 자가 국가라면, 국립중앙도서관은 그 자료의 일부가 판매용인 경우에도 그에 대한 보상의무가 없다.
④ 납본한 도서가 모두 판매되어 해당 도서를 내용 변경 없이 일정 부수를 추가 인쇄한 경우, 추가 인쇄일부터 30일 이내에 이를 국립중앙도서관에 납본하여야 한다.
⑤ 국립중앙도서관은 국내에서 서비스되는 온라인 자료 중 국제표준자료번호를 부여받지 않은 자료에 대해서는 수집·보존의무가 없다.

44

다음 글을 근거로 판단할 때 옳은 것은?

> 제○○조(특수건강진단 등) ① 사업주는 특수건강진단대상업무에 종사하는 근로자의 건강관리를 위하여 특수건강진단을 실시하여야 한다.
> ② 사업주는 제△△조 제1항에 따른 특수건강진단기관에서 특수건강진단을 실시하여야 한다.
> 제□□조(특수건강진단에 관한 사업주의 의무) ① 사업주는 특수건강진단을 실시하는 경우 근로자대표가 요구하면 근로자대표를 참석시켜야 한다.
> ② 사업주는 산업안전보건위원회 또는 근로자대표가 요구할 때에는 특수건강진단 결과에 대하여 설명하여야 한다. 다만 개별 근로자의 특수건강진단 결과는 본인의 동의 없이 공개해서는 아니 된다.
> ③ 사업주는 특수건강진단의 결과 근로자의 건강을 유지하기 위하여 필요하다고 인정할 때에는 작업장소 변경, 작업 전환, 근로시간 단축, 야간근로(오후 10시부터 다음 날 오전 6시까지 사이의 근로를 말한다)의 제한, 작업환경측정 또는 시설·설비의 설치·개선 등 적절한 조치를 하여야 한다.
> 제△△조(특수건강진단기관) ① 의료기관이 특수건강진단을 수행하려는 경우에는 고용노동부장관으로부터 특수건강진단을 할 수 있는 기관(이하 '특수건강진단기관'이라 한다)으로 지정받아야 한다.
> ② 고용노동부장관은 특수건강진단기관의 진단·분석 결과에 대한 정확성과 정밀도를 확보하기 위하여 특수건강진단기관의 진단·분석능력을 확인하고, 특수건강진단기관을 지도하거나 교육할 수 있다.
> ③ 고용노동부장관은 특수건강진단기관을 평가하고 그 결과(제2항에 따른 진단·분석능력의 확인 결과를 포함한다)를 공개할 수 있다.

① 사업주는 특수건강진단을 실시하는 경우 고용노동부장관이 요구하면 근로자대표를 참석시켜야 한다.

② 근로자대표는 산업안전보건위원회의 동의 없이는 사업주가 특수건강진단 결과에 대하여 설명하도록 요구할 수 없다.

③ 산업안전보건위원회는 특수건강진단의 결과 근로자의 건강을 유지하기 위하여 필요하다고 인정할 때에는 야간근로를 제한하는 조치를 하여야 한다.

④ 고용노동부장관은 특수건강진단기관의 진단·분석능력 확인 결과를 포함하여 특수건강진단기관에 대한 평가 결과를 공개할 수 있다.

⑤ 사업주는 근로자대표의 요구가 있다면 개별 근로자의 특수건강진단 결과를 본인 동의 없이 공개할 수 있다.

45

다음 글을 근거로 판단할 때 옳은 것은?

> 제○○조(소방활동 종사명령, 소방활동 비용지급) ① 소방대장은 화재가 발생한 현장에서 소방활동을 위하여 필요할 때에는 그 현장에 있는 사람으로 하여금 사람을 구출하는 일 또는 불을 끄거나 불이 번지지 아니하도록 하는 일을 하게 할 수 있다.
> ② 제1항에 따른 명령에 따라 소방활동에 종사한 사람은 시·도지사로부터 소방활동의 비용을 지급받을 수 있다. 다만 다음 각 호의 어느 하나에 해당하는 사람의 경우에는 그러하지 아니하다.
>   1. 건물·차량·선박·산림·인공구조물 또는 물건(이하 '소방대상물'이라고 한다)에 화재가 발생한 경우 그 소방대상물의 소유자·관리자 또는 점유자
>   2. 고의 또는 과실로 화재를 발생시킨 사람
>   3. 화재 또는 구조·구급 현장에서 물건을 가져간 사람
> 제□□조(강제처분 등) ① 소방대장은 사람을 구출하거나 불이 번지는 것을 막기 위하여 필요할 때에는 화재가 발생하거나 불이 번질 우려가 있는 소방대상물 및 토지에 대한 일시적 사용·사용 제한 등 소방활동에 필요한 처분을 할 수 있다.
> ② 소방대장은 소방활동을 위하여 긴급하게 출동할 때에는 소방자동차의 통행과 소방활동에 방해가 되는 주차 또는 정차된 차량 및 물건 등을 제거하거나 이동시킬 수 있다.
> ③ 소방대장은 제2항에 따른 소방활동에 방해가 되는 주차 또는 정차된 차량의 제거나 이동을 위하여 관할 지방자치단체 등 관련 기관에 견인차량과 인력 등에 대한 지원을 요청할 수 있다.
> ④ 시·도지사는 제3항에 따라 견인차량과 인력 등을 지원한 자에게 비용을 지급할 수 있다.
> 제△△조(손실보상) 소방청장 또는 시·도지사는 다음 각 호의 어느 하나에 해당하는 자에게 손실보상을 하여야 한다.
>   1. 제○○조 제1항에 따른 소방활동 종사로 인하여 사망하거나 부상을 입은 자
>   2. 제□□조 제2항에 따른 처분으로 인하여 손실을 입은 자. 다만 법령을 위반하여 소방자동차의 통행과 소방활동에 방해가 된 경우는 제외한다.

① 화재가 발생한 건물의 소유자가 소방대장의 소방활동 종사명령에 따라 해당 건물에서 사람을 구출하는 일을 한 경우, 그는 소방활동의 비용을 지급받을 수 있다.

② 과실로 화재를 발생시킨 사람이 소방대장의 소방활동 종사명령에 따라 불을 끄는 일을 하던 중 부상을 입은 경우, 그는 손실보상을 받을 수 없다.

③ 소방대장은 사람을 구출하기 위하여 필요할 때에는 불이 번질 우려가 있는 토지의 사용을 일시적으로 제한할 수 있다.

④ 소방대장이 화재진압을 위한 소방자동차의 긴급 출동에 방해가 되는 불법 주차 차량을 이동시키던 중 그 차량이 파손된 경우, 해당 차량을 주차한 소유자는 손실보상을 받는다.

⑤ 소방청장은 소방대장의 요청에 따라 견인차량을 지원한 자에게 견인 비용을 지급하여야 한다.

46

다음 글과 〈상황〉을 근거로 판단할 때 옳은 것은?

공소제기는 법원에 특정한 형사사건의 심판을 청구하는 검사의 소송행위이다. 그러나 공소시효 기간이 만료(공소시효가 완성)된 범죄에 대하여는 검사가 공소를 제기할 수 없다. 공소시효는 범죄 후 일정 기간이 지나면 국가의 형벌소추권을 소멸시키는 제도이다. 따라서 공소시효가 완성된 범죄에 대한 검사의 공소제기는 위법하다.

공소시효는 범죄행위가 종료된 때를 기준으로 계산한다. 예컨대 감금죄의 경우 범죄행위의 종료는 감금된 날이 아니라 감금에서 벗어나는 날이 기준이므로 그날부터 공소시효를 계산한다. 또한 초일은 시간을 계산하지 않고 1일로 산정하며, 기간의 말일이 공휴일이거나 토요일이라도 기간에 산입한다. 연 또는 월 단위로 정한 기간은 연 또는 월 단위로 기간을 계산한다. 예컨대 절도행위가 2021년 1월 5일에 종료된 경우 절도죄의 공소시효는 7년이고 1월 5일을 1일로 계산하므로 2028년 1월 4일 24시에 공소시효가 완성된다.

한편 공소시효는 일정한 사유로 정지될 수 있다. 공소시효가 정지되었다가 그 사유가 없어지면 그날부터 나머지 공소시효 기간이 진행된다. 예컨대 범인이 형사처벌을 면할 목적으로 1년간 국외에 있다가 귀국하였다면 공소시효의 계산에서 1년을 제외한다. 다만 공범이 있는 경우 국외로 출국하지 않은 공범은 그 기간에도 공소시효가 정지되지 않는다.

또한 공소가 제기되면 그때부터 공소시효가 정지되고, 이는 공범의 경우에도 마찬가지이다. 따라서 공범 1인에 대하여 공소가 제기되면 그날부터 다른 공범의 공소시효도 정지되었다가 공범이 재판에서 유죄로 확정된 날부터 다른 공범에 대한 나머지 공소시효 기간이 진행된다. 그러나 공소가 먼저 제기된 사람이 범죄혐의 없음을 이유로 무죄판결을 받은 경우, 다른 공범에 대한 공소시효는 정지되지 않는다.

〈상 황〉

○ 甲은 2015년 5월 1일 피해자를 불법으로 감금하였는데, 피해자는 2016년 5월 2일에 구조되어 감금에서 풀려났다. 甲은 피해자를 감금 후 수사망이 좁혀오자 2개월간 국외로 도피하였다가 2016년 5월 1일에 귀국하였다.

○ 乙, 丙, 丁이 공동으로 행한 A죄의 범죄행위가 2015년 2월 1일 종료되었다. 그 후 乙은 국내에서 도피 중 2016년 1월 1일 공소제기 되어 2016년 6월 30일 범죄혐의 없음을 이유로 무죄 확정판결을 받았다. 한편 丙은 범죄행위 종료 후 형사처벌을 면할 목적으로 1년간 국외에서 도피 생활을 하다가 귀국한 뒤 2020년 1월 1일 공소가 제기되어 2020년 12월 31일 유죄 확정판결을 받았다. 丁은 범죄행위 종료 후 계속 국내에서 도피 중이다.

※ 감금죄의 공소시효는 7년, A죄의 공소시효는 5년임

① 甲에 대해 공소가 제기되기 전 정지된 공소시효 기간은 2개월이다.

② 2023년 5월 1일 甲에 대해 공소가 제기된다면 위법한 공소제기이다.

③ 丙에 대해 공소가 제기되기 전 정지된 공소시효 기간은 1년이다.

④ 丙의 국외 도피기간 중 丁의 공소시효는 정지된다.

⑤ 2022년 1월 31일 丁에 대해 공소가 제기된다면 적법한 공소제기이다.

47

다음 글을 근거로 판단할 때 옳지 않은 것은?

공기업·준정부기관의 예산은 「공공기관의 운영에 관한 법률」
에 따라 편성된다. 기관장은 「공기업·준정부기관 예산편성지침」
에 따라 다음 회계연도의 예산안을 편성하고, 다음 회계연도 개
시 전까지 이사회에 제출하여야 한다. 「공공기관의 운영에 관한
법률」에 따라 공기업·준정부기관의 예산은 예산총칙·추정손익
계산서·추정대차대조표와 자금계획서로 구분하여 편성되며, 총
사업비가 1,000억 원 이상이고 국가재정·공공기관 부담 합계액
이 500억 원 이상인 신규 투자사업 및 자본 출자에 대해서는 미
리 예비타당성조사를 실시하여야 한다.

편성·제출된 예산안은 이사회의 의결로 확정된다. 다만, 다른
법률에서 규정된 주주총회나 출자자총회 등 사원총회의 의결이
나, 기금운용심의회의 의결 등 별도의 절차가 있는 경우 이사회
의결 후 해당 절차를 거쳐 확정하고, 준정부기관의 예산에 관하
여 주무기관의 장의 승인을 거쳐 확정하도록 한 경우에는 이사회
의결을 거친 후 주무기관의 장의 승인을 얻도록 하고 있다. 공기
업·준정부기관은 예산이 확정되면 기획재정부장관, 주무기관의
장 및 감사원장에게 그 내용을 보고하되, 주무기관의 장의 승인을
얻은 기관의 경우에는 주무기관의 장에게 보고된 것으로 본다.

보통 공공기관 예산안의 편성 및 확정과 기획재정부장관 등에
게 보고하는 절차는 모두 12월에 이루어지게 된다. 이는 「공공기
관의 운영에 관한 법률」 제38조에 따라 공기업·준정부기관의 회
계연도가 정부의 회계연도에 따르고 정부 예산안이 국회에 통과되
는 12월이 되어서야 정부의 예산지원 금액이 확정되기 때문이다.

공기업·준정부기관은 「공기업·준정부기관 예산편성지침」에
따라 이사회 개최일 15일 전까지 예산안 및 부속서류(수입·지출
계획서 등)를 이사회 구성원, 주무부처 및 기획재정부에 송부한
다. 예산이 확정된 후 경영목표가 변경되거나 기타 불가피한 사
유로 인하여 예산을 변경하는 경우에는 이사회 개최일 7일 전까
지 송부하며, 이사회의 심의·의결 또는 관계법령에 따라 예산이
확정되거나 변경된 때에는 지체 없이 그 내용을 기획재정부, 주
무부처 및 감사원에 보고한다.

공공기관에 지원되는 정부 예산안이 공공기관 수입 일부를 차
지하기 때문에 공공기관 예산안과 정부 예산안은 연계성이 높다.
따라서, 실무적으로는 정부 예산안 편성 단계부터 정부와 소속
공공기관 예산 담당자 간 협의가 필요하므로 정부의 예산안 편성
절차가 개시되는 시점부터 공공기관 예산안 편성 준비가 이루어
진다고 볼 수 있다.

① 공기업·준정부기관은 이사회의 심의·의결에 따라 예산이 변경된 때에
는 지체 없이 그 내용을 기획재정부, 주무부처 및 감사원에 보고한다.

② 주무기관의 장의 승인을 거쳐 예산안이 확정되는 준정부기관의 경우,
주무기관의 장의 예산에 관한 승인 이전에 수입·지출계획서를 주무
부처에 송부한다.

③ 다른 법률에서 공기업·준정부기관의 예산에 관하여 사원총회의 의
결을 거치도록 한 경우에는 사원총회 의결을 거친 후 이사회에 예산
안을 제출하여야 한다.

④ 총사업비가 1,300억 원, 국가재정·공공기관 부담 합계액이 800억 원
인 신규 투자사업 및 자본 출자에 대해서는 미리 예비타당성조사를
실시하여야 한다.

⑤ 「공공기관의 운영에 관한 법률」에 따라 공기업·준정부기관의 회계연
도는 정부의 회계연도에 따른다.

48

다음 글을 근거로 판단할 때 옳지 않은 것은?

제○○조(위원회의 구성) ① 위원회는 위원장 1명, 부위원장 2명
을 포함한 20명 이상 25명 이내의 위원으로 구성한다.

② 위원은 다음 각 호의 사람 중에서 △△부장관이 위촉하며, 위
원장과 부위원장은 위원 중에서 호선한다. 이 경우 △△부장관은
이 법에 따라 보호되는 권리의 보유자와 그 이용자의 이해를 반
영하는 위원의 수가 균형을 이루도록 하여야 하며, 분야별 단체
등에 위원의 추천을 요청할 수 있다.

  1. 대학이나 공인된 연구기관에서 부교수 이상 또는 이에 상응
    하는 직위에 있거나 있었던 사람으로서 ◇◇ 관련 분야를
    전공한 사람

  2. 판사 또는 검사의 직에 있는 사람 및 변호사의 자격이 있는
    사람

  3. 4급 이상의 공무원 또는 이에 상응하는 공공기관의 직에 있
    거나 있었던 사람으로서 ◇◇ 또는 □□산업 분야에 실무경
    험이 있는 사람

  4. ◇◇ 또는 □□산업 관련 단체의 임원의 직에 있거나 있었
    던 사람

  5. 그 밖에 ◇◇ 또는 □□산업 관련 업무에 관한 학식과 경험
    이 풍부한 사람

③ 위원의 임기는 3년으로 하며, 한 차례만 연임할 수 있다. 다
만, 직위를 지정하여 위촉하는 위원의 임기는 해당 직위에 재임
하는 기간으로 한다.

④ 위원에 결원이 생겼을 때에는 제2항에 따라 보궐위원을 위촉
하여야 하며, 그 보궐위원의 임기는 전임자 임기의 나머지 기간
으로 한다. 다만, 결원 외의 위원의 수가 20명 이상인 경우에는
보궐위원을 위촉하지 아니할 수 있다.

① △△부장관은 분야별 단체 등에 위원의 추천을 요청할 수 있다.

② 위원장이나 부위원장이 아닌 위원이 22명일 수 있다.

③ 위원의 수가 20명인 상황에서 1명의 결원이 발생한 경우에는 보궐위
원을 반드시 위촉하여야 한다.

④ 지난해 정교수의 직급으로 대학에서 퇴직하여 현재 변호사 개업 상
태에 있는 사람은 ◇◇ 관련 분야 전공자가 아니더라도 신규 위원으
로 위촉될 수 있다.

⑤ 임기가 3년 미만이 될 수 있는 위원은 보궐위원으로 위촉된 자뿐이다.

49

다음 글을 근거로 판단할 때, 〈상황〉에서 전차인 丙이 임대인 甲에게 지급해야 하는 차임의 총액으로 옳은 것은?

전대란 임차인이 임차물을 다시 타인에게 임대하는 것을 말하고 이때 새로 임차하는 사람을 전차인이라고 한다. 임차인이 임차물을 전대한 경우, 임대인과 임차인 사이의 종전 임대차계약은 계속 유지되고, 임차인과 전차인 사이에는 별개의 새로운 전대차계약이 성립하므로 전차인은 임차인에게 차임(월세) 지급 의무가 있다. 임차인이 임대인의 동의를 얻어 임차물을 전대한 때에는 전차인은 직접 임대인에 대하여 차임 지급 의무를 부담한다. 그러므로 전차인이 임차인에게 차임을 지급한 이후 임대인이 전차인에게 다시 차임 지급을 요구하면 원칙적으로 전차인은 이중 지급의 위험에 처할 수 있다. 이에 대해 A국은 다음과 같은 기준으로 문제를 해결한다.

(1) 전차인이 전대차계약상의 차임 지급 시기에 또는 그 이후에 임차인에게 차임을 지급했는데 그 후 임대인이 전차인에게 차임 지급을 요구한 경우, 전차인은 이에 응할 의무가 없다.

(2) 전차인이 전대차계약상의 차임 지급 시기 전에 임차인에게 차임을 지급했는데 그 후 임대인이 전차인에 대해 차임 지급을 요구한 경우, 전차인은 임대인에 대해서도 차임 지급 의무가 있다. 그러나 이 경우에도 임대인의 차임 청구 시점 이전에 전대차계약상의 차임 지급 시기가 도래한 부분에 관해서는 전차인은 임대인에 대한 차임 지급 의무를 면한다.

〈상 황〉

甲, 乙, 丙은 A국에 거주 중이다. 甲은 2022. 1. 1. 乙에게 A국 소재 X주택을 월 차임 100만 원(차임은 후불로 매월 말일 지급), 임대차기간 2022. 1. 1.부터 2024. 12. 31.까지로 정해 임대했다. 乙은 甲의 동의를 얻어 2023. 1. 1. 丙에게 X주택을 월 차임 100만 원(차임은 후불로 매월 말일 지급), 임대차기간 2023. 1. 1.부터 2024. 12. 31.까지로 정해 전대했다. 乙은 2022. 1. 1.부터 2023. 12. 31.까지는 각 차임 지급 시기에 甲에게 차임을 모두 지급했다. 丙은 2023. 1. 1.부터 2023. 12. 31.까지는 각 차임 지급 시기에 乙에게 차임을 모두 지급했다. 乙은 2024. 1. 10. 丙으로부터 2024. 1. 1.부터 2024. 12. 31.까지의 1년치 차임 1,200만 원을 먼저 수령하여 행방을 감추었고 2024년에 지급해야 할 차임을 甲에게 전혀 지급하지 않았다. 甲은 2024. 5. 20. 丙에게 2024. 1. 1.부터 2024. 4. 30.까지의 차임 400만 원 및 2024. 5. 1.부터 2024. 12. 31.까지의 월 차임 100만 원을 매달 말일에 자신에게 지급할 것을 청구하였다.

① 지급할 의무가 없다.

② 600만 원

③ 700만 원

④ 800만 원

⑤ 1,200만 원

50

다음 글과 〈상황〉을 근거로 판단할 때, 〈보기〉에서 2024년 과세기준일을 기준으로 甲에게 재산세가 부과되는 경우만을 모두 고르면?

제○○조(과세 기준 및 대상) 사업자는 그 소유 재산에 대하여 납세의무가 있다. 재산세는 과세기준일인 12월 1일을 기준으로 부과하며, 사업자가 소유하는 토지, 건축물, 주택, 항공기 및 선박을 과세 대상으로 한다.

제○○조(비과세) ① 국가, 지방자치단체 또는 지방자치단체조합이 1년 이상 무상으로 공용 또는 공공용으로 사용하는 재산에 대하여는 재산세를 부과하지 아니한다.

② 다음 각 호에 따른 재산에 대하여는 재산세를 부과하지 아니한다.

1. 대통령령으로 정하는 도로·하천·제방 및 묘지
2. 「산림보호법」에 따른 산림보호구역, 그 밖에 공익상 재산세를 부과하지 아니할 타당한 이유가 있는 것으로서 대통령령으로 정하는 토지
3. 임시로 사용하기 위하여 건축된 건축물로서 재산세 과세기준일 현재 건축일로부터 1년 미만의 것
4. 비상재해구조용, 무료도선용, 선교(船橋) 구성용 등으로 사용하는 선박
5. 행정기관으로부터 철거명령을 받은 건축물

〈상 황〉

사업자 甲은 2024. 12. 1. W건축물, X토지, Y임시건축물, Z선박을 소유하고 있다.

보기

ㄱ. 甲이 사용하고 있던 W건축물이 2025. 1. 1. 행정기관으로부터 철거명령을 받는 경우

ㄴ. A광역시가 X토지를 2023. 1. 1.부터 2024. 12. 31.까지 공공용으로 무상 사용하는 경우

ㄷ. 2024. 4. 19. 건축된 Y임시건축물을 甲이 2025. 8. 1.까지 사용하는 경우

ㄹ. 정부가 Z선박을 2024. 3. 1.부터 2024. 12. 31.까지 비상재해구조용 선박으로 무상 사용하는 경우

① ㄱ

② ㄱ, ㄷ

③ ㄴ, ㄹ

④ ㄱ, ㄷ, ㄹ

⑤ ㄴ, ㄷ, ㄹ

51

다음 글에 비추어 볼 때, 〈사례〉에 대한 판단으로 적절한 것만을 〈보기〉에서 모두 고르면?

다음은 사람들이 확률을 활용하여 어떻게 추론하는지를 연구하기 위해 고안한 설문지이다.

---〈설문지〉---

A시에는 택시가 총 100대 있는데, 이 중 초록색 택시가 90%, 파란색 택시가 10%이다. 그런데 안개가 낀 어느 날 밤에 택시 한 대가 사고를 일으키고 달아났다. 사고의 유일한 목격자인 갑은 달아난 택시가 파란색이었다고 증언했다. 이에 법정에서는 갑의 증언이 신뢰할 만한지 판단하기 위해 사고가 난 밤과 동일한 조건에서 실험하였다. 그 결과, 갑의 증언의 정확도는 80%임이 밝혀졌다. 즉, 갑이 초록색 택시를 초록색으로 알아맞힌 비율도, 파란색 택시를 파란색으로 알아맞힌 비율도 80%였다. 이를 바탕으로 올바르게 추론한 결과는 다음 중 어느 것인가?

(a) 그날 사고를 일으키고 달아난 택시가 파란색이었을 확률이 초록색이었을 확률보다 크다.

(b) 그날 사고를 일으키고 달아난 택시가 초록색이었을 확률이 파란색이었을 확률보다 크다.

정답은 (b)이다. 이것은 다음과 같이 설명할 수 있다. 사고 당시와 동일한 조건에서 A시의 모든 택시를 갑에게 보여 주는 실험을 했다고 가정해 보자. 이 실험에서 갑은 90대의 초록색 택시와 10대의 파란색 택시를 본다. 90대의 초록색 택시 중 그가 파란색이라고 부정확하게 식별한 것은 20%, 즉 18대이다. 그리고 10대의 파란색 택시 중 그가 파란색이라고 정확하게 식별한 것은 80%, 즉 8대이다. 결국 이 실험에서 갑이 파란색 택시라고 식별한 것은 모두 26대이지만, 이 중 단 8대만이 실제로 파란색이다. 따라서 갑이 본 달아난 택시가 실제로 파란색일 확률은 8/26로 약 31%이고, 초록색일 확률은 18/26로 약 69%이다.

그런데 설문 조사 결과, 대다수의 사람들이 (a)를 택했다. 그 이유는 사람들이 기저율을 무시하는 경향이 있기 때문인데, 이렇게 기저율을 무시하여 생기는 오류를 기저율 오류라고 한다. 위 설문지에는 A시의 전체 택시 중에서 파란색 택시의 비율 및 A시의 전체 택시 중에서 초록색 택시의 비율이 기저율로 제시되어 있다. (a)를 택했다면 갑의 증언의 정확도가 80%라는 사실에 초점을 맞춰 추론하면서 A시에 있는 대부분의 택시가 초록색이라는 사실을 무시했기 때문일 것이다.

우리가 합리적 추론을 하기 위해 지켜야 할 원칙 중 하나로 전체 증거의 원칙이 있다. 전체 증거의 원칙이란 확보된 모든 증거를 고려하여 추론해야 한다는 것이다. 위 설문지에서 (a)를 택한 사람들은 기저율을 고려하지 않고 갑의 증언의 정확도에만 초점을 맞춰 추론함으로써 전체 증거의 원칙을 어긴 것이다.

〈사 례〉

을은 100만 명 중 한 명의 비율로 걸리는, 즉 기저율이 1/1,000,000인 병 X에 대한 검사를 받았다. 이 검사법의 정확도는 99%이다. 즉 이 검사법은 X에 걸렸을 때 99%의 확률로 양성 반응이 나타나고, 걸리지 않았을 때 99%의 확률로 음성 반응이 나타난다. 을은 X가 1/1,000,000의 확률로 걸리는 희귀병이라는 점과 그 검사법의 정확도에 대해 알고 있다.

〈보기〉

ㄱ. 을은 X에 대한 검사에서 양성 반응이 나올 확률이 그렇지 않을 확률보다 크다고 판단할 것이다.

ㄴ. 을이 기저율을 무시한다면, 을은 X에 대한 검사에서 양성 반응이 나왔을 때, 자신이 X에 실제로 걸렸을 확률이 걸리지 않았을 확률보다 크다고 판단할 것이다.

ㄷ. 을이 기저율을 무시하지 않는다면, 을은 X에 대한 검사에서 양성 반응이 나왔을 때, 자신이 X에 실제로 걸렸을 확률이 걸리지 않았을 확률보다 작다고 판단할 것이다.

① ㄱ   ② ㄷ   ③ ㄱ, ㄴ

④ ㄴ, ㄷ   ⑤ ㄱ, ㄴ, ㄷ

52

다음 글과 〈상황〉을 근거로 판단할 때, 甲이 A대학을 졸업하기 위해 추가로 필요한 최소 취득학점은?

△△법 제◇◇조(학점의 인정 등) ① 전문학사학위과정 또는 학사학위과정을 운영하는 대학(이하 '대학'이라 한다)은 학생이 다음 각 호의 어느 하나에 해당하는 경우에 학칙으로 정하는 바에 따라 이를 해당 대학에서 학점을 취득한 것으로 인정할 수 있다.
  1. 국내외의 다른 전문학사학위과정 또는 학사학위과정에서 학점을 취득한 경우
  2. 전문학사학위과정 또는 학사학위과정과 동등한 학력·학위가 인정되는 평생교육시설에서 학점을 취득한 경우
  3. 「병역법」에 따른 입영 또는 복무로 인하여 휴학 중인 사람이 원격수업을 수강하여 학점을 취득한 경우
② 제1항에 따라 인정되는 학점의 범위와 기준은 다음 각 호와 같다.
  1. 제1항제1호에 해당하는 경우 : 취득한 학점의 전부
  2. 제1항제2호에 해당하는 경우 : 대학 졸업에 필요한 학점의 2분의 1 이내
  3. 제1항제3호에 해당하는 경우 : 연(年) 12학점 이내
제□□조(편입학 등) 학사학위과정을 운영하는 대학은 다음 각 호에 해당하는 학생을 편입학 전형을 통해 선발할 수 있다.
  1. 전문학사학위를 취득한 자
  2. 학사학위과정의 제2학년을 수료한 자

〈상 황〉
○ A대학은 학칙을 통해 학점인정의 범위를 △△법에서 허용하는 최대 수준으로 정하고 있다.
○ 졸업에 필요한 최소 취득학점은 A대학 120학점, B전문대학 63학점이다.
○ 甲은 B전문대학에서 졸업에 필요한 최소 취득학점만으로 전문학사학위를 취득하였다.
○ 甲은 B전문대학 졸업 후 A대학 3학년에 편입하였고 군복무로 인한 휴학 기간에 원격수업을 수강하여 총 6학점을 취득하였다.
○ 甲은 A대학에 복학한 이후 총 30학점을 취득하였고, 1년 동안 미국의 C대학에 교환학생으로 파견되어 총 12학점을 취득하였다.

① 9학점   ② 12학점   ③ 15학점
④ 22학점   ⑤ 24학점

53

다음 글을 근거로 판단할 때, 〈보기〉에서 옳은 것만을 모두 고르면?

제○○조(기본직접지불금 지급대상자) ① 다음 각 호의 어느 하나에 해당하는 자는 기본직접지불금의 지급대상자가 된다.
  1. 후계농업경영인, 전업농업인
  2. 2016년 1월 1일부터 2019년 12월 31일까지의 기간 중 종전의 농업소득보전직접지불금 또는 종전의 조건불리지역소득보조금을 1회 이상 정당하게 지급받은 농업인
② 제1항 제2호에 해당하는 자 중 농촌(읍·면을 말한다) 외의 지역에 주소를 둔 자는 다음 각 호의 어느 하나에 해당하는 경우에 한하여 제1항에 따른 기본직접지불금의 지급대상자가 된다.
  1. 같은 시·군·구에 소재하는 1만제곱미터 이상의 농지를 경작하는 농업인
  2. 연간 농업소득금액이 900만 원 이상인 농업인
③ 제1항에도 불구하고 다음 각 호의 어느 하나에 해당하는 자는 기본직접지불금의 지급대상자가 될 수 없다.
  1. 연간 비농업소득금액이 3,700만 원 이상인 자
  2. 경작하는 농지의 면적이 1천제곱미터 미만인 자
④ 제3항 제2호에 따른 농지의 면적을 계산할 때는 다음 각 호의 면적을 모두 제외하여 계산한다.
  1. 휴경 중인 농지의 면적
  2. 「농지법」 제11조 제1항에 따라 농지처분 명령을 받은 농지의 면적

※ 1) 연간 소득금액 = 연간 농업소득금액 + 연간 비농업소득금액
  2) 행정구역은 시·군·구 안에서 읍·면·동으로 구분됨. 따라서 '동'은 농촌에 해당하지 않음
  3) 1헥타르 = 10,000m²
  4) 〈보기〉의 상황 외에 별도 언급이 없는 경우, 휴경 중인 농지가 없고, 농지처분 명령을 받은 적이 없음

〈보기〉

ㄱ. 2018년 3월 1일에 종전의 조건불리지역소득보조금을 정당하게 지급받고, □□시 △△동에 주소를 두며, 0.5헥타르의 농지를 경작하는 농업인 甲(연간 농업소득금액이 900만 원, 연간 소득금액이 4,500만 원)은 기본직접지불금의 지급대상자가 된다.
ㄴ. □□시 ◇◇읍에 주소를 두고 20,000m²의 농지를 경작하지만 1헥타르 농지에 대하여 휴경 중인 전업농업인 乙(연간 농업소득금액이 800만 원, 연간 소득금액이 4,400만 원)은 기본직접지불금의 지급대상자가 된다.
ㄷ. □□시 △△동에 주소를 두고 1.5헥타르의 농지를 경작하는 후계농업경영인 丙이 14,700m²의 농지에 대하여 「농지법」 제11조 제1항에 따라 농지처분 명령을 받는 경우 기본직접지불금의 지급대상자가 될 수 없다.
ㄹ. ○○군 ▽▽면에 주소를 두고 0.6헥타르의 농지를 경작하며 연간 비농업소득금액이 없는 농업인 丁이 2015년 8월 28일에 종전의 조건불리지역소득보조금을 정당하게 지급받은 적이 있는 경우, 기본직접지불금의 지급대상자가 된다.

① ㄱ, ㄴ   ② ㄱ, ㄷ   ③ ㄴ, ㄹ
④ ㄱ, ㄴ, ㄷ   ⑤ ㄴ, ㄷ, ㄹ

54

다음 글에서 알 수 없는 것은?

왜 지구에서 만들 인공태양은 태양보다 더 높은 온도를 갖는 상태를 유지해야 할까? 핵융합 반응은 플라스마의 밀도와 온도를 곱한 값이 일정 수준에 도달했을 때 발생한다. 플라스마 덩어리인 태양의 중심부 온도는 약 1,500만 ℃이지만, 태양은 큰 질량과 그에 따른 중력에 의해 내부의 플라스마 밀도가 높아서 핵융합 반응이 일어날 수 있다. 하지만 질량이 훨씬 작은 지구에서 태양과 유사한 밀도의 플라스마를 구현하기란 불가능하다. 따라서 플라스마의 온도를 태양보다 훨씬 더 높게, 즉 1억 ℃가 넘게 만들어야 지구에서도 태양에서와 같은 핵융합 반응이 일어나게 할 수 있다. 이를 위해 과학자들은 다양한 플라스마 가열 방식을 사용한다.

플라스마를 가열하는 방식 중에는 공명 가열과 중성 입자 빔 주입이 있다. 공명 가열은 플라스마 내에 있는 이온과 전자 중 무엇을 가열하는지에 따라 이온 공명 가열과 전자 공명 가열로 나뉜다. 외부에서 가하는 힘의 주파수가 힘이 가해진 이온이나 전자가 가진 고유 주파수와 같으면 공명이 일어난다. 공명이 일어나면 이온이나 전자는 원래보다 더 큰 진폭으로 진동을 하면서 해당 이온이나 전자를 가지고 있는 물질의 온도가 올라가게 된다. 이와 같이 공명을 일으키기 위해, 이온 공명 가열의 경우에는 수십 메가헤르츠 대역의 주파수를, 전자 공명 가열의 경우에는 수만 ~ 수십만 메가헤르츠 대역의 주파수를 사용한다.

중성 입자 빔 주입은 외부에서 가속된 고에너지의 중성 입자를 플라스마 속으로 투입하여 플라스마를 가열하는 방식이다. 투입된 중성 입자는 플라스마 내의 이온과 충돌을 일으켜 에너지를 전달하고 온도를 높인다. 중성 입자 빔 주입 방식과 공명 가열 방식을 사용하는 우리나라의 핵융합 연구 장치 케이스타는 1억 ℃에서 48초간 플라스마를 유지하는 실험에 성공하였다.

① 케이스타는 고온의 플라스마를 얻기 위해 공명 가열 방식을 사용하고 있다.

② 핵융합 장치에서 공명을 일으킬 때 전자의 경우는 이온의 경우보다 더 높은 주파수를 사용한다.

③ 중성 입자 빔 주입 방식을 통해 플라스마 내로 투입되는 중성 입자는 플라스마 속에 들어와서 가속된다.

④ 공명 가열은 외부에서 가해지는 힘의 주파수와 그 힘을 받는 이온이나 전자의 고유 주파수가 같을 때 가능하다.

⑤ 지구에서 플라스마의 밀도를 더 높일 수 있다면 1억 ℃보다 더 낮은 온도에서 핵융합 반응을 일으키는 것이 가능하다.

55

다음 글에서 추론할 수 있는 것만을 〈보기〉에서 모두 고르면?

도체인 금속 내부에는 음전하를 띤 다수의 자유 전자들이 존재하는데, 이것들은 금속 내에 고정된 양이온들 사이에서 자유롭게 움직일 수 있다. 도체 내부에서 자유 전자는 양이온들에 의해 당겨지고 다른 자유 전자들에 의해 밀쳐지면서, 각각에 작용하는 전기력의 합력이 0이 되도록 위치하게 된다.

금속에 전자들을 추가하여 금속을 대전시키면 추가된 전자들은 어디에 위치하게 될까? 대전된 상황에서도 금속 내부의 모든 전자에 작용하는 전기력의 합력은 0이어야 한다. 그런데 만약 금속 내부의 어떤 위치에 전자가 추가된다면, 이 전자는 새로운 전기력을 발생시킬 것이기 때문에 이를 상쇄하기 위해 원래 있던 자유 전자들이 이동할 것이고 이러한 이동으로 인해 또 다른 자유 전자들의 위치도 재조정되어야 한다. 그러나 이러한 위치 재조정은 금속 내부 공간에서는 완료될 수 없다. 따라서 금속 내부에는 새로운 전자가 놓일 자리가 없다.

금속이 대전될 때 추가된 전자들이 내부로 들어갈 수 없다면 그 전자들은 모두 표면에 존재할 수밖에 없다. 이 경우 대전된 금속의 내부에 있는 자유 전자에 작용하는 전기력의 합력은 0인 반면, 표면에 있는 전자에 작용하는 전기력의 합력은 0이 아니다. 이때 표면의 전자에는 표면에 수직인 바깥 방향으로 전기력의 합력이 작용한다.

───────── 보기 ─────────

ㄱ. 대전되지 않은 금속 내부에서 자유 전자에 작용하는 전기력의 합력은 0이 된다.

ㄴ. 금속에 전자들이 추가되면 금속 표면에 있는 전자는 외부로 향하는 전기력의 합력을 받는다.

ㄷ. 도체가 대전되면 도체 내부의 자유 전자에 작용하는 전기력의 합력은 0이 아니다.

① ㄱ   ② ㄷ   ③ ㄱ, ㄴ

④ ㄴ, ㄷ   ⑤ ㄱ, ㄴ, ㄷ

56

다음 글에서 추론할 수 있는 것만을 〈보기〉에서 모두 고르면?

사람의 폐는 한쪽 끝만 열려 있는 주머니 형태로 되어 있다. 이 때문에 폐에서 공기는 항상 일정하게 한 방향으로 흐르지 못하고 기도를 통해 들어오고 나갈 수밖에 없다. 이때 폐나 기도에 있는 공기를 완전히 비울 수 없으므로 언제나 폐나 기도에 공기가 남게 된다. 숨을 쉬는 동안 교환되는 공기량은 들이마시고 내쉬는 공기량을 측정하는 장치인 폐활량계로 직접 측정할 수 있지만, 폐나 기도에 남아 있는 공기량은 직접 측정할 수 없어 간접적인 방법을 이용해야 한다.

한편, 호흡 중 폐와 기도에 수용되는 공기량은 크게 네 종류로 나눌 수 있다. 휴식 시 사람이 한 번 숨 쉴 때 들어오는 공기량과 나가는 공기량은 같다. 이때, 들이마시거나 내쉬는 공기량을 1회 호흡량이라고 한다. 우리는 의식적으로 공기를 1회 호흡량보다 더 들이마실 수 있는데, 최대로 공기를 들이마실 때 1회 호흡량에서 추가로 늘어나는 공기량을 흡식예비용량이라고 한다. 이와 반대로 의식적으로 공기를 1회 호흡량보다 더 내쉴 수 있는데, 최대로 공기를 내쉴 때 1회 호흡량에서 추가로 나가는 공기량을 호식예비용량이라고 한다. 공기를 최대한 내쉬고도 일부 공기는 여전히 폐와 기도에 남아 있는데 이 공기량을 잔기량이라고 한다. 다시 말해서 휴식 시 호흡 중에 1회 호흡량을 내쉬었을 때 폐와 기도에 남아 있는 공기량은 호식예비용량과 잔기량의 합이다.

이 네 종류의 공기량 중 두 가지 이상의 공기량의 합을 폐용량이라고 한다. 폐용량에는 여러 종류가 있다. 흡식예비용량, 호식예비용량, 1회 호흡량을 모두 합친 것을 폐활량이라고 한다. 폐활량과 잔기량을 합친 것은 전폐용량이라고 하며 1회 호흡량과 흡식예비용량을 합친 것은 흡식용량이라고 한다. 또한 호식예비용량과 잔기량을 합친 것은 기능적 잔기용량이라고 한다.

보기

ㄱ. 전폐용량은 폐활량계로 직접 측정할 수 없다.

ㄴ. 폐용량을 크기가 큰 것부터 차례로 나열하면 전폐용량, 폐활량, 기능적 잔기용량, 흡식용량이다.

ㄷ. 공기를 최대한 들이마신 상태에서 폐와 기도 내에 들어 있는 공기량은 폐활량보다 크다.

① ㄱ   ② ㄴ   ③ ㄱ, ㄷ

④ ㄴ, ㄷ   ⑤ ㄱ, ㄴ, ㄷ

57

다음 〈상황〉을 근거로 판단할 때, 〈대안〉의 월 소요 예산 규모를 비교한 것으로 옳은 것은?

〈상 황〉

○ 甲사무관은 빈곤과 저출산 문제를 해결하기 위한 대안을 분석 중이다.

○ 전체 1,500가구는 자녀 수에 따라 네 가지 유형으로 구분할 수 있는데, 그 구성은 무자녀 가구 300가구, 한 자녀 가구 600가구, 두 자녀 가구 500가구, 세 자녀 이상 가구 100가구이다.

○ 전체 가구의 월 평균 소득은 200만 원이다.

○ 각 가구 유형의 30%는 맞벌이 가구이다.

○ 각 가구 유형의 20%는 빈곤 가구이다.

〈대 안〉

A안 : 모든 빈곤 가구에게 전체 가구 월 평균 소득의 25%에 해당하는 금액을 가구당 매월 지급한다.

B안 : 한 자녀 가구에는 10만 원, 두 자녀 가구에는 20만 원, 세 자녀 이상 가구에는 30만 원을 가구당 매월 지급한다.

C안 : 자녀가 있는 모든 맞벌이 가구에 자녀 1명당 30만 원을 매월 지급한다. 다만 세 자녀 이상의 맞벌이 가구에는 일률적으로 가구당 100만 원을 매월 지급한다.

① A < B < C   ② A < C < B   ③ B < A < C

④ B < C < A   ⑤ C < A < B

58

다음 글을 근거로 판단할 때 옳지 않은 것은?

여러분이 컴퓨터 키보드의 @ 키를 하루에 몇 번이나 누르는지 한번 생각해 보라. 아마도 이메일 덕분에 사용 빈도가 매우 높을 것이다. 이탈리아에서는 '달팽이', 네덜란드에서는 '원숭이 꼬리'라 부르고 한국에서는 '골뱅이'라 불리는 이 '앳(at)' 키는 한때 수동 타자기와 함께 영영 잊혀질 위기에 처하기도 하였다.

6세기에 @은 라틴어 전치사인 'ad'를 한 획에 쓰기 위한 합자(合字)였다. 그리고 시간이 흐르면서 @은 베니스, 스페인, 포르투갈 상인들 사이에 측정 단위를 나타내는 기호로 사용되었다. 베니스 상인들은 @을 부피의 단위인 암포라(amphora)를 나타내는 기호로 사용하였으며, 스페인과 포르투갈의 상인들은 질량의 단위인 아로바(arroba)를 나타내는 기호로 사용하였다. 스페인에서의 1아로바는 현재의 9.5kg에 해당하며, 포르투갈에서의 1아로바는 현재의 12kg에 해당한다. 이후에 @은 단가를 뜻하는 기호로 변화하였다. 예컨대 '복숭아 12개@1.5달러'로 표기한 경우 복숭아 12개의 가격이 18달러라는 것을 의미했다.

@ 키는 1885년 미국에서 언더우드 타자기에 등장하였고 20세기까지 자판에서 자리를 지키고 있었지만 사용 빈도는 점차 줄어들었다. 그런데 1971년 미국의 한 프로그래머가 잊혀지다시피 하였던 @ 키를 살려낸다. 연구개발 업체에서 인터넷상의 컴퓨터 간 메시지 송신기술 개발을 담당했던 그는 @ 키를 이메일 기호로 활용했던 것이다.

※ ad : 현대 영어의 'at' 또는 'to'에 해당하는 전치사

① 1960년대 말 @ 키는 타자기 자판에서 사라지면서 사용빈도가 점차 줄어들었다.

② @이 사용되기 시작한 지 1,000년이 넘었다.

③ @이 단가를 뜻하는 기호로 쓰였을 때, '토마토 15개@3달러'라면 토마토 15개의 가격은 45달러였을 것이다.

④ @은 전치사, 측정 단위, 단가, 이메일 기호 등 다양한 의미로 활용되어 왔다.

⑤ 스페인 상인과 포르투갈 상인이 측정 단위로 사용했던 1@는 그 질량이 동일하지 않았을 것이다.

59

다음 글의 〈실험 결과〉에 대한 분석으로 적절한 것만을 〈보기〉에서 모두 고르면?

탄소나노튜브(CNT)는 탄소 원자들이 육각형 모양으로 연결된 그래핀이 원통형 구조로 되어있는 신소재이다. CNT는 단일벽 나노튜브(SW-CNT), 이중벽 나노튜브(DW-CNT), 다중벽 나노튜브(MW-CNT) 세 종류뿐이다. SW-CNT는 한 겹의 그래핀이 원통형 모양을 갖는 구조이며 DW-CNT는 두 겹의 그래핀이 동심(同心)의 원통을 이루고 있다. 반면 MW-CNT는 3겹 이상의 그래핀이 동심의 원통을 이룬다. CNT에는 육각형 모양의 결정 구조에서 배열이 깨진 비결정 부분이 일부 존재하는데, 비결정 부분이 전체 CNT에서 차지하는 비율이 작을수록, 즉 결정성이 클수록 CNT의 물성이 우수하다.

라만 분석법은 시료에 쏘아 준 레이저가 산란하면서 파장이 변하는 라만 현상을 이용하는 방법이다. 이를 통해 CNT 샘플의 결정성과 CNT 샘플 속 3종의 CNT의 존재에 관한 정보를 얻을 수 있다. 라만 스펙트럼은 파장에 반비례하는 값인 파수를 가로축으로, 빛의 세기를 세로축으로 하는 곡선으로 표현된다. CNT 샘플에서는 공통적으로 파수 $1,590 \text{ cm}^{-1}$ 근처인 G 밴드에서 피크가 나타난다. 또한 비결정 부분이 있을 때 파수 $1,340 \text{ cm}^{-1}$ 근처인 D 밴드에 피크가 나타나는데, G 밴드의 피크 높이를 D 밴드의 피크 높이로 나눈 값이 클수록 CNT 샘플의 결정성이 크다. 또한, CNT 샘플에 SW-CNT나 DW-CNT가 존재할 때 그리고 오직 그 때에만 파수 300 cm^{-1} 이하에서 피크가 나타난다.

한 연구자는 CNT 샘플 α, β, γ를 확보하고 라만 분석을 수행하여 다음과 같은 결과를 얻었다.

〈실험 결과〉

α와 β의 D 밴드의 피크는 높이가 서로 같았으나 G 밴드의 피크는 α가 β보다 높았다. 또한 β는 D 밴드의 피크보다 G 밴드의 피크가 더 높았다. γ의 경우 D 밴드의 피크와 G 밴드의 피크는 높이가 같았고, 이 높이는 β의 D 밴드의 피크의 2배였다. 파수 300 cm^{-1} 이하에서의 피크는 β에서만 관찰되었다.

보기

ㄱ. 결정성이 큰 것부터 CNT 샘플을 차례로 나열하면 α, β, γ이다.

ㄴ. α와 달리 β는 2종 이상의 CNT로 이루어져 있다.

ㄷ. γ는 MW-CNT로만 이루어져 있다.

① ㄴ   ② ㄷ   ③ ㄱ, ㄴ

④ ㄱ, ㄷ   ⑤ ㄱ, ㄴ, ㄷ

60

다음 글을 근거로 판단할 때, (가)와 (나)에 들어갈 수를 옳게 짝지은 것은?

태양광 발전은 태양의 빛에너지를 전기에너지로 바꾸는 발전 방식이다. 태양광 발전 효율은 기상 요소, 지리 요소, 설비 요소 등의 영향을 받는다. 발전 효율이 가장 높아지는 태양광 패널의 최적 온도는 25℃이며, 일사량이 많은 맑은 날에 발전 효율이 높다. 우리나라의 경우, 위도가 낮을수록 태양의 고도가 높아 태양광 발전 효율이 향상된다. 또한 해발 고도가 높을수록 발전 효율도 높은데, 그 이유는 태양광 발전 시스템의 설비가 지표로부터 방출되는 복사열의 영향을 덜 받기 때문이다. 패널 경사각 또한 태양광 발전 효율에 큰 영향을 미치는데, 태양광 패널과 태양광선의 각도가 90°일 때 가장 효율이 높다.

태양광 발전의 장점은 태양으로부터 에너지 자원을 거의 무한에 가깝게 공급받을 수 있으며, 발전 과정 자체만 봤을 때 이산화탄소가 발생하지 않는다는 것이다. 또한 전기를 끌어오기 힘든 장소에서도 쉽게 설치할 수 있을 만큼 발전 설비가 단순하고, 보수 및 유지 관리에 비용이 적게 든다. 그러나 패널 생산 과정에서의 유해물질 발생, 폐패널 처리 문제, 설치에 따른 환경 파괴와 같은 단점이 있다.

태양광 발전소의 규모를 나타내는 단위로는 kW(킬로와트), MW(메가와트) 등의 전력 단위가 사용된다. 1MW 태양광 발전소는 시간당 1MW(1,000kW)의 전력을 생산하는 규모의 발전소를 말한다. 설비 효율이나 환경적 특성 등에 따라 달라지지만, 1MW 태양광 발전소를 건설하려면 3,000 ~ 4,000평의 면적이 필요하다. 1MW 태양광 발전소를 통해 전기를 생산하면, 같은 양의 전기를 화석연료 발전 방식으로 생산할 때보다 연간 500톤의 이산화탄소를 감축하는 효과가 있다.

○ 한 가구당 30일 동안 필요한 전력이 250kW라면, 1MW 태양광 발전소에서 하루 4시간씩 30일 동안 생산하는 전력은 ___(가)___ 가구에 30일 동안 필요한 전력과 동일하다.
○ 나무 한 그루가 감축하는 이산화탄소의 양이 연간 2.5kg이라면, 1MW 태양광 발전소는 같은 양의 전기를 생산하는 화석연료 발전 방식에 비해, 나무 ___(나)___ 그루가 1년 동안 감축하는 이산화탄소의 양과 동일한 양의 이산화탄소를 감축하는 효과가 있다.

	(가)	(나)
①	120	100,000
②	120	200,000
③	480	200,000
④	480	400,000
⑤	600	400,000

61

다음 글과 〈조건〉을 근거로 판단할 때, 〈보기〉에서 옳은 것만을 모두 고르면?

정약용은 『목민심서』에서 흉작에 대비하여 군현 차원에서 수령이 취해야 할 대책에 대해 서술하였다. 그는 효과적인 대책으로 권분(勸分)을 꼽았는데, 권분이란 군현에서 어느 정도 경제력을 갖춘 사람들에게 곡식을 내놓도록 권하는 제도였다.

권분의 대상자는 요호(饒戶)라고 불렀다. 요호는 크게 3등(等)으로 구분되는데, 각 등은 9급(級)으로 나누어졌다. 상등 요호는 봄에 무상으로 곡물을 내놓는 진희(賑餼), 중등 요호는 봄에 곡물을 빌려주었다가 가을에 상환받는 진대(賑貸), 하등 요호는 봄에 곡물을 시가의 1/4로 판매하는 진조(賑糶)를 권분으로 행하였다. 정약용이 하등 요호 8, 9급까지 권분의 대상에 포함시킨 것은, 현실적으로 상등 요호와 중등 요호는 소수이고 하등 요호가 대다수이었기 때문이다.

상등 요호 1급의 진희량은 벼 1,000석이고, 요호의 등급이 2급, 3급 등으로 한 급씩 내려갈 때마다 벼 100석씩 감소하였다. 중등 요호 1급의 진대량은 벼 100석이고, 한 급씩 내려갈 때마다 벼 10석씩 감소하였다. 하등 요호 1급의 진조량은 벼 10석이고, 한 급씩 내려갈 때마다 벼 1석씩 감소하였다. 조선시대 국법은 벼 50석 이상 권분을 행한 자부터 시상(施賞)할 수 있도록 규정하였는데 상등 요호들은 이러한 자격조건을 충분히 넘어섰고, 이들에게는 군역 면제의 혜택이 주어졌다.

〈조 건〉

○ 조선시대 벼 1석의 봄 시가 : 6냥
○ 조선시대 벼 1석의 가을 시가 : 1.5냥

〈보기〉

ㄱ. 상등 요호 1급 甲에게 정해진 권분량과 하등 요호 9급 乙에게 정해진 권분량의 차이는 벼 999석이었을 것이다.
ㄴ. 중등 요호 6급 丙이 권분을 다한 경우, 조선시대 국법에 의하면 시상할 수 없었을 것이다.
ㄷ. 중등 요호 7급 丁에게 정해진 권분량의 대여시점과 상환시점의 시가 차액은 180냥이었을 것이다.
ㄹ. 상등 요호 9급 戊에게 정해진 권분량의 권분 당시 시가는 1,200냥이었을 것이다.

① ㄱ, ㄴ   ② ㄱ, ㄷ   ③ ㄴ, ㄷ
④ ㄴ, ㄹ   ⑤ ㄷ, ㄹ

62

2016년 PSAT 5급 공채 상황판단 27번

다음 글과 〈상황〉을 근거로 판단할 때, 2016년 정당에 지급할 국고보조금의 총액은?

제○○조(국고보조금의 계상) ① 국가는 정당에 대한 보조금으로 최근 실시한 임기만료에 의한 국회의원선거의 선거권자 총수에 보조금 계상단가를 곱한 금액을 매년 예산에 계상하여야 한다.
② 대통령선거, 임기만료에 의한 국회의원선거 또는 동시지방선거가 있는 연도에는 각 선거(동시지방선거는 하나의 선거로 본다)마다 보조금 계상단가를 추가한 금액을 제1항의 기준에 의하여 예산에 계상하여야 한다.
③ 제1항 및 제2항에 따른 보조금 계상단가는 전년도 보조금 계상단가에 전전년도와 대비한 전년도 전국소비자물가 변동률을 적용하여 산정한 금액을 증감한 금액으로 한다.
④ 중앙선거관리위원회는 제1항의 규정에 의한 보조금(이하 '경상보조금'이라 한다)은 매년 분기별로 균등분할하여 정당에 지급하고, 제2항의 규정에 의한 보조금(이하 '선거보조금'이라 한다)은 당해 선거의 후보자등록마감일 후 2일 이내에 정당에 지급한다.

〈상 황〉
○ 2014년 실시된 임기만료에 의한 국회의원선거의 선거권자 총수는 3천만 명이었고, 국회의원 임기는 4년이다.
○ 2015년 정당에 지급된 국고보조금의 보조금 계상단가는 1,000원이었다.
○ 전국소비자물가 변동률을 적용하여 산정한 보조금 계상단가는 전년 대비 매년 30원씩 증가한다.
○ 2016년에는 5월에 대통령선거가 있고 8월에 임기만료에 의한 동시지방선거가 있다. 각 선거의 한 달 전에 후보자등록을 마감한다.
○ 2017년에는 대통령선거, 임기만료에 의한 국회의원선거 또는 동시지방선거가 없다.

① 309억 원
② 600억 원
③ 618억 원
④ 900억 원
⑤ 927억 원

63

2025년 PSAT 5급 공채 상황판단 25번

다음 글을 근거로 판단할 때, 이 법이 적용되는 임대차에 해당하는 것은?

제○○조 ① 이 법은 상가건물(사업자등록의 대상이 되는 건물을 말한다)의 임대차에 대하여 적용한다. 다만 다음 각 호의 구분에 의한 보증금액을 초과하는 상가건물의 임대차에 대하여는 그러하지 아니하다.
　1. A시 : 9억 원
　2. B시 : 6억 8천만 원
　3. C시 : 5억 5천만 원
　4. 그 밖의 지역 : 4억 원
② 제1항 단서에 따른 보증금액은, 보증금 외에 차임이 있는 경우에는 그 월(月) 단위 차임액(차임액을 연 단위로 정한 때에는 이를 12로 나눈 금액)에 100을 곱하여 환산한 금액을 포함하여야 한다.

※ 차임 : 물건을 빌려 쓰고 치르는 값

① A시에 있는 사업용 토지에 대한 보증금 8억 원의 임대차
② B시에 있는 사업자등록 대상이 아닌 상가건물에 대한 보증금 5억 원, 월 차임액 100만 원의 임대차
③ B시에 있는 사업자등록 대상이 되는 상가건물에 대한 보증금 7억 원의 임대차
④ C시에 있는 사업자등록 대상이 되는 상가건물에 대한 보증금 4억 원, 월 차임액 200만 원의 임대차
⑤ D시에 있는 사업자등록 대상이 되는 상가건물에 대한 보증금 3억 원, 연 차임액 1,200만 원의 임대차

64

다음 글을 근거로 판단할 때, 〈보기〉에서 옳지 않은 것을 모두 고르면?

정부는 미술품 및 문화재를 소장한 자가 이를 판매해 발생한 이익에 대해 소정세율의 기타소득세를 부과하는 법률을 시행하고 있다. 이 법률에서는 '대통령령으로 정하는 서화(書畵)·골동품'으로 개당·점당 또는 조(2개 이상이 함께 사용되는 물품으로서 통상 짝을 이루어 거래되는 것을 말한다)당 양도가액이 6,000만 원 이상인 것을 과세 대상으로 규정하고 있다. 다만 양도일 현재 생존하고 있는 국내 원작자의 작품은 과세 대상에서 제외한다. 또한 국보와 보물 등 국가지정문화재의 거래 및 양도도 제외한다.

대통령령으로 정하는 서화·골동품이란 (i) 회화, 데생, 파스텔(손으로 그린 것에 한정하며, 도안과 장식한 가공품은 제외한다) 및 콜라주와 이와 유사한 장식판, (ii) 판화·인쇄화 및 석판화의 원본, (iii) 골동품(제작 후 100년을 넘은 것에 한정한다)을 말한다.

법률에 따르면 대통령령으로 정하는 서화·골동품을 6,000만 원 이상으로 판매하는 경우, 양도차액의 80~90%를 필요경비로 인정하고, 나머지 금액인 20~10%를 기타소득으로 간주하여 이에 대해 기타소득세를 징수하게 된다. 작품의 보유 기간이 10년 미만일 때는 양도차액의 80%가, 10년 이상일 때는 양도차액의 90%가 필요경비로 인정된다. 기타소득세의 세율은 작품 보유기간에 관계 없이 20%이다. 예를 들어 1,000만 원에 그림을 구입하여 10년 후 6,000만 원에 파는 사람은 양도차액 5,000만 원 가운데 90%(4,500만 원)를 필요경비로 공제받고, 나머지 금액 500만 원에 대해 기타소득세가 부과된다. 따라서 결정 세액은 100만 원이다.

※ 양도가액이란 판매가격을 의미하며, 양도차액은 구매가격과 판매가격과의 차이를 말한다.

보기

ㄱ. A가 석판화의 복제품을 12년 전 1,000만 원에 구입하여 올해 5,000만 원에 판매한 경우, 이에 대한 기타소득세 100만 원을 납부하여야 한다.

ㄴ. B가 보물로 지정된 고려시대의 골동품 1점을 5년 전 1억 원에 구입하여 올해 1억 5,000만 원에 판매한 경우, 이에 대한 기타소득세 200만 원을 납부하여야 한다.

ㄷ. C가 현재 생존하고 있는 국내 화가의 회화 1점을 15년 전 100만 원에 구입하여 올해 1억 원에 판매한 경우, 이에 대한 기타소득세를 납부하지 않아도 된다.

ㄹ. D가 작년에 세상을 떠난 국내 화가의 회화 1점을 15년 전 1,000만 원에 구입하여 올해 3,000만 원에 판매한 경우, 이에 대한 기타소득세 40만 원을 납부하여야 한다.

① ㄱ, ㄴ   ② ㄱ, ㄷ   ③ ㄷ, ㄹ
④ ㄱ, ㄴ, ㄹ   ⑤ ㄴ, ㄷ, ㄹ

65

다음 글에 부합하는 설명을 〈보기〉에서 모두 고르면?

통제영 귀선(龜船)은 뱃머리에 거북머리를 설치하였는데, 길이는 4자 3치, 너비는 3자이고 그 속에서 유황·염초를 태워 벌어진 입으로 연기를 안개같이 토하여 적을 혼미케 하였다. 좌우의 노는 각각 10개씩이고 좌우 방패판에는 각각 22개씩의 포구멍을 뚫었으며 12개의 문을 설치하였다. 거북머리 위에도 2개의 포구멍을 뚫었고 아래에 2개의 문을 설치했으며 그 옆에는 각각 포구멍을 1개씩 내었다. 좌우 복판(覆板)에도 또한 각각 12개의 포구멍을 뚫었으며 귀(龜)자가 쓰여진 기를 꽂았다. 좌우 포판(鋪板) 아래 방이 각각 12간인데, 2간은 철물을 차곡차곡 쌓았고 3간은 화포·궁시·창검을 갈라두며 19간은 군사들이 쉬는 곳으로 사용했다. 왼쪽 포판 위의 방 한 간은 선장이 쓰고 오른쪽 포판 위의 방 한 간은 장령들이 거처하였다. 군사들이 쉴 때에는 포판 아래에 있고 싸울 때에는 포판 위로 올라와 모든 포구멍에 포를 걸어놓고 쉴 새 없이 쏘아댔다.

전라좌수영 귀선의 치수, 길이, 너비 등은 통제영 귀선과 거의 같다. 다만 거북머리 아래에 또 귀두(鬼頭)를 붙였고 복판 위에 거북무늬를 그렸으며 좌우에 각각 2개씩의 문을 두었다. 거북머리 아래에 2개의 포구멍을 내었고 현판 좌우에 각각 10개씩의 포구멍을 내었다. 복판 좌우에 각각 6개씩의 포구멍을 내었고 좌우에 노는 각각 8개씩을 두었다.

보기

ㄱ. 통제영 귀선의 포구멍은 총 72개이며 전라좌수영 귀선의 포구멍은 총 34개이다.

ㄴ. 통제영 귀선은 포판 아래 총 24간의 방을 두어 그 중 한 간을 선장이 사용하였다.

ㄷ. 두 귀선 모두 포판 위에는 쇠못을 박아두어 적군의 귀선 접근을 막았다.

ㄹ. 포를 쏘는 용머리는 두 귀선의 공통점으로 귀선만의 자랑이다.

ㅁ. 1인당 하나의 노를 담당할 경우 통제영 귀선은 20명, 전라좌수영 귀선은 16명의 노 담당 군사를 필요로 한다.

① ㄱ, ㄷ   ② ㄱ, ㅁ   ③ ㄷ, ㅁ
④ ㄱ, ㄴ, ㅁ   ⑤ ㄴ, ㄷ, ㄹ

66

다음 글을 근거로 추론할 때 옳지 않은 것은?

항렬은 혈족의 방계에 대한 대수(代數) 관계를 표시하는데 항렬을 나타내는 자(字)를 항렬자 또는 돌림자라고 한다. 항렬자는 이름자 중에 한 글자를 공통으로 사용하여 같은 세대임을 나타낸다. 같은 세대에 속하면 보통 같은 항렬자를 사용하는데 형제는 형제대로, 아버지는 아버지의 형제대로, 할아버지의 형제는 그들대로 이름자 속에 같은 돌림자를 가지고 있다. 4촌, 6촌 혹은 8촌은 같은 돌림자를 써서 이들이 같은 대(代)에 속하는 형제관계임을 표시한다. 그래서 그 사람의 이름자를 보고 그가 그 혈족 중 같은 대임을 알 수 있다.

항렬자를 정하는 방법에는 부수오행에 따라 정하는 방법, 천간을 따르는 방법, 지지를 사용하는 방법, 숫자 순서를 사용하는 방법 등이 있다.

이 중에서 부수오행을 따르는 방법이 가장 많이 사용된다. 이 방법은 목생화(木生火), 화생토(火生土), 토생금(土生金), 금생수(金生水), 수생목(水生木)의 오행상생(五行相生)의 원리를 이용한다. 부수오행에 따라 부수를 사용하는 자를 항렬자로 정하여, 목(木) → 화(火) → 토(土) → 금(金) → 수(水) → 목(木) … 의 순서대로 순환시키는 것이다. 예를 들어 鐵(철), 鍾(종), 銀(은) 등의 부수는 쇠 금(金)이며, 부수의 오행은 금(金)이 되는 것이다.

천간(天干)을 사용하는 방법은 글자의 파자(破字)에 갑(甲), 을(乙), 병(丙), 정(丁), 무(戊), 기(己), 경(庚), 신(辛), 임(壬), 계(癸) 등 십간(十干)을 포함하여 순환시키는 것이다. 예를 들면 '周, 九, 昞, 永, 成, 紀, 庸, 宰, 重, 揆'의 순으로 십간의 상(象)을 딴 항렬자를 사용한다.

지지(地支)를 사용하는 방법은 글자의 파자에 자(子), 축(丑), 인(寅), 묘(卯), 진(辰), 사(巳), 오(午), 미(未), 신(申), 유(酉), 술(戌), 해(亥)를 포함시켜 반복한다. 십이지를 따르는 방법은 예를 들어 '學, 秉, 演, 卿, 振, 起, 祚…'의 순서로 지지의 형상을 딴 글자를 항렬자로 사용하는 것을 들 수 있다.

숫자 순서로 항렬자를 짓는 방법은 예를 들면 '丙, 重, 泰, 寧, 五, 赫, 純, 容, 九, 升' 등의 순으로 항렬자를 사용하는 방법이다. 숫자가 一(일)인 丙(병), 二(이)인 重(중), 三(삼)인 泰(태), 四(사)인 寧(녕) 등의 순서대로 항렬자를 사용한 것이다.

한편 항렬자의 위치는 성을 제외한 이름의 첫째 자 또는 둘째 자에 모두 쓸 수 있다. 일반적으로 항렬자를 쓰는 위치는 대를 거치면서 이름의 첫째 자와 둘째 자의 순서대로 번갈아 사용한다. 예를 들어 할아버지 대에 항렬자가 이름의 첫째 자라면 아버지 대에는 둘째 자에 쓰고, 자신의 대에는 다시 첫째 자에 쓰는 것이다.

같은 본관의 성씨라고 해도 같은 세대에 하나의 항렬자만 사용하는 것은 아니다. 때로는 계파에 따라 다른 항렬자를 쓰기도 한다. 항렬은 나이에 우선하기도 한다. 나이에 관계없이 항렬이 높은 사람을 윗사람으로 대접하고 항렬이 낮은 사람에게는 말을 놓는 것도 이 때문이다. 선인들이 정해 놓은 항렬자는 원칙적으로 중도에 바꿀 수 없다. 다만 조상의 이름과 글자가 같거나 소리가 같은 경우에 본인에 한해서는 항렬자의 변경이 가능하다.

※ 파자(破字) : 한자의 자획을 분합(分合)하는 것

① 숫자 순서로 항렬자를 사용하는 방법의 예를 따를 때, 자신의 돌림자가 寧(녕)이라면 할아버지는 重(중)을 항렬자로 썼을 것이다.

② 항렬자를 사용하더라도 같은 본관의 성씨에 같은 세대라고 해서 항렬자가 항상 같은 것은 아니다.

③ 지지를 사용하는 예를 따를 때, 내 이름의 항렬자가 卿(경)이라면 큰아버지의 항렬자는 演(연)일 것이다.

④ 부수오행의 방법에 따를 때, 아버지가 화(火)의 부수를 가진 자를 항렬자로 쓰면 할아버지는 목(木)의 부수를 가진 자를 항렬자로 썼을 것이다.

⑤ 천간을 사용하는 예를 따를 때, 항렬자로 重(중)을 쓰는 사람의 할아버지는 紀(기)를 항렬자로 썼을 것이다.

67

다음 ○○금융회사의 금(金) 관련 금융상품만을 고려할 때 옳지 않은 것은?

A상품 : 2011년 12월 30일에 금 1g 가격(P)이 50,000원 이상이면 ○○금융회사는 (P – 50,000)원을 A상품 가입자에게 지급하고, 반대의 경우는 A상품 가입자가 (50,000 – P)원을 ○○금융회사에 납부하는 상품

B상품 : 2011년 12월 30일에 금 1g 가격(P)이 50,000원 이하이면 ○○금융회사는 (50,000 – P)원을 B상품 가입자에게 지급하고, 반대의 경우는 B상품 가입자가 (P – 50,000)원을 ○○금융회사에 납부하는 상품

C상품 : 2011년 12월 30일에 금 1g 가격(P)이 50,000원 이상일 경우, 1,000원을 내고 C상품에 가입한 가입자에게 ○○금융회사가 (P – 50,000)원을 지급하는 상품

D상품 : 2011년 12월 30일에 금 1g 가격(P)이 50,000원 이하일 경우, 1,000원을 내고 D상품에 가입한 가입자에게 ○○금융회사가 (50,000 – P)원을 지급하는 상품

※ 오늘(2011.2.25) 금 1g의 가격은 50,000원(변동 없음)이고 모든 금융상품은 오늘부터 2011년 12월 29일까지만 가입이 허용된다.
※ 금 가격은 ○○금융회사의 영업시작시간 이전에 하루 한 번 변동된다.
※ 이외의 다른 비용은 고려하지 않는다.

① A상품에 가입하는 것은 오늘 금 1g을 샀다가 2011년 12월 30일에 파는 것과 수익이 동일하다.

② 2011년 12월 30일에 금 가격이 50,000원 이상일 것이라고 확신한다면, C상품보다는 A상품에 가입할 것이다.

③ 오늘 B상품에 가입하면서 금 1g을 사고 2011년 12월 30일에 이를 판매한다면, 금 시세와 무관하게 50,000원을 받을 수 있다.

④ C상품과 D상품에 동시에 가입한다면, 2011년 12월 30일에 금 가격과 무관하게 손해를 보지 않는다.

⑤ 오늘 금 1g을 구매하고 D상품에 가입한다면, 2011년 12월 30일에 손해는 최대 1,000원을 넘지 않는다.

68

다음 실험 결과에 비추어 볼 때, A 물질이 β 유전자의 발현 조절에 미치는 영향을 가장 잘 설명하는 가설은?

A 물질은 수용체 '가' 또는 '나'와 결합하여 특정 유전자의 발현을 증가시키거나 감소시킨다. '가'와 '나' 수용체를 모두 가지고 있는 '정상 생쥐'와 '나' 수용체는 있지만 '가' 수용체는 결여된 '비정상 생쥐'를 대상으로 실험을 하였다. A 물질이 항상 존재하는 상황에서, 이 두 부류의 생쥐에 A 물질처럼 수용체 '가' 또는 '나'와 결합할 수 있지만 A 물질의 작용을 상쇄하는 B 물질[항(抗)A]을 투여했을 때, 이것이 β 유전자의 발현에 어떤 영향을 주는지를 관찰하였다. 실험 결과 다음과 같은 자료를 얻었다.

○ 정상 생쥐의 경우, B 물질을 투여한 군과 B 물질을 투여하지 않은 군을 비교했을 때 B 물질을 투여한 군에서 β 유전자의 발현이 훨씬 왕성했다.

○ 비정상 생쥐의 경우, B 물질을 투여한 군과 B 물질을 투여하지 않은 군을 비교했을 때 이들 사이에는 β 유전자의 발현 양상에 차이가 없었다.

○ B 물질을 투여한 경우, 정상 생쥐군과 비정상 생쥐군을 비교하였을 때 이들 사이에는 β 유전자의 발현 양상에 차이가 없었다.

○ B 물질을 투여하지 않은 경우, 정상 생쥐군과 비정상 생쥐군을 비교하였을 때 비정상 생쥐군에서 β 유전자의 발현이 훨씬 왕성했다.

① A 물질은 '가' 수용체와 결합하여 β 유전자의 발현을 촉진한다.

② A 물질은 '나' 수용체와 결합하여 β 유전자의 발현을 억제한다.

③ A 물질에 의한 β 유전자의 발현 양상은 수용체의 종류와는 상관없다.

④ A 물질은 '가' 수용체와 결합하여 β 유전자의 발현을 억제하고, '나' 수용체는 아무런 작용을 하지 않는다.

⑤ A 물질은 '가' 수용체와 결합하여 β 유전자의 발현을 촉진하고, '나' 수용체와 결합하여 β 유전자의 발현을 억제한다.

69

2008년 1월 1일 A는 B와 전화통화를 하면서 자기 소유 X 물건을 1억 원에 매도하겠다는 청약을 하고, 그 승낙 여부를 2008년 1월 15일까지 통지해 달라고 하였다. 다음 날 A는 "2008년 1월 1일에 했던 청약을 철회합니다."라고 B와 전화통화를 하였는데, 같은 해 1월 12일 B는 "X 물건에 대한 A의 청약을 승낙합니다."라는 내용의 서신을 발송하여 같은 해 1월 14일 A에게 도달하였다. 다음 법 규정을 근거로 판단할 때, 옳은 것은?

제○○조 ① 청약은 상대방에게 도달한 때에 효력이 발생한다.
② 청약은 철회될 수 없는 것이더라도, 철회의 의사표시가 청약의 도달 전 또는 그와 동시에 상대방에게 도달하는 경우에는 철회될 수 있다.

제○○조 청약은 계약이 체결되기까지는 철회될 수 있지만, 상대방이 승낙의 통지를 발송하기 전에 철회의 의사표시가 상대방에게 도달되어야 한다. 다만 승낙기간의 지정 또는 그 밖의 방법으로 청약이 철회될 수 없음이 청약에 표시되어 있는 경우에는 청약은 철회될 수 없다.

제○○조 ① 청약에 대한 동의를 표시하는 상대방의 진술 또는 그 밖의 행위는 승낙이 된다. 침묵이나 부작위는 그 자체만으로 승낙이 되지 않는다.
② 청약에 대한 승낙은 동의의 의사표시가 청약자에게 도달하는 시점에 효력이 발생한다. 청약자가 지정한 기간 내에 동의의 의사표시가 도달하지 않으면 승낙의 효력이 발생하지 않는다.

제○○조 계약은 청약에 대한 승낙의 효력이 발생한 시점에 성립된다.

제○○조 청약, 승낙, 그 밖의 의사표시는 상대방에게 구두로 통고된 때 또는 그 밖의 방법으로 상대방 본인, 상대방의 영업소나 우편주소에 전달될 때, 상대방이 영업소나 우편주소를 가지지 아니한 경우에는 그의 상거소(常居所)에 전달된 때에 상대방에게 도달된다.

※ 상거소라 함은 한 장소에 주소를 정하려는 의사 없이 상당기간 머무르는 장소를 말한다.

---

① 계약은 2008년 1월 15일에 성립되었다.
② 계약은 2008년 1월 14일에 성립되었다.
③ A의 청약은 2008년 1월 2일에 철회되었다.
④ B의 승낙은 2008년 1월 1일에 효력이 발생하였다.
⑤ B의 승낙은 2008년 1월 12일에 효력이 발생하였다.

70

다음 글과 〈상황〉을 근거로 판단할 때, 甲이 돈을 갚아야 하는 절기는?

24절기를 알면 사계절에 따른 자연의 순환을 이해할 수 있다. 24절기는 지구가 태양을 중심으로 주위를 도는 공전에 따라 정해졌다. 24절기를 '기', '입', '교', '극'이라는 절기의 성격으로 나눠 보면, 배치 원리를 어렵지 않게 이해할 수 있다. '기'는 사계절의 기본이 되는 절기이다. 지구의 움직임을 나타내는 둥근 원을 그리고, 원의 중심을 지나는 수평선과 수직선을 그으면, 수평선 오른쪽부터 시계 방향으로 봄, 여름, 가을, 겨울의 기본 절기인 춘분, 하지, 추분, 동지가 자리 잡는다. '입'은 계절로 들어서는 절기로, '기' 절기 사이의 중앙에 위치한다. 입춘은 동지와 춘분 사이에 놓이게 되고, 입하는 춘분과 하지 사이, 입추는 하지와 추분 사이, 입동은 추분과 동지 사이에 위치한다. '교'는 계절이 교차하는 절기로, 각 계절의 '입' 절기 바로 다음에 2개씩 위치한다. 봄에는 우수·경칩, 여름에는 소만·망종, 가을에는 처서·백로, 겨울에는 소설·대설이 순서대로 놓인다. '극'은 계절의 절정을 보여주는 절기로, '기' 절기 바로 다음에 계절별로 2개씩 위치한다. 춘분 다음에 청명·곡우, 하지 다음에 소서·대서, 추분 다음에 한로·상강, 동지 다음에 소한·대한이 순서대로 놓인다.

농경사회에서는 24절기에 맞추어 농사를 지었다. 봄의 시작을 알리는 입춘 다음의 우수에는 비가 내리고 얼었던 땅이 풀리기 시작한다. 이때부터 농사가 시작되지만, 겨울 추위가 완전히 물러간 것은 아니다. 여름이 시작되는 입하에 이르면, 농번기가 시작되어 농사일이 많아지며, 온갖 채소와 곡식을 파종할 수 있다. 시간이 갈수록 고온다습한 기후에 작물이 힘들어하며, 병충해가 심하여 충분히 대비해야 피해를 막을 수 있다. 입추에는 아직 가을을 느낄 수 없는 늦더위가 남아있다. 하지만 날이 갈수록 서서히 낮이 짧아지고 밤이 길어지며, 찬이슬이 내리고 아침저녁으로 쌀쌀함이 느껴진다. 입동에 들어서면 제법 찬 기운이 느껴진다. 들녘은 푸른빛을 잃고 점차 잿빛으로 물들며, 황량한 바람이 불어온다.

〈상 황〉

甲은 봄에 있을 자녀의 혼사를 위해 '우수'에 乙에게 소 한 마리 값을 빌렸다. 甲은 乙에게 빌린 돈을 '우수' 뒤 열두 번째 절기에 갚기로 했다.

① 곡우
② 망종
③ 입추
④ 처서
⑤ 상강

71

甲은 가격이 1,000만 원인 자동차 구매를 위해 A, B, C 세 은행에서 상담을 받았다. 다음 상담 내용에 따를 때, 〈보기〉에서 옳은 것을 모두 고르면? (단, 총비용으로는 은행에 내야 하는 금액과 수리비만을 고려하고, 등록비용 등 기타 비용은 고려하지 않는다)

○ A은행 : 고객님이 자동차를 구입하여 소유권을 취득하실 때, 저희 은행이 자동차 판매자에게 즉시 구입금액 1,000만 원을 지불해 드립니다. 그리고 그 날부터 매월 1,000만 원의 1%를 이자로 내시고, 1년이 되는 시점에 1,000만 원을 상환하시면 됩니다.

○ B은행 : 저희는 고객님이 원하시는 자동차를 구매하여 고객님께 전달해 드리고, 고객님께서는 1년 후에 자동차 가격에 이자를 추가하여 총 1,200만 원을 상환하시면 됩니다. 자동차의 소유권은 고객님께서 1,200만 원을 상환하시는 시점에 고객님께 이전되며, 그 때까지 발생하는 모든 수리비는 저희가 부담합니다.

○ C은행 : 저희는 고객님이 원하시는 자동차를 구매하여 고객님께 임대해 드립니다. 1년 동안 매월 90만 원의 임대료를 내시면 1년 후에 그 자동차는 고객님의 소유가 되며, 임대기간 중에 발생하는 모든 수리비는 저희가 부담합니다.

보기

ㄱ. 자동차 소유권을 얻기까지 은행에 내야 하는 총금액은 A은행의 경우가 가장 적다.
ㄴ. 1년 내에 사고가 발생해 50만 원의 수리비가 소요될 것으로 예상한다면 총비용 측면에서 A은행보다 B, C은행을 선택하는 것이 유리하다.
ㄷ. 최대한 빨리 자동차 소유권을 얻고 싶다면 A은행을 선택하는 것이 가장 유리하다.
ㄹ. 사고 여부와 관계없이 자동차 소유권 취득 시까지의 총비용 측면에서 B은행보다 C은행을 선택하는 것이 유리하다.

① ㄱ, ㄴ　　　② ㄴ, ㄷ　　　③ ㄷ, ㄹ
④ ㄱ, ㄴ, ㄹ　　⑤ ㄱ, ㄷ, ㄹ

72

다음 글로부터 추론할 수 있는 것은?

사람의 혈액은 적혈구, 백혈구, 혈소판처럼 혈액 내에 존재하는 세포인 혈구 성분과 이러한 혈구 성분을 제외한 나머지 액상 성분인 혈장으로 나뉜다. 사람의 혈액을 구별하는 대표적인 방법은 혈액의 성분을 기준으로 삼는 ABO형 방법이다. 이에 따르면, 혈액은 적혈구의 표면에 붙어 있는 응집원과 혈장에 들어 있는 응집소의 유무 또는 종류를 기준으로 다음 표와 같이 구분할 수 있다.

혈액형	응집원	응집소
A	A형 응집원	응집소 β
B	B형 응집원	응집소 α
AB	A형 응집원 및 B형 응집원	없음
O	없음	응집소 α 및 응집소 β

이때, A형 응집원이 응집소 α와 결합하거나 B형 응집원이 응집소 β와 결합하면, 응집 반응이 일어난다. 이 반응은 혈액의 응고를 일으키는데, 혈액이 응고되면 혈액의 정상적인 흐름이 방해되어 심각한 문제가 발생할 수 있다. 혈액의 이러한 특성을 활용하면 수혈도를 작성할 수 있다.

---

① A형 응집원만을 선택적으로 제거한 A형 적혈구를 B형인 사람에게 수혈해도 응집 반응이 일어나지 않는다.
② B형 응집원만을 선택적으로 제거한 AB형 적혈구를 A형인 사람에게 수혈하면 응집 반응이 일어난다.
③ 응집소 β를 선택적으로 제거한 O형 혈장을 A형인 사람에게 수혈해도 응집 반응이 일어나지 않는다.
④ AB형인 사람은 어떤 혈액을 수혈 받아도 응집 반응이 일어나지 않는다.
⑤ O형인 사람은 어떤 적혈구를 수혈 받아도 응집 반응이 일어나지 않는다.

73

다음 글의 (가) ~ (다)에 들어갈 말을 적절하게 나열한 것은?

독이 없는 어떤 개구리 종은 독이 있는 개구리 종의 외형을 모방함으로써 새로부터 잡아먹힐 위험을 줄인다. 이것은 의태의 예이다. 모방의 대상이 될 수 있는 종이 여럿일 경우 모방자는 어떤 종을 모방하는 것이 유리할까? 이를 알아보기 위해 다음의 〈실험〉을 수행하였다.

〈실 험〉

○○지역에는 독성이 강한 개구리 종 a와 독성이 약한 개구리 종 b가 있으며 이 두 종은 외형이 조금 다르다. 또한 그 지역에 있는 독 없는 개구리 종 c는 a를 모방하고, 독 없는 개구리 종 d는 b를 모방한다. 새 종 X는 a ~ d를 잡아먹을 수 있으며, 독성이 있는 개구리 종을 잡아먹으면 학습이 되어 이후 같은 외형을 가진 개구리를 잡아먹는 것을 회피한다.

실험 1 : a도 b도 잡아먹어 본 적이 없는 X에게 a를 잡아먹게 하였다. 이 새를 X-1이라고 하고 a, c, d를 잡아먹는지 관찰하였다. X-1은 a, c, d 어느 것도 잡아먹으려 하지 않았다.

실험 2 : a도 b도 잡아먹어 본 적이 없는 X에게 b를 잡아먹게 하였다. 이 새를 X-2라고 하고 b, c, d를 잡아먹는지 관찰하였다. X-2는 b와 d를 잡아먹으려 하지 않았지만, c를 잡아먹는 것은 회피하지 않았다.

〈실험 해석〉

독성이 (가) 개구리 종을 잡아먹어 학습된 새는 독성이 강한 개구리 종을 모방한 개구리 종과 독성이 약한 개구리 종을 모방한 개구리 종 중 어느 것도 잡아먹으려 하지 않았다. 독성이 (나) 개구리 종을 잡아먹어 학습된 새는 독성이 강한 개구리 종을 모방한 개구리 종을 잡아먹는 것을 회피하지 않았으나, 독성이 약한 개구리 종을 모방한 개구리 종은 잡아먹으려 하지 않았다. 따라서 ○○지역에 서식하는 독이 없는 개구리가 X에게 잡아먹히지 않으려면 독성이 (다) 개구리 종을 모방하는 것이 더 유리하다는 것을 알 수 있다.

	(가)	(나)	(다)
①	강한	강한	강한
②	강한	약한	약한
③	강한	약한	강한
④	약한	강한	약한
⑤	약한	강한	강한

74

다음 ㉠에 따를 때 도덕적으로 허용될 수 <u>없는</u> 것만을 〈보기〉에서 모두 고르면?

우리는 어떤 행위를 그것이 가져올 결과가 좋다는 근거만으로 허용할 수는 없다. 예컨대 그 행위 덕분에 더 많은 수의 생명을 구할 수 있다는 사실만으로 그 행위를 허용할 수는 없다는 것이다. ㉠A원리에 따르면 어떤 행위든 무고한 사람의 죽음 자체를 의도하는 것은 언제나 그른 행위이고 따라서 도덕적으로 허용될 수 없다. 여기서 의도란 단순히 자기 행위의 결과가 어떨지 예상하고 그 내용을 이해한다는 것을 넘어서, 그 행위의 결과 자체가 자신이 그 행위를 선택하게 된 이유임을 의미한다.

예를 들어 우리가 제한된 의료 자원으로 한 명의 환자를 살리는 것과 다수의 환자를 살리는 것 사이에서 선택을 해야만 할 경우, 비록 한 명의 환자가 죽게 되더라도 다수의 환자를 살리는 것이 도덕적으로 허용될 수도 있다. 이때 그의 죽음은 피치 못할 부수적인 결과였기 때문이다. 하지만 만일 그 한 명의 환자를 치료하지 않은 이유가 그가 죽은 후 그의 장기를 장기이식을 기다리는 다른 여러 사람에게 이식하기 위한 것이었다면 그 행위는 허용될 수 없다.

─────── 보기 ───────

ㄱ. 적국의 산업시설을 폭격하면 그 근처에 거주하는 다수의 민간인이 처참하게 죽게 되고 적국 시민이 그 참상에 공포심을 갖게 되어, 전쟁이 빨리 끝날 것이라는 기대감에 폭격하는 행위

ㄴ. 뛰어난 심장 전문의가 어머니의 임종을 지키기 위해 급하게 길을 가던 중 길거리에서 심장마비를 일으킨 사람을 발견했으나 그 사람을 치료하지 않고 어머니에게 가는 행위

ㄷ. 브레이크가 고장난 채 달리고 있는 기관차의 선로 앞에 묶여 있는 다섯 명의 어린이를 구하기 위해 다른 선로에 홀로 일하고 있는 인부를 보고도 그 선로로 기관차의 진로를 변경하는 행위

① ㄱ   ② ㄴ   ③ ㄱ, ㄴ
④ ㄱ, ㄷ   ⑤ ㄴ, ㄷ

75

다음 글의 빈칸에 들어갈 결론으로 가장 적절한 것은?

북극곰의 귀여운 이미지는 많은 광고에 사용되지만 실제 북극곰은 매우 무서운 육식 동물이다. 무서운 대상은 모두 귀엽지 않고 귀여운 대상은 모두 무섭지 않다고 가정하겠다. 이 경우 "북극곰은 귀엽다"와 "북극곰은 무섭다"는 둘 다 거짓일 수 있지만 둘 다 참일 수는 없다. 두 문장이 둘 다 참일 수 없다면 두 문장은 반대다. 두 문장이 반대면 두 문장은 둘 다 참일 수는 없다.

북극곰은 귀엽지도 무섭지도 않다고 가정하겠다. 또한 아까처럼 무서운 대상은 모두 귀엽지 않고 귀여운 대상은 모두 무섭지 않다고 가정한다. 이 경우 "북극곰은 귀엽지 않다"와 "북극곰은 무섭지 않다"는 둘 다 참일 수 있지만 둘 다 거짓일 수는 없다. 두 문장이 둘 다 거짓일 수 없다면 두 문장은 소반대다. 두 문장이 소반대면 두 문장은 둘 다 거짓일 수는 없다.

"북극곰이 귀엽다"와 "북극곰이 귀엽지 않다"는 한 문장이 참이면 다른 문장은 거짓이고 한 문장이 거짓이면 다른 문장은 참이다. 두 문장이 둘 다 참일 수 없고 둘 다 거짓일 수 없다면 두 문장은 모순이다. 두 문장이 모순이면 두 문장은 둘 다 참일 수 없고 둘 다 거짓일 수 없다. 이러한 반대관계, 소반대관계, 모순관계는 일관성과 관련 있다. 두 문장이 둘 다 참일 수 있을 때 오직 그때만 두 문장은 일관된다. 두 문장이 둘 다 참일 수 없을 때 오직 그때만 두 문장은 비일관된다. 그러므로

_____

① 모순인 두 문장은 반대 및 소반대며, 비일관된 두 문장은 반대 및 모순이다.

② 모순인 두 문장은 반대 및 소반대며, 비일관된 두 문장은 반대거나 모순이다.

③ 모순인 두 문장은 반대 및 소반대며, 비일관된 두 문장은 소반대거나 모순이다.

④ 모순인 두 문장은 반대도 소반대도 아니며, 비일관된 두 문장은 반대거나 모순이다.

⑤ 모순인 두 문장은 소반대지만 반대는 아니며, 비일관된 두 문장은 반대 및 소반대다.

76

다음 글을 근거로 판단할 때, 〈보기〉에서 옳은 것만을 모두 고르면?

엘로 평점 시스템(Elo Rating System)은 체스 등 일대일 방식의 종목에서 선수들의 실력을 표현하는 방법으로 물리학자 아르파드 엘로(Arpad Elo)가 고안했다.

임의의 두 선수 X, Y의 엘로 점수를 E_X, E_Y라 하고, X가 Y에게 승리할 확률을 P_{XY}, Y가 X에게 승리할 확률을 P_{YX}라고 하면, 각 선수가 승리할 확률은 다음 식과 같이 계산된다. 무승부는 고려하지 않으므로 두 선수가 승리할 확률의 합은 항상 1이 된다.

$$P_{XY} = \frac{1}{1 + 10^{-(E_X - E_Y)/400}}$$

$$P_{YX} = \frac{1}{1 + 10^{-(E_Y - E_X)/400}}$$

두 선수의 엘로 점수가 같다면, 각 선수가 승리할 확률은 0.5로 같다. 만약 한 선수가 다른 선수보다 엘로 점수가 200점 높다면, 그 선수가 승리할 확률은 약 0.76이 된다.

경기 결과에 따라 각 선수의 엘로 점수는 변화한다. 경기에서 승리한 선수는 그 경기에서 패배할 확률에 K를 곱한 만큼 점수를 얻고, 경기에서 패배한 선수는 그 경기에서 승리할 확률에 K를 곱한 만큼 점수를 잃는다(K는 상수로, 보통 32를 사용한다). 승리할 확률이 높은 경기보다 승리할 확률이 낮은 경기에서 승리했을 경우 더 많은 점수를 얻는다.

보기

ㄱ. 경기에서 승리한 선수가 얻는 엘로 점수와 그 경기에서 패배한 선수가 잃는 엘로 점수는 다를 수 있다.

ㄴ. K = 32라면, 한 경기에서 아무리 강한 상대에게 승리해도 얻을 수 있는 엘로 점수는 32점 이하이다.

ㄷ. A가 B에게 패배할 확률이 0.1이라면, A와 B의 엘로 점수 차이는 400점 이상이다.

ㄹ. A가 B에게 승리할 확률이 0.8, B가 C에게 승리할 확률이 0.8이라면, A가 C에게 승리할 확률은 0.9 이상이다.

① ㄱ, ㄴ ② ㄴ, ㄹ ③ ㄱ, ㄴ, ㄷ

④ ㄱ, ㄷ, ㄹ ⑤ ㄴ, ㄷ, ㄹ

77

다음 글을 근거로 판단할 때, 〈보기〉에서 옳은 것만을 모두 고르면?

제○○조 이 법에서 사용하는 용어의 뜻은 다음과 같다.
  1. '임종과정에 있는 환자'란 담당의사와 해당 분야의 전문의 1명으로부터 임종과정에 있다는 의학적 판단을 받은 자를 말한다.
  2. '연명의료계획서'란 말기환자 등의 의사에 따라 담당의사가 환자에 대한 연명의료중단결정 및 호스피스에 관한 사항을 계획하여 문서(전자문서를 포함한다)로 작성한 것을 말한다.
  3. '사전연명의료의향서'란 19세 이상인 사람이 자신의 연명의료중단결정 및 호스피스에 관한 의사를 직접 문서(전자문서를 포함한다)로 작성한 것을 말한다.
  4. '연명의료중단결정'이란 임종과정에 있는 환자에 대한 연명의료를 시행하지 아니하거나 중단하기로 하는 결정을 말한다.
제○○조 ① 말기환자 등은 담당의사에게 연명의료계획서의 작성을 요청할 수 있다.
② 의료기관의 장은 작성된 연명의료계획서를 등록·보관하여야 한다.
제○○조 ① 연명의료중단결정을 원하는 환자의 의사는 다음 각 호의 어느 하나의 방법으로 확인한다.
  1. 의료기관에서 작성된 연명의료계획서가 있는 경우 이를 환자의 의사로 본다.
  2. 담당의사가 사전연명의료의향서의 내용을 환자에게 확인하는 경우 이를 환자의 의사로 본다.
② 제1항에 해당하지 아니하여 환자의 의사를 확인할 수 없고 환자가 의사표현을 할 수 없는 의학적 상태인 경우 다음 각 호의 어느 하나에 해당할 때에는 해당 환자를 위한 연명의료중단결정이 있는 것으로 본다. 다만 담당의사 또는 해당 분야 전문의 1명이 환자가 연명의료중단결정을 원하지 아니하였다는 사실을 확인한 경우는 제외한다.
  1. 미성년자인 환자의 법정대리인(친권자에 한정한다)이 연명의료중단결정의 의사표시를 하고 담당의사와 해당 분야 전문의 1명이 확인한 경우
  2. 환자가족 중 다음 각 목에 해당하는 사람(19세 이상인 사람에 한정하며, 행방불명자 등 대통령령으로 정하는 사유에 해당하는 사람은 제외한다) 전원의 합의로 연명의료중단결정의 의사표시를 하고 담당의사와 해당 분야 전문의 1명이 확인한 경우
  가. 배우자
  나. 1촌 이내의 직계 존속·비속

보기

ㄱ. 17세 환자가 자신의 연명의료중단결정에 관한 전자문서를 직접 작성하였다면, 그 문서는 사전연명의료의향서에 해당된다.
ㄴ. 말기환자의 요청에 따라 담당의사가 의료기관에서 문서로 작성한 연명의료계획서가 등록·보관되어 있는 경우, 연명의료중단결정을 원하는 환자의 의사가 있는 것으로 본다.
ㄷ. 21세 환자가 의사를 표현할 수 없는 의학적 상태인 경우, 환자가 1년 전 작성해 둔 사전연명의료의향서가 있다면 담당의사의 확인이 없더라도 연명의료중단결정을 원하는 환자의 의사가 있는 것으로 본다.
ㄹ. 임종과정에 있는 환자에게 배우자, 자녀, 손자녀가 있는 경우, 그 환자에 대한 연명의료중단결정에는 이들 모두의 합의된 의사표시가 필요하다.

① ㄴ   ② ㄹ   ③ ㄱ, ㄴ
④ ㄴ, ㄷ   ⑤ ㄷ, ㄹ

78

다음 글의 분석으로 옳은 것만을 〈보기〉에서 모두 고르면?

검사는 피고인이 범죄를 저질렀을 가능성을 지나치게 크게 보는 성향이 있다. 이 때문에 여러 오류를 저지르는데 특히 확률을 잘못 매긴다. 한 법학자는 확률을 법정에서 배제해야 한다고 주장하지만 율사들이 확률을 더 잘 다루도록 훈련하는 것이 바람직하다. 사회심리학자 톰슨은 "검사의 오류"를 정식화했다. 이 오류를 저지르는 사람은 피고인이 범인의 특징들을 가질 확률이 곧 피고인이 무죄일 확률과 같다고 잘못 가정한다. 다시 말해 그는 다음과 같은 잘못된 명제를 주장한다.

한 피고인이 범인의 특징과 우연히 일치할 확률
= 한 피고인이 범인의 특징과 우연히 일치한다는 조건 아래서 그 피고인이 무죄일 확률

물론 한 사람이 유죄일 확률과 그가 무죄일 확률을 더하면 1 또는 100%다. 피고인이 범인의 혈액형과 일치할 확률이 17.3%라고 하자. 이로부터 "피고인이 범인의 혈액형과 일치한다면 그 피고인이 무죄일 확률은 17.3%다"를 추론한다면 이는 검사의 오류를 저지른 것이다.

하지만 만일 범인이 특정 시간 특정 장소에 머물렀던 1,000명 가운데 한 사람이라면 범인의 혈액형과 우연히 일치하는 사람은 대략 173명이다. 피고인도 특정 시간 특정 장소에 머물렀던 1,000명 가운데 한 사람이고 범인의 혈액형과 일치한다. 173명 가운데 범인이 있을 테니 그 피고인이 무죄일 확률은 ⓐ 이어야 한다.

검사의 오류를 보여주는 사례가 있다. 브룩스는 산페드로를 걸었는데 한 여성이 그를 치고 지갑을 훔쳐 갔다. 골목 끝에 살던 한 증인은 도망친 여성이 금발 꽁지머리에 검정 옷을 입었으며 턱수염과 콧수염을 기른 흑인 남자가 운전하는 노란 차에 탔다고 말했다. 경찰은 이 진술에 맞는 콜린스와 재닛 부부를 체포했고 그를 검찰에 넘겼다. 재닛은 백인 여성이고 콜린스는 흑인 남성이었으며 이들은 산페드로에 여행을 왔다. 검사 H는 한 여성이 금발일 확률이 1/2이고, 한 여성이 꽁지머리를 할 확률이 1/5이고, 백인 여성과 흑인 남성이 결혼할 확률은 1/1000이고, 남편이 콧수염과 턱수염을 할 확률이 1/10이라면서, 한 미국인 여성이 피의자의 특징과 우연히 일치할 확률이 1만 분의 1이라고 주장했다. 각각의 특징들이 서로 독립이 아닐 수 있으니 이를 감안해 확률을 10만 분의 1에서 1만 분의 1로 보정했다. 이에 따라 검사 H는 재닛이 유죄일 확률이 ⓑ 라고 결론 내렸다. 하지만 만약 브룩스의 지갑을 훔쳐 간 여성이 당시 산페드로 구역에 있었던 10만 명 가운데 하나라면, 피고인이 유죄일 확률은 ⓒ 이어야 한다.

보기

ㄱ. ⓐ는 172/173이다.

ㄴ. ⓑ가 9999/10000면 검사 H는 검사의 오류를 저질렀다.

ㄷ. ⓒ는 1/10이다.

① ㄱ　　　　② ㄷ　　　　③ ㄱ, ㄴ

④ ㄴ, ㄷ　　　⑤ ㄱ, ㄴ, ㄷ

79

다음 글에서 추론할 수 있는 것만을 〈보기〉에서 모두 고르면?

가상의 동전 게임을 하나 생각해 보자. 이 게임의 규칙은 동전을 던져서 제일 높은 점수를 얻는 사람이 이기는 것이다. 게임 참여자는 A, B 두 그룹으로 구분된다. 두 그룹의 인원수는 100명으로 같지만, 각 참여자에게 같은 수의 동전을 주지 않는다. A 그룹에는 한 사람당 동전을 10개씩 주고, B 그룹에는 한 사람당 100개씩 준다. 모든 동전은 1개당 한 번씩 던지는 것으로 한다.

〈게임 1〉에서는 앞면이 나온 동전 1개당 1점씩 점수를 준다고 하자. 이때 게임의 승자는 B 그룹에서 나올 가능성이 매우 높다. B 그룹 사람들 중 상당수는 50점쯤 얻을 텐데, 그것은 A 그룹 사람들 중에서 누구도 이길 수 없는 점수이다. A 그룹 인원을 아무리 늘리더라도 최고 점수는 10점일 것이기 때문이다.

〈게임 2〉에서는 〈게임 1〉과 달리 앞면이 나오는 동전의 개수가 아니라 앞면이 나온 비율로 점수를 매겨 가장 높은 점수를 받은 사람이 이긴다고 하자. A 그룹 중에서 한 명쯤은 동전 10개 중 앞면이 8개 나올 것이다. 이 경우 그는 80점을 얻는다. B 그룹은 어떨까? B 그룹 사람 100명 중에서 누구도 80점을 받기는 어려울 것이다. 물론 그런 일이 물리적으로 불가능하지는 않겠지만, 현실에서는 거의 벌어지지 않을 것이다. 동전을 더 많이 던질수록 앞면과 뒷면의 비율은 50대 50에 더 가깝게 수렴되기 때문이다. B 그룹에서 80점을 받는 사람이 한 명쯤 나오려면, B 그룹 인원수는 100명이 아니라 그보다 훨씬 더 커야 한다. 이처럼 동전 개수가 증가했을 때 80점을 받는 사람이 한 명쯤 나오려면 그 동전 개수의 증가에 맞춰 그룹 인원수도 크게 증가해야 한다.

보기

ㄱ. 〈게임 1〉에서 A 그룹 참가자와 B 그룹 참가자의 동전 개수를 각각 절반으로 줄일 경우, 게임의 승자가 나올 그룹은 바뀔 것이다.

ㄴ. 〈게임 2〉에서 B 그룹만 인원을 늘릴 경우, 그 수를 아무리 늘리더라도 90점을 받는 사람은 A 그룹에서만 나올 것이다.

ㄷ. 〈게임 2〉에서 A 그룹만 참가자 각각의 동전 개수를 1,000개로 늘릴 경우, A 그룹에서 80점을 받는 사람이 한 명쯤 나오기 위해 필요한 A 그룹 인원수는 80점을 받는 사람이 한 명쯤 나오기 위해 필요한 B 그룹 인원수보다 훨씬 더 커야 할 것이다.

① ㄱ　　　　② ㄷ　　　　③ ㄱ, ㄴ

④ ㄴ, ㄷ　　　⑤ ㄱ, ㄴ, ㄷ

80

다음 (가)~(마)에 들어갈 말로 적절하지 않은 것은?

어떤 한 규범은 그와 다른 규범보다 강하거나 약할 수 있다. 예를 들어, "재산을 빼앗지 말라."는 규범은 "부동산을 빼앗지 말라."는 규범보다 강하다. 다른 이의 재산을 빼앗지 않는 사람이라면 누구든지 부동산 또한 빼앗지 않을 것이지만, 그 역은 성립하지 않기 때문이다. 한편, "재산을 빼앗지 말라."는 규범은 "해를 끼치지 말라."는 규범보다 약하다. 다른 이에게 해를 끼치지 않는 사람이라면 누구든지 재산을 빼앗지 않을 것이지만, 그 역은 성립하지 않기 때문이다. 그렇다고 해서 모든 규범이 위의 두 예처럼 어떤 다른 규범보다 강하다거나 약하다고 말할 수 있는 것은 아니다. 예를 들어, "재산을 빼앗지 말라."는 규범은 "운동 전에는 몸풀기를 충분히 하라."는 일종의 규범에 비해 약하지도 강하지도 않다. 다른 이의 재산에 관한 규범을 준수하는 사람이라도 운동에 앞서 몸풀기를 게을리 할 수 있으며, 또 동시에 운동에 앞서 충분히 몸풀기를 하는 사람이라도 다른 이의 재산에 관한 규범을 어길 수 있기 때문이다. 규범들 간의 이와 같은 강·약 비교는 일종의 규범인 교통법규에도 적용될 수 있다. 예를 들어, "도로에서는 시속 110km 이하로 운전하라."는 　(가)　보다 약하다. "도로의 교량 구간에서는 시속 80km 이하로 운전하라."는 　(나)　보다는 약하다고 할 수 없지만, 　(다)　보다는 약하다. 한편, "도로의 교량 구간에서는 100m 이상의 차간 거리를 유지한 채 시속 80km 이하로 운전하라."는 　(라)　보다는 강하지만 　(마)　보다는 강하다고 할 수 없다.

① (가) : "도로에서는 시속 80km 이하로 운전하라."
② (나) : "도로에서는 시속 110km 이하로 운전하라."
③ (다) : "도로의 터널 구간에서는 시속 80km 이하로 운전하라."
④ (라) : "도로의 교량 구간에서는 시속 80km 이하로 운전하라."
⑤ (마) : "도로의 터널 구간에서는 90m 이상의 차간 거리를 유지한 채 시속 90km 이하로 운전하라."

81

다음 글을 근거로 판단할 때, 〈보기〉에서 옳은 것만을 모두 고르면?

보다 많은 고객을 끌어들일 수 있는 이상적인 점포 입지를 결정하기 위한 상권분석이론에는 'X가설'과 'Y가설'이 있다. X가설에 의하면, 소비자는 유사한 제품을 판매하는 점포들 중 한 점포를 선택할 때 가장 가까운 점포를 선택한다. 그러나 이동거리가 점포 선택에 큰 영향을 미치기는 하지만, 소비자가 항상 가장 가까운 점포를 찾는다는 X가설이 적용되기 어려운 상황들이 있다. 가령, 소비자들은 먼 거리에 위치한 점포가 보다 나은 구매기회를 제공함으로써 이동에 따른 추가 노력을 보상한다면 기꺼이 먼 곳까지 찾아간다.

한편 Y가설은 다른 조건이 동일하다면 두 도시 사이에 위치하는 어떤 지역에 대한 각 도시의 상거래 흡인력은 각 도시의 인구에 비례하고, 각 도시로부터의 거리 제곱에 반비례한다고 본다. 즉, 인구가 많은 도시일수록 더 많은 구매기회를 제공할 가능성이 높으므로 소비자를 끌어당기는 힘이 크다고 본 것이다.

예를 들어, 일직선 상에 A, B, C 세 도시가 있고, C시는 A시와 B시 사이에 위치하며, C시는 A시로부터 5km, B시로부터 10km 떨어져 있다. 그리고 A시 인구는 50만 명, B시의 인구는 400만 명, C시의 인구는 9만 명이다. 만약 A시와 B시가 서로 영향을 주지 않고, C시의 모든 인구가 A시와 B시에서만 구매한다고 가정하면, Y가설에 따라 A시와 B시로 구매활동에 유인되는 C시의 인구 규모를 계산할 수 있다. A시의 흡인력은 20,000(= 50만÷25), B시의 흡인력은 40,000(= 400만÷100)이다. 따라서 9만 명인 C시의 인구 중 1/3인 3만 명은 A시로, 2/3인 6만 명은 B시로 흡인된다.

보기

ㄱ. X가설에 따르면, 소비자가 유사한 제품을 판매하는 점포들 중 한 점포를 선택할 때 소비자는 더 싼 가격의 상품을 구매하기 위해 더 먼 거리에 있는 점포에 간다.

ㄴ. Y가설에 따르면, 인구 및 다른 조건이 동일할 때 거리가 가까운 도시일수록 이상적인 점포 입지가 된다.

ㄷ. Y가설에 따르면, C시로부터 A시와 B시가 떨어진 거리가 5km로 같다고 가정할 때 C시의 인구 중 8만 명이 B시로 흡인된다.

① ㄱ　　　　② ㄴ　　　　③ ㄱ, ㄷ
④ ㄴ, ㄷ　　　⑤ ㄱ, ㄴ, ㄷ

82

다음 글에 대한 평가로 적절하지 않은 것은?

당신은 '행복 기계'에 들어갈 것인지 망설이고 있다. 만일 들어간다면 그 순간 당신은 기계에 들어왔다는 것을 완전히 잊게 되고, 이 기계를 만나기 전에는 맛보기 힘든 멋진 시간을 가상현실 기술을 통해 경험하게 된다. 단, 누구든 한 번 그 기계에 들어가면 삶을 마칠 때까지 거기서 나올 수 없다. 이 기계에는 고장도 오작동도 없다. 당신은 이 기계에 들어가겠는가? 우리의 삶은 고난과 좌절로 가득 차 있지만, 우리는 그것들이 실제로 사라지기를 원하지 그저 사라졌다고 믿기를 원하지 않는다. 이러한 사실은, 참인 믿음이 우리에게 아무런 이익이 되지 않거나 심지어 손해를 가져오는 경우에도 우리가 거짓인 믿음보다 참인 믿음을 가지기를 선호한다는 견해를 뒷받침한다.

돈의 가치는 숫자가 적힌 종이 자체에 있지 않다. 돈이 가치를 지니는 것은 그것이 좋은 것들을 얻는 도구로 기능하기 때문이다. 참인 믿음을 가지는 것이 유용한 경우가 많은 것은 사실이지만, 다른 것들을 얻기 위한 수단인 돈과 달리 참인 믿음은 그 자체로 가치가 있다. 그리고 행복 기계에 관한 우리의 태도는 이를 분명하게 보여준다.

다른 것에 대한 선호로는 설명될 수 없는 원초적인 선호를 '기초 선호'라고 부른다. 가령 신체의 고통을 피하려는 것은 기초 선호로 보인다. 참인 믿음은 어떤가? 만약 참인 믿음이 기초 선호의 대상이 아니라면, 참인 믿음과 거짓인 믿음이 실용적 손익에서 동등할 경우 전자를 후자보다 더 선호해야 할 이유는 없다. 여기서 확인하게 되는 결론은, 참인 믿음이 기초 선호의 대상이라는 것이다. 그렇지 않다면, 사람들이 행복 기계에 들어가 행복한 거짓 믿음 속에 사는 편을 택하지 않을 이유가 없을 것이다.

① 대부분의 사람이 행복 기계에 들어가는 편을 택할 경우, 논지는 강화된다.
② 행복 기계가 현실에 존재하지 않는다는 사실이 논지를 약화하지는 않는다.
③ 치료를 위해 신체의 고통을 기꺼이 견디는 사람들이 있다고 해도 논지는 약화되지 않는다.
④ 행복 기계에 들어가지 않는 유일한 이유가 참과 무관한 실용적 이익임이 확인될 경우, 논지는 약화된다.
⑤ 실용적 이익이 없음에도 불구하고 우리가 수학적 참인 정리를 믿는 것을 신호한다는 사실은 논지를 강화한다.

83

다음 글과 〈상황〉을 근거로 판단할 때, 甲이 보고할 내용으로 옳은 것은?

대규모 외환거래는 런던, 뉴욕, 도쿄, 프랑크푸르트, 싱가포르 같은 금융중심지에서 이루어진다. 최근 들어 세계 외환거래 규모는 급증하고 있다. 하루 평균 세계 외환거래액은 1989년에 6천억 달러 수준이었는데, 2019년에는 6조 6천억 달러로 크게 늘어났다.

은행 간 외환거래는 대부분 미국 달러를 통해 이루어진다. 달러는 이처럼 외환거래에서 중심적인 역할을 하기 때문에 기축통화라고 불린다. 기축통화는 서로 다른 통화를 사용하는 거래 참여자가 국제거래를 위해 널리 사용하는 통화이다. 1999년 도입된 유럽 유로는 달러와 동등하게 기축통화로 발전할 것으로 예상되었으나, 2020년 세계 외환거래액의 32%를 차지하는 데 그쳤다. 이는 4년 전보다는 2%p 높아진 것이지만 10년 전보다는 오히려 8%p 낮아진 수치이다.

〈상 황〉

2010년과 2016년의 하루 평균 세계 외환거래액은 각각 3조 9천억 달러와 5조 2천억 달러였다. ○○은행 국제자본이동분석팀장 甲은 2016년 유로로 이루어진 하루 평균 세계 외환거래액을 2010년과 비교(달러 기준)하여 보고하려 한다.

① 10억 달러 감소
② 10억 달러 증가
③ 100억 달러 감소
④ 100억 달러 증가
⑤ 변화 없음

84

다음 글에서 추론할 수 있는 것만을 <보기>에서 모두 고르면?

란체스터는 한 국가의 상대방 국가에 대한 군사력 우월의 정도를, 전쟁의 승패가 갈린 전쟁 종료 시점에서 자국의 손실비의 역수로 정의했다. 예컨대 전쟁이 끝났을 때 자국의 손실비가 1/2이라면 자국의 군사력은 적국보다 2배로 우월하다는 것이다. 손실비는 아래와 같이 정의된다.

$$\text{자국의 손실비} = \frac{\text{자국의 최초 병력 대비 잃은 병력 비율}}{\text{적국의 최초 병력 대비 잃은 병력 비율}}$$

A국과 B국이 전쟁을 벌인다고 하자. 전쟁에는 양국의 궁수들만 참가한다. A국의 궁수는 2,000명이고, B국은 1,000명이다. 양국 궁수들의 숙련도와 명중률 등 개인의 전투 능력, 그리고 지형, 바람 등 주어진 조건은 양국이 동일하다고 가정한다. 양측이 동시에 서로를 향해 1인당 1발씩 화살을 발사한다고 하자. 모든 화살이 적군을 맞힌다면 B국의 궁수들은 1인 평균 2개의 화살을, A국 궁수는 평균 0.5개의 화살을 맞을 것이다. 하지만 화살이 제대로 맞지 않거나 아예 안 맞을 수도 있으니, 발사된 전체 화살 중에서 적 병력의 손실을 발생시키는 화살의 비율은 매번 두 나라가 똑같이 1/10이라고 하자. 그렇다면 첫 발사에서 B국은 200명, A국은 100명의 병력을 잃을 것이다. 따라서 ㉠ 첫 발사에서의 B국의 손실비는 $\frac{200/1,000}{100/2,000}$ 이다.

마찬가지 방식으로, 남은 A국 궁수 1,900명은 두 번째 발사에서 B국에 190명의 병력 손실을 발생시킨다. 이제 B국은 병력의 39%를 잃었다. 이런 손실을 당하고도 버틸 수 있는 군대는 많지 않아서 전쟁은 B국의 패배로 끝난다. B국은 A국에 첫 번째 발사에서 100명, 그 다음엔 80명의 병력 손실을 발생시켰다. 전쟁이 끝날 때까지 A국이 잃은 궁수는 최초 병력의 9%에 지나지 않는다. 이로써 ㉡ B국에 대한 A국의 군사력이 명확히 드러난다.

──────────── 보기 ────────────

ㄱ. 다른 조건이 모두 같으면서 A국 궁수의 수가 4,000명으로 증가하면 ㉠은 16이 될 것이다.

ㄴ. ㉡의 내용은 A국의 군사력이 B국보다 4배 이상으로 우월하다는 것이다.

ㄷ. 전쟁 종료 시점까지 자국과 적국의 병력 손실이 발생했고 그 수가 동일한 경우, 최초 병력의 수가 적은 쪽의 손실비가 더 크다.

① ㄱ   ② ㄷ   ③ ㄱ, ㄴ

④ ㄴ, ㄷ   ⑤ ㄱ, ㄴ, ㄷ

85

다음 글의 (가)~(다)에 들어갈 말을 적절하게 나열한 것은?

조선 후기에 지주들은 소작인으로부터 소작료를 거둘 때, 수확된 결과물의 절반을 수취하는 정률제 방식, 곧 '타작'을 대부분의 논과 밭에 적용했지만, 일부 농토에는 정액제에 해당하는 '도지'를 적용하기도 했다. 도지는 토지를 이용한 대가인 지대량을 이른 봄철에 지주와 소작인이 미리 정하는 농업경영 형태이므로 풍흉에 따른 지대량의 변화가 없는 것이 원칙이었다. 도지가 적용된 논에서는 평년작의 절반 수준에서, 그리고 밭에서는 평년작의 절반보다 훨씬 낮은 수준에서 지대량이 정해지는 것이 일반적이었다.

(가) 은/는 다음과 같은 점에서 지주에게 여러 장점이 있었다. 첫째, 직접적인 관리가 어려운 원격지 소재 전답을 더 효율적으로 관리할 수 있었다. 소작인들의 수확물 은닉 여부를 일일이 감독할 필요가 없었기 때문이다. 둘째, 밭작물의 경우 수확 시기가 매우 다양한데, 이 방식을 적용하면 수확의 정도를 확인하기 위해 서로 다른 수확 시기마다 먼 곳까지 올 필요가 없었다. 이러한 방식하에서 만약 어느 해에 예상과는 달리 풍년이 들었다면, (나) 에게 훨씬 더 유리했다.

지주들은 18세기 후반부터 '집조'를 적용하기도 했다. 집조란 수확이 임박한 시점에 지주가 농사 상황을 실지 조사하여 그해의 작황 수준을 살펴본 다음, 현장에서 지대량을 결정하는 농업경영 형태이다. 이 방식은 당해 연도의 작황 수준이 비교적 정확히 반영된다는 측면에서 (다) 와/과 유사하다.

	(가)	(나)	(다)
①	도지	소작인	타작
②	도지	소작인	도지
③	도지	지주	타작
④	타작	소작인	도지
⑤	타작	지주	타작

86

다음 글에서 추론할 수 있는 것만을 〈보기〉에서 모두 고르면?

두 선택지 중 하나를 고르는 게임을 생각해 보자. 게임 A에서 철수는 선택 1을 선호한다.

〈게임 A〉

선택 1 : 100만 원이 들어 있는 봉투 100장 중에서 봉투 하나를 무작위로 선택한다.

선택 2 : 200만 원이 들어 있는 봉투 10장, 100만 원이 들어 있는 봉투 89장, 빈 봉투 1장 중에서 봉투 하나를 무작위로 선택한다.

한편 그는 게임 B에서는 선택 4를 선호한다.

〈게임 B〉

선택 3 : 100만 원이 들어 있는 봉투 11장, 빈 봉투 89장 중에서 봉투 하나를 무작위로 선택한다.

선택 4 : 200만 원이 들어 있는 봉투 10장, 빈 봉투 90장 중에서 봉투 하나를 무작위로 선택한다.

그런데 선호와 관련한 원리 K를 생각해 보자. 이는 "기댓값을 계산해 그 값이 더 큰 것을 선호하라."는 것을 말한다. 이 원리를 받아들인다면, 철수는 게임 A에서는 선택 2를, 게임 B에서는 선택 4를 선호해야 한다. 계산을 해보면 그 둘의 기댓값이 다른 것보다 더 크기 때문이다.

한편 선호와 관련해 또 다른 원리 P도 있다. 이는 "두 게임이 '동일한 구조'를 지닌다면, 두 게임의 선호는 바뀌지 말아야 한다."는 것을 말한다. 이때 두 게임의 선택에 나오는 '공통 요소'를 다른 것으로 대체한 것은 '동일한 구조'를 지닌다고 본다. 예를 들어보자. 먼저 선택 1은 "100만 원이 들어 있는 봉투 11장, 100만 원이 들어 있는 봉투 89장 중에서 봉투 하나를 무작위로 선택한다."와 같다는 사실에서 출발하자. 이렇게 볼 경우, 이제 선택 1과 선택 2는 '100만 원이 들어 있는 봉투 89장'을 공통 요소로 포함하고 있으므로 이를 '빈 봉투 89장'으로 대체하자. 그러면 다음 두 선택으로 이루어진 게임도 앞의 게임 A와 동일한 구조를 지닌 것이 된다는 것이다.

선택 1* : 100만 원이 들어 있는 봉투 11장, 빈 봉투 89장 중에서 봉투 하나를 무작위로 선택한다.

선택 2* : 200만 원이 들어 있는 봉투 10장, 빈 봉투 90장 중에서 봉투 하나를 무작위로 선택한다.

원리 P는 선택 1을 선택 2보다 선호하는 사람이라면 동일한 구조를 지닌 이 게임에서도 선택 1*을 선택 2*보다 선호해야 한다는 것을 말해준다. 흥미로운 사실은 선택 1*과 선택 2*는 앞서 나온 게임 B의 선택 3 및 선택 4와 정확히 같다는 점이다. 그러므로 선택 1을 선택 2보다 선호하는 철수가 원리 P를 받아들인다면 선택 3을 선택 4보다 선호해야 한다.

ㄱ. 〈게임 A〉에서 선택 1을, 〈게임 B〉에서 선택 3을 선호하는 사람은 두 원리 가운데 적어도 하나는 거부해야 한다.

ㄴ. 〈게임 A〉에서 선택 2를, 〈게임 B〉에서 선택 3을 선호하는 사람은 두 원리 가운데 적어도 하나는 거부해야 한다.

ㄷ. 〈게임 A〉에서 선택 2를, 〈게임 B〉에서 선택 4를 선호하는 사람은 두 원리 가운데 적어도 하나는 거부해야 한다.

① ㄱ   ② ㄷ   ③ ㄱ, ㄴ

④ ㄴ, ㄷ   ⑤ ㄱ, ㄴ, ㄷ

87

다음 글의 빈칸에 들어갈 말로 가장 적절한 것은?

페르마의 정리는 n이 2보다 큰 자연수일 때 $a^n + b^n = c^n$을 만족하는 양의 정수 a, b, c가 존재하지 않는다는 것이다. 그런데 페르마는 이에 대한 증명을 제시하지 않았고, 이를 증명하기 위해 수많은 수학자가 도전하였으나 아무도 성공하지 못했다. 그러다가 1993년 와일스가 마침내 페르마의 정리를 증명하게 되었다. 그는 어떻게 이를 증명했을까?

원래 와일스는 타원 방정식을 연구하고 있었고, 이는 페르마의 정리를 증명하는 문제와는 직접적인 관계가 없어 보였다. 그러던 중, 그는 다니야마와 시무라가 제시한 어떤 과감한 추측에 주목하게 되었고, 이 추측에 대한 연구 성과를 통해 페르마의 정리가 타원 방정식과 연관성이 있다는 사실을 알게 되었다. 다니야마와 시무라의 추측을 활용하여 와일스는 페르마의 정리를 다음과 같이 증명했다. 페르마의 정리가 거짓이라고 가정해 보자. 그렇다면 2보다 큰 어떤 자연수 n에 대해, $a^n + b^n = c^n$을 만족하는 양의 정수 a, b, c가 존재할 것이다. 이 가정을 A라고 하자. 그런데 A와 동치인 주장 B가 있다. B는 특정한 종류의 타원 방정식의 해가 존재한다는 것이다. 그런데 이미 '_____'라는 것이 증명돼 있었다. 그리고 1993년 와일스는 다니야마와 시무라의 추측이 참이라는 것을 증명했다. 따라서 B는 거짓이고, 그것과 동치인 페르마의 정리가 거짓이라는 가정 A도 거짓이다. 이로써 와일스는 페르마의 정리가 참이라는 것을 증명해 낸 것이다.

① B가 거짓이라면, A는 거짓이다.

② 다니야마와 시무라의 추측이 참이라면, B는 참이다.

③ 다니야마와 시무라의 추측이 거짓이라면, A는 참이다.

④ B가 참이라면, 다니야마와 시무라의 추측이 거짓이다.

⑤ A가 거짓이라면, 다니야마와 시무라의 추측이 거짓이다.

88

다음 글을 근거로 판단할 때 옳은 것은?

○○국 의회의 의원 정수는 40명이다. 현재는 4개의 선거구(A ~ D)로 이루어져 있고 각 선거구에서 10명씩 의원을 선출한다. 정당은 각 선거구별로 정당별 득표율에 따라 의석을 배분받는다. 각 선거구에서 정당별 의석수는 정당별 득표율에 그 선거구의 총 의석수를 곱한 수에서 소수점 이하를 제외한 정수만큼 의석을 각 정당에 배분하고, 잔여 의석은 소수점 이하가 큰 순서대로 1석씩 차례로 배분한다. 그런데 유권자 1표의 가치 차이를 조정하기 위해 선거 제도를 개편할 필요성이 제기되었고, X안이 논의 중이다.

X안은 현재의 4개 선거구를 2개의 선거구로 통합하되, 이 경우 두 선거구 유권자수가 1 : 1이 되도록 A, C선거구와 B, D선거구를 각각 통합한다. 이때 통합된 A·C선거구와 B·D선거구의 의석수는 각각 20석이다. 선거구별 정당 의석 배분 방식은 현행 제도와 동일하다. 다음은 ○○국에서 최근 실시된 의원 선거의 각 선거구별 유권자수와 정당 득표수이다.

〈선거구별 유권자수〉 (단위 : 천 명)

선거구	A	B	C	D	합계
유권자수	200	400	300	100	1,000

〈선거구별 정당 득표수〉 (단위 : 천 표)

정당＼선거구	A	B	C	D
甲	80	120	150	40
乙	60	160	60	40
丙	40	40	90	10
丁	20	80	0	10
합계	200	400	300	100

※ 특정 선거구 '유권자 1표의 가치'는 해당 선거구 의원 의석수를 해당 선거구 유권자수로 나눈 값임

① 최근 실시된 의원 선거에서 유권자 1표의 가치가 가장 큰 곳은 B선거구이다.

② 최근 실시된 의원 선거의 결과에 X안을 적용할 경우, 丁정당의 의석수는 현행제도보다 늘어난다.

③ 최근 실시된 의원 선거의 결과에 X안을 적용할 경우, 甲정당의 의석수는 현행제도와 차이가 없다.

④ 최근 실시된 의원 선거의 결과에 X안을 적용할 경우, A선거구 유권자 1표의 가치가 현행제도보다 커진다.

⑤ 최근 실시된 의원 선거의 결과에 X안을 적용할 경우, 乙정당과 丙정당은 의석수에 있어서 현행제도가 X안보다 유리하다.

89

다음 A, B 학파에 대한 판단으로 적절하지 않은 것은?

비정규 노동은 파트타임, 기간제, 파견, 용역, 호출 등의 근로 형태를 의미한다. IMF 외환위기 이후 정규직과 비정규직 사이의 차별이 사회문제로 대두되었는데 그 중 가장 심각한 문제가 임금 차별이다. 정규직과 비정규직 사이의 임금수준 격차는 점차 커져 비정규직 임금이 2001년에는 정규직의 63% 수준이었다가 2016년 에는 53.5% 수준으로 떨어졌다. 이 문제를 어떻게 해결할 것인 가를 놓고 크게 두 가지 시각이 대립한다.

A 학파는 차별적 관행을 고수하는 기업들은 비차별적 기업들 과의 경쟁에서 자연적으로 도태되기 때문에 기업 간 경쟁이 임금 차별 완화의 핵심이라고 이야기한다. 기업이 노동자 개인의 능력 이외에 다른 잣대를 바탕으로 차별하는 행위는 비합리적이기 때 문에, 기업들 사이의 경쟁이 강화될수록 임금차별은 자연스럽게 줄어들 수밖에 없다는 것이다. 예를 들어 정규직과 비정규직 가 릴 것 없이 오직 능력에 비례하여 임금을 결정하는 회사는 정규 직 또는 비정규직이라는 이유만으로 무능한 직원들을 임금 면에 서 우대하고 유능한 직원들을 홀대하는 회사보다 경쟁에서 앞서 나갈 것이다.

B 학파는 실제로는 고용주들이 비정규직을 차별한다고 해서 기업 간 경쟁에서 불리해지지는 않는 현실을 근거로 A 학파를 비 판한다. B 학파에 따르면 고용주들은 오직 사회적 비용이라는 추 가적 장애물의 위험에 직면했을 때에만 정규직과 비정규직 사이 의 임금차별 관행을 근본적으로 재고한다. 여기서 말하는 사회적 비용이란, 국가가 제정한 법과 제도를 수용하지 않음으로써 조직 의 정당성이 낮아짐을 뜻한다. 기업의 경우엔 조직의 정당성이 낮아지게 되면 조직의 생존 가능성 역시 낮아지게 된다. 그래서 기업은 임금차별을 줄이는 강제적 제도를 수용함으로써 사회적 비용을 낮추는 선택을 하게 된다는 것이다. 따라서 B 학파는 법 과 제도에 의한 규제를 통해 임금차별이 줄어들 것이라고 본다.

① A 학파에 따르면 경쟁이 치열한 산업군일수록 근로형태에 따른 임금 격차는 더 적어진다.

② A 학파는 시장에서 기업 간 경쟁이 약화되는 것을 방지하기 위한 보 완 정책이 수립되어야 한다고 본다.

③ A 학파는 정규직과 비정규직 사이의 임금차별이 어떻게 줄어드는가 에 대해 B 학파와 견해를 달리한다.

④ B 학파는 기업이 자기 조직의 생존 가능성을 낮춰가면서까지 임금차 별 관행을 고수하지는 않을 것이라고 전제한다.

⑤ B 학파에 따르면 다른 조건이 동일할 때 기업의 비정규직에 대한 임 금차별은 주로 강제적 규제에 의해 시정될 수 있다.

90

다음 글을 근거로 판단할 때, 〈보기〉에서 옳은 것만을 모두 고르면?

하와이 원주민들이 사용하던 토속어는 1898년 하와이가 미국 에 병합된 후 미국이 하와이 학생들에게 사용을 금지하면서 급격 히 소멸되었다. 그러나 하와이 원주민들이 소멸한 토속어를 부활 시키기 위해 1983년 '아하 푸나나 레오'라는 기구를 설립하여 취 학 전 아동부터 중학생까지의 원주민들을 대상으로 집중적으로 토속어를 교육한 결과 언어 복원에 성공했다.

이러한 언어의 다양성을 지키려는 노력뿐만 아니라 언어의 통 일성을 추구하려는 노력도 있었다. 안과의사였던 자멘호프는 유 태인, 폴란드인, 독일인, 러시아인들이 서로 다른 언어를 사용함 으로써 갈등과 불화가 생긴다고 판단하고 예외와 불규칙이 없는 문법과 알기 쉬운 어휘에 기초해 국제공통어 에스페란토를 만들 어 1887년 발표했다. 그의 구상은 '1민족 2언어주의'에 입각하여 같은 민족끼리는 모국어를, 다른 민족과는 중립적이고 배우기 쉬 운 에스페란토를 사용하자는 것이었다.

에스페란토의 문자는 영어 알파벳 26개 문자에서 Q, X, W, Y 의 4개 문자를 빼고 영어 알파벳에는 없는 Ĉ, Ĝ, Ĥ, Ĵ, Ŝ, Ŭ의 6개 문자를 추가하여 만들어졌다. 문법의 경우 가급적 불규칙 변 화를 없애고 각 어간에 품사 고유의 어미를 붙여 명사는 -o, 형용 사는 -a, 부사는 -e, 동사원형은 -i로 끝낸다. 예를 들어 '사랑'은 amo, '사랑의'는 ama, '사랑으로'는 ame, '사랑하다'는 ami이 다. 시제의 경우 어간에 과거형은 -is, 현재형은 -as, 미래형은 -os를 붙여 표현한다.

또한 1자 1음의 원칙에 따라 하나의 문자는 하나의 소리만을 내고, 소리 나지 않는 문자도 없으며, 단어의 강세는 항상 뒤에서 두 번째 모음에 있기 때문에 사전 없이도 쉽게 읽을 수 있다. 특 정한 의미를 갖는 접두사와 접미사를 활용하여 많은 단어를 파생 시켜 사용하므로 단어 암기를 위한 노력이 크게 줄어드는 것도 중요한 특징이다. 아버지는 patro, 어머니는 patrino, 장인은 bopatro, 장모는 bopatrino인 것이 그 예이다.

※ 에스페란토에서 모음은 A, E, I, O, U이며 반모음은 Ŭ이다.

보기

ㄱ. 에스페란토의 문자는 모두 28개로 만들어졌다.

ㄴ. 미래형인 '사랑할 것이다'는 에스페란토로 amios이다.

ㄷ. '어머니'와 '장모'를 에스페란토로 말할 때 강세가 있는 모음은 같다.

ㄹ. 자멘호프의 구상에 따르면 동일한 언어를 사용하는 하와이 원주 민끼리도 에스페란토만을 써야 한다.

① ㄱ, ㄷ   ② ㄱ, ㄹ   ③ ㄴ, ㄹ

④ ㄱ, ㄴ, ㄷ   ⑤ ㄴ, ㄷ, ㄹ

91

다음 글에서 알 수 있는 것은?

화살과 같은 장거리를 날아가는 도구가 개발되기 전 우리 조상들이 고기를 확보하기란 여간 힘든 일이 아니었다. 인간보다 빠르고 힘센 동물이 먹고 남긴 고기를 찾아내는 방법이 있었지만, 이는 상당히 제한적인 경우이고 운까지 따라야 했다. 남은 방법은 스스로 먹잇감을 찾아내 사냥하는 것뿐인데, 대부분의 동물들은 인간보다 빨랐다. 하지만 인간은 고기를 포기하지 않았고 스스로의 힘으로 사냥에 성공했다. 이것이 가능했던 이유는 인간의 체온 조절 능력 덕분이다. 인간은 다른 동물에 비해 체온을 조절하는 능력이 탁월했고, 이는 사냥에 있어 핵심적인 역할을 했다.

인간의 체온 조절 능력은 땀이 분비되는 현상을 통해 이해할 수 있다. 다른 동물들도 땀을 흘리지만 인간만큼 땀을 많이 흘리지 않는다. 땀을 많이 흘리는 대표적인 동물은 말과 낙타인데, 1시간 동안 운동하며 배출하는 수분의 양을 인간과 비교해 보면 인간이 흘리는 땀의 양이 얼마나 많은지 알 수 있다. 말의 피부는 제곱미터당 약 100그램의 수분을 배출하고, 낙타는 250그램까지 배출한다. 그런데 인간은 500그램까지 배출할 수 있다. 이 때문에 인간은 다른 동물에 비해 운동으로 달아오른 체내의 열을 더 빨리 그리고 더 많이 식힐 수 있다.

인간은 땀을 잘 흘릴 뿐 아니라 땀으로 배출된 수분을 즉시 보충하지 않아도 된다. 이것도 상당한 이점이다. 우리는 일시적 탈수 현상을 상당한 정도까지 견뎌낼 수 있다. 하루 남짓 안에 적당량만 보충하면 그것으로 충분하다.

이러한 이점들로 인해, 우리 조상들은 낮에 활동하는 포식자로서 독보적 존재가 되었다. 물론 인간은 영양보다 빨리 달리지는 못했지만, 뜨거운 대낮에 끈질기게 뒤쫓으면 결국 영양이 먼저 지쳐 쓰러졌다. 사냥에 있어 인간은 가장 빠른 동물도, 가장 힘센 동물도, 가장 효율적인 동물도 아니지만 지구력이 가장 강한 동물인 것은 확실하다.

① 인간은 체온 조절 능력 덕분에 사냥에 있어 가장 효율적인 동물로 평가된다.

② 화살과 같은 사냥 도구가 개발되기 전까지 인간은 스스로의 힘으로 사냥할 수 없었다.

③ 일시적 탈수 현상을 잘 견디는 동물이 그렇지 않은 동물에 비해 운동 속도가 더 빠르다.

④ 인간은 땀으로 배출한 수분을 즉시 보충해야 하기 때문에 다른 동물에 비해 탈수 현상을 잘 견디지 못한다.

⑤ 인간은 다른 동물에 비해 피부의 제곱미터당 흘릴 수 있는 땀의 양이 많아 운동으로 인해 발생한 열을 식히는 데 더 유리하다.

92

다음 글의 (가)와 (나)에 들어갈 말을 적절하게 나열한 것은?

중국계 미국인 경제학자 첸은 언어가 인간의 사고와 행동에 어떻게 영향을 미치는가에 대해 관심을 가졌다. 그는 영어와 중국어의 친족 호칭의 차이점에 주목했다. 영어에서는 조부모의 바로 아래 세대 사람들 중 아버지를 제외한 남성 친족을 모두 '엉클'이라 부르지만, 중국어에서는 이 남성이 모계인지 부계인지, 혈연관계인지 결혼을 통해 맺어진 관계인지, 나의 부모보다 나이가 많은지 적은지가 구분되어 호칭에 드러난다. 예를 들어, 한국어의 큰아버지에 해당하는 중국어 '백부'라는 호칭을 사용할 때는
[(가)] 사실을 항상 무의식적으로 기억하게 된다. 이로부터 첸은 언어가 단순한 의사소통의 수단이 아니고 개인이 세상을 인식하는 방식을 재창조하고 편집하는 것이라고 생각하게 되었다.

이러한 생각에서 첸은 언어가 다르면 경제적 사고나 행동에서도 차이를 보일 것이라는 가설을 세웠다. 이 가설을 검증하기 위해 그가 살펴보고자 한 것은 시간에 관한 언어 표현의 차이였다. 미래 시제가 확실히 존재하는 언어권 사람들은 언어가 지배하는 무의식의 영역에서 미래를 현재와 동떨어진 것으로 인식할 것이고, 미래 시제가 현재 시제와 차이가 없는 언어권 사람들은 미래가 이미 현재와 다름없이 다가와 있다고 인식할 것이라고 생각한 첸은 76개국을 조사하여 흥미로운 사실을 발견하였다. '미래 시제가 엄격하게 구분되는' 언어와 '문법상 현재와 미래에 차이가 없는' 언어를 비교했을 때, 두 언어의 모국어 사용자 집단 사이에 저축률이 현격한 차이가 있었던 것이다. 영어, 그리스어 등과 같은 전자의 언어를 모국어로 쓰는 사람들은 저축률이 낮고, 중국어, 핀란드어 등 후자의 언어를 모국어로 쓰는 사람들은 저축률이 높았다. 사람들이 [(나)]는 점을 확인한 것이다. 이를 통해 첸은 언어가 저축과 같은 경제적 의사결정에도 영향을 미친다고 주장했다.

① (가) : 그가 나의 부계 남성 혈족이며 내 아버지보다 나이가 많다는
　 (나) : 미래를 예측하기 쉬우면 저축을 적게 하고, 미래를 예측하기 어려우면 저축을 많이 한다

② (가) : 그가 나의 부계 남성 혈족이며 내 아버지보다 나이가 많다는
　 (나) : 미래를 현재와 동떨어진 것으로 여기면 저축을 적게 하고, 미래를 곧 다가올 현재라고 여기면 저축을 많이 한다

③ (가) : 그와 내가 혈연으로 묶인 한 가족의 일원이라는
　 (나) : 미래를 예측하기 쉬우면 저축을 적게 하고, 미래를 예측하기 어려우면 저축을 많이 한다

④ (가) : 그가 나의 조부모의 바로 아래 세대 남성 혈족이라는
　 (나) : 미래를 현재와 동떨어진 것으로 여기면 저축을 적게 하고, 미래를 곧 다가올 현재라고 여기면 저축을 많이 한다

⑤ (가) : 그가 나의 조부모의 바로 아래 세대 남성 혈족이라는
　 (나) : 미래를 예측하기 쉬우면 저축을 적게 하고, 미래를 예측하기 어려우면 저축을 많이 한다.

93

다음 글에서 추론할 수 있는 것은?

〈설문지〉

A시에는 택시가 총 100대 있는데, 이 중 초록색 택시가 90%, 파란색 택시가 10%이다. 그런데 안개가 낀 어느 날 밤에 택시 한 대가 사고를 일으키고 달아났다. 사고의 유일한 목격자인 갑은 달아난 택시가 파란색이었다고 증언했다. 이에 법정에서는 갑의 증언이 신뢰할 만한지 판단하기 위해 사고가 난 밤과 동일한 조건에서 실험하였다. 그 결과, 갑의 증언의 정확도는 80%임이 밝혀졌다. 즉, 갑이 초록색 택시를 초록색으로 알아맞힌 비율도, 파란색 택시를 파란색으로 알아맞힌 비율도 80%였다. 이를 바탕으로 올바르게 추론한 결과는 다음 중 어느 것인가?

(a) 그날 사고를 일으키고 달아난 택시가 파란색이었을 확률이 초록색이었을 확률보다 크다.

(b) 그날 사고를 일으키고 달아난 택시가 초록색이었을 확률이 파란색이었을 확률보다 크다.

정답은 (b)이다. 이것은 다음과 같이 설명할 수 있다. 사고 당시와 동일한 조건에서 A시의 모든 택시를 갑에게 보여 주는 실험을 했다고 가정해 보자. 이 실험에서 갑은 90대의 초록색 택시와 10대의 파란색 택시를 본다. 90대의 초록색 택시 중 그가 파란색이라고 부정확하게 식별한 것은 20%, 즉 18대이다. 그리고 10대의 파란색 택시 중 그가 파란색이라고 정확하게 식별한 것은 80%, 즉 8대이다. 결국 이 실험에서 갑이 파란색 택시라고 식별한 것은 모두 26대이지만, 이 중 단 8대만이 실제로 파란색이다. 따라서 갑이 본 달아난 택시가 실제로 파란색일 확률은 8/26로 약 31%이고, 초록색일 확률은 18/26로 약 69%이다.

그런데 설문 조사 결과, 대다수의 사람들이 (a)를 택했다. 그 이유는 사람들이 기저율을 무시하는 경향이 있기 때문인데, 이렇게 기저율을 무시하여 생기는 오류를 기저율 오류라고 한다. 위 설문지에는 A시의 전체 택시 중에서 파란색 택시의 비율 및 A시의 전체 택시 중에서 초록색 택시의 비율이 기저율로 제시되어 있다. (a)를 택했다면 갑의 증언의 정확도가 80%라는 사실에 초점을 맞춰 추론하면서 A시에 있는 대부분의 택시가 초록색이라는 사실을 무시했기 때문일 것이다.

우리가 합리적 추론을 하기 위해 지켜야 할 원칙 중 하나로 전체 증거의 원칙이 있다. 전체 증거의 원칙이란 확보된 모든 증거를 고려하여 추론해야 한다는 것이다. 위 설문지에서 (a)를 택한 사람들은 기저율을 고려하지 않고 갑의 증언의 정확도에만 초점을 맞춰 추론함으로써 전체 증거의 원칙을 어긴 것이다.

① 설문지에서 (b)가 옳다고 답변한 사람은 합리적 추론을 한 것이 아니다.

② A시의 택시 중 파란색 택시 비율에만 주목하여 (a)가 옳다고 답변한 사람은 합리적 추론을 한 것이나.

③ 설문지의 조건에서 갑의 증언의 정확도만 70%로 바꿨을 때 (a)가 옳다고 답변한 사람은 기저율 오류를 저지른 것이 아니다.

④ 설문지의 조건에서 A시의 택시 대수만 총 1,000대로 바꿨을 때 (a)가 옳다고 답변한 사람은 기저율 오류를 저지른 것이 아니다.

⑤ A시의 택시 중 파란색 택시 비율과 갑의 증언의 정확도 중 하나라도 고려하지 않은 사람이 (b)가 답이라고 추론한다면, 그 사람은 전체 증거의 원칙을 지키지 않은 것이다.

I

94

다음 A ~ F에 대한 평가로 적절하지 <u>않은</u> 것은?

어느 때부터 인간으로 간주할 수 있는가와 관련된 주제는 인문학뿐만 아니라 자연과학에서도 흥미로운 주제이다. 특히 태아의 인권 취득과 관련하여 이러한 주제는 다양하게 논의되고 있다. 과학적으로 볼 때, 인간은 수정 후 시간이 흐름에 따라 수정체, 접합체, 배아, 태아의 단계를 거쳐 인간의 모습을 갖추게 되는 수준으로 발전한다. 수정 후에 태아가 형성되는 데까지는 8주 정도가 소요되는데 배아는 2주경에 형성된다. 10달의 임신 기간은 태아 형성기, 두뇌의 발달 정도 등을 고려하여 4기로 나뉘는데, 1~3기는 3개월 단위로 나뉘고 마지막 한 달은 4기에 해당한다. 이러한 발달 단계의 어느 시점에서부터 그 대상을 인간으로 간주할 것인지에 대해서는 다양한 견해들이 있다.

A에 따르면 태아가 산모의 뱃속으로부터 밖으로 나올 때 즉 태아의 신체가 전부 노출이 될 때부터 인간에 해당한다. B에 따르면 출산의 진통 때부터는 태아가 산모로부터 독립해 생존이 가능하기 때문에 그때부터 인간에 해당한다. C는 태아가 형성된 후 4개월 이후부터 인간으로 간주한다. 지각력이 있는 태아는 보호받아야 하는데 지각력에 있어서 필수 요소인 전뇌가 2기부터 발달하기 때문이다. D에 따르면 정자와 난자가 합쳐졌을 때, 즉 수정체부터 인간에 해당한다. 그 이유는 수정체는 생물학적으로 인간으로 태어날 가능성을 갖고 있기 때문이다. E에 따르면 합리적 사고를 가능하게 하는 뇌가 생기는 시점 즉 배아에 해당하는 때부터 인간에 해당한다. F는 수정될 때 영혼이 생기기 때문에 수정체부터 인간에 해당한다고 본다.

① A가 인간으로 간주하는 대상은 B도 인간으로 간주한다.
② C가 인간으로 간주하는 대상은 E도 인간으로 간주한다.
③ D가 인간으로 간주하는 대상은 E도 인간으로 간주한다.
④ D가 인간으로 간주하는 대상을 F도 인간으로 간주하지만, 그렇게 간주하는 이유는 다르다.
⑤ 접합체에도 영혼이 존재할 수 있다는 연구결과를 얻더라도 F의 견해는 설득력이 떨어지지 않는다.

95

다음 대화의 (가)와 (나)에 들어갈 말을 적절하게 나열한 것은?

갑 : 최근 우리 시에 있는 A마트가 의무휴업일에 영업을 했으니 이에 대해 조치해 달라는 민원이 접수되었습니다. 어떻게 처리하여야 할까요?

을 : A마트가 「유통산업발전법」에 규정된 의무휴업, 개설등록 등이 적용되는 대규모 점포에 해당하는지부터 확인해야겠군요.

갑 : A마트에서 제출한 사용승인 신청서의 내용을 확인해 보니, 「유통산업발전법」 제2조에 규정된 대규모 점포의 요건을 갖춘 것으로 보입니다. 따라서 영업 개시 전에 개설등록을 해야 하고 의무휴업일도 적용됩니다.

을 : 그러면 A마트에 대해 의무휴업 적용 대상이라고 안내하고 기왕의 의무휴업 위반에 대한 제재를 부과해야겠네요. 법령에 의하면 의무휴업 위반 횟수가 2회 이하이면 과태료 부과 대상이고 3회 이상이면 영업정지 처분 대상이니, 우선 A마트의 의무휴업 위반 횟수부터 파악해 봅시다.

갑 : 우리 시의 의무휴업일이 매월 2, 4째 주 일요일인데 A마트는 지난주에 영업을 시작했으니까 위반 횟수는 1회이겠군요. 그런데 A마트가 아직 개설등록을 하지 않았는데 그래도 의무휴업이 적용되는 것인지부터 검토할 필요가 있겠네요.

을 : 제가 전에 비슷한 사안을 처리했는데, 그때 산업통상자원부에 질의하여 ___(가)___ 의무휴업이 적용된다는 내용의 회신을 받았습니다.

갑 : 그렇다면 A마트에 대해서는 의무휴업이 적용되지 않겠군요. 그런데 「유통산업발전법」을 보니까 개설등록을 하지 않고 대규모 점포를 개설하여 영업한 것은 위법하고 벌금형 부과 대상이네요.

을 : 네, 그렇습니다. 다만 벌금형 부과는 우리 시에서 할 수는 없으니 수사기관에 고발하는 것까지만 할 수 있겠네요.

갑 : 잘 알겠습니다. 그러면 민원인에게 A마트의 법령 위반 영업 행위에 대해 ___(나)___ 진행하겠다고 회신하겠습니다.

① (가) : 개설등록을 하여 적법한 영업 요건을 충족해야
　(나) : 수사기관에 고발하는 조치를

② (가) : 개설등록을 하여 적법한 영업 요건을 충족해야
　(나) : 수사기관에 고발하는 조치와 과태료 부과 처분을

③ (가) : 대규모 점포에 해당해야
　(나) : 수사기관에 고발하는 조치를

④ (가) : 대규모 점포에 해당해야
　(나) : 수사기관에 고발하는 조치와 영업정지 처분을

⑤ (가) : 사용승인 처분을 받아야
　(나) : 영업정지 처분을

96

다음 글에서 추론할 수 있는 것만을 〈보기〉에서 모두 고르면?

수정란은 모체의 자궁에서 발생과정을 거친다. 수정란의 발생과정은 수정란으로부터 태아가 형성되는 과정이다. 수정란의 발생과정 중에 생식샘, 생식관, 외생식기 각각이 남성형 또는 여성형으로 분화되는 성 분화가 일어난다. 수정란의 발생과정이 시작될 때까지는 남성이 될 수정란과 여성이 될 수정란의 차이는 Y염색체를 가지는가의 여부 이외에는 없다. 발생과정 중 수정란은 분열하여 배아가 되고 배아는 발생과정이 진행되면서 태아가 된다. 발생과정을 시작하면서 남성이 될 수정란에서는 Y염색체로부터 나오는 성 결정인자가 만들어진다. 이 수정란이 배아가 되면, 생식샘은 만들어진 성 결정인자에 의해 남성 호르몬인 테스토스테론을 분비하는 고환으로 발달한다. 반면 여성이 될 수정란에서는 Y염색체가 없기 때문에 성 결정인자가 만들어지지 않아 배아가 되어도 생식샘은 고환으로 발달하지 못하고 여성 호르몬인 에스트로겐을 분비하는 난소로 발달한다. 고환에서 생성된 테스토스테론은 남성형 외생식기와 생식관의 발달을 유도하고, 이런 과정을 거친 임신 10~12주경 태아는 외생식기의 해부학적 모양을 통해 성 구분이 가능해진다. 이런 생식관의 발달은 배아의 원시 생식관의 분화로 시작된다. 배아의 성별과 관계없이 배아는 원시 생식관인 볼프관과 뮐러관을 모두 가지고 있다. 생식샘이 고환으로 발달한 경우 고환에서 분비되는 테스토스테론은 볼프관의 분화를 일으켜 부고환과 정관을 형성한다. 그리고 고환에서 또 다른 물질인 뮐러관 억제인자가 분비되어 뮐러관이 퇴화하게 된다. 반면 생식샘이 난소로 발달한 경우 테스토스테론이 분비되지 않아 뮐러관이 퇴화하지 않고 분화한다. 이는 여성형 생식관인 난관과 자궁을 형성하게 한다. 볼프관은 테스토스테론이 없으면 퇴화한다.

보기

ㄱ. 수정란 발생과정이 시작될 때, 여성이 될 수정란에 Y염색체를 가지게 하면 이 수정란의 정상적인 발생과정 중에 뮐러관 억제인자가 분비된다.

ㄴ. 외생식기의 해부학적 모양을 통해 어떤 태아의 성구분이 가능하다면 이 태아를 형성한 수정란에서 성 결정인자가 만들어졌다.

ㄷ. 볼프관과 뮐러관을 모두 가지고 있는 배아는 Y염색체를 가지지 않는다.

① ㄱ   ② ㄷ   ③ ㄱ, ㄴ

④ ㄴ, ㄷ   ⑤ ㄱ, ㄴ, ㄷ

97

다음 글을 근거로 판단할 때, 〈보기〉에서 옳은 것만을 모두 고르면?

조선시대 궁녀가 받는 보수에는 의전, 선반, 삭료 세 가지가 있었다. 『실록』에서 "봄, 가을에 궁녀에게 포화(布貨)를 내려주니, 이를 의전이라고 한다"라고 한 것처럼 '의전'은 1년에 두 차례 지급하는 옷값이다. '선반'은 궁중에서 근무하는 사람들에게 제공하는 식사를 의미한다. '삭료'는 매달 주는 봉급으로 곡식과 반찬거리 등의 현물이 지급되었다. 궁녀들에게 삭료 이외에 의전과 선반도 주었다는 것은 월급 이외에도 옷값과 함께 근무 중의 식사까지 제공했다는 것으로, 지금의 개념으로 본다면 일종의 복리후생비까지 지급한 셈이다.

삭료는 쌀, 콩, 북어 세 가지 모두 지급되었는데 그 항목은 공상과 방자로 나뉘어 있었다. 공상은 궁녀들에게 지급되는 월급 가운데 기본급에 해당하는 것이다. 공상은 모든 궁녀에게 지급되었으나 직급과 근무연수에 따라 온공상, 반공상, 반반공상 세 가지로 나뉘어 차등 지급되었다. 공상 중 온공상은 쌀 7두 5승, 콩 6두 5승, 북어 2태 10미였다. 반공상은 쌀 5두 5승, 콩 3두 3승, 북어 1태 5미였고, 반반공상은 쌀 4두, 콩 1두 5승, 북어 13미였다.

방자는 궁녀들의 하녀격인 무수리를 쓸 수 있는 비용이었으며, 기본급 이외에 별도로 지급되었다. 방자는 모두에게 지급된 것이 아니라 직급이나 직무에 따라 일부에게만 지급되었으므로, 일종의 직급수당 또는 직무수당인 셈이다. 방자는 온방자와 반방자 두 가지만 있었는데, 온방자는 매달 쌀 6두와 북어 1태였고 반방자는 온방자의 절반인 쌀 3두와 북어 10미였다.

보기

ㄱ. 조선시대 궁녀에게는 현물과 포화가 지급되었다.

ㄴ. 삭료로 지급되는 현물의 양은 온공상이 반공상의 2배, 반공상이 반반공상의 2배였다.

ㄷ. 반공상과 온방자를 삭료로 받는 궁녀가 매달 받는 북어는 45미였다.

ㄹ. 매달 궁녀가 받을 수 있는 가장 적은 삭료는 쌀 4두, 콩 1두 5승, 북어 13미였다.

① ㄱ, ㄴ   ② ㄱ, ㄹ   ③ ㄴ, ㄷ

④ ㄱ, ㄷ, ㄹ   ⑤ ㄴ, ㄷ, ㄹ

98

2013년 PSAT 5급 공채 언어논리 25번

다음 옛 문서의 훼손된 부분 ㉠ ~ ㉣을 문맥에 따라 복원한 것으로 적절한 것은?

혈관에서 발견된 매우 얇은 돌출부와 이것의 기능을 면밀히 살펴볼 때, 피가 정맥을 통해서 심장으로 되돌아간다는 것은 분명해 보인다. 정맥 내부에 있는 이 돌출부를 최초로 발견한 사람들은 해부학자인 파브리치우스와 실비우스이다. 사람마다 위치가 조금씩 다르긴 하지만, 이 돌출부들은 정맥에만 있다. 대부분 두 개의 돌출부가 한 쌍을 이루어 서로 마주보고 맞물려 있으며, 피는 돌출부가 향한 방향으로만 움직일 수 있고 그 반대 방향으로 움직일 수 없다.

이 돌출부를 발견한 사람들은 안타깝게도 그 기능에 대해서 제대로 알지 못했다. 몇몇 사람들은 이 돌출부가 피가 신체 아래쪽으로 몰리는 것을 막는 기능을 한다고 생각했다. 하지만 이는 잘못된 생각이다. 왜냐하면 목 뒤의 핏줄에 있는 돌출부는 [㉠] 향해 있어 피가 [㉡] 가는 것을 막고 있기 때문이다. 또 다른 몇몇 사람들은 이 돌출부가 뇌출혈을 막는 기능을 한다고 말하기도 한다. 그러나 이런 생각 역시 잘못이다. 왜냐하면 뇌출혈은 주로 동맥을 통과하는 피와 관련이 있지, 정맥을 통과하는 피와는 별 관련이 없기 때문이다. 이 돌출부들은 신체의 중심부에서 말단으로 흐르는 피의 속도를 늦추기 위해 있는 것도 아니다. 피가 그런 방향으로 흐른다는 것은 그 피가 굵은 줄기에서 가는 가지 쪽으로 흐른다는 것이고, 이 경우는 이런 돌출부가 없어도 피는 충분히 천천히 흐를 것이다.

이 돌출부들은, 피가 굵은 줄기에서 가는 가지로 흘러들어가 정맥을 파열시키는 것을 막고 피가 말단에서 중심으로만 흐르도록 하기 위해서 존재할 뿐이다. 이 돌출부 덕분에 피는 [㉢]에서 [㉣]만 움직일 수 있고 그 반대 방향으로는 움직일 수 없다.

① ㉠에 '아래쪽으로'가 들어가고 ㉡에 '위쪽으로'가 들어간다.
② ㉠에 '아래쪽으로'가 들어가고 ㉡에 '심장 쪽으로'가 들어간다.
③ ㉠에 '두뇌 쪽으로'가 들어가고 ㉡에 '아래쪽으로'가 들어간다.
④ ㉢에 '중심부'가 들어가고 ㉣에 '말단으로'가 들어간다.
⑤ ㉢에 '굵은 줄기'가 들어가고 ㉣에 '가는 가지로'가 들어간다.

99

2011년 PSAT 5급 공채 언어논리 13번

다음 글을 바탕으로 아래 〈실험〉으로부터 이끌어낼 수 있는 결론은?

다양한 종들의 개체군들은 종종 동일한 제한 자원들을 놓고 종간 경쟁을 한다. 이러한 종간 경쟁에 의해 경쟁개체군의 크기와 개체군 성장률이 영향을 받는다. 먹이, 은신처, 영양소 등과 같이 한 개체군이 사용하는 자원과 빛의 세기, 온도와 같이 개체군이 살아가는 동안 필요한 비생물학적 조건을 포함한 환경 조건을 개체군의 '니치'라고 한다. 생태학자들은 한 개체군이 이용할 수 있는 조건과 자원의 범위인 '기본니치'와, 이 개체군이 자연에서 실제로 사용하는 조건과 자원의 범위인 '실현니치'를 구별한다. 개체군의 니치를 구성하는 모든 조건과 자원이 한 서식처에 항상 존재하는 것이 아니고, 이 조건과 자원 중 일부는 다른 종들에 의해 사용되기 때문에 일반적으로 실현니치는 기본니치보다 작다. 두 개체군간의 경쟁은 한 가지 이상의 자원에 대한 기본니치와 실현니치를 그려 시각화할 수 있는데, 두 개체군의 기본니치가 중첩이 되면 이들은 자연에서 경쟁관계에 놓일 것이라고 판단한다. 종간 경쟁이 자연 개체군을 제한하는 것을 확실히 증명하기 위해서는 한 개체군의 존재가 경쟁자로 보이는 다른 개체군의 크기 또는 분포에 미치는 영향을 조사함으로써 두 개체군의 실현니치와 기본니치 사이에 어떤 관계가 있는지를 보여 주어야 한다.

〈실 험〉

같은 바위에 붙어서 공존하는 두 조개 종 A와 B가 있다. 일반적으로 A종은 얕은 물에서 발견되고 B종은 더 깊은 물에 주로 서식한다. A종과 B종이 함께 존재할 때는 두 종이 서로 섞이지 않고 다른 층에서 서식한다. B종을 인위적으로 완전히 제거하였을 때 A종은 B종이 서식하던 장소를 점유하고 번성하였다. A종을 인위적으로 제거하였을 때 B종은 A종이 서식하던 장소에 정착하지 않았다.

① A와 B의 경우 모두 실현니치와 기본니치의 크기가 비슷하다.
② A의 경우는 실현니치가 기본니치보다 더 작지만, B의 경우는 실현니치가 기본니치보다 크다.
③ A의 경우는 실현니치가 기본니치보다 더 작지만, B의 경우는 실현니치와 기본니치의 크기가 비슷하다.
④ A의 경우는 실현니치가 기본니치보다 더 크지만, B의 경우는 실현니치와 기본니치의 크기가 비슷하다.
⑤ A의 경우는 실현니치와 기본니치의 크기가 비슷하지만, B의 경우는 실현니치가 기본니치보다 크다.

100

다음 제시문을 읽고 잘못 추론한 것은?

어느 지방자치단체는 관내의 유흥업소에 대한 단속정도를 놓고 고심 중에 있다. 유흥업소에 대한 단속을 강화할 경우 유흥업소의 수를 줄이는 효과는 있으나, 지역 내 고용이 줄어들어 궁극적으로는 지역경제가 위축될 가능성이 크기 때문이다. 단속을 약화할 경우에는 그 반대의 현상이 발생한다.

이 때, 단속을 강화할 경우 관내 유흥업소의 수가 감소할 가능성이 60%, 현 상태를 유지할 가능성이 30%, 증가할 가능성이 10%라고 한다. 반면에 단속을 약화할 경우 유흥업소의 감소 가능성이 10%, 현 상태 유지 가능성이 30%, 증가 가능성이 60%이다.

다음으로, 유흥업소가 감소할 경우에 고용 감소 가능성이 60%, 현 상태 유지 가능성이 30%, 증가 가능성이 10%이다. 유흥업소가 현 상태를 유지할 경우 고용 감소 가능성이 30%, 현 상태 유지 가능성이 40%, 증가 가능성이 30%이다. 유흥업소가 증가할 경우 고용 감소 가능성은 10%, 현 상태 유지 가능성은 30%, 증가 가능성은 60%이다.

위의 내용을 표로 나타내면 다음과 같다.

단속강화	유흥업소 감소(60%)	고용감소(60%)
		고용유지(30%)
		고용증가(10%)
	유흥업소 유지(30%)	고용감소(30%)
		고용유지(40%)
		고용증가(30%)
	유흥업소 증가(10%)	고용감소(10%)
		고용유지(30%)
		고용증가(60%)
단속약화	유흥업소 감소(10%)	고용감소(60%)
		고용유지(30%)
		고용증가(10%)
	유흥업소 유지(30%)	고용감소(30%)
		고용유지(40%)
		고용증가(30%)
	유흥업소 증가(60%)	고용감소(10%)
		고용유지(30%)
		고용증가(60%)

한편, 고용이 현재보다 증가할 경우 나타나는 경제적 효과는 10억 원, 현재 상태를 유지할 경우에는 3억 원, 감소할 경우에는 -1억 원이라고 한다.

① 유흥업소에 대한 단속을 강화할 경우, 고용증가로 기대할 수 있는 경제적 이익은 2.1억 원이다.

② 유흥업소에 대한 단속을 약화할 경우, 고용감소로 기대할 수 있는 경제적 이익은 -0.21억 원이다.

③ 유흥업소에 대한 단속을 현재보다 약화할 경우, 고용이 현 상태를 유지하여 기대할 수 있는 경제적 이익은 0.99억 원이다.

④ 유흥업소에 대한 단속을 강화하는 경우와 약화하는 경우, 고용증가로 인해 기대할 수 있는 경제적 이익의 차이는 2.5억 원이다.

⑤ 유흥업소에 대한 단속을 강화하는 경우와 약화하는 경우, 고용감소로 인해 기대할 수 있는 경제적 이익의 차이는 0.2억 원이다.

101

다음 글의 (가)~(다)에 들어갈 말을 적절하게 나열한 것은?

평균비용과 한계비용의 개념은 기업 활동을 경제학적으로 분석하는 데 자주 활용된다. 평균비용은 일정 기간 동안 투입된 총비용을 해당 기간에 생산한 제품 개수로 나눈 값이다. 한계비용은 과거에 지출한 비용은 제외하고 제품 1개를 추가로 생산할 때 투입된 비용이다.

평균비용과 한계비용의 개념을 현실에서 활용하는 예로는 기업에 대한 공정거래규제를 들 수 있다. 미국은 1970년대에 기업 간 공정 경쟁을 유도하기 위하여 부당염매행위를 규제하고 있었다. 부당염매행위란 기업이 경쟁사에 의도적으로 타격을 입히기 위하여, 일시적으로 손실을 보더라도 생산비용에 미치지 못하는 가격에 제품을 판매하는 전략을 말한다.

1972년에 제빵업체인 E사는 경쟁사인 C사가 부당염매행위를 하여 막대한 피해를 보았다고 제소하였다. 당시 C사는 빵을 1개당 17.2센트에 판매하고 있었는데, 법원은 E사와의 경쟁 이전 모든 시설투자비를 포함하여 계산한 C사의 빵 1개당 (가) 이 20.6센트라는 사실을 확인하였다. 당시 C사는 누적 기준으로 적자를 기록하고 있었는데, 법원은 그 원인이 판매가격을 생산비용보다 낮게 책정하였기 때문이라고 보았다. 1심 법원은 이를 근거로 C사에 약 500만 달러의 배상금을 부과하였다.

그러나 C사는 1심 법원이 부당염매행위의 판단 기준을 잘못 적용하였다며 항소하였다. C사는 E사와 경쟁하던 시점에 빵을 추가 생산하기 위한 시설투자가 없었다는 자료를 법원에 제출하였다. 그리고 부당염매행위를 판단하기 위해서는 E사와의 경쟁 이전 시설투자비를 제외하고 경쟁 시작 시점에 투입된 비용인 C사의 빵 1개당 (나) 과 판매가격을 비교해야 한다고 주장하였다. C사는 E사와 경쟁할 당시 빵을 판매할 때마다 실제로 적자가 (다) 있었는데, 이는 생산비용보다 높은 가격에 빵을 판매했음을 입증한다는 것이다. 결국 2심 법원은 1심 판결을 뒤집고 C사에 배상책임이 없다는 판결을 내렸다.

	(가)	(나)	(다)
①	평균비용	평균비용	늘고
②	평균비용	한계비용	늘고
③	평균비용	한계비용	줄고
④	한계비용	평균비용	늘고
⑤	한계비용	한계비용	줄고

102

2018년 PSAT 5급 공채 언어논리 18번

다음 ㉠을 평가한 것으로 가장 적절한 것은?

일어나기 매우 어려운 사건이 일어났다고 매우 믿을 만한 사람이 증언했을 때, 우리는 그 사건이 일어났다고 추론할 수 있는가? 증언하는 사람이 거짓말을 자주 해서 믿을 만하지 않은 사람이거나 증언이 진기한 사건에 관한 것이라면, 증언의 믿음직함은 떨어질 수밖에 없다. 흄은 증언이 단순히 진기한 사건 정도가 아니라 기적 사건에 관한 것인 경우를 다룬다. 기적이 일어났다고 누군가 증언했다고 생각해 보자. 흄의 이론에 따르면, 그 증언이 거짓일 확률과 그 기적이 실제로 일어날 확률을 비교해서, 후자가 더 낮다면 우리는 기적 사건이 일어나지 않았다고 생각하고, 전자가 더 낮다면 우리는 그 증언이 거짓이 아니라고 생각해야 한다. 한편 프라이스의 이론에 따르면, 그 증언이 참일 확률이 기적이 일어날 확률보다 훨씬 높으면, 우리는 그 증언으로부터 기적이 실제로 일어났으리라고 추론할 수 있다. 예컨대 가람은 ㉠거의 죽어가는 사람이 살아나는 기적이 일어났다고 증언했다. 그런 기적이 일어날 확률은 0.01%지만, 가람은 매우 믿을 만한 사람이어서 그의 증언이 거짓일 확률은 0.1%다. 의심 많은 나래는 가람보다 더 믿을 만한 증인이다. 나래도 그런 기적을 증언했는데 그의 증언이 거짓일 확률은 0.001%다.

① 흄의 이론에 따르면, 나래가 ㉠에 대해 거짓말했다고 생각해야 한다.

② 흄의 이론에 따르면, ㉠에 대한 가람의 증언이 받아들일 만하다고 생각해야 한다.

③ 프라이스의 이론에 따르면, 가람이 ㉠에 대해 거짓말했다고 생각해야 한다.

④ 흄의 이론에 따르든 프라이스의 이론에 따르든, 가람의 증언으로부터 ㉠이 실제로 일어났으리라고 추론할 수 있다.

⑤ 흄의 이론에 따르든 프라이스의 이론에 따르든, 나래의 증언으로부터 ㉠이 실제로 일어났으리라고 추론할 수 있다.

103

2015년 PSAT 5급 공채 언어논리 16번

다음 글에 비추어 볼 때 〈사례〉의 빈칸에 들어갈 진술로 가장 적절한 것은?

인체 구성성분의 60%는 물이다. 이 중에 대략 3분의 2는 세포 안의 공간에 있는 세포내액으로, 나머지는 세포 밖의 공간에 있는 세포외액으로 존재한다. 세포외액은 다시 세포 사이의 공간에 있는 세포간질액과 혈관 안에 있는 혈액으로 구성된다. 세포내액과 세포외액은 세포막이라는 장벽으로 구분되어 있고, 세포막은 물만 통과할 수 있을 뿐 어떤 삼투질도 통과하지 못한다. 반면 세포간질액과 혈액은 혈관이라는 장벽으로 구분되어 있다. 이제 삼투질에는 소금만 있다고 가정하자. 소금은 혈관을 자유롭게 통과할 수 있기 때문에, 혈관 안팎의 소금 농도가 다르다면 농도가 높은 곳에서 낮은 곳으로 소금이 확산되어 이동한다. 장벽을 사이에 두고 삼투질 농도가 낮은 공간의 물이 삼투질 농도가 높은 공간으로 이동하는 삼투현상이 발생하는데, 이 삼투현상은 세포막과 혈관에서 모두 일어날 수 있다.

체내에서 세포막이나 혈관을 사이에 두고 일어나는 삼투질의 확산과 삼투현상으로 각 공간의 삼투질 농도는 평형을 이루고 있다. 이때 세포내액, 세포간질액, 혈액의 삼투질 농도는 $300mosm/L$이고, 0.9% 소금 용액의 삼투질 농도와 동일하다고 하자. 만약 세포간질액에 소금이 추가되어 삼투질 농도가 $350mosm/L$로 증가된다면, 세포간질액에 있는 소금은 세포 안으로는 확산되지 못하지만 혈관으로 확산되고, 세포 안과 혈관 안의 물이 삼투질 농도가 높은 세포간질액으로 이동하는 삼투현상이 일어난다. 이런 과정을 통해 세포내액, 세포간질액, 혈액은 $300mosm/L$과 $350mosm/L$ 사이의 삼투질 농도에서 다시 평형을 이루게 된다.

〈사 례〉

철수와 영훈의 체액 삼투질 농도가 $300mosm/L$인 상태에서 철수는 0.9%의 소금 용액 1L를, 영훈은 순수한 물 1L를 마셨다. 섭취한 음료는 소화기관에서 모두 흡수되어 혈관 안으로 들어가 온몸으로 퍼져 평형을 이루었다. 음료를 섭취하기 전과 비교하여

_____

① 철수의 세포내액 증가량과 세포외액 증가량은 같다.

② 영훈의 세포외액 증가량이 세포내액 증가량보다 적다.

③ 철수의 세포외액 증가량은 영훈의 세포외액 증가량보다 적다.

④ 철수의 세포내액 증가량은 영훈의 세포외액 증가량보다 많다.

⑤ 철수의 세포내액의 삼투질 농도는 영훈의 세포내액의 삼투질 농도보다 낮다.

104

다음 글에 근거하여 5행(行) – 5수(數) – 5상(常) – 4신(神)을 바르게 짝지은 것은?

가. 음양오행론(陰陽五行論)은 상생(相生)과 상극(相克)의 두 작용을 통해 생명이 창출된다고 본다. 오행은 5상(常)[인(仁)·의(義)·예(禮)·지(智)·신(信)]과 5수(數) [5·6·7·8·9]로 연결되어 해석된다.

나. 상생은 물(水)이 나무를 낳고, 나무(木)가 불을 낳고, 불(火)이 흙을 낳고, 흙(土)이 금을 낳고, 금(金)이 물을 낳는다는 원리이다. 신라, 고려, 조선의 순서로 왕조가 교체된 것은 상생원리로 해석할 수 있다. 정감록에 따르면 조선 다음에는 불의 기운을 가진 정씨가 새로운 세상을 연다고 한다. 불의 숫자는 7이다.

다. 신라, 고려, 조선은 오행에 대응하는 5수를 선호하여 그에 따른 특징을 가지고 있었다. 그래서 조선은 전국을 8도로 나누었고, 고려는 6구역(5도＋양계)으로 나누었으며, 신라는 9층탑을 세우고 전국을 9주로 나누었다.

라. 5상과 방위를 연결하여 4대문[돈의문(敦義門), 소지문(炤智門), 숭례문(崇禮門), 흥인문(興仁門)]과 중앙에 보신각(普信閣)이 건립되었다. 흥인문과 돈의문, 숭례문과 소지문이 서로 마주 보고 있다. 이는 4신(神 : 청룡, 백호, 주작, 현무)과도 연결된다. 고구려 고분벽화의 사신도에는 청룡 맞은편에 백호, 주작 맞은편에 현무가 4방(方)에 각각 위치해 그려져 있다. 이 중 주작은 붉은[火] 봉황을 의미하며, 숭례문과 연결된다. 흥인문은 청룡을 뜻하고 인(仁)은 목(木)과 연결된다.

마. 4대문과 4신의 배치에는 상극의 원리를 적용하여, 물(水)이 불(火)을, 금(金)이 나무(木)를 마주 보게 하였다.

	5행	5수	5상	4신
①	수	6	지	현무
②	화	7	의	주작
③	목	9	인	청룡
④	금	8	예	백호
⑤	토	5	신	백호

메가로스쿨
잘고른 300제

추리논증

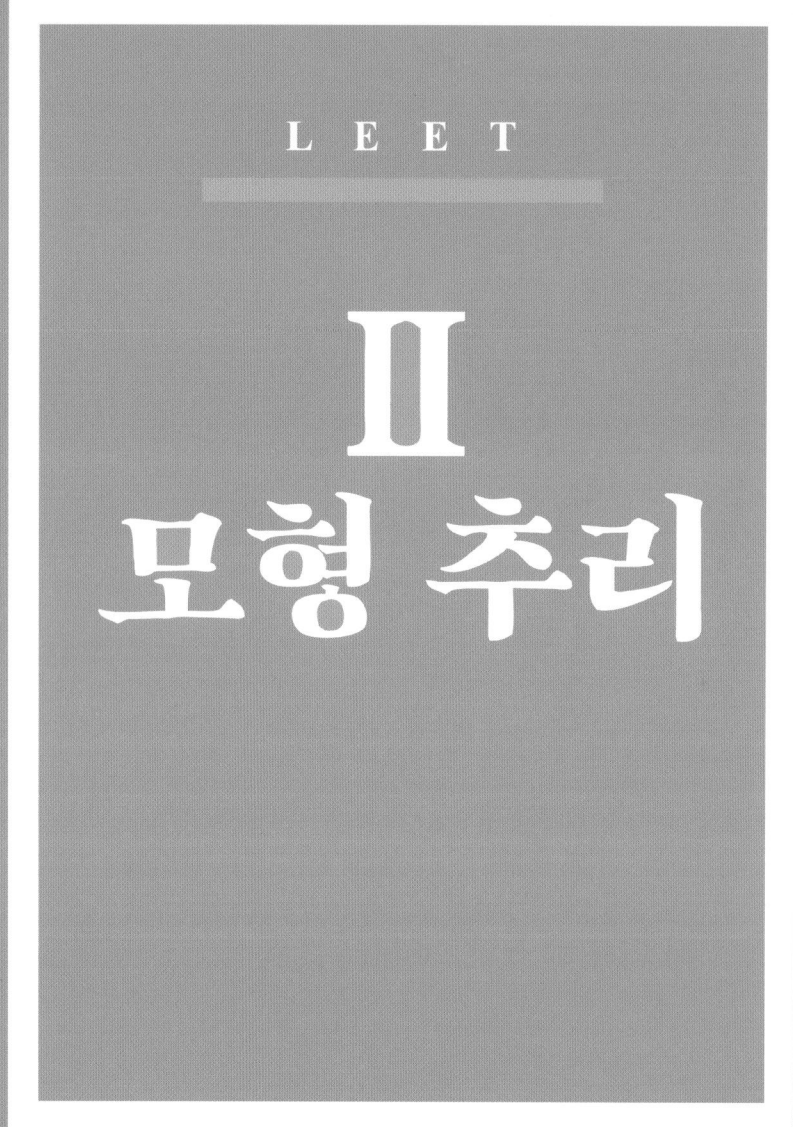

LEET

II
모형 추리

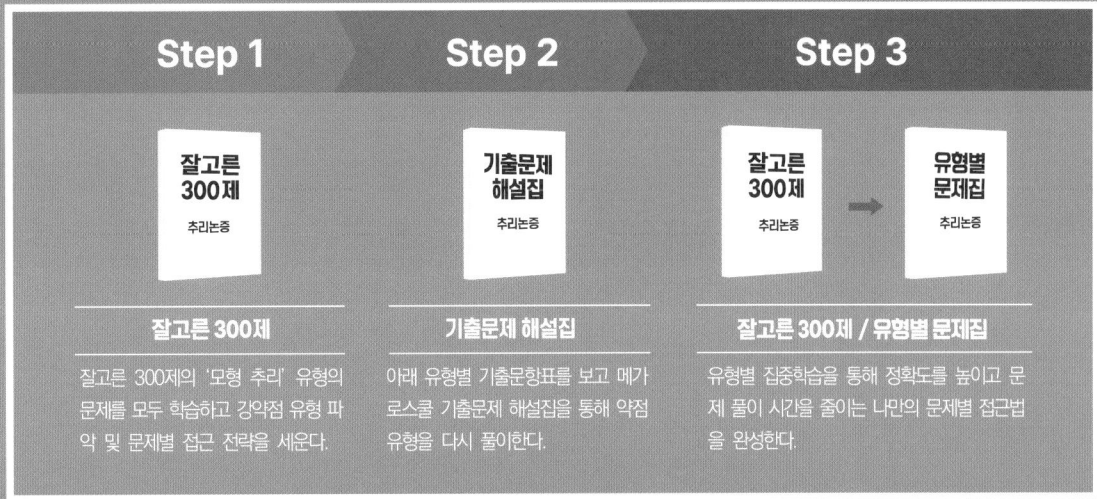

유형별 기출문항표

세부 유형	학년도	기출문제 해설집	문항번호(홀수형 기준)	유형별 문제집
형식적 추리	2026	29	33	
	2020	173	31	
	2018	221	26	
	2017	241	20	
	2016	261	32	
	2015	281	18	
	2014	301	20	
	2012	341	32	
	2011	361	22	
	2010	381	11, 15	
	2009	401	1, 4, 24	
	예비시험	419	1	
	2차 예시	439	1-1	
	1차 예시	449	1, 2	
수리 추리	2026	29	32, 34	116
	2025	53	33, 34, 35	
	2024	77	33, 35	
	2023	101	33	
	2022	125	33	
	2016	261	34	
	2015	281	14, 15, 16, 26, 35	
	2014	301	18, 19, 31, 32, 34	
	2013	321	26	
	2012	341	30, 33, 34, 35	
	2011	361	11, 20, 34	
	2010	381	35	
	2009	401	5, 8, 12, 25, 37	
	예비시험	419	2, 4, 6, 9, 14, 28, 36	
	2차 예시	439	3, 7, 8, 9, 12, 15	
논리게임	2024	77	34	
	2023	101	32, 34	
	2022	125	32, 34	
	2021	149	21, 23	
	2020	173	32, 33	
	2019	197	30, 31, 32	
	2018	221	25, 27, 28	
	2017	241	21, 22	
	2016	261	31, 33, 35	
	2015	281	17, 19, 20, 34	
	2014	301	21, 33, 35	
	2013	321	12, 13, 14, 15, 16	
	2012	341	19, 29, 31	
	2011	361	33, 35	
	2010	381	12, 14, 29, 31	
	2009	401	6, 26	
	예비시험	419	3, 13, 16, 31, 33, 37, 40	
	2차 예시	439	1-2, 5, 6, 10, 17-1, 17-2	
	1차 예시	449	3, 4-1, 4-2, 5-1, 5-2	

※ 교재별 페이지 번호는 메가로스쿨 2027학년도 대비 출간 교재 기준으로 기재되어 있습니다.

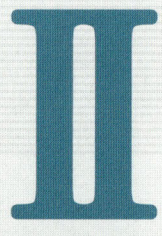

II

모 형 추 리

모형 추리란?

비언어적 표현으로 이루어진 정보로부터 타당한 추론을 이끌어 낼 수 있는 능력을 측정하는 문제 유형으로 크게 형식적 추리, 수리 추리, 논리게임으로 나뉜다. 형식적 추리 문항은 전제로부터 결론에 이르는 연역적인 추론 능력을 묻는다. 수리 추리 문항은 수를 포함한 표, 그래프 등으로 주어진 정보를 해석하고 이로부터 새로운 정보를 도출하는 능력을 측정한다. 논리게임 문항은 조건에 따라 항목을 배열하거나 속성을 연결하는 능력과 제시된 부분적 정보로부터 가능한 상황을 추리하는 능력을 시험한다.

모형 추리 학습법

❶ 형식적 추리 유형

타당한 추론의 규칙을 익혀야 하며, 다양한 형태의 진술을 익숙한 형태의 명제로 변환하여 추론의 규칙을 적용하는 연습이 필요하다. 가령, 'A인 경우에만 B하다.'는 진술은 '만약 B이면 A이다.'를 의미하며 이로부터 '만약 A가 아니면 B가 아니다.'라는 추론이 가능하다. 또한 문장으로 진술된 표현을 기호화 하여 단순하게 나타내는 것이 도움이 된다. 형식적 추리 유형은 주로 문장의 내용이 아니라 문장의 형태로부터 타당한 결론을 추리할 것을 요구하기 때문이다.

❷ 수리 추리 유형

간단한 연산을 묻는 문항은 심화된 수학적 지식을 요구하지 않고, 일상생활에서도 필요한 정도의 간단한 산수 연산 능력을 요구한다. 따라서 주어진 언어 정보와 수 정보를 파악하고 이로부터 함축되는 정보를 추리하는 패턴을 익히면 수리 연산 유형의 문항을 수월하게 해결할 수 있다. 한편 표나 그래프를 제시하는 문항을 해결하기 위해서는 표나 그래프에 주어진 여러 정보들 중 문제 해결에 필요한 정보를 찾아 이를 해석하고 적용하는 능력이 필요하다. 표나 그래프는 주로 그에 대한 언어적 정보와 함께 제시되므로, 제시문의 설명을 토대로 표나 그래프의 정보를 정확하게 분석하고 경우에 따라 그러한 정보가 의미하는 바가 무엇인지 파악할 수 있어야 한다. 표로 주어진 자료를 해석할 때 범하기 쉬운 오류나 착각에는 어떤 것이 있는지 미리 알아두는 것이 좋고, 그래프를 정확하게 해석하기 위해 증가와 감소, 증가율과 감소율 등 자주 등장하는 기본 개념을 정확하게 알아둘 필요가 있다.

❸ 논리게임 유형

배치 및 정렬 유형을 해결하기 위해서는, 주어진 조건과 규칙을 그림이나 표로 나타내는 것과 같이 간단히 도식화하는 과정이 필요하다. 도식화한 조건 들을 바탕으로 새로운 정보를 도출해 내거나 조건을 만족하는 경우를 찾아야 한다. 경우를 나누어 조건에 위배되는 상황을 배제하거나, 혹은 경우의 수 를 줄일 수 없으면 선택지부터 검토하여 제시문의 조건에 충족되는지를 판단하는 방법으로 정답을 찾아가는 것이 문제 풀이 시간을 단축하는 데 도움이 된다. 한편 참 거짓 유형을 해결하는 요령은 경우의 수를 줄일 수 있는 정보를 파악하는 것이다. 여러 진술들 중에서 서로 모순되는 두 진술을 찾고, 이 두 진술이 참일 때와 거짓일 때의 경우를 나누어 문제를 해결하는 것이 능률적이다. 다음으로 리그 게임 유형에 대비하려면, 리그 경기의 최종 순위와 각 순위별 승패·득실·승점 등이 표로 제시되었을 때 그러한 결과를 낳은 한 경기 한 경기에 대한 정보를 추론하는 연습이 충분히 이루어져야 한다. 이러한 문제는, 게임의 형식 및 득점 방식에 대한 정보를 파악한 뒤 주어진 정보 및 정보들 간의 관계로부터 추론할 수 있는 사실을 최대한 추론하여 가능한 경우를 한정해 나가면 선택지들의 정오를 판단할 수 있다.

▶ 모형 추리 문항 예시

II

2013년 5급 공채 언어논리

2013학년도 추리논증

12. 다음 글에서 추론할 수 있는 것은?

다문화 자녀들이 한국생활에 잘 적응하도록 돕기 위해서는 이들과 문화적으로 교류할 수 있는 인재가 필요하다. 이에 정부는 다문화 자녀들과 문화적으로 소통할 수 있는 대학 인재를 양성하기로 하였다. 이를 위해 장학제도가 마련되었는데, 올해 다문화 모집분야는 이해, 수용, 확산, 융합, 총 4분야이고, 각 분야마다 한 명씩 선정되었다.

최종심사에 오른 갑, 을, 병, 정, 무는 심사결과에 대해 다음과 같이 추측하였는데, 이 중 넷은 옳았지만 하나는 틀렸다.

갑 : "을이 이해분야에 선정되었거나, 정이 확산분야에 선정되었다."
을 : "무가 수용분야에 선정되었거나, 정이 확산분야에 선정되지 않았다."
병 : "을은 이해분야에 선정되지 않았고, 무는 수용분야에 선정되지 않았다."
정 : "갑은 융합분야에 선정되었고, 무는 수용분야에 선정되었다."
무 : "병을 제외한 나머지 학생들이 선정되었고, 정이 확산분야에 선정되었다."

① 갑은 선정되지 않았다.
② 을이 이해분야에 선정되었다.
③ 병이 확산분야에 선정되었다.
④ 정이 수용분야에 선정되었다.
⑤ 무가 융합분야에 선정되었다.

14. 다음으로부터 바르게 추론한 것은?

이번 학기에 4개의 강좌 〈수학사〉, 〈정수론〉, 〈위상수학〉, 〈조합수학〉이 새로 개설된다. 수학과장은 강의 지원자 A, B, C, D, E 중 4명에게 각 한 강좌씩 맡기려 한다. 배정 결과를 궁금해 하는 A~E는 다음과 같이 예측했다.

A : "B가 〈수학사〉 강좌를 담당하고 C는 강좌를 맡지 않을 것이다."
B : "C가 〈정수론〉 강좌를 담당하고 D의 말은 참일 것이다."
C : "D는 〈조합수학〉이 아닌 다른 강좌를 담당할 것이다."
D : "E가 〈조합수학〉 강좌를 담당할 것이다."
E : "B의 말은 거짓일 것이다."

배정 결과를 보니 이 중 한 명의 진술만이 거짓이고, 나머지는 참임이 드러났다.

① A는 〈수학사〉를 담당한다.
② B는 〈위상수학〉을 담당한다.
③ C는 강좌를 맡지 않는다.
④ D는 〈조합수학〉을 담당한다.
⑤ E는 〈정수론〉을 담당한다.

상세분석 약 5개월 차이로 출제된 두 문항은 인지활동 유형과 난이도 등에 있어 매우 유사하다.

❶ 인지 활동 유형의 유사점
두 문항 모두 논리게임의 참 또는 거짓 유형으로 분류힐 수 있으며, 다섯 명 진술의 진실 여부를 판단힌디거나 이들 중 한 명의 진술만이 거짓이고 나머지는 모두 참이라는 점 등에 있어 유사점을 보이고 있다.

❷ 난이도 수준의 유사점
두 문항 모두 다섯 명의 진술 중 서로 모순이 되는 두 명의 진술을 찾고, 이를 토대로 나머지 진술의 진실 여부를 판단함으로써 문제해결에 이를 수 있는 난이도 중(中) 정도의 전형적인 참 또는 거짓 유형의 문제이다.

105

다음 글의 빈칸에 들어갈 말로 가장 적절한 것은?

심적 대상이 있다면, 심적 대상은 물리적 대상과 같지 않다. 만약 심적 대상이 있고 심적 대상이 물리적 대상과 같지 않다면, 심적 대상의 소유자는 심적 대상에 접근할 수 있는 인식적 특권을 지닌다. 그런데 심적 대상의 소유자가 심적 대상에 접근할 수 있는 인식적 특권을 지닌다면, 심적 대상에 관해 그 소유자만이 알 수 있는 부분이 있다. 심적 대상에 관해 그 소유자만이 알 수 있는 부분이 있다면, 심적 대상에 관해 검증 불가능한 지식이 존재한다. 그러므로 심적 대상은 없다. 왜냐하면 _____.

① 심적 대상은 물리적 대상과 같지 않기 때문이다
② 심적 대상이 물리적 대상과 같다면 심적 대상은 없기 때문이다
③ 심적 대상에 관해 그 소유자만이 알 수 있는 부분이 있기 때문이다
④ 심적 대상에 관해 검증 불가능한 지식은 존재하지 않기 때문이다
⑤ 심적 대상의 소유자가 심적 대상에 접근할 수 있는 인식적 특권을 지니기 때문이다

106

다음 글의 내용이 참일 때, 반드시 참인 것만을 〈보기〉에서 모두 고르면?

설 연휴인 1월 28일(화), 1월 29일(수), 1월 30일(목)에 전공의인 갑, 을, 병, 정, 무가 당직 근무를 섰다. 당직 근무는 매일 최소 한 명이 필요하였으며, 각 전공의는 3일 중 하루만 당직 근무를 섰다. 단, 전공의가 당직 근무를 서지 않는 경우는 없었다.
다음은 이들이 나눈 대화이다.

○ 갑 : 나는 목요일에 당직 근무를 서지 않았어.
○ 을 : 나는 혼자서만 당직 근무를 섰어.
○ 병 : 나는 혼자 당직 근무를 서지 않았어.
○ 정 : 나는 무와 당직 근무를 서지 않았어.
○ 무 : 나는 수요일에 당직 근무를 섰어.

보기

ㄱ. 정이 화요일에 당직 근무를 섰다면 병도 화요일에 당직 근무를 섰다.
ㄴ. 을이 화요일에 당직 근무를 섰다면 정이 혼자 당직 근무를 서는 경우가 있었다.
ㄷ. 갑과 병이 같은 날 당직 근무를 섰다면 을은 목요일에 당직 근무를 섰다.

① ㄱ   ② ㄴ   ③ ㄷ
④ ㄴ, ㄷ   ⑤ ㄱ, ㄴ, ㄷ

107

다음 대화에서 추론할 수 있는 것은?

> 갑 : 자율주행차가 상용화되면, 운전은 힘들지 않아.
>
> 을 : 자율주행차가 상용화되는 것은 부정할 수 없는 사실이지.
>
> 병 : 교통사고가 현저하게 줄어들려면 사람들이 더 이상 운전을 하지 않아야 하지만, 자율주행차의 상용화와 무관하게 사람들은 계속 운전해.
>
> 정 : 운전이 힘들지 않으면서 교통사고가 현저하게 줄어들지 않는 그런 경우는 없고, 자율주행차가 상용화되면 교통사고는 현저하게 줄어들지.
>
> 무 : 운전이 힘들다는 것도 사람들이 더 이상 운전을 하지 않는다는 것도 사실이 아니지만, 운전이 힘들지 않으면 교통사고는 현저하게 줄어들지.

① 갑의 말과 을의 말이 참이라면, 정의 말은 참이다.

② 갑의 말과 정의 말이 참이라면, 을의 말은 참이다.

③ 을의 말과 병의 말이 동시에 참일 수 없다.

④ 병의 말과 무의 말이 동시에 참일 수 없다.

⑤ 정의 말과 무의 말이 동시에 참일 수 없다.

108

다음 글의 내용이 참일 때, 반드시 참인 것은?

> 갑돌과 정순은 매일 커피를 마시는 흡연자이다. 을순과 병돌은 매년 치석을 없앤다. 그리고 치아의 색깔에 관한 다음의 사실이 알려져 있다.
>
> ○ 치석을 매년 없애지 않고 매일 커피를 마시는 사람의 경우, 그의 이가 노랄 확률은 60% 이상이다.
>
> ○ 치석을 매년 없애지 않는 흡연자의 경우, 그의 이가 노랄 확률은 80% 이상이다.
>
> ○ 치석을 매년 없애지 않고 매일 커피를 마시는 흡연자의 경우, 그의 이가 노랄 확률은 90% 이상이다.
>
> ○ 치석을 매년 없애는 사람의 경우, 그의 이가 노랄 확률은 그의 커피 섭취 및 흡연 여부와 무관하게 20% 미만이다.

① 갑돌의 이가 노랄 확률은 80% 이상이다.

② 을순의 이가 노랗지 않을 확률은 80% 미만이다.

③ 병돌이 흡연자라면, 그의 이가 노랄 확률은 20% 이상이다.

④ 병돌이 매일 커피를 마신다면, 그의 이가 노랄 확률은 20% 이상이다.

⑤ 정순이 치석을 매년 없애지 않는다면, 그의 이가 노랄 확률은 90% 이상이다.

109

2025년 PSAT 입법고시 언어논리 6번

다음 글의 내용이 참일 때 반드시 참인 것은?

이번 정기인사 시기에 서기관 갑, 을, 병, 정 4명은 A, B, C, D 4곳의 지방의회 중 한 곳에 파견 배치된다. 배치 조건은 다음과 같다.

○ 갑이 D에 배치되지 않는다면 을은 B에 배치된다.
○ 갑과 정은 같은 곳에 배치되지 않고, 을과 병은 같은 곳에 배치되지 않는다.
○ 병이 A에 배치되거나 B에 배치된다면 정은 D에 배치되지 않는다.
○ 병이 B에 배치되거나 정이 D에 배치된다.
○ 정이 B에 배치되지 않거나 병이 C에 배치된다.
○ 정이 C에 배치되면 갑이 C에 배치된다.
○ 정이 D에 배치되면 병은 C에 배치되지 않는다.
○ 정이 D에 배치되지 않거나 병이 D에 배치되지 않는다.

① 두 명의 서기관이 동시에 배치되는 지방의회가 있다.
② 을과 정이 같은 곳에 배치되는 경우가 존재한다.
③ 을은 A 또는 C에 배치된다.
④ B에 두 명의 서기관이 동시에 배치될 수 있다.
⑤ 갑이 B에 배치되거나 정이 C에 배치된다.

110

2025년 PSAT 입법고시 언어논리 12번

다음 글의 내용이 모두 참일 때, 반드시 참인 것만을 〈보기〉에서 모두 고르면?

A상임위원회 사무실에는 갑, 을, 병, 정, 무 총 5명의 입법조사관이 근무하고 있다. 사무실에는 매일 3명 이상의 조사관이 출근하여야 하고, 모든 조사관은 다음주에 1일 이상의 휴가를 쓴다. 조사관들의 다음주(월~금) 휴가 계획은 다음과 같다.

○ 갑 : 저는 무 조사관님이 출근하실 때는 출근할게요.
○ 을 : 저는 육아 때문에 화요일, 수요일, 목요일에는 휴가를 쓸 계획이에요.
○ 병 : 저는 을 조사관님이 출근하실 때는 출근할게요.
○ 정 : 저는 월요일에 휴가를 쓰고 병 조사관님이 출근 안 하시는 날에는 출근할게요.
○ 무 : 정 조사관님이 휴가를 쓰시는 날에 저도 휴가를 쓸게요.

보기

ㄱ. 갑 조사관은 1일만 휴가를 사용하게 된다.
ㄴ. 4명의 조사관이 출근하는 경우가 생길 수 있다.
ㄷ. 병과 정이 함께 근무하는 경우는 없다.

① ㄱ　　　　　② ㄴ　　　　　③ ㄱ, ㄴ
④ ㄴ, ㄷ　　　　⑤ ㄱ, ㄴ, ㄷ

2025년 PSAT 입법고시 언어논리 38번

다음 글의 내용이 참일 때, 반드시 참인 것만을 〈보기〉에서 모두 고르면?

올해 신규 임용된 갑, 을, 병, 정, 무 사무관은 오늘 아침 각자 다른 이유로 어쩔 수 없이 지각했다. 5명의 사무관들은 국회사무처, 국회도서관, 국회예산정책처, 국회입법조사처, 국회미래연구원에서 각 1명씩 근무하고 있다. 갑, 을, 병, 정, 무의 출근 순서만을 고려하며, 동시에 출근하지는 않았다고 가정한다.

○ 갑은 가장 늦게 출근하지는 않았다.
○ 을은 국회사무처에서 근무하고 가장 먼저 출근하였다.
○ 국회도서관 근무자는 병이나 갑이 아니며 두 번째로 출근하였다.
○ 국회예산정책처 근무자는 폭풍우 때문에 늦게 출근하였는데, 지하철 연착 때문에 지각한 사람보다 더 늦게 출근하였다.
○ 정은 늦잠으로 지각한 사람보다 늦게 출근했는데, 둘 사이에 출근한 사람이 한 명 있다.
○ 도로 위 빙판 때문에 지각한 사람은 쓰러진 나무를 피해서 돌아가느라 지각한 사람 바로 다음에 출근하였다.
○ 국회입법조사처에서 일하는 사람이 가장 늦게 출근하였다.

보기

ㄱ. 무는 국회도서관에서 근무한다.
ㄴ. 국회미래연구원에서 근무하는 사무관은 도로 위 빙판 때문에 지각하였다.
ㄷ. 갑은 세 번째로 출근하였다.

① ㄱ ② ㄱ, ㄴ ③ ㄱ, ㄷ
④ ㄴ, ㄷ ⑤ ㄱ, ㄴ, ㄷ

 2025년 PSAT 입법고시 상황판단 31번

다음 글을 근거로 판단할 때, 戊의 담당 토론 분야로 옳은 것은?

□□학과 동기인 甲, 乙, 丙, 丁, 戊는 교내 토론대회에 팀을 구성해 참여할 예정이다. 교내 토론대회는 기술, 환경, 교육, 정치, 보건 5개 분야별로 월요일부터 금요일까지 하루에 하나씩 토론이 개최된다. 甲, 乙, 丙, 丁, 戊는 각각 하나의 분야만을 담당한다. 이들은 토론 분야와 일정에 맞춰 다음과 같이 각자 역할을 분담하기로 하였다.
○ 丙은 수요일 담당이지만, 정치 분야 토론 담당은 아니다.
○ 교육 분야 토론은 금요일에 개최되지만, 丁이 담당하지는 않는다.
○ 戊는 화요일 담당이 아니다.
○ 기술 분야 토론은 목요일에 개최된다.
○ 乙은 보건 분야 토론을 담당한다.
○ 甲은 월요일 담당이다.

① 기술 ② 보건 ③ 정치
④ 교육 ⑤ 환경

113

2023년 PSAT 5급 공채 언어논리 16번

다음 글의 내용이 참일 때 반드시 참인 것은?

영어 회화가 가능한 갑순과 을돌, 중국어 회화가 가능한 병수와 정희를 다음 〈배치 원칙〉에 따라 총무부, 인사부, 영업부, 자재부에 각 한 명씩 모두 배치하기로 하였다. 네 명 중 병수를 제외한 나머지는 신입사원이고, 갑순만 공인노무사 자격증을 갖고 있다.

〈배치 원칙〉
○ 총무부와 인사부 중 한 곳에는 공인노무사 자격증을 갖고 있는 사원을 배치한다.
○ 영업부와 자재부 중 한 곳에만 중국어 회화 가능자를 배치한다.
○ 정희를 인사부에도 자재부에도 배치하지 않는다면, 영업부에 배치한다.
○ 영업부와 자재부 중 한 곳에만 신입사원을 배치한다.

이 원칙에 따라 부서를 배치한 결과 일부 사원의 부서만 결정되었다. 이에 다음의 원칙을 추가하였다.

〈추가 원칙〉
○ 인사부와 영업부에 같은 외국어 회화를 할 수 있는 사원들을 배치한다.
그 결과 〈배치 원칙〉을 어기지 않으면서 위 네 명의 배치를 다 결정할 수 있었다.

① 〈배치 원칙〉만으로 배치된 갑순의 부서는 영업부이다.
② 〈배치 원칙〉만으로 배치된 을돌의 부서는 자재부이다.
③ 〈배치 원칙〉과 〈추가 원칙〉에 따라 최종적으로 배치된 병수의 부서는 자재부이다.
④ 〈배치 원칙〉과 〈추가 원칙〉에 따라 최종적으로 배치된 정희의 부서는 인사부이다.
⑤ 〈배치 원칙〉과 〈추가 원칙〉에 따라 최종적으로 배치된 갑순의 부서도 을돌의 부서도 총무부가 아니다.

114

2021년 PSAT 7급 공채 언어논리 9번

다음 글의 내용이 참일 때, 반드시 참인 것은?

A, B, C, D를 포함해 총 8명이 학회에 참석했다. 이들에 관해서 알려진 정보는 다음과 같다.
○ 아인슈타인 해석, 많은 세계 해석, 코펜하겐 해석, 보른 해석 말고도 다른 해석들이 있고, 학회에 참석한 이들은 각각 하나의 해석만을 받아들인다.
○ 상태 오그라듦 가설을 받아들이는 이들은 모두 5명이고, 나머지는 이 가설을 받아들이지 않는다.
○ 상태 오그라듦 가설을 받아들이는 이들은 코펜하겐 해석이나 보른 해석을 받아들인다.
○ 코펜하겐 해석이나 보른 해석을 받아들이는 이들은 상태 오그라듦 가설을 받아들인다.
○ B는 코펜하겐 해석을 받아들이고, C는 보른 해석을 받아들인다.
○ A와 D는 상태 오그라듦 가설을 받아들인다.
○ 아인슈타인 해석을 받아들이는 이가 있다.

① 적어도 한 명은 많은 세계 해석을 받아들인다.
② 만일 보른 해석을 받아들이는 이가 두 명이면, A와 D가 받아들이는 해석은 다르다.
③ 만일 A와 D가 받아들이는 해석이 다르다면, 적어도 두 명은 코펜하겐 해석을 받아들인다.
④ 만일 오직 한 명만이 많은 세계 해석을 받아들인다면, 아인슈타인 해석을 받아들이는 이는 두 명이다.
⑤ 만일 코펜하겐 해석을 받아들이는 이가 세 명이면, A와 D 가운데 적어도 한 명은 보른 해석을 받아들인다.

115

다음 글의 대화 내용이 참일 때, 갑수보다 반드시 나이가 적은 사람만을 모두 고르면?

갑수, 을수, 병수, 철희, 정희 다섯 사람은 어느 외국어 학습 모임에서 서로 처음 만났다. 이후 모임을 여러 차례 갖게 되었지만 그들의 관계는 형식적인 관계 이상으로는 발전하지 않았다. 이 모임에서 주도적인 역할을 하고 있는 갑수는 서로 더 친하게 지냈으면 좋겠다는 생각에 뒤풀이를 갖자고 제안했다. 갑수의 제안에 모두 동의했다. 그들은 인근 맥줏집을 찾아갔다. 그 자리에서 그들이 제일 먼저 한 일은 서로의 나이를 묻는 것이었다.

먼저 갑수가 정희에게 말했다. "정희 씨, 나이가 몇 살이에요?" 정희는 잠시 머뭇거리더니 다음과 같이 말했다. "나이 묻는 것은 실례인 거 아시죠? 저는요, 갑수 씨 나이는 알고 있거든요. 어쨌든 갑수 씨보다는 나이가 적어요." 그리고는 "그럼 을수 씨 나이는 어떻게 되세요?"라고 을수에게 물었다. 을수는 "정희 씨, 저는 정희 씨와 철희 씨보다는 나이가 많지 않아요."라고 했다.

그때 병수가 대뜸 갑수에게 말했다. "그런데 저는 정작 갑수 씨 나이가 궁금해요. 우리들 중에서 리더 역할을 하고 있잖아요. 진짜 나이가 어떻게 되세요?" 갑수가 "저요? 음, 많아야 병수 씨 나이죠."라고 하자, "아, 그렇군요. 그럼 제가 대장해도 될까요? 하하……."라고 병수가 너털웃음을 웃으며 대꾸했다.

이때, "그럼 그렇게 하세요. 오늘 술값은 리더가 내시는 거 아시죠?"라고 정희가 끼어들었다. 그리고 "그런데 철희 씨는 좀 어려 보이는데, 몇 살이에요?"라고 물었다. 철희는 다소 수줍은 듯이 고개를 숙였다. 그리고는 "저는 병수 씨와 한 살 차이밖에 나지 않아요. 보기보다 나이가 많죠?"라고 대답했다.

① 정희
② 철희, 을수
③ 정희, 을수
④ 철희, 정희
⑤ 철희, 정희, 을수

116

다음 대화의 ㉠과 ㉡에 들어갈 말을 가장 적절하게 나열한 것은?

갑 : A와 B 모두 회의에 참석한다면, C도 참석해.
을 : C는 회의 기간 중 해외 출장이라 참석하지 못해.
갑 : 그럼 A와 B 중 적어도 한 사람은 참석하지 못하겠네.
을 : 그래도 A와 D 중 적어도 한 사람은 참석해.
갑 : 그럼 A는 회의에 반드시 참석하겠군.
을 : 너는 ___㉠___고 생각하고 있구나?
갑 : 맞아. 그리고 우리 생각이 모두 참이면, E와 F 모두 참석해.
을 : 그래. 그 까닭은 ___㉡___ 때문이지.

① ㉠ : B와 D가 모두 불참한다
　 ㉡ : E와 F 모두 회의에 참석하면 B는 불참하기
② ㉠ : B와 D가 모두 불참한다
　 ㉡ : E와 F 모두 회의에 참석하면 B도 참석하기
③ ㉠ : B가 회의에 불참한다
　 ㉡ : B가 회의에 참석하면 E와 F 모두 참석하기
④ ㉠ : D가 회의에 불참한다
　 ㉡ : B가 회의에 불참하면 E와 F 모두 참석하기
⑤ ㉠ : D가 회의에 불참한다
　 ㉡ : E와 F 모두 회의에 참석하면 B도 참석하기

117

2015년 PSAT 5급 공채 언어논리 32번

다음 글의 내용이 참일 때, 반드시 채택되는 업체의 수는?

> 농림축산식품부는 구제역 백신을 조달할 업체를 채택할 것이다. 예비 후보로 A, B, C, D, E 다섯 개 업체가 선정되었으며, 그 외 다른 업체가 채택될 가능성은 없다. 각각의 업체에 대해 농림축산식품부는 채택하거나 채택하지 않거나 어느 하나의 결정만을 내린다.
>
> 정부의 중소기업 육성 원칙에 따라, 일정 규모 이상의 대기업인 A가 채택되면 소기업인 B도 채택된다. A가 채택되지 않으면 D와 E 역시 채택되지 않는다. 그리고 수의학 산업 중점육성 단지에 속한 업체인 B가 채택된다면, 같은 단지의 업체인 C가 채택되거나 혹은 타지역 업체인 A는 채택되지 않는다. 마지막으로 지역 안배를 위해, D가 채택되지 않는다면, A는 채택되지만 C는 채택되지 않는다.

① 1개   ② 2개   ③ 3개

④ 4개   ⑤ 5개

118

2025년 PSAT 5급 공채 언어논리 34번

다음 글의 내용이 참일 때 반드시 참인 것만을 〈보기〉에서 모두 고르면?

> 단어의 외연이란 그 단어가 적용되는 대상들의 집합이며, 단어의 내포란 그 단어의 외연을 형성하는 조건들의 집합이다. 두 단어 A, B에 대해서 'A가 B를 함의한다'라는 것은 B의 내포가 A의 내포의 부분집합이라는 것이다. 즉, B의 내포에 속하는 모든 원소는 A의 내포에도 속한다는 것이다. A가 B를 함의할 경우, A의 외연에 속하는 모든 원소는 B의 외연에도 속하게 되며, 이를 두고 'B가 A를 포함한다'라고 말한다. 예를 들어 쌀이 곡식을 함의한다면 곡식은 쌀을 포함한다. 두 단어가 '동의어'라는 것은 그 두 단어가 서로를 함의한다는 것이다.
>
> 다섯 개의 단어 P, Q, R, S, T에 대해 다음의 사실이 알려졌다.
> ○ S는 P를 포함한다.
> ○ S는 T를 함의한다.
> ○ R의 내포에 속하는 원소 중에는 S의 내포에 속하지 않는 것이 있다.
> ○ T의 외연에 속하는 원소 중에는 Q의 외연에 속하지 않는 것이 있다.

보기

ㄱ. T는 P를 포함한다.

ㄴ. T는 Q를 함의하지 않는다.

ㄷ. S가 Q를 함의하면, Q와 R은 동의어가 아니다.

① ㄱ   ② ㄷ   ③ ㄱ, ㄴ

④ ㄴ, ㄷ   ⑤ ㄱ, ㄴ, ㄷ

119

다음 글의 빈칸에 들어갈 내용으로 가장 적절한 것은?

민간 문화 교류 증진을 목적으로 열리는 국제 예술 공연의 개최가 확정되었다. 이번 공연이 민간 문화 교류 증진을 목적으로 열린다면, 공연 예술단의 수석대표는 정부 관료가 맡아서는 안 된다. 만일 공연이 민간 문화 교류 증진을 목적으로 열리고 공연 예술단의 수석대표는 정부 관료가 맡아서는 안 된다면, 공연 예술단의 수석대표는 고전음악 지휘자나 대중음악 제작자가 맡아야 한다. 현재 정부 관료 가운데 고전음악 지휘자나 대중음악 제작자는 없다. 예술단에 수석대표는 반드시 있어야 하며 두 사람 이상이 공동으로 맡을 수도 있다. 전체 세대를 아우를 수 있는 사람이 아니라면 수석대표를 맡아서는 안 된다. 전체 세대를 아우를 수 있는 사람이 극히 드물기에, 위에 나열된 조건을 다 갖춘 사람은 모두 수석대표를 맡는다.

누가 공연 예술단의 수석대표를 맡을 것인가와 더불어, 참가하는 예술인이 누구인가도 많은 관심의 대상이다. 그런데 아이돌 그룹 A가 공연 예술단에 참가하는 것은 분명하다. 왜냐하면 만일 갑이나 을이 수석대표를 맡는다면 A가 공연 예술단에 참가하는데, ⬚⬚⬚⬚⬚⬚⬚⬚ 때문이다.

① 갑은 고전음악 지휘자이며 전체 세대를 아우를 수 있기

② 갑이나 을은 대중음악 제작자 또는 고전음악 지휘자이기

③ 갑과 을은 둘 다 정부 관료가 아니며 전체 세대를 아우를 수 있기

④ 을이 대중음악 제작자가 아니라면 전체 세대를 아우를 수 없을 것이기

⑤ 대중음악 제작자나 고전음악 지휘자라면 누구나 전체 세대를 아우를 수 있기

120

다음 글과 〈대화〉를 근거로 판단할 때, 甲과 丙의 근무처와 직위를 옳게 나열한 것은?

○ 직급이 5급 이상인 공무원 甲, 乙, 丙은 서로 다른 우체국 A, B, C에서 근무하고 있다.

○ 각 우체국의 5급 이상 공무원에게는 국장, 과장, 팀장의 직위가 부여되며 그 현황은 다음과 같다.
 – A우체국 : 3급 1명(국장), 4급 2명(과장), 5급 1명(팀장)
 – B우체국 : 4급 1명(국장), 5급 3명(과장)
 – C우체국 : 5급 1명(국장)

〈대 화〉

甲 : 저는 C우체국에서 근무하지 않아요.

乙 : 저는 甲과 직급이 같아요.

丙 : 저는 A우체국에서 근무하지 않고, 乙이 근무하는 우체국의 어느 공무원보다도 직급이 높아요.

	甲	丙
①	A우체국 팀장	B우체국 국장
②	A우체국 과장	B우체국 과장
③	A우체국 국장	B우체국 국장
④	B우체국 과장	C우체국 국장
⑤	B우체국 국장	C우체국 국장

121

2023년 PSAT 7급 공채 상황판단 21번

다음 글을 근거로 판단할 때, 식목일의 요일은?

> 다음은 가원이의 어느 해 일기장에서 서로 다른 요일의 일기를 일부 발췌하여 날짜순으로 나열한 것이다.
> (1) 4월 5일 ○요일
>   오늘은 식목일이다. 동생과 한 그루의 사과나무를 심었다.
> (2) 4월 11일 ○요일
>   오늘은 아빠와 뒷산에 가서 벚꽃을 봤다.
> (3) 4월 □□일 수요일
>   나는 매주 같은 요일에만 데이트를 한다. 오늘 데이트도 즐거웠다.
> (4) 4월 15일 ○요일
>   오늘은 친구와 미술관에 갔다. 작품들이 멋있었다.
> (5) 4월 □□일 ○요일
>   내일은 대청소를 하는 날이어서 오늘은 휴식을 취했다.
> (6) 4월 □□일 ○요일
>   나는 매달 마지막 일요일에만 대청소를 한다. 그래서 오늘 대청소를 했다.

① 월요일 ② 화요일 ③ 목요일
④ 금요일 ⑤ 토요일

122

2025년 PSAT 7급 공채 언어논리 16번

다음 글의 내용이 참일 때 반드시 참인 것은?

> △△부에서는 10월에 신설되는 ○○위원회에 파견할 인원을 선발하는 중이다. 박 주무관, 이 주무관, 선 주무관, 남 주무관, 오 주무관이 파견 대상 후보인데, 이와 관련하여 다음과 같은 사실이 알려졌다.
> ○ 박 주무관이 선발되면, 오 주무관도 선발된다.
> ○ 이 주무관이 선발되면, 남 주무관도 선발된다.
> ○ 선 주무관이 선발되면, 박 주무관도 선발된다.
> ○ 선 주무관이 선발되거나 이 주무관이 선발된다.

① 남 주무관이 선발된다.
② 이 주무관과 선 주무관이 둘 다 선발된다.
③ 박 주무관이 선발되거나 선 주무관이 선발된다.
④ 오 주무관이 선발되지 않으면 박 주무관은 선발된다.
⑤ 남 주무관과 오 주무관 중 적어도 한 사람은 선발된다.

123

A과 학생들의 수강현황을 조사한 결과 다음과 같은 자료를 얻었다. A과 학생 민주가 경제학을 수강하고 있다는 결론을 이끌어낼 수 있는 정보는?

○ 정치학과 사회학을 둘 다 수강하는 학생은 모두 경제학도 수강하고 있다.
○ 경영학과 회계학을 둘 다 수강하는 학생은 모두 경제학도 수강하고 있다.
○ A과 학생은 누구든 논리학이나 역사학 수업 가운데 적어도 하나는 수강하고 있다.
○ 논리학을 수강하는 학생은 모두 정치학도 수강하고 있다.
○ 역사학을 수강하는 학생은 모두 경영학도 수강하고 있다.

① 민주는 경영학과 사회학을 수강하고 있다.
② 민주는 논리학과 경영학을 수강하고 있다.
③ 민주는 사회학과 회계학을 수강하고 있다.
④ 민주는 역사학과 정치학을 수강하고 있다.
⑤ 민주는 정치학과 회계학을 수강하고 있다.

124

다음 글의 내용이 참일 때 반드시 참인 것은?

△△부에서는 3명의 과학기술 직군 수습 주무관 A, B, C와 3명의 행정 직군 수습 주무관 D, E, F를 4개 부서 갑, 을, 병, 정에 배치할 예정이다. 4개의 부서 중 2개의 부서에는 1명씩 배치되고 남은 2개의 부서에는 2명씩 배치된다. 이 배치와 관련하여 다음과 같은 사실이 알려졌다.

○ 갑 부서에는 수습 주무관이 1명만 배치된다.
○ 을 부서에는 과학기술 직군 수습 주무관이 배치되지 않는다.
○ 동일 직군의 수습 주무관은 같은 부서에 배치되지 않는다.
○ A와 D는 다른 수습 주무관 없이 혼자 배치된다.

① A가 갑 부서에 배치되고 C가 정 부서에 배치된다.
② B가 병 부서에 배치되면 E가 정 부서에 배치된다.
③ B가 정 부서에 배치되지 않고 C가 병 부서에 배치된다.
④ D가 을 부서에 배치되지 않고 A도 갑 부서에 배치되지 않는다.
⑤ F가 정 부서에 배치되면 E가 병 부서에 배치된다.

125

2025년 PSAT 5급 공채 상황판단 18번

다음 글을 근거로 판단할 때, 甲사무관이 세 번째로 정산할 사업은?

○ 甲사무관은 내년도 예산편성을 위해 증액요청을 한 사업을 대상으로 올해 지출 내역을 정산하고자 한다.

○ 甲사무관이 담당하고 있는 올해 사업(A ~ E)의 사업비 내역은 다음과 같다.

(단위 : 천 원)

사업	총사업비	보조금 총액	보조금 집행액	증액요청 여부
A	250,000	200,000	200,000	○
B	30,000	27,000	27,000	○
C	125,000	120,000	120,000	×
D	90,000	81,000	81,000	○
E	82,000	65,600	64,600	○

○ 정산 순서에 대한 규칙은 다음과 같다.

– 총사업비 대비 보조금 총액 비율이 높은 사업부터 정산한다.

– 총사업비 대비 보조금 총액 비율이 동일한 경우, 보조금 총액이 큰 사업부터 정산한다.

○ 위 규칙에도 불구하고 보조금 미집행액이 있는 사업을 우선하여 정산한다.

① A   ② B   ③ C

④ D   ⑤ E

126

2025년 PSAT 5급 공채 상황판단 32번

다음 글을 근거로 판단할 때, 〈보기〉에서 옳은 것만을 모두 고르면?

A기지국에서 다음의 영어 단어 6개를 송신하였다.

apple, banana, cherry, grape, orange, peach

6개의 단어를 수신해보니 서로 다른 2개의 알파벳이 잘못 수신되어 4개 단어가 송신한 단어와 달랐다.

보기

ㄱ. a가 잘못 수신되었다.

ㄴ. c와 n이 동시에 잘못 수신되었을 수 있다.

ㄷ. o가 잘못 수신되었다면, p도 잘못 수신되었을 것이다.

① ㄱ   ② ㄴ   ③ ㄱ, ㄷ

④ ㄴ, ㄷ   ⑤ ㄱ, ㄴ, ㄷ

127

다음 글에서 갑이 새롭게 입수한 '정보'로 적절한 것은?

> 수사관 갑은 7명의 증인, A, B, C, D, E, F, G의 증언에 관해 다음과 같은 사실을 입수하였다.
> ○ A의 증언이 참이라면, G의 증언은 참이 아니다.
> ○ B의 증언이 참이라면, D의 증언도 참이다.
> ○ C나 E의 증언이 참이라면, G의 증언도 참이다.
> ○ F의 증언이 참이 아니라면, D의 증언도 참이 아니다.
> 갑은 이 사실에 새롭게 입수한 '정보'를 더하여 "A의 증언이 참이라면, F의 증언도 참이다."라는 결론을 이끌어내었다.

① A의 증언이 참이라면, B나 C의 증언은 참이다.
② B의 증언이 참이라면, F의 증언은 참이다.
③ C의 증언이 참이라면, A의 증언은 참이 아니다.
④ E의 증언이 참이라면, B의 증언은 참이다.
⑤ F의 증언이 참이라면, E의 증언은 참이 아니다.

128

다음 글을 근거로 판단할 때, 己가 받은 작년과 올해 성과평가 등급은?

> △△과는 직원 6명(甲 ~ 己)에 대해 매년 성과평가를 실시하여 1명에게는 가장 높은 S등급, 2명에게는 A등급, 3명에게는 가장 낮은 B등급을 부여한다. 甲 ~ 己는 올해 성과평가 등급을 받은 뒤 아래와 같은 〈대화〉를 나누었다. 이들은 대화 전까지 자신의 작년과 올해 성과평가 등급은 알고 있었지만, 다른 직원의 성과평가 등급은 모르고 있었다.
>
> 〈대 화〉
> 甲 : 나는 작년보다 등급이 올랐어.
> 乙 : 나도 작년보다 등급이 올랐어.
> 丙 : 그래? 나는 그대로야.
> 丁 : 나는 甲, 乙, 丙 너희들이 작년이랑 올해 어떤 성과평가 등급을 받았는지 알겠어.
> 戊 : 나는 너희 말을 들으니 우리 모두가 작년이랑 올해 어떤 성과평가 등급을 받았는지 알겠어.
> 己 : 이제 나도 알겠어.

	작년	올해
①	S	A
②	S	B
③	A	S
④	A	B
⑤	B	A

129

2020년 PSAT 5급 공채 상황판단 14번

다음 글과 〈진술 내용〉을 근거로 판단할 때, 첫 번째 사건의 가해차량 번호와 두 번째 사건의 목격자를 옳게 짝지은 것은?

○ 어제 두 건의 교통사고가 발생하였다.
○ 첫 번째 사건의 가해차량 번호는 다음 셋 중 하나이다.
　　　99★2703, 81★3325, 32★8624
○ 어제 사건에 대해 진술한 목격자는 甲, 乙, 丙 세 명이다. 이 중 두 명의 진술은 첫 번째 사건의 가해차량 번호에 대한 것이고 나머지 한 명의 진술은 두 번째 사건의 가해차량 번호에 대한 것이다.
○ 첫 번째 사건의 가해차량 번호는 두 번째 사건의 목격자 진술에 부합하지 않는다.
○ 편의상 차량 번호에서 ★ 앞의 두 자리 수는 A, ★ 뒤의 네 자리 수는 B라고 한다.

〈진술 내용〉
○ 甲 : A를 구성하는 두 숫자의 곱은 B를 구성하는 네 숫자의 곱보다 작다.
○ 乙 : B를 구성하는 네 숫자의 합은 A를 구성하는 두 숫자의 합보다 크다.
○ 丙 : B는 A의 50배 이하이다.

	첫 번째 사건의 가해차량 번호	두 번째 사건의 목격자
①	99★2703	甲
②	99★2703	乙
③	81★3325	乙
④	81★3325	丙
⑤	32★8624	丙

130

2025년 PSAT 7급 공채 상황판단 22번

다음 글을 근거로 판단할 때 옳은 것은?

甲 ~ 丁 4명은 동물카드를 이용한 게임을 하려 한다. 동물카드의 종류에는 사자, 불곰, 얼룩말, 하이에나 카드가 있으며, 승부를 정하는 방법은 다음과 같다.
　○ 사자 카드는 얼룩말 카드를 이긴다.
　○ 불곰 카드는 사자 카드를 이긴다.
　○ 얼룩말 카드는 하이에나 카드를 이긴다.
　○ 하이에나 카드는 사자 카드를 이긴다.
　○ 그 외 카드 조합은 무승부로 한다.

甲 ~ 丁은 서로 다른 동물카드를 한 장씩 나누어 가졌으며, 다음과 같은 대화를 나누었다.
甲 : 나는 丁과 겨루면 지게 돼.
乙 : 내가 丁과 겨루면 이겨.
丙 : 나와 丁이 겨루면 무승부야.

① 甲의 카드는 얼룩말 카드이다.
② 乙의 카드는 하이에나 카드이다.
③ 丙의 카드는 불곰 카드이다.
④ 丁의 카드는 사자 카드이다.
⑤ 甲 ~ 丁이 가지고 있는 카드는 어느 것도 확정할 수 없다.

131

2018년 PSAT 5급 공채 자료해석 17번

다음 〈그림〉과 〈규칙〉은 아마추어 야구대회에 참가한 A ~ E팀이 현재까지 치른 경기의 중간 결과와 대회 규칙을 나타낸 것이다. 이에 대한 〈보기〉의 설명 중 옳은 것만을 모두 고르면?

〈그림〉 아마추어 야구대회 중간 결과

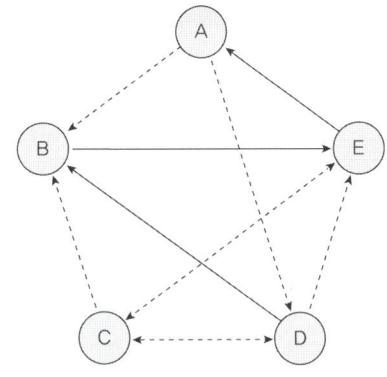

가 ---- 나	'가'팀과 '나'팀이 아직 경기를 치르지 않았음.
가 ----▶ 나	'가'팀이 '나'팀에 1승을 거둠.
가 ◀---- 나	'가'팀과 '나'팀 간 상대전적은 1승 1패임.
가 ——▶ 나	'가'팀이 '나'팀에 2승을 거둠.

〈규 칙〉

○ 야구대회 기간 동안 A~E팀은 자신을 제외한 모든 팀과 두 번씩 경기를 하며, 각 경기에 무승부는 없다.
○ 최종 승수는 모든 경기를 치른 후 팀별로 집계한다.

보기

ㄱ. 현재까지 치러지지 않은 경기는 모두 여섯 경기이다.
ㄴ. 현재까지 가장 많은 경기를 치른 팀은 B팀이다.
ㄷ. A팀이 남은 경기를 모두 승리한다면, 다른 팀들의 남은 경기 결과에 관계없이 A팀의 최종 승수가 가장 많다.
ㄹ. A팀이 남은 경기를 모두 승리하고 E팀이 남은 경기를 모두 패배한다면, D팀의 최종 승수는 4승이다.

① ㄱ, ㄴ   ② ㄱ, ㄷ   ③ ㄴ, ㄹ
④ ㄱ, ㄷ, ㄹ   ⑤ ㄴ, ㄷ, ㄹ

132

2025년 PSAT 7급 공채 상황판단 24번

다음 글을 근거로 판단할 때, 씨앗 A ~ D의 싹이 튼 순서로 옳은 것은?

찬우는 봄을 맞이하여 네 종류의 씨앗(A~D)을 화단에 심었다. 화단에 심은 씨앗의 싹이 트는 조건은 각각 아래와 같다.

씨앗 A : 이틀 연속 날이 맑으면 다음 날에 싹이 튼다.
씨앗 B : 맑은 날 다음 날에 싹이 튼다.
씨앗 C : 비가 온 날이 총 사흘이 된 다음 날에 싹이 튼다.
씨앗 D : 이틀 연속 비가 오면 다음 날에 싹이 튼다.

찬우는 4월 1일 0시에 A~D를 하나씩 심었고, 이후 7일 동안 날짜별로 싹이 튼 씨앗의 개수는 다음과 같다.

4월 1일	4월 2일	4월 3일	4월 4일	4월 5일	4월 6일	4월 7일
0	1	0	1	0	1	1

※ 이 기간에 맑은 날은 내내 맑았고, 비가 온 날은 내내 비가 왔다.

① A - B - D - C
② B - A - C - D
③ B - A - D - C
④ B - D - A - C
⑤ B - D - C - A

133

다음 글을 근거로 판단할 때, 〈보기〉에서 반드시 옳은 것만을 모두 고르면?

국회에서는 2025년을 맞아 그룹가수 A, B, C, D와 솔로가수 甲, 乙을 초청해 콘서트를 개최하였다. 콘서트는 총 6번의 공연으로 구성되며, 각 가수는 한 번씩만 공연을 한다. 공연 순서에 대해 알려진 정보는 다음과 같다.
○ 마지막 공연은 솔로가수가 아니다.
○ 그룹가수 C는 전반부(1~3번 순서)에 공연을 했다.
○ 그룹가수 A 바로 다음은 솔로가수 甲의 공연이다.
○ 그룹가수 C 직전에는 그룹가수가 공연을 했다.
○ 솔로가수 乙은 3번 순서에 공연을 하지 않았다.
○ 그룹가수 A보다 그룹가수 B가 먼저 공연을 했다.

보기

ㄱ. 그룹가수 D가 마지막 순서에 공연을 했다.
ㄴ. 그룹가수 A는 솔로가수 乙보다 먼저 공연을 했다.
ㄷ. 그룹가수 B는 2번 순서에 공연을 했다.
ㄹ. 솔로가수 甲이 4번 순서에 공연을 했다면 솔로가수 乙은 후반부(4~6번 순서)에 공연을 했을 것이다.

① ㄱ, ㄴ   ② ㄱ, ㄷ   ③ ㄱ, ㄹ
④ ㄴ, ㄷ   ⑤ ㄴ, ㄷ, ㄹ

134

다음 글을 근거로 판단할 때 참말을 한 사람은?

A동아리 5명의 학생 각각은 B동아리 학생들과 30회씩 가위바위보 게임을 했다. 각 게임에서 이길 경우 5점, 비길 경우 1점, 질 경우 −1점을 받는다. 게임이 모두 끝나자 A동아리 5명의 학생들은 자신이 얻은 합산 점수를 다음과 같이 말했다.

태우 : 내 점수는 148점이야
시윤 : 내 점수는 145점이야
성헌 : 내 점수는 143점이야
빛나 : 내 점수는 140점이야
은지 : 내 점수는 139점이야

이들 중 한 명만이 참말을 하고 있다.

① 태우   ② 시윤   ③ 성헌
④ 빛나   ⑤ 은지

135

다음 글을 근거로 판단할 때, 〈보기〉에서 반드시 옳은 것만을 모두 고르면?

〈A건물의 구조〉

좌			우
3층		301호	302호	
2층	201호	202호	203호	
1층	101호	102호	103호	104호

A건물에는 1~3층에 위의 그림과 같은 구조로 사무실이 위치하고 있고, 6개의 기업(갑, 을, 병, 정, 무, 기)이 들어와 있다.

○ 갑은 병의 바로 좌측 방에 들어와 있다.
○ 을은 104호에 들어와 있다.
○ 정의 바로 아래 방에는 기가 들어와 있다.
○ 무는 자신의 층에서 가장 우측 방에 들어와 있다.
○ 기는 2층에 들어와 있지는 않다.
○ 아무도 들어와 있지 않은 층은 없으며, 102호에는 누군가 들어와 있다.
○ A건물에는 6개의 기업만이 들어와 있으며, 이 외에 다른 입주자는 존재하지 않는다.

보기

ㄱ. 갑이 3층에 들어와 있다면, 정의 바로 윗방일 것이다.
ㄴ. 기는 103호에 들어와 있다.
ㄷ. 무가 203호라면 정은 202호이다.
ㄹ. 각 층별로 들어와 있는 기업 수가 모두 다를 수 있다.

① ㄱ, ㄴ   ② ㄱ, ㄷ   ③ ㄱ, ㄹ
④ ㄴ, ㄷ   ⑤ ㄷ, ㄹ

136

다음 글의 내용이 참일 때 반드시 참인 것만을 〈보기〉에서 모두 고르면?

A기술원 생명화학공학과 이 교수와 B연구소 김 박사 공동연구팀은 신종 코로나19 바이러스가 출현하면 유망한 치료 물질을 단기간에 발견하는 10종류의 스크리닝 기술 알고리듬을 개발중이다. 현재 연구팀에서 개발하는 스크리닝 알고리듬이 치료물질을 찾는 데 걸린 시간은 모두 달랐다.

연구원들이 자리를 비운 사이 누군가 스크리닝 기술의 핵심 알고리듬 기밀 자료를 훔쳤다. 경찰은 수사 끝에 새벽, 기훈, 상우, 일남을 용의자로 지목해 연구소 당일 상황을 물으며 이들을 신문했다. 이들은 연구소에서 개발하는 10종류의 스크리닝 기술 알고리듬과 범인에 대해 아래와 같이 답변했다.

새벽 : 각 알고리듬은 자기보다 늦게 치료제 후보군을 찾아낸 알고리듬이 있어요. 범인은 기훈이에요.
기훈 : 몇몇 알고리듬은 다른 모든 알고리듬보다 늦게 치료제 후보군을 찾아냈어요. 상우는 범인이 아니에요.
상우 : 몇몇 알고리듬은 다른 일부 알고리듬보다 빠르게 치료제 후보군을 찾아냈어요. 범인은 일남이거나 새벽이에요.
일남 : 다른 모든 알고리듬보다 빠르게 치료제 후보군을 찾아내는 알고리듬이 있었어요. 새벽은 범인이 아니에요.

수사 결과 이들은 각각 참만을 말하거나 거짓말만을 한 것으로 드러났다. 또 네 명 중 한 명만 범인임이 드러났다.

보기

ㄱ. 기훈은 범인이다.
ㄴ. 상우나 새벽은 거짓말한다.
ㄷ. 기훈과 일남의 말은 모두 참이다.

① ㄱ   ② ㄴ   ③ ㄱ, ㄷ
④ ㄴ, ㄷ   ⑤ ㄱ, ㄴ, ㄷ

137

2025년 PSAT 5급 공채 언어논리 33번

다음 글의 내용이 참일 때 반드시 거짓인 것은?

> 물품을 분류하는 기준은 다음과 같다. 모든 물품은 '노란색', '구체', '5kg'이라는 세 가지 조건 가운데 적어도 한 가지를 만족하는데, 그 세 조건 중 둘만 만족하는 것들을 양품으로 분류하고, 나머지는 불량품으로 분류한다.
> 1~5번까지 다섯 개의 검수 대상 물품이 있으며, 위의 세 가지 조건 및 양품 여부와 관련하여 다음의 사실이 알려졌다.
> ○ 1번은 노란색이고, 양품이다.
> ○ 2번은 1번과 공통으로 만족하는 조건이 없으며, 불량품이다.
> ○ 3번은 2번과 공통으로 만족하는 조건이 있으며, 양품이다.
> ○ 4번은 3번과 공통으로 만족하는 조건이 없으며, 구체이다.
> ○ 5번은 4번과 공통으로 만족하는 조건이 있으며, 5kg이 아니다.
> ○ 다섯 개의 물품 중 양품이 불량품보다 더 많다.

① 5번은 양품이다.
② 4번은 불량품이다.
③ 1~5번 중 구체인 물품은 모두 5kg이다.
④ 1~5번 중 노란색인 물품은 모두 양품이다.
⑤ 1~5번 중 5kg인 양품은 모두 노란색이다.

138

2025년 PSAT 5급 공채 상황판단 34번

다음 글과 〈상황〉을 근거로 판단할 때, 근무하는 층이 확정되는 사람은?

> ○ A건물은 10층까지 있고, 4대의 엘리베이터(1~4호기)가 있다.
> ○ 甲~戊는 A건물의 1층을 제외한 서로 다른 층에서 근무하며, 1층과 각자 근무하는 층에서만 엘리베이터를 이용한다.
> ○ 1호기는 1층과 짝수 층만 운행한다.
> ○ 2호기는 1층과 홀수 층만 운행한다.
> ○ 3호기는 1층과 5층 이하만 운행한다.
> ○ 4호기는 1층과 6층 이상만 운행한다.

> 〈상 황〉
> 甲 : 오늘 퇴근하며 내려가는 4호기를 탔는데, 이미 乙이 타고 있었어.
> 乙 : 평소에는 1호기를 타는데, 오늘 1호기가 고장 나서 4호기를 탔더니 사람이 너무 많았어.
> 丙 : 나는 엘리베이터 안에서 乙과 마주칠 일이 없어. 엘리베이터 안에서 戊를 자주 봤는데, 요즘은 보이지 않네.
> 丁 : 나는 戊를 제외한 나머지와는 엘리베이터 안에서 마주칠 가능성이 있어.
> 戊 : 나는 요즘 주로 계단으로 다녀. 근무하는 층이 3층 이하면 계단을 이용하라는 권고가 있었거든.

① 甲   ② 乙   ③ 丙
④ 丁   ⑤ 戊

139

다음 글을 근거로 판단할 때, 게임의 2회차와 5회차에서 탈락한 사람 수의 합은?

조커는 TV에서 방영하는 '무궁화 꽃이 피었습니다' 게임을 시청하고 있다. 이 게임은 49명이 참여하고, 탈락하지 않은 사람이 25명 미만이 되었을 때 종료된다. 조커는 회차별로 탈락한 사람의 수가 2의 배수일 때 '싱긋' 소리를 내고, 2의 배수가 아닐 때 '찡긋' 소리를 낸다. 또한 조커는 탈락하지 않은 사람의 수가 3의 배수일 때 웃고, 3의 배수가 아닐 때 운다.

게임은 5회차를 마치고 종료되었다. 각 회차마다 탈락한 사람은 1명 이상이었으며, 그 수는 서로 달랐다. 또한 3회차에서는 14명이 탈락했고, 3회차를 제외하고는 10명 이상이 탈락한 회차는 없었다. 각 회차별 조커의 반응은 다음과 같다.

구분	1회차	2회차	3회차	4회차	5회차
소리	싱긋	찡긋	싱긋	싱긋	싱긋
표정	웃는다	웃는다	운다	운다	운다

① 5
② 7
③ 9
④ 11
⑤ 13

140

다음 제시문을 읽고 제정신이 아닌 사람 또는 동물을 모두 고르면? (단, 공작부인과 앨리스는 제정신이다)

"제가 보니 많은 것들이 좀 미친 것처럼 보이던데요." 앨리스가 말했다. 그러자 공작부인이 말했다.

"내가 미쳤다고 말했을 때는, 그들이 완전히 돌았다는 것을 의미하는 거야! 다시 말해서 그들의 믿음들이 단지 어떤 정도가 아니라 모두 거짓이라는 거지. 그들이 참이라고 믿는 모든 것은 거짓이며 그들이 거짓이라고 믿는 모든 것은 참이 된다는 말이야."

"그러면 여기에는 제정신을 가진 사람이 얼마나 있다는 말이에요?" 앨리스가 갑자기 공작부인의 말을 가로채며 말했다. "제가 보건대 이 곳에 있는 그들 대다수의 믿음들은 옳은 것 같고 그 중 몇몇만 그른 것처럼 보이던데요."

"아니, 절대로 그렇지 않다." 공작부인이 아주 힘을 주면서 말했다. "네가 사는 곳에서는 그럴지 모르겠지만, 여기서는 절대로 그렇지 않아! 여기에 사는 제정신의 사람은 백 퍼센트 정확한 믿음을 가지고 있단 말이다. 즉 그들이 참이라고 아는 모든 것은 참이고, 그들이 거짓이라고 아는 모든 것은 거짓이란 말이다."

"그러면 여기에서는 누가 제정신이고 누가 미친 거예요?" 앨리스가 물었다. "저는 항상 3월의 토끼, 모자장수 그리고 겨울잠 쥐에 대해 궁금한 게 많았어요." 앨리스가 말했다. "모자장수는 미친 모자장수라고 불리던데, 그가 정말로 미쳤나요? 그리고 3월의 토끼와 겨울잠 쥐는 정말로 미쳤나요?"

그러자 공작부인이 말했다. "아무튼, 그 모자장수가 언젠가 3월의 토끼는 그들 셋이 모두 제정신이라는 것을 믿지 않는다고 말한 적이 있었지. 또한 겨울잠 쥐는 3월의 토끼가 제정신이라고 믿고 있었어."

① 3월의 토끼
② 겨울잠 쥐
③ 모자장수, 겨울잠 쥐
④ 3월의 토끼, 겨울잠 쥐
⑤ 3월의 토끼, 모자장수, 겨울잠 쥐

141

2019년 PSAT 5급 공채 언어논리 13번

다음 글의 내용이 참일 때, 반드시 참인 것만을 〈보기〉에서 모두 고르면?

세 사람, 가영, 나영, 다영은 지난 회의가 열린 날짜와 요일에 대해 다음과 같이 기억을 달리 하고 있다.
○ 가영은 회의가 5월 8일 목요일에 열렸다고 기억한다.
○ 나영은 회의가 5월 10일 화요일에 열렸다고 기억한다.
○ 다영은 회의가 6월 8일 금요일에 열렸다고 기억한다.

추가로 다음 사실이 알려졌다.
○ 회의는 가영, 나영, 다영이 언급한 월, 일, 요일 중에 열렸다.
○ 세 사람의 기억 내용 가운데, 한 사람은 월, 일, 요일의 세 가지 사항 중 하나만 맞혔고, 한 사람은 하나만 틀렸으며, 한 사람은 어느 것도 맞히지 못했다.

―――――――――― 보기 ――――――――――

ㄱ. 회의는 6월 10일에 열렸다.
ㄴ. 가영은 어느 것도 맞히지 못한 사람이다.
ㄷ. 다영이 하나만 맞힌 사람이라면 회의는 화요일에 열렸다.

① ㄱ　　　　　② ㄷ　　　　　③ ㄱ, ㄴ
④ ㄴ, ㄷ　　　　⑤ ㄱ, ㄴ, ㄷ

142

2019년 PSAT 5급 공채 언어논리 14번

다음 글의 내용이 참일 때, 영희가 들은 수업의 최소 개수와 최대 개수는?

심리학과에 다니는 가영, 나윤, 다선, 라음은 같은 과 친구인 영희가 어떤 수업을 들었는지에 대해 이야기했다. 이들은 영희가 〈인지심리학〉, 〈성격심리학〉, 〈발달심리학〉, 〈임상심리학〉 중에서만 수업을 들었다는 것은 알고 있지만, 구체적으로 어떤 수업을 듣고 어떤 수업을 듣지 않았는지에 대해서는 잘 알지 못했다. 그들은 다음과 같이 진술했다.
○ 영희가 〈성격심리학〉을 듣지 않았다면, 영희는 대신 〈발달심리학〉과 〈임상심리학〉을 들었다.
○ 영희가 〈임상심리학〉을 들었다면, 영희는 〈성격심리학〉 또한 들었다.
○ 영희가 〈인지심리학〉을 듣지 않았다면, 영희는 〈성격심리학〉도 듣지 않았고 대신 〈발달심리학〉을 들었다.
○ 영희는 〈인지심리학〉도 〈발달심리학〉도 듣지 않았다.

추후 영희에게 확인해 본 결과 이들 진술 중 세 진술은 옳고 나머지 한 진술은 그른 것으로 드러났다.

	최소	최대
①	1개	2개
②	1개	3개
③	1개	4개
④	2개	3개
⑤	2개	4개

143

다음 〈조건〉과 같이 토핑(피자 위에 얹는 재료)을 올린 피자 10조각이 있다. 이때 5명(甲 ~ 戊)의 식성에 따라 각각 2조각씩 나누어 먹을 수 있는 방법은 총 몇 가지인가?

〈조 건〉

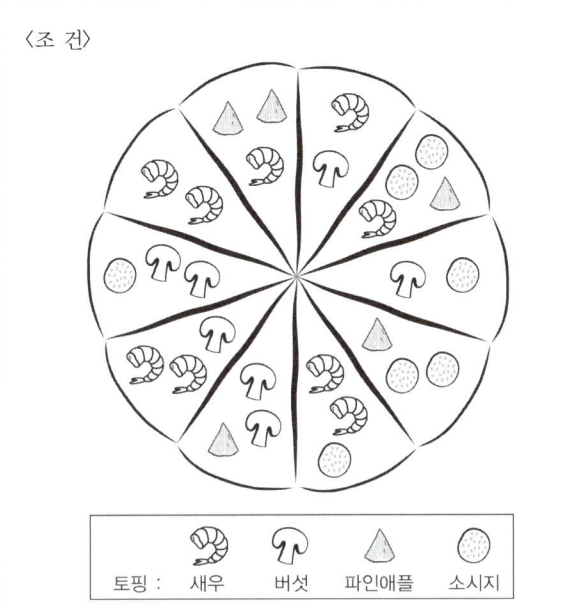

| 토핑 : | 새우 | 버섯 | 파인애플 | 소시지 |

○ 甲 : 해산물을 먹지 않는다.

○ 乙 : 소시지가 들어간 피자만 먹는다.

○ 丙 : 소시지가 들어있는 피자는 먹지 않지만, 소시지가 새우와 함께 들어있으면 먹는다.

○ 丁 : 파인애플이 들어간 피자만 먹지만, 버섯이 함께 들어간 피자는 먹지 않는다.

○ 戊 : 똑같은 토핑이 2개 들어간 것은 먹지 않는다.

① 0가지　　　② 1가지　　　③ 2가지

④ 3가지　　　⑤ 4가지

144

다음 〈조건〉에 따라 악기를 배치하고자 할 때, 옳지 않은 것은?

〈조 건〉

○ 목관 5중주는 플루트, 클라리넷, 오보에, 바순, 호른 각 1대씩으로 이루어진다.

○ 최상의 음향 효과를 내기 위해서는 음색이 서로 잘 어울리는 악기는 바로 옆자리에 놓아야 하고, 서로 잘 어울리지 않는 악기는 바로 옆자리에 놓아서는 안 된다.

○ 오보에와 클라리넷의 음색은 서로 잘 어울리지 않는다.

○ 플루트와 클라리넷의 음색은 서로 잘 어울린다.

○ 플루트와 오보에의 음색은 서로 잘 어울린다.

○ 호른과 오보에의 음색은 서로 잘 어울리지 않는다.

○ 바순의 음색과 서로 잘 어울리지 않는 악기는 없다.

○ 바순은 그 음이 낮아 제일 왼쪽(1번) 자리에는 놓일 수 없다.

| 1 | 2 | 3 | 4 | 5 |

① 플루트는 3번 자리에 놓일 수 있다.

② 클라리넷은 5번 자리에 놓일 수 있다.

③ 오보에는 2번 자리에 놓일 수 있다.

④ 바순은 3번 자리에 놓일 수 없다.

⑤ 호른은 2번 자리에 놓일 수 없다.

145

2014년 PSAT 5급 공채 상황판단 15번

다음 글과 〈조건〉을 근거로 판단할 때, 가장 많은 품삯을 받은 일꾼은? (단, 1전은 10푼이다)

『화성성역의궤』는 정조시대 수원 화성(華城) 축조에 관한 경위와 제도, 의식 등을 수록한 책이다. 이 책에는 화성 축조에 참여한 일꾼의 이름과 직업, 품삯 등이 상세히 기록되어 있다.

〈조 건〉

○ 일꾼 다섯 명의 이름은 좀쇠, 작은놈, 어인놈, 상득, 정월쇠이다.
○ 다섯 일꾼 중 김씨가 2명, 이씨가 1명, 박씨가 1명, 윤씨가 1명이다.
○ 이들의 직업은 각각 목수, 단청공, 벽돌공, 대장장이, 미장공이다.
○ 일당으로 목수와 미장공은 4전 2푼을 받고, 단청공과 벽돌공, 대장장이는 2전 5푼을 받는다.
○ 윤씨는 4일, 박씨는 6일, 김씨 두 명은 각각 4일, 이씨는 3일 동안 동원되었다. 동원되었지만 일을 하지 못한 날에는 보통의 일당 대신 1전을 받는다.
○ 박씨와 윤씨는 동원된 날 중 각각 하루씩은 배가 아파 일을 하지 못했다.
○ 목수는 이씨이다.
○ 좀쇠는 박씨도 이씨도 아니다.
○ 어인놈은 단청공이다.
○ 대장장이와 미장공은 김씨가 아니다.
○ 정월쇠의 일당은 2전 5푼이다.
○ 상득은 김씨이다.
○ 윤씨는 대장장이가 아니다.

① 좀쇠   ② 작은놈   ③ 어인놈
④ 상득   ⑤ 정월쇠

146

2025년 PSAT 7급 공채 상황판단 15번

다음 글을 근거로 판단할 때 옳은 것은?

甲도는 A ~ E 총 5개 지역으로 이루어져 있으며, 각 지역의 인구는 서로 다르다. 甲도는 건강행태에 대한 전수조사를 매년 실시하고 있다. 조사하는 지표 중 하나인 건강생활실천율은 거주자 중 금연, 절주, 걷기를 모두 실천하는 사람의 비율이다. 지역별 건강생활실천율은 다음과 같다.

지역	A	B	C	D	E
건강생활실천율(%)	35	30	25	30	30

① A지역에서 금연, 절주, 걷기를 실천하는 사람의 비율이 각각 2%p씩 높아지면 건강생활실천율도 2%p 높아진다.
② 건강생활실천율이 증가하려면 금연, 절주, 걷기를 실천하는 사람의 비율 중 가장 낮은 값이 증가해야만 한다.
③ 금연과 절주를 동시에 실천하는 사람의 비율은 B지역이 C지역보다 높다.
④ D지역에서 걷기를 실천하는 사람의 비율은 최소 30%이다.
⑤ 甲도의 건강생활실천율은 30%이다.

147

다음 글과 〈상황〉을 근거로 판단할 때, 아파트 매물 A ~ E 중 甲이 선택할 곳은?

○ 甲은 다음 기준에 따라 아파트 매물 중 한 곳을 선택하고자 한다.
 - 10층 이상이고, 2025년 7월 내 입주 가능
 - 담보 대출 없음
 - 전세 보증금 2.3억 원 이하(단, 붙박이장이 있는 경우 2.5억 원 이하)
○ 위 기준을 모두 충족하는 매물이 2개 이상인 경우, 그중 대한동 매물이 있다면 그 매물을 선택한다.

〈상 황〉
다음은 2025년 7월 1일 현재 아파트 매물의 정보이다.

매물	지역	동·호수	입주 가능 시기	전세 보증금 (억 원)	담보 대출	붙박 이장
A	대한동	1011동 1601호	즉시	2.5	없음	있음
B	대한동	503동 1704호	즉시	2.3	있음	없음
C	민국동	301동 1504호	즉시	2.0	없음	없음
D	대한동	308동 1306호	2025. 8. 1. 이후	2.0	없음	있음
E	민국동	616동 806호	즉시	2.3	없음	없음

※ 호수가 네 자리 수인 경우 앞 두 자리의 수, 호수가 세 자리 수인 경우 앞 한 자리의 수는 층을 의미한다. 예를 들어 1601호는 16층이다.

① A   ② B   ③ C
④ D   ⑤ E

148

다음 글과 〈상황〉을 근거로 판단할 때, A부서의 1개월치 월세 지원액의 합은?

A부서는 거주지와 근무지가 멀리 떨어져 있어 출퇴근에 어려움을 겪는 직원에게 매달 월세를 지원한다.
○ 지원 대상은 주택을 소유하지 않은 직원 중, 거주지와 근무지 간 편도 거리가 50km 이상이거나 통근 시간이 1시간 이상인 직원이다.
○ 지원액은 아래의 지급기준에 따라 지원 대상자 본인의 월세를 초과하지 않는 범위 내에서 최대로 한다. 단, 복수의 지급기준에 해당하는 경우에는 더 높은 지원 한도액을 적용한다.

지급기준	지원 한도액
장애, 질병 등으로 출퇴근에 어려움이 있는 자	35만 원
신규임용일로부터 3년이 지나지 않은 자	25만 원
그 이외의 자	20만 원

〈상 황〉
A부서의 직원은 甲 ~ 戊이며, 이들의 정보는 아래와 같다. 이들 중 甲과 戊는 신규임용일로부터 3년이 지나지 않았으며, 乙은 질병으로 출퇴근에 어려움이 있다.

직원	거주지와 근무지 간 편도 거리	통근 시간	주택 소유 여부	월세
甲	50km	1시간 10분	○	45만 원
乙	45km	1시간	×	30만 원
丙	100km	1시간 30분	×	45만 원
丁	40km	50분	×	40만 원
戊	70km	1시간 40분	×	35만 원

① 70만 원   ② 75만 원   ③ 80만 원
④ 95만 원   ⑤ 100만 원

149

2025년 PSAT 5급 공채 상황판단 16번

다음 글을 근거로 판단할 때, 민서가 결제할 금액은?

다음은 인영과 민서가 아래 〈표〉를 보면서 나눈 〈대화〉이다.

〈대 화〉

인영 : 이번에 좋은 공연이 많던데, 나는 뮤지컬 공연을 보고 싶어.

민서 : 나는 지난달에 바이올린 협주 공연을 보고 와서 이번엔 다른 공연에 가려고 해.

인영 : 그런데 티켓 가격이 조금 부담스럽지 않아? 너는 학생할인을 받을 수 있어서 조금 더 저렴하게 공연을 볼 수 있겠다.

민서 : 맞아. 그래서 결제할 금액이 제일 저렴한 공연을 볼 생각이야.

인영 : 그렇구나. 시험이 10월 11일이라 그 전에는 가기 어렵겠어.

민서 : 아니야. 시험일정이 10월 9일로 바뀌어서 그 전만 아니면 괜찮을 거야. 그보다 B시는 우리집에서 너무 멀어서 안 가려고.

〈표〉

구분	뮤지컬	바이올린 협주	피아노 협주	오페라	오케스트라
티켓 가격	77,000원	90,000원	120,000원	100,000원	110,000원
공연 날짜	10월 6일	10월 15일	10월 11일	10월 17일	10월 10일
공연 장소	A시 아트센터	C시 문화회관	A시 아트센터	C시 문화회관	B시 콘서트홀
학생할인 (20%) 여부	×	×	○	×	○

① 77,000원

② 88,000원

③ 90,000원

④ 96,000원

⑤ 100,000원

150

2025년 PSAT 5급 공채 상황판단 17번

다음 글과 〈상황〉을 근거로 판단할 때, 민원처리 우수 공무원으로 선정되는 사람은?

〈민원처리 우수 공무원 선정 기준〉

○ 민원처리 점수에 가점 또는 감점을 하여 점수의 총합이 가장 높은 사람을 민원처리 우수 공무원으로 선정한다. 민원처리 점수의 산정 방식과 가점 및 감점 기준은 다음과 같다.

민원처리 점수 = (민원만족도 × 0.8)
+ (민원처리 건수 × 0.2)

– 우수답변 선정 민원 1건당 1점 가점

– 미결재 민원 1건당 1점 감점

– 처리기간 초과 민원 1건당 1점 감점

○ 민원만족도가 80점 미만이거나 민원처리 건수가 월 40건 미만인 사람은 민원처리 우수 공무원으로 선정될 수 없다.

〈상 황〉

○ A부처는 8월의 민원처리 우수 공무원을 선정하려고 한다. A부처 공무원(甲 ~ 戊)의 8월 민원처리 현황은 다음과 같다.

구분	민원 만족도	민원처리 건수	우수답변 선정 건수	미결재 건수	처리기간 초과 건수
甲	85점	50건	0건	1건	3건
乙	80점	40건	3건	0건	0건
丙	85점	40건	1건	0건	1건
丁	90점	35건	0건	2건	2건
戊	75점	55건	4건	1건	1건

① 甲   ② 乙   ③ 丙

④ 丁   ⑤ 戊

151

다음 글과 〈상황〉을 근거로 판단할 때, 甲이 2월에 이용할 통신사는?

통신사(A ~ E)의 데이터 제공량과 전송 속도에 따른 월 기본 요금은 다음과 같다.

구분	데이터 제공량 (GB)	데이터 전송 속도 (Mbps)	기본요금 (천 원)
A	50	100	50
B	100	200	60
C	250	200	80
D	500	500	120
E	무제한	200	140

○ 데이터 제공량을 초과하여 사용하는 경우, 추가로 사용한 데이터 1 GB당 200원의 추가 요금이 발생한다.
○ OTT 콘텐츠를 구독하는 경우, 월 2만 원의 추가요금이 부과된다. 단, E통신사의 기본요금에는 OTT 콘텐츠 구독료가 포함되어 있다.

〈상 황〉

甲은 월 요금 총액이 가장 저렴할 것으로 예상되는 통신사를 2월에 이용하려고 한다. 다만 甲은 데이터 전송 속도가 200 Mbps 미만인 통신사는 이용하지 않는다. 甲의 1월 데이터 사용량은 400GB이고, 2월에도 같은 양의 데이터를 사용하려 한다. 그리고 1월까지 구독하지 않던 OTT 콘텐츠를 구독하려 한다.

① A   ② B   ③ C
④ D   ⑤ E

152

다음 〈그림〉과 같이 3개의 항아리가 있다. 이를 이용하여 아래 〈조건〉을 만족시키면서 〈수행순서〉의 모든 단계를 완료한 후, '10L 항아리'에 남아 있는 물의 양을 구하면?

〈그 림〉

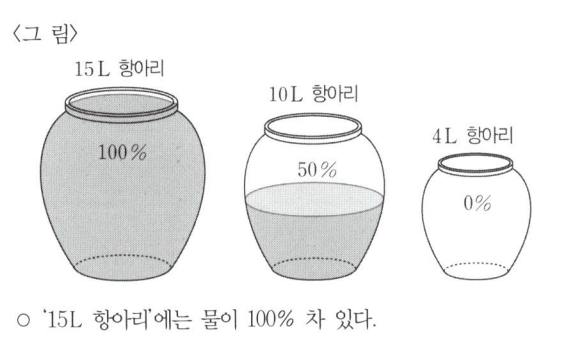

15L 항아리 100%
10L 항아리 50%
4L 항아리 0%

○ '15L 항아리'에는 물이 100% 차 있다.
○ '10L 항아리'에는 물이 50% 차 있다.
○ '4L 항아리'는 비어 있다.

〈조 건〉

○ 한 항아리에서 다른 항아리로 물을 부을 때, 주는 항아리가 완전히 비거나 받는 항아리가 가득 찰 때까지 물을 붓는다.
○ 〈수행순서〉 각 단계에서 물의 손실은 없다.

〈수행순서〉

1단계 : '15L 항아리'의 물을 '4L 항아리'에 붓는다.
2단계 : '15L 항아리'의 물을 '10L 항아리'에 붓는다.
3단계 : '4L 항아리'의 물을 '15L 항아리'에 붓는다.
4단계 : '10L 항아리'의 물을 '4L 항아리'에 붓는다.
5단계 : '4L 항아리'의 물을 '15L 항아리'에 붓는다.
6단계 : '10L 항아리'의 물을 '15L 항아리'에 붓는다.

① 4L   ② 5L   ③ 6L
④ 7L   ⑤ 8L

153

다음 글을 근거로 판단할 때, COW와 EA를 곱한 결과로 가능하지 <u>않은</u> 수는?

> 甲은 수를 영문자로 표현하는 새로운 방법을 고안하였다. 그 방법은 숫자 0 ~ 9를 다음 표와 같이 영문자로 표현하는 것이다. 예를 들어 301은 FBC 또는 FAE 등으로 표현된다.

숫자	영문자	
0	A	또는 B
1	C	또는 E
2	D	또는 I
3	F	또는 O
4	G	또는 U
5	H	또는 W
6	J	또는 Y
7	AI	또는 K
8	EA	또는 M
9	N	또는 OW

① 120 ② 152 ③ 190
④ 1080 ⑤ 1350

154

다음 글을 근거로 판단할 때, 〈보기〉에서 옳은 것만을 모두 고르면?

> ○ 평가대상기관은 甲, 乙, 丙, 丁 4개 기관이다.
> ○ 평가요소는 국정과제, 규제개혁, 정책성과, 홍보실적 총 4개 이다. 평가요소별로 100점을 4개 평가대상기관에 배분하며, 평가대상기관이 받는 평가요소별 최소점수는 3점이다.
> ○ 4개 평가요소의 점수를 기관별로 합산하여 총점이 높은 순서 로 평가순위를 매긴다. 평가결과 2위 기관까지 인센티브가 주 어진다.
> ○ 4개 기관의 평가 결과는 아래와 같다.
>
> (단위 : 점)
>
> | 평가요소
기관 | 국정과제 | 규제개혁 | 정책성과 | 홍보실적 |
> |---|---|---|---|---|
> | 甲 | 30 | 40 | A | 25 |
> | 乙 | 20 | B | 30 | 25 |
> | 丙 | 10 | C | 40 | 20 |
> | 丁 | 40 | 30 | D | 30 |
> | 합계 | 100 | 100 | 100 | 100 |
>
> ※ 특정 평가요소에 가중치를 n배 줄 경우 해당 평가요소점수는 n배가 된다.

보기

ㄱ. 丙은 인센티브를 받을 수 있다.

ㄴ. B가 27이고 D가 25이상이면 乙이 2위가 된다.

ㄷ. 국정과제에 가중치를 2배 준다면 丁은 인센티브를 받을 수 없다.

ㄹ. 국정과제에 가중치를 3배 준다면 丁은 1위가 된다.

① ㄱ, ㄴ ② ㄱ, ㄹ ③ ㄴ, ㄷ
④ ㄴ, ㄹ ⑤ ㄴ, ㄷ, ㄹ

155

다음 글에서 추론할 수 있는 것만을 〈보기〉에서 모두 고르면?

△△부는 '적극행정 가산점' 제도를 시행하고 있는데, 각 직원의 가산점은 유형 Ⅰ과 Ⅱ에서 받은 점수의 합으로 계산된다. 각 유형의 활동별 점수는 다음 표와 같다.

유형	활동	점수
Ⅰ	혁신적인 아이디어 제안	0 ~ 1
	예산을 절감하는 성과 창출	0 ~ 2
	국민 중점 민원 해결	0 ~ 3
Ⅱ	타 부서의 적극행정 추진에 협력	1
	적극행정 신규 사례 발굴	2

유형 Ⅰ에 속하는 활동에 대한 점수는 부서장의 요청과 이에 대한 평가단의 검증을 거쳐 확정된다. 이와 달리 유형 Ⅱ에 속하는 활동에 대한 점수는 외부 전문가들로 구성된 적극행정추진위원회가 요청하면 검증 없이 그대로 확정된다. 올해 △△부 직원에 대한 적극행정 가산점이 모두 확정되었는데, △△부에서 취합한 적극행정 가산점 요청 내역은 다음과 같다.

〈적극행정 가산점 요청 내역〉
○ 부서장의 요청
 - 직원 갑 : 혁신적인 아이디어 제안
 - 직원 을 : 국민 중점 민원 해결
 - 직원 병 : 예산을 절감하는 성과 창출
○ 적극행정추진위원회의 요청
 - 직원 갑 : 타 부서의 적극행정 추진에 협력
 - 직원 병 : 적극행정 신규 사례 발굴

〈보기〉

ㄱ. 적극행정 가산점은 갑이 을보다 높을 수 없다.
ㄴ. 적극행정 가산점은 을이 병보다 높을 수 없다.
ㄷ. 적극행정 가산점은 갑이 병보다 높을 수 없다.

① ㄱ   ② ㄷ   ③ ㄱ, ㄴ
④ ㄴ, ㄷ   ⑤ ㄱ, ㄴ, ㄷ

156

다음 글을 근거로 판단할 때, 16 ~ 20번 문항의 정답으로 가능한 것은?

甲은 5지선다형 20개 문항으로 구성된 시험을 출제한다. 각 문항의 선택지는 A, B, C, D, E이며, 정답별 문항 개수 및 정답 배열에 관한 조건은 다음과 같다.

○ A가 정답인 문항은 2개 이상 6개 이하여야 한다. B ~ E도 마찬가지이다.
○ 동일한 정답이 연속해서 3회 이상 나와서는 안 된다.

甲은 현재 15번 문항까지 출제하였다. 14번과 15번 문항의 정답은 모두 A이며, 15번까지 정답별 문항 개수는 다음과 같다.

정답	A	B	C	D	E
문항 개수	2	0	3	5	5

	16번	17번	18번	19번	20번
①	A	B	B	C	B
②	B	A	B	B	C
③	B	A	D	B	D
④	C	B	B	B	D
⑤	D	B	E	C	A

157

2025년 PSAT 7급 공채 상황판단 14번

다음 글을 근거로 판단할 때, 〈보기〉에서 옳은 것만을 모두 고르면?

甲기업은 A, B 두 개의 공장을 가지고 있으며, 두 공장에서 같은 제품을 생산한다. A에서는 제품 생산을 위해 설비를 가동하는 데 1일 100만 원의 가동비용이 발생하며, 제품 1개를 생산할 때마다 1만 원의 비용이 소요된다. B에서는 가동비용이 발생하지 않으며, 제품 1개를 생산할 때마다 2만 원의 비용이 소요된다. A, B 모두 하루에 각각 최대 150개까지 제품 생산이 가능하다. 甲기업은 최소 비용으로 1일 목표 생산량 Q개를 달성하도록 생산량을 A, B에 배분한다.

보기

ㄱ. Q가 120이라면 A에서만 생산해야 한다.

ㄴ. Q가 200이라면 B에서 150개를 생산해야 한다.

ㄷ. Q가 200일 때, A의 가동비용이 1일 50만 원으로 감소해도 A, B에 대한 배분량은 달라지지 않는다.

① ㄱ   ② ㄴ   ③ ㄱ, ㄷ

④ ㄴ, ㄷ   ⑤ ㄱ, ㄴ, ㄷ

158

2025년 PSAT 7급 공채 상황판단 16번

다음 글을 근거로 판단할 때, 甲이 자격증 취득 시 지불해야 하는 최소 수강료는?

甲은 자격증을 취득하려고 한다. 자격증 시험은 각각 100점 만점인 A, B, C 3과목으로 이루어져 있다. 3과목의 점수 합이 150점 이상이면 자격증 취득이 가능하지만, 어느 과목이라도 40점 미만을 받은 경우에는 과락으로 자격증을 취득할 수 없다. 甲은 학원에서 A, B, C 3과목을 모두 수강하되, 그중 2과목은 일반과정, 1과목은 속성과정으로 수강하려고 한다. 甲이 다니는 학원은 수강 과목의 취득점수에 따라 사후적으로 수강료를 부과한다. 다음은 학원에서 수강할 수 있는 과목의 취득점수 1점당 수강료이다.

과목	취득점수 1점당 수강료(원)	
	일반과정	속성과정
A	5,000	10,000
B	3,000	7,000
C	10,000	13,000

① 810,000원

② 930,000원

③ 970,000원

④ 1,010,000원

⑤ 1,030,000원

159

다음 글을 근거로 판단할 때, 〈보기〉에서 옳은 것만을 모두 고르면?

○○국에서는 배구가 인기 스포츠이고 매년 1월 프로배구 결승전이 5전 3선승제로 열려 우승팀을 가린다. 단, 각 경기에서 무승부는 존재하지 않는다. 올해는 甲팀과 乙팀이 결승전에 진출하자, 다음과 같은 기사가 나왔다.

> 1차전 승리한 팀의 우승확률 A%!!
> 1·2차전 모두 승리한 팀의 우승확률 B%!!
> － △△일보 －

위와 같은 기사에 흥미를 느낀 누리는 △△일보 기자에게 우승확률을 어떻게 산출하였는지 물었다. 기자는 과거 20년간 매년 치러진 결승전의 모든 진출팀들과 결승전 결과를 아래와 같은 계산식에 적용하였다고 대답하였다.

$$A = \frac{1차전\ 승리한\ 팀이\ 우승한\ 횟수}{1차전\ 승리한\ 팀이\ 우승한\ 횟수 + 1차전\ 패배한\ 팀이\ 우승한\ 횟수} \times 100$$

$$B = \frac{1·2차전\ 모두\ 승리한\ 팀이\ 우승한\ 횟수}{1·2차전\ 모두\ 승리한\ 팀이\ 우승한\ 횟수 + 1·2차전\ 모두\ 패배한\ 팀이\ 우승한\ 횟수} \times 100$$

보기

ㄱ. A를 구하는 계산식의 분모는 20이다.
ㄴ. A와 B 모두 50보다 작을 수는 없다.
ㄷ. A > B가 될 수는 없다.
ㄹ. △△일보 기사에 따르면, 1·2차전을 모두 패배한 팀의 우승확률은 (100 − B)%이다.

① ㄱ, ㄷ   ② ㄱ, ㄹ   ③ ㄴ, ㄷ
④ ㄱ, ㄴ, ㄹ   ⑤ ㄱ, ㄷ, ㄹ

160

다음 글을 근거로 판단할 때, 〈보기〉에서 옳은 것만을 모두 고르면? (단, 주어진 조건 외에 다른 조건은 고려하지 않는다)

○ 내전을 겪은 甲국은 2015년 1월 1일 평화협정을 통해 4개 국 (A ~ D)으로 분할되었다. 평화협정으로 정한 영토분할 방식은 다음과 같다.
  - 甲국의 영토는 정삼각형이다.
  - 정삼각형의 한 꼭짓점에서 마주보는 변(이하 '밑변'이라 한다)까지 가상의 수직이등분선을 긋고, 그 선을 4등분하는 3개의 구분점을 정한다.
  - 3개의 구분점을 각각 지나는 3개의 직선을 밑변과 평행하게 긋고, 이를 국경선으로 삼아 기존 甲국의 영토를 4개의 영역으로 나눈다.
  - 나누어진 4개의 영역 중 가장 작은 영역부터 가장 큰 영역까지 차례로 각각 A국, B국, C국, D국의 영토로 한다.
○ 모든 국가의 쌀 생산량은 영토의 면적에 비례하며, A국의 영토에서는 매년 10,000가마의 쌀이 생산된다.
○ 각국은 영토가 작을수록 국력이 강하고, 국력이 약한 국가는 자국보다 국력이 강한 모든 국가에게 매년 연말에 각각 10,000가마의 쌀을 공물로 보낸다.
○ 4개 국의 인구는 모두 동일하며, 변하지 않는다. 각국은 매년 10,000가마의 쌀을 소비한다.
○ 각국의 쌀 생산량은 홍수 등 자연재해가 없는 한 변하지 않으며, 2015년 1월 1일 현재 각국은 10,000가마의 쌀을 보유하고 있다.

보기

ㄱ. 2016년 1월 1일에 1년 전보다 쌀 보유량이 줄어든 국가는 D국뿐이다.
ㄴ. 2017년 1월 1일에 4개 국 중 가장 많은 쌀을 보유한 국가는 A국이다.
ㄷ. 만약 2015년 여름 홍수로 인해 모든 국가의 2015년도 쌀 생산량이 반으로 줄어든다고 하여도, 2016년 1월 1일 기준 각 국가의 쌀 보유량은 0보다 크다.

① ㄱ   ② ㄴ   ③ ㄷ
④ ㄱ, ㄷ   ⑤ ㄴ, ㄷ

161

2025년 PSAT 7급 공채 상황판단 20번

다음 글과 〈상황〉을 근거로 판단할 때, A ~ E 중 세무조사 대상으로 지정될 기업만을 모두 고르면?

甲부처는 2025년 7월 1일 현재, 세무조사 대상 기업을 지정하려고 한다. 아래 기준에 따라 기업 A ~ E의 점수를 매기고, 그 합산 점수가 7점을 초과하는 경우 세무조사 대상 기업으로 지정한다. 단, 최근 1년 내 세무조사를 받은 기업은 제외한다.

○ 전년도 매출액
 − 500억 원 미만 : 1점
 − 500억 원 이상 5,000억 원 미만 : 3점
 − 5,000억 원 이상 : 5점
○ 최근 1년간 탈세 의심 민원 건수
 − 1건당 0.5점
○ 전년도 부실 거래 건수
 − 1건당 0.3점
○ 최근 5년 내 성실 납세 기업으로 선정된 경우 1점 감해 줌

〈상 황〉

2025년 7월 1일 현재, 기업 A ~ E의 정보는 다음과 같다.

기업	전년도 매출액 (억 원)	최근 1년간 탈세 의심 민원(건)	전년도 부실 거래 (건)	성실 납세 기업 선정 연도	최근 1년 내 세무조사 여부
A	1,700	5	7	2021년	×
B	480	10	4	2017년	×
C	6,250	6	2	2022년	○
D	3,000	7	5	2023년	×
E	5,000	3	3	2010년	×

① A, D ② B, D ③ B, E
④ A, C, E ⑤ B, D, E

162

2016년 PSAT 5급 공채 상황판단 34번

다음 글을 근거로 판단할 때, 2015년 9월 15일이 화요일이라면 2020년 이후 A국 ○○축제가 처음으로 18일 동안 개최되는 해는? (단, 모든 날짜는 양력 기준이다)

1년의 개념은 지구가 태양을 한 바퀴 도는 데에 걸리는 시간으로, 그 시간은 정확히 365일이 아니다. 실제 그 시간은 365일보다 조금 긴 약 365.2422일이다. 따라서 다음과 같은 규칙을 순서대로 적용하여 1년이 366일인 윤년을 정한다.
규칙 1 : 연도가 4로 나누어 떨어지는 해는 윤년으로 한다. (2004년, 2008년, …)
규칙 2 : '규칙 1'의 연도 중에서 100으로 나누어 떨어지는 해는 평년으로 한다. (2100년, 2200년, 2300년, …)
규칙 3 : '규칙 2'의 연도 중에서 400으로 나누어 떨어지는 해는 윤년으로 한다. (1600년, 2000년, 2400년, …)

※ 평년 : 윤년이 아닌, 1년이 365일인 해

A국 ○○축제는 매년 9월 15일이 지나고 돌아오는 첫 번째 토요일에 시작하여 10월 첫 번째 일요일에 끝나는 일정으로 개최한다. 다만 10월 1일 또는 2일이 일요일인 경우, 축제를 A국 국경일인 10월 3일까지 연장한다. 따라서 축제는 최단 16일에서 최장 18일 동안 열린다.

① 2021년 ② 2022년 ③ 2023년
④ 2025년 ⑤ 2026년

163

2025년 PSAT 입법고시 상황판단 9번

다음 글을 근거로 판단할 때, 〈보기〉에서 옳은 것만을 모두 고르면?

갑은 암호문으로 글쓰는 것을 좋아한다. 갑의 암호 해독표는 다음과 같다.

〈암호 해독표〉

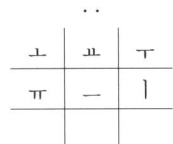

〈예 시〉

○ 해외여행 :

ㅎ ㅏ ㅇ ㅗ ㅣ ㅇ ㅕ ㅎ ㅏ ㅇ

보기

ㄱ. 국회:

ㄴ. 대한민국:

ㄷ. 사무관:

ㄹ. 민주주의:

① ㄱ, ㄴ
② ㄴ, ㄹ
③ ㄷ, ㄹ
④ ㄱ, ㄴ, ㄹ
⑤ ㄱ, ㄷ, ㄹ

164

2025년 PSAT 7급 공채 상황판단 21번

다음 글을 근거로 판단할 때, 甲의 셔츠의 최소 벌수는?

매일 아침 甲은 세탁소에서 찾아온 셔츠를 한 벌 꺼내 입는다. 그는 입었던 셔츠를 한데 모아 놓았다가 매주 월요일 점심에 세탁소에 모두 맡기고 온다. 매주 월요일 저녁에는 세탁이 다 된 셔츠를 세탁소에서 찾아온다. 셔츠 세탁에는 일주일이 소요되므로 찾아오는 셔츠는 그 전주 월요일 점심에 맡겼던 셔츠이다. 단, 세탁소에 다녀올 때는 그날 아침에 꺼내 입은 셔츠를 입는다.

① 7
② 8
③ 14
④ 15
⑤ 16

165

2025년 PSAT 7급 공채 상황판단 23번

다음 글과 〈상황〉을 근거로 판단할 때, 甲이 받을 새로운 식권의 개수는?

A부처의 구내식당에서는 점심 가격이 상승하여 기존 식권을 4,500원과 5,500원 두 종류의 새로운 식권으로 교환해 주고 있다. 교환할 때에는 식권의 종류에 상관없이 기존 식권의 총액과 새로운 식권의 총액이 동일하도록 교환한다. 그럴 수 없는 경우, 최소의 추가 금액을 결제하여 교환한다.

〈상 황〉

甲은 기존 4,000원 식권 6장과 5,000원 식권 7장을 가지고 있다. 甲은 자신이 가진 모든 식권을 한 번에 교환하려고 한다.

① 10   ② 11   ③ 12
④ 13   ⑤ 14

166

2025년 PSAT 7급 공채 상황판단 25번

다음 글과 〈상황〉을 근거로 판단할 때, 올해 A기업의 1 ~ 3분기 안전평가에서 '보완' 등급이 부여된 횟수는?

A기업에서는 매 분기 전체 5개 부서 중 3개 이상의 부서를 대상으로 안전평가를 실시하여 '우수' 또는 '보완' 등급을 부여한다. 안전평가 대상은 직전 분기 안전평가에서 보완 등급을 받은 부서이다. 다만 직전 분기에 보완 등급을 받은 부서가 2개 이하인 경우, 안전평가를 받은 지 오래된 순서대로 부서를 추가하여 평가한다.

〈상 황〉

A기업은 올해 1월 초, 4월 초, 7월 초에 각각 1, 2, 3분기 안전평가를 실시하였다. 아래는 A기업의 서로 다른 부서에 속해 있는 5명(甲 ~ 戊)의 7월 말 대화이다.
甲 : 이번 달 안전평가에서 3개 부서가 우수 등급을 받았데.
乙 : 우리 부서는 1월 안전평가에서 우수 등급을 받았어.
丙 : 우리 부서는 1월에 안전평가를 받지 않았어.
丁 : 올해 우리 부서는 안전평가를 받지 않았어.
戊 : 우리 부서는 매 분기마다 안전평가를 받았어.

① 1   ② 2   ③ 3
④ 4   ⑤ 5

167

2025년 PSAT 5급 공채 상황판단 7번

다음 글과 〈상황〉을 근거로 판단할 때, 甲 ~ 丁 일행에게 제공되는 중간 컵의 개수는?

〈A카페 메뉴판〉

□ 음료 종류
○ 에스프레소(1잔의 양)
 – 싱귤러(30ml) : 농도가 연하며 산미와 단맛, 쓴맛이 균형을 이룸
 – 리스트레또(20ml) : 농도가 진하며 산미와 단맛이 강함
 – 룽고(40ml) : 농도가 연하나 쓴맛이 강함
 – 도피오(60ml) : 싱귤러와 같은 농도로 양이 2배
○ 아메리카노 : 에스프레소(1잔)와 물을 1 : 8의 부피 비율로 제조
○ 카페라떼 : 에스프레소(1잔)와 우유를 1 : 6의 부피 비율로 제조
○ 아인슈패너 : 싱귤러(1잔), 물, 생크림을 1 : 3 : 1의 부피 비율로 제조
○ 콘파냐 : 도피오(1잔)와 생크림을 1 : 1.5의 부피 비율로 제조
□ 컵 제공 사항
○ 작은 컵 : 100ml 미만의 음료
○ 중간 컵 : 100ml 이상 200ml 미만의 음료
○ 큰   컵 : 200ml 이상의 음료

〈상 황〉

A카페를 방문한 甲 ~ 丁은 아래와 같이 대화를 나누며 음료를 주문했다.
甲 : 싱귤러로 만든 카페라떼 1잔을 마실래.
乙 : 아인슈패너와 콘파냐 1잔씩 시켜서 맛을 비교해보려고 해.
丙 : 그럼 나는 쓴맛이 강한 에스프레소로 만든 아메리카노 1잔을 주문할게.
丁 : 배가 부르네. 농도가 진한 에스프레소 1잔을 마셔야겠어.

① 1   ② 2   ③ 3
④ 4   ⑤ 5

168

2025년 PSAT 5급 공채 상황판단 8번

다음 글을 근거로 판단할 때, 〈상황〉의 (가)와 (나)에 들어갈 수를 옳게 짝지은 것은?

압력을 나타내는 단위인 mmHg는 수은 기둥을 이용해 기압을 측정하는 데 사용된다. 1mmHg는 수은 기압계의 수은 기둥 높이가 1mm일 때의 압력을 의미하고, 수은 기둥의 높이와 압력은 비례한다.

해수면에서 측정되는 대기의 압력은 760mmHg이며, 이를 1기압이라고 한다.

〈상 황〉

○ 수은 기압계의 수은 기둥 높이가 1 m일 때의 압력과 1기압의 차는 ___(가)___ mmHg이다.
○ 해수면으로부터 10m씩 깊어질 때마다 1기압에 해당하는 압력이 증가한다면, 수심 40m에서의 압력은 ___(나)___ mmHg이다.

	(가)	(나)
①	0	3040
②	0	3800
③	240	2280
④	240	3040
⑤	240	3800

169

2025년 PSAT 5급 공채 상황판단 11번

다음 글과 〈상황〉을 근거로 판단할 때, 〈보기〉에서 옳은 것만을 모두 고르면?

○○낚시대회에서는 잡은 물고기마다 아래의 〈표〉에 따른 점수를 부여한 후, 이를 모두 합산한 점수가 높은 순서대로 순위를 매긴다.

〈표〉

물고기 종류	점수(마리당)
A	30
B	20
C	10

〈상 황〉

○○낚시대회에서 甲, 乙, 丙은 〈표〉의 물고기만 잡았다. 甲, 乙, 丙은 각각 3, 4, 5마리를 잡았고 점수의 합이 서로 달랐다. 그리고 甲, 乙, 丙은 각각 1, 2, 3위를 차지하였다.

보기

ㄱ. 甲은 A를 잡았다.

ㄴ. 乙이 80점으로 2위를 차지했다면, 乙은 B를 잡았다.

ㄷ. 丙은 C를 한 마리도 못 잡았다.

① ㄱ   ② ㄴ   ③ ㄱ, ㄷ
④ ㄴ, ㄷ   ⑤ ㄱ, ㄴ, ㄷ

170

2025년 PSAT 5급 공채 상황판단 12번

다음 글을 근거로 판단할 때, 〈보기〉에서 옳은 것만을 모두 고르면?

甲은 업무코드를 내부 정보망에 입력한 후 해당 업무를 처리한다. 업무코드는 4자리로, 알파벳(2개)과 숫자(2개)로 구성된다. 甲이 담당하는 업무와 업무코드는 다음과 같다.

업무코드	업무	업무코드	업무
AD10	사업자등록 결과처리	CB11	신고서 목록 관리
BA13	휴폐업신고서 관리	CD08	신고자내역 조회
BC03	휴폐업신고서 조회	DA14	신용카드 이용대금 조회
BE02	사업자등록신청서 입력	DD12	전자계산서 발급 조회

甲은 오늘 '휴폐업신고서 관리', '신고서 목록 관리'를 포함하여 업무코드가 서로 다른 6건의 업무를 처리했다.

보기

ㄱ. 'A'를 1번만 입력했다면, 'D'는 3번 입력했다.

ㄴ. 가장 많이 입력한 알파벳이 'B'라면, '전자계산서 발급 조회'를 처리하지 않았다.

ㄷ. 입력한 업무코드 네 번째 자리의 숫자 총합이 21이라면, '신고자내역 조회'를 처리했다.

① ㄱ   ② ㄴ   ③ ㄱ, ㄷ
④ ㄴ, ㄷ   ⑤ ㄱ, ㄴ, ㄷ

171

2025년 PSAT 5급 공채 상황판단 13번

다음 글과 〈상황〉을 근거로 판단할 때, 甲이 새로 빌려온 책의 마지막 쪽을 읽는 요일은?

甲은 월요일부터 금요일까지 매일 책을 읽고, 토요일과 일요일에는 책을 읽지 않는다. 또한 甲은 새로운 책을 읽기 시작할 때 요일마다 쪽수(자연수)를 정해놓고 순서대로 읽는다. 예를 들어, 甲이 월요일에 세 쪽을 읽고 수요일에 다섯 쪽을 읽기로 정했다면, 매주 월요일마다 세 쪽을 다 읽고 매주 수요일마다 다섯 쪽을 다 읽는 것이다.

〈상 황〉

甲은 새로 빌려온 책(1~74쪽)을 화요일에 1쪽부터 읽기 시작했다. 甲이 그 다음 주 화요일에 책을 읽고 나서 마지막으로 읽은 쪽의 쪽번호를 보니 17이었다. 이틀 뒤에 책을 읽고 나서 마지막으로 읽은 쪽의 쪽번호를 보니 23이었다. 책을 사흘 더 읽은 후 마지막으로 읽은 쪽의 쪽번호를 보니 31이었다.

---

① 월요일 ② 화요일 ③ 수요일
④ 목요일 ⑤ 금요일

172

2025년 PSAT 5급 공채 상황판단 15번

다음 글과 〈상황〉을 근거로 판단할 때, 甲이 문구점에 들어갈 때 휴대하였던 동전의 개수는?

○ 甲은 '머니'라는 화폐 단위를 사용하는 A국에 살고 있다.
○ A국 화폐는 1,000머니와 500머니의 지폐, 100머니와 50머니의 동전으로 이루어져 있다.
○ 현금만 사용하는 甲은 현금 휴대에 따르는 불편함을 수치화한 '불편지수'를 다음과 같이 만들었다.
　　불편지수 = 휴대한 지폐 개수 × 3 + 휴대한 동전 개수 × 1
○ 甲은 불편지수가 최소가 되도록 현금을 휴대한다. 이는 거스름돈을 받을 때도 적용된다.

〈상 황〉

甲은 문구점에서 850머니를 결제하고 거스름돈을 받았으며, 이때 불편지수는 9였다. 다음 꽃집에서 1,000머니를 결제하고 남은 현금 중 동전은 3개였다. 마지막으로 편의점에서 800머니를 결제하고 거스름돈을 받았다. 그 결과 甲에게 지폐는 남아 있지 않았다.

---

① 1 ② 2 ③ 3
④ 4 ⑤ 5

173

2025년 PSAT 5급 공채 상황판단 27번

다음 글을 근거로 판단할 때, 〈상황〉의 (가)와 (나)에 들어갈 수를 옳게 짝지은 것은?

A국에는 액체의 부피를 표기하는 다양한 단위가 있다. 1티스푼은 5 ml이고, 1테이블스푼은 3티스푼이며, 1컵은 48티스푼이다. 1컵은 8플루이드온스, 16플루이드온스는 1파인트, 128플루이드온스는 1갤런, 1갤런은 4쿼트이다.

〈상 황〉

처음에 甲은 1갤런의 물을 가지고 있었으며, 乙은 물을 가지고 있지 않았다. 이후 甲은 자신의 물을 5파인트만 남기고, 나머지 전부를 乙에게 주었다. 甲은 (가) 컵의 물을 소비해 현재는 물 40플루이드온스를 가지고 있다. 乙은 甲에게 받은 물 중 1쿼트를 소비하여 현재 (나) 테이블스푼의 물만 가지고 있다.

	(가)	(나)
①	5	32
②	5	48
③	10	32
④	10	48
⑤	20	48

174

2025년 PSAT 5급 공채 상황판단 29번

다음 글을 근거로 판단할 때, (가)에 들어갈 최소 일수는?

과학자 甲은 AI 로봇의 성능이 환경에 따라 어떻게 달라지는지를 알고 싶어 AI 로봇을 초원과 사막에 각각 보냈다. 초원에 간 AI 로봇은 매일 142,857그루의 나무를 7일 동안 심고 임무를 종료하였다. 한편 사막에 간 AI 로봇은 매일 37그루의 나무를 (가) 일 동안 심고 임무를 종료하였다. 사막에 간 AI 로봇이 심은 총 나무 수를 세어보니, 그 수는 초원에 간 AI 로봇이 심은 총 나무 수에 포함된 숫자로만 이루어져 있었다.

① 17   ② 23   ③ 25

④ 27   ⑤ 37

175

2025년 PSAT 5급 공채 상황판단 31번

다음 글을 근거로 판단할 때, 〈보기〉에서 옳은 것만을 모두 고르면?

甲은 병원에서 A와 B 두 종류의 알약을 10정씩 처방받았다. 甲은 A와 B를 매일 1정씩 복용해야 한다. 두 약은 모양과 색깔이 비슷하여 자세히 살피지 않으면 혼동하기 쉽다. 甲은 휴대하기 편하게 20정을 한 병에 넣고 매일 2정을 복용하였다. 甲은 8일 동안 약을 복용한 후, A와 B를 매일 1정씩 제대로 먹었는지 알아보기 위해 남은 약을 확인하였다.

보기

ㄱ. A와 B가 각각 2정씩 남아 있었다면, 甲은 8일 내내 약을 제대로 복용하였다.

ㄴ. A가 1정, B가 3정 남아 있었다면, 甲은 8일 중 적어도 하루는 약을 제대로 복용하였다.

ㄷ. A만 4정 남아 있었다면, 甲이 8일 중 약을 제대로 복용한 날은 5일이 될 수 없다.

① ㄱ

② ㄴ

③ ㄱ, ㄷ

④ ㄴ, ㄷ

⑤ ㄱ, ㄴ, ㄷ

176

2025년 PSAT 5급 공채 상황판단 33번

다음 글과 〈상황〉을 근거로 판단할 때, 과녁 A와 C의 내구성 값의 합은?

甲 ~ 丙은 소총을 조절하여 총알의 파워를 설정한 후, 일렬로 늘어선 과녁을 관통시키고자 한다. 이때 과녁은 고유의 내구성 값을 가지며, 과녁의 내구성 값과 총알의 파워 단위는 동일하다. 과녁의 내구성 값 이상의 파워로 소총을 쏘면, 그 과녁은 관통되며 뒤에 있는 과녁도 관통될 수 있다. 다만 다음 과녁을 향한 총알의 파워는 관통된 과녁의 내구성 값만큼 감소한다. 예를 들어 총알의 파워가 7이고 내구성 값이 각각 2, 3, 4인 과녁이 순서대로 놓여있을 때, 해당 총알은 처음 2개의 과녁은 관통하지만, 내구성 값이 4인 마지막 과녁은 관통하지 못한다.

〈상 황〉

甲, 乙, 丙은 소총을 조절하여 총알의 파워를 각각 8, 3, 8로 설정했다. 甲, 乙, 丙은 5개 과녁(A ~ E)의 순서를 각자 정하여 관통시키고자 한다. 단, 5개 과녁의 내구성 값은 서로 다르며, 1부터 5까지의 정수 중 하나이다. 다음은 甲 ~ 丙의 소총 사격 결과이다.

甲 : A, B, C, D, E의 순으로 배치하여 쐈더니, 과녁 3개가 관통되었다.

乙 : B, E, A, C, D의 순으로 배치하여 쐈더니, 과녁 2개가 관통되었다.

丙 : E, D, C, B, A의 순으로 배치하여 쐈더니, 과녁 2개가 관통되었다.

① 5

② 6

③ 7

④ 8

⑤ 9

177

2025년 PSAT 5급 공채 상황판단 36번

다음 글을 근거로 판단할 때, △△산악회가 선택할 산은?

△△산악회가 이번 주말에 등반할 산을 선택하려고 한다.

○ 다음은 등산 후보지(A ~ E)의 항목별 별점을 나타낸 것이다. ★은 1점, ☆은 0.5점을 의미한다. '체력소모도'와 '위험도'는 별점이 높을수록 선호도가 낮음을 뜻하며, '경관'과 '접근성'은 별점이 높을수록 선호도가 높음을 뜻한다.

구분	A	B	C	D	E
체력소모도	★★★☆	★★★☆	★★	★★★☆	★★
경관	★★★	★★★★★	★☆	★★☆	★★★
위험도	★★★	★★★★☆	★★★	★★	★★★★
접근성	★★★★	★★★☆	★★	★★★★	★★★

○ △△산악회가 산을 선택하는 기준은 다음과 같다.

－ 최종점수가 가장 높은 산을 선택하며, 최종점수는 아래와 같이 산정한다. 단, 체력소모도 점수와 위험도 점수의 합이 7을 초과하면 선택하지 않는다.

최종점수 = 2 × (경관 점수 + 접근성 점수)
－ (체력소모도 점수 + 위험도 점수)

－ 최종점수가 동점일 경우, 접근성, 경관, 위험도의 순서대로 해당 항목의 점수를 비교하여 선호도가 높은 산을 선택한다.

① A   ② B   ③ C
④ D   ⑤ E

178

2025년 PSAT 5급 공채 상황판단 38번

다음 글과 〈상황〉을 근거로 판단할 때, 채용후보자(A ~ E) 중 최종 합격자는?

△△부처는 하루 동안 실무평가와 면접평가를 거쳐 채용후보자(A ~ E) 중 1명을 최종 합격자로 선발하고자 한다.

○ 실무평가 : 먼저 심사위원(甲 ~ 丙) 3인의 실무평가 점수 중 하나라도 60점 이하인 경우에는 선발 대상에서 제외한다. 나머지 후보자 중, 후보자별로 가장 낮은 평가 점수를 제외하고, 나머지 심사위원 2인의 점수의 합이 높은 3명을 뽑는다.

○ 면접평가 : 후보자별로 심사위원(丁 ~ 己)의 면접평가 점수를 합산한다.

○ 최종 합격자 선발 : 실무평가에서 뽑은 3명을 대상으로, 후보자별로 심사위원 3인(甲 ~ 丙)의 실무평가 점수 합계와 심사위원 3인(丁 ~ 己)의 면접평가 점수 합계를 모두 합산한 최종 점수가 가장 높은 1명을 선발한다. 다만 최종 점수가 동일한 경우에는 면접평가 점수 합계가 높은 후보자를 최종 합격자로 선발한다.

〈상 황〉

○ 채용후보자(A ~ E)의 실무평가 점수는 다음과 같다.

구분	甲	乙	丙
A	75	70	80
B	75	65	75
C	85	55	90
D	65	85	80
E	80	75	90

○ 채용후보자(A ~ E)의 면접평가 점수는 다음과 같다.

구분	丁	戊	己
A	70	90	85
B	75	80	80
C	80	90	75
D	80	75	85
E	70	75	75

① A   ② B   ③ C
④ D   ⑤ E

179

다음 글을 근거로 판단할 때, 乙이 사망하던 날 甲의 나이는?

> 甲은 0세의 나이에 75세의 얼굴을 지녔으며, 다른 모든 사람과는 반대로 나이를 한 살 먹을 때마다 얼굴은 한 살씩 어려진다. 乙은 21세가 되는 날, 乙의 나이보다 30세가 더 많아 보이는 甲과 결혼했다. 甲과 乙은 결혼한 지 1년이 되는 날에 아들을 낳았다. 甲의 얼굴이 아들과 동일한 나이로 보이게 되는 날에 乙은 사망하였고, 甲은 乙의 사망일로부터 10년을 더 살았다.

① 40세 ② 45세 ③ 50세
④ 55세 ⑤ 60세

180

다음 글을 근거로 판단할 때, 甲과 戊가 하루에 가져오는 셔틀콕 개수의 차는?

> 甲 ~ 戊는 매주 월요일부터 금요일까지 배드민턴 동호회 활동을 한다. 이들은 각자에게 지정된 개수의 셔틀콕을 매일 가지고 오기로 했다. 지정된 셔틀콕의 개수는 5명이 서로 다르며 요일에 따른 변동은 없다. 이들이 하루에 가져오는 셔틀콕 개수의 총합은 24개이다.
> 甲이 5일 동안 가져오는 셔틀콕의 총 개수는 丙이 하루에 가져오는 셔틀콕 개수와 같다. 또 丙이 3일 동안 가져오는 셔틀콕 개수와 丁이 2일 동안 가져오는 셔틀콕 개수의 차는 3이다. 乙이 하루에 가져오는 셔틀콕의 개수는 戊가 하루에 가져오는 셔틀콕의 개수보다 적고, 그 두 수를 곱하면 홀수이다.

① 5 ② 6 ③ 7
④ 8 ⑤ 9

181

2025년 PSAT 5급 공채 상황판단 28번

다음 글을 근거로 판단할 때, 1년 중 홍수가 난 날은?

개미는 매일 6 g의 먹이를 먹는다. 1년(365일) 중 마지막 90일은 개미의 겨울이라서 이 기간에는 먹이를 구할 수 없다. 따라서 개미는 겨울을 제외한 기간에는 매일 아침 10 g의 먹이를 수집하여 6 g을 먹고, 남은 4 g을 즉시 비축한다. 그런데 어느 날 밤 홍수가 나서, 그때까지 개미가 비축한 먹이 중 $\frac{2}{3}$가 휩쓸려 사라졌다. 그럼에도 개미는 이전과 같이 먹이 수집과 비축을 계속하여, 모자라거나 남는 먹이 없이 겨울을 무사히 보낼 수 있었다.

① 180일째 날

② 190일째 날

③ 200일째 날

④ 210일째 날

⑤ 220일째 날

182

2025년 PSAT 5급 공채 상황판단 30번

다음 글을 근거로 판단할 때, A, B, C팀 구성원의 총수는?

A, B, C팀 구성원의 남성 대 여성의 비는 각각 1 : 1, 2 : 1, 1 : 2이고, 숙련자 대 비숙련자의 비는 각각 2 : 1, 1 : 1, 1 : 2이다. 이 상황에서 A팀의 남성 숙련자 1명을 C팀으로 보내고, B팀의 남성 비숙련자 1명을 A팀으로 보내고, C팀의 여성 비숙련자 1명을 B팀으로 보내면, 각 팀의 남성 대 여성, 숙련자 대 비숙련자의 비는 모두 1 : 1이 된다.

① 18명   ② 20명   ③ 22명

④ 24명   ⑤ 26명

183

갑국 의회는 총 300명의 의원으로 구성되며, 그중 254명은 지역구 의원이고 나머지 46명은 비례대표 의원이다. 갑국 의회의 구성이 다음 〈조건〉을 만족할 때, 〈보기〉에서 옳은 것만을 모두 고르면?

〈조 건〉
○ 의원은 전체 당선 횟수를 기준으로 '초선 의원', '재선 의원', '3선 이상 의원'으로 구분된다.
○ 전체 의원 중 여성 의원이 차지하는 비율은 20%이다.
○ 여성 의원은 절반이 초선 의원이며, 그 나머지 중 절반은 재선 의원이다.
○ 비례대표 의원 중, 남성 의원 수는 여성 의원 수보다 2명 적다.
○ 남성 비례대표 의원 중 초선 의원 수는 여성 비례대표 의원 중 초선 의원 수와 같다.
○ 3선 이상 의원은 모두 지역구 의원이며, 그중 남성 의원 수는 74명이다.
○ 남성 지역구 의원 중, 초선 의원 수는 재선 의원보다 25% 많으며, 이는 전체 의원 중 재선 의원 수와 같다.

보기

ㄱ. 초선 의원 수는 3선 이상 의원 수보다 40명 이상 많다.
ㄴ. 여성 지역구 의원 중 재선 의원 수는 남성 비례대표 의원 중 초선 의원 수의 60% 이상이다.
ㄷ. 여성 지역구 의원 중 3선 이상 의원 수와 여성 비례대표 의원 중 재선 의원 수의 차이는 10명이다.
ㄹ. 지역구 의원 중 남성 의원 수는 지역구 의원 중 여성 의원 수의 6배 이상이다.

① ㄱ, ㄴ　　② ㄱ, ㄹ　　③ ㄴ, ㄷ
④ ㄴ, ㄹ　　⑤ ㄷ, ㄹ

184

다음 제시문을 읽고 주어진 〈조건〉을 바탕으로 하여 팔만대장경을 제작하는 경우, 소요되는 최단 기간은?

　해인사에 소장되어 있는 팔만대장경은 정확하게 81,258장의 경판으로 구성되어 있으며, 경판의 크기는 가로 약 73cm, 세로 약 26cm, 두께는 약 3.5cm이다. 경판 1장에 새겨져 있는 글자 수는 1면에 300여 자씩, 양면에 600여 자이므로 총 5천만 자가 넘는데 오탈자가 거의 없다.
　경판을 만드는 데 사용된 나무는 한반도 전역에 자생하는 산벚나무이며, 채집한 원목을 갯벌에 3년간 묻어 두었다가 꺼내 경판을 제작한 뒤 글을 새겼다.

〈조 건〉
○ 경판의 수는 8만 장, 총 글자 수는 5천만 자로 가정하며, 각 경판의 글자 수는 동일한 것으로 한다.
○ 제작공정은 원목채집, 경판제작(원목을 가공하여 경판을 만드는 일), 필사(종이에 글을 쓰는 일), 판각(경판에 글을 새기는 일) 등 네 가지로 구성된다.
○ 원목채집은 1월 1일에 시작하며, 채집된 원목은 그 다음해 1월 1일부터 3년간 갯벌에 묻어둔다.
○ 갯벌에서 꺼낸 원목으로 경판을 제작하는데, 원목 1개로 경판 100장을 만든다.
○ 판각은 경판 1만 장이 제작된 후에 시작한다.
○ 1인이 1년간 작업할 수 있는 양은 원목채집의 경우 원목 10개, 경판제작의 경우 경판 100장, 필사의 경우 25만 자, 판각의 경우 1만 자이다.
○ 공정별로 매년 동원할 수 있는 최대 인력은 원목채집 10명, 경판제작 100명, 필사 40명, 판각 500명이다.

① 14년　　② 15년　　③ 16년
④ 23년　　⑤ 25년

185

2012년 PSAT 5급 공채 상황판단 11번

다음 〈지도〉와 〈조건〉에 근거할 때, 옳은 것은?

〈지 도〉

안나푸르나 베이스캠프
(4,130m)

마차푸체르 베이스캠프
(3,700m)

데우랄리
(3,230m)

히말라야
(2,920m)

도반(2,600m)

뱀부(2,400m)

시누와(2,360m)

촘롱(2,170m)

간드룩
(1,940m)

콤롱(2,050m)

김체
(1,638m)

사울리바자르
(1,220m)

나야풀
(1,050m)

북
서 4 동
남

※ 괄호 안의 수치는 해발고도를 나타낸다.

〈조건 1〉
〈구간별 트래킹 소요시간(h : 시간)〉
○ 올라가는 경우
  – 나야풀 → 사울리바자르 : 3h
  – 사울리바자르 → 김체 : 2h
  – 김체 → 간드룩 : 2h
  – 간드룩 → 콤롱 : 2h
  – 콤롱 → 촘롱 : 3h
  – 촘롱 → 시누와 : 2h
  – 시누와 → 뱀부 : 1h
  – 뱀부 → 도반 : 3h
  – 도반 → 히말라야 : 2h
  – 히말라야 → 데우랄리 : 2h
  – 데우랄리 → 마차푸체르 베이스캠프 : 2h
  – 마차푸체르 베이스캠프 → 안나푸르나 베이스캠프 : 2h
○ 내려오는 경우, 구간별 트래킹 소요시간은 50% 단축된다.

〈조건 2〉
○ 트래킹은 도보로만 이루어지며, 트래킹 코스는 나야풀에서 시
  작하여 안나푸르나 베이스캠프에 도달한 다음 나야풀로 돌아
  오는 것이다.
○ 하루에 가능한 트래킹의 최대시간은 6시간이며, 모든 트래킹
  일정을 최대한 빨리 완료해야 한다.
○ 하루 트래킹이 끝나면 반드시 숙박을 해야 하고, 숙박은 지도
  에 O표시가 된 지역에서만 가능하다.
○ 해발 2,500m 이상에서는 고산병의 위험 때문에 당일 수면고
  도를 전날 수면고도에 비해 600m 이상 높일 수 없다.

※ 수면고도는 취침하는 지역의 해발고도를 의미한다.

① 1일차에는 간드룩에서 숙박을 한다.
② 반드시 마차푸체르 베이스캠프에서 숙박을 해야 한다.
③ 5일차에는 안나푸르나 베이스캠프에서 숙박 가능하다.
④ 하루 6시간을 걷는 경우는 총 이틀이다.
⑤ 트래킹은 8일차에 완료된다.

MEMO

II

유형별 집중풀이 가이드

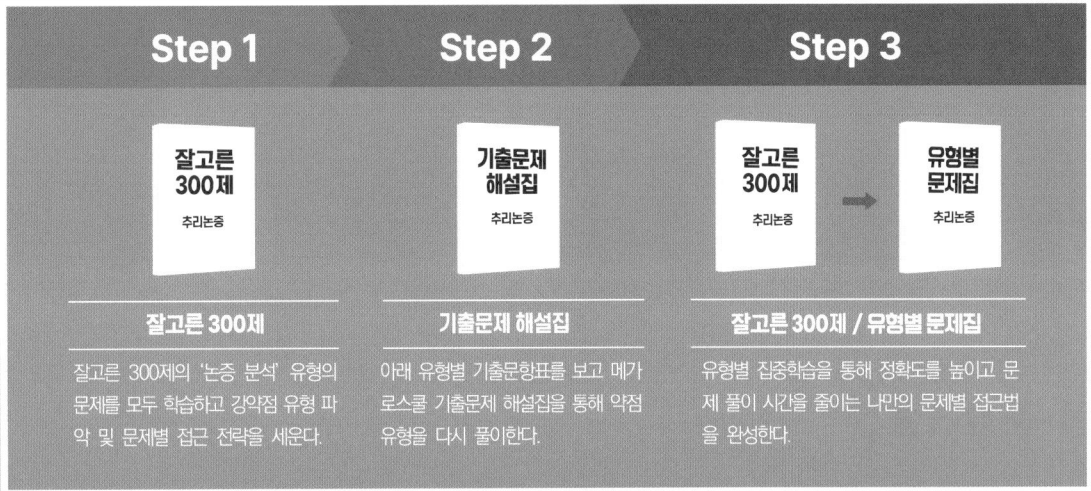

유형별 기출문항표

세부 유형	학년도	기출문제 해설집	문항번호(홀수형 기준)	유형별 문제집
명시적 요소 분석	2022	125	8	
	2021	149	3, 17, 33	
	2020	173	21	
	2018	221	24	
	2017	241	15	
	2014	301	7	
	2013	321	10, 22	
	2012	341	6	
	2011	361	8	
	2009	401	27	
암묵적 요소 분석	2018	221	17	
	2016	261	12	
	2015	281	10	
	2014	301	23, 28	
	2013	321	24	
	2010	381	26	
	2009	401	9, 16, 30, 36, 39	
	예비시험	419	5, 11, 19, 32	
	2차 예시	439	13	146
	1차 예시	449	7	
논증 구조 분석	2026	29	23	
	2025	53	21	
	2024	77	25	
	2023	101	19	
	2022	125	36	
	2020	173	20	
	2019	197	20	
	2017	241	19	
	2015	281	13	
	2014	301	11	
	2012	341	18	
	2011	361	32	
	2010	381	16, 18	
	2009	401	18	
	예비시험	419	8, 21	
	2차 예시	439	2, 14	
	1차 예시	449	8	

※ 교재별 페이지 번호는 메가로스쿨 2027학년도 대비 출간 교재 기준으로 기재되어 있습니다.

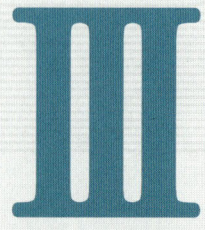

논증 분석

논증 분석이란?

이 유형은 논증을 분석하는 능력을 평가하고자 한다. 논증은 결론이 주어지고 전제들이 이 결론을 뒷받침하기 위해 제시된 글이라 할 수 있다. 그래서 이 유형에서는 논증의 구성 요소인 전제와 결론을 파악할 수 있는지, 생략된 전제가 무엇인지, 전제가 타당하게 결론을 뒷받침하고 있는지를 묻는 문제들이 출제된다.

논증 분석 학습법

논증의 구조를 분석하기 위해서는 논증 전체의 결론을 먼저 찾고 이를 뒷받침하는 전제들을 찾는 것이 효과적이다. 그 다음에 전제들 간의 논리적 관계를 파악하는데, 전제들 간의 논리적 관계 속에는 다시 전제와 소결론으로 구성된 논증이나 전제를 반박하고 재반박하는 반론이 복잡하게 얽혀 있을 수 있다. 또한 있어야 할 전제를 생략하여 논증이 제시될 수 있으므로 명시적으로 드러난 결론과 전제, 전제들 간의 논리적 관계를 토대로 생략된 전제를 찾아 낼 수 있어야 한다. 생략된 전제를 찾을 때는 다음과 같은 방식을 활용하면 도움이 된다.

❶ 생략된 전제가 될 수 있는 선택지

(1) 선택지가 연역적 추론 규칙의 전제로 사용되는 경우

제시된 논증이 연역논증일 경우 연역적 추론 규칙을 적용하여 생략된 전제를 찾는다.
가령, 전제가 'A→B'이고 결론이 'B'일 경우 전건긍정법에 따라 'A'가 생략된 전제임을 찾아내거나, 전제가 'A→ B, B→C'이고 결론이 'A→D'일 경우 가언삼단논법에 따라 'C→D'가 생략된 전제임을 찾아내는 것이다.

(2) 선택지를 부정하였을 때 결론이 도출되지 않거나 약화될 경우

생략된 전제는 결론을 도출하는 데 필요한 전제이므로, 선택지가 생략된 전제라면 선택지를 부정하였을 때 결론이 도출되지 않거나 약화될 것이다.
가령, '교도소에 구금되어 있는 동안 범죄자는 범행 기회가 제한되므로 이 기간 동안 전체 범죄율은 감소된다.'는 결론에 대하여 '어떤 범죄자의 범행이 억제되었을 때 다른 범죄자가 그 자리를 채워 범행을 하지 않는다.'는 선택지가 생략된 전제인지 판단해보자. 선택지를 부정하면 어떤 범죄자의 범행이 억제되어도 다른 범죄자에 의해 범행이 발생할 수 있다. 그렇다면 어떤 범죄자의 범행이 억제되는 기간 동안에 전체 범죄율은 감소되지 않을 수 있다. 따라서 선택지를 부정하면 결론이 도출되지 않으므로 선택지는 생략된 전제라고 판단하면 된다.

❷ 생략된 전제가 될 수 없는 선택지

(1) 선택지가 전제 또는 결론을 반박하거나 전제 또는 결론과 양립 불가능한 경우

선택지가 결론을 지지하더라도 다른 전제들과 양립하지 않거나 선택지가 결론을 반박하거나 약화시킨다면 이러한 선택지는 생략된 전제가 될 수 없다.

(2) 선택지를 부정하였을 때 결론이 도출되거나 강화될 경우

선택지를 부정하였을 때 결론이 도출되거나 강화된다면 결론을 뒷받침하는 것은 선택지가 아니라 선택지의 부정이므로 이러한 선택지는 생략된 전제가 될 수 없다.

(3) 선택지가 결론 또는 논지와 관련이 없는 경우

생략된 전제는 논증을 뒷받침하거나 강화시키는 역할을 하여야 하므로 선택지가 다른 전제들과 모순을 일으키지 않더라도 결론 혹은 논지와 무관하다면 생략된 전제라고 할 수 없다.

▶ 논증 분석 문항 예시

13. 다음 글에 대한 분석으로 적절한 것을 〈보기〉에서 모두 고르면?

　사람들은 흔히 개인이 소유한 것에 대한 독점적인 권리를 인정하는 것이 당연하다고 생각한다. ⓐ각 개인은 타고난 지적 능력, 육체적인 힘, 성격이나 외모, 상속받은 유산 등을 가지고 있다. 그러나 ⓑ이와 같은 자연적인 자산을 개인이 소유하게 된 것은 우연적이다. 이 자산을 개인이 소유하게 된 것에 대한 정당한 근거나 필연적인 이유가 존재하지 않는다. ⓒ자신의 노력을 통해서 획득한 것이 아니라는 말이다. 더구나 ⓓ물려받은 부나 재산은 애당초 공동체의 사회적인 협력이나 협동으로 획득된 것이다. 다시 말해, 대대로 상속된 재산이라 하더라도 그것은 사회적 환경과 시스템 속에서 형성되고 그 가치를 인정받게 된 것이다. 따라서 ⓔ그와 같은 재산에 대한 권리는 극히 제한적이거나 아예 없다고도 말할 수 있다. 개인은 자신이 속한 사회의 물적·제도적 토대를 바탕으로, 자신의 자연적 자산을 활용하여 각종 부를 창출할 수 있다. ⓕ이 부는 공동체의 공동 자산으로 간주해야 한다. 그렇기 때문에 각 개인이 소유한 부를 오직 자신의 행복 증진만을 위하여 사용해서는 안 된다. ⓖ이 부는 공동체 구성원 전체의 이익 증대를 위해 사용되어야 한다. 따라서 개인이 일군 것처럼 보이는 재산이라고 하더라도 국가가 나서서 과세를 통해 거둬들여 재분배해야 하는 것이다. 결국, ⓗ개인의 재산에 대한 정치공동체의 개입은 도둑질이나 강탈이 아니라 사회적 혜택과 부담을 공정하게 분배하는 국가 본연의 임무이다.

13. 다음 글을 분석한 것으로 옳지 않은 것은?

　가장 강한 자라고 하더라도 자기의 힘을 권리로, 복종을 의무로 바꾸지 않고서는 언제나 지배자 노릇을 할 수 있을 만큼 강하지는 않다. 따라서 '강자의 권리'라는 구절이 언뜻 반어적인 의미를 가진 것으로 보이면서도 실제로 하나의 근본 원리인 것처럼 여겨지는 것에 대하여 뭔가 설명이 필요하다. ⓐ힘이란 물리력인데, 물리력이 어떻게 도덕적 결과를 가져올 수 있는지 나는 이해할 수 없다. ⓑ힘에 굴복하는 것은 어쩔 수 없어서 하는 행동이요 기껏해야 분별심에서 나온 행동이지 의무에서 나온 행동은 아니다.

　ⓒ만일 강자의 권리라는 것이 있어서, 힘이 권리를 만들어 낸다고 해보자. 그렇다면, 원인이 바뀜에 따라 결과도 달라지므로, 최초의 힘보다 더 강한 힘은 최초의 힘에서 생긴 권리까지도 차지해 버릴 것이다. 힘이 있어서 불복한다면 그 불복종은 정당한 것이 되며 강자는 언제나 정당할 터이므로 오직 중요한 점은 강자가 되는 것뿐이다. ⓓ힘이 없어질 때 더불어 없어지고 마는 권리란 도대체 무엇인가? ⓔ강도가 덮쳤을 때 내가 강제로 지갑을 내주어야 할 뿐만 아니라 지갑을 잘 감출 수 있을 때에도 강도의 권총이 권력이랍시고 양심에 따라 지갑을 내줄 의무가 있는 것은 아니다. ⓕ어쩔 수 없어서 복종해야 한다면 의무 때문에 복종할 필요는 없으며 복종을 강요받지 않을 경우에는 복종할 의무도 없다. 권리에 복종하라는 말이 만약 힘에 복종하라는 말이라면, 이는 좋은 교훈일지는 몰라도 하나마나한 말로서, ⓖ나는 그러한 교훈이 지켜지지 않는 일은 결코 없으리라고 장담할 수 있다. ⓗ'강자의 권리'라는 말에서 '권리'는 '힘'에 덧붙이는 것이 없으며, 따라서 공허한 말이다.

－ 루소, 「사회계약론」－

상세분석　두 문항 모두 인문학 소재를 차용하여 논증을 분석할 것을 요구하고 있다. 주어진 전제와 결론들 속에서 어떤 문장이 결론이고, 어떤 문장들이 전제인지, 그리고 전제들은 각기 독립적으로 결론을 지지하고 있는지 혹은 두어 개의 전제들이 서로 결합하여 하나의 소결론을 지지하는지 등을 파악할 수 있는 능력을 묻고 있다.

❶ 인지 활동 유형의 유사점
　두 문항 모두 드러난 문장 단위로 전제와 결론의 지지 관계를 분석할 수 있는지를 평가하고 있다. 이처럼 두 문항은 논증의 명시적 요소를 분석해야 한다는 점에서 그 인지 활동이 유사하다고 할 수 있다.

❷ 난이도 수준의 유사점
　논증을 분석하는 데 있어서 길잡이가 되어 주는 것을 논증의 표지어라고 한다. 결론과 관련된 표지어는 '따라서, 그러므로, 결국' 등이 있는데 PSAT 문항의 경우 이러한 표지어가 드러나는 논증인 데 비해, LEET 문항은 원전을 발췌한 제시문이라 표지어의 도움을 받기가 상대적으로 어렵다. 이런 점에서 난이도의 경우는 LEET가 PSAT보다 조금 더 높다고 할 수 있다.

186

다음 대화의 ㉠으로 적절한 것만을 〈보기〉에서 모두 고르면?

갑 : 최근 우리 A시 행정복지센터에서 악성 민원을 견디다 못해 휴직한 직원이 3명이나 됩니다. 악성 민원에 대처하는 방법이라든가 악성 민원을 줄이는 방법이 있을까요?

을 : 우리 행정복지센터에는 악성 민원 대응 매뉴얼이 마련되어 있지 않습니다. B시의 모든 공공 기관에서는 악성 민원 대응 매뉴얼대로 악성 민원에 대처하고 있는데, B시는 악성 민원 대응 매뉴얼 도입 이후 담당 직원들의 민원 스트레스가 현저히 감소했다고 합니다. 우리 센터도 악성 민원 대응 매뉴얼을 마련해서, 악성 민원으로 인한 직원들의 민원 스트레스를 줄여야 합니다.

병 : 같은 내용의 민원을 반복적으로 제기하는 악성 민원에 대해 담당 직원에게 종결권을 부여하는 것도 좋은 방법입니다. 이 제도를 도입한 기관 직원들의 업무 만족도가 도입 이전보다 높아졌다고 합니다. C시 행정복지센터에도 악성 민원 종결권 제도를 도입하려고 몇 달 전부터 논의 중입니다. 우리 센터도 악성 민원 종결권 제도를 도입해서 직원들의 민원 업무 만족도를 높여야 합니다.

정 : 같은 내용의 민원이라도 민원인이 욕설과 폭언을 하지 않도록 사전에 차단해야 합니다. 최근 D시의 모든 행정복지센터에서는 민원 응대 시 캠코더로 녹화되고 있음을 고지하는 정책을 시행하고 있습니다. D시에서는 이 정책 도입 이후 욕설과 폭언을 하는 민원인이 확실히 줄었다고 합니다. 우리 센터도 캠코더 사용 고지 정책을 도입해야 합니다.

갑 : 의견 감사합니다. 오늘 제안된 방법의 효과성 검증에 ㉠ 필요한 자료를 조사해 주십시오. 이를 바탕으로 일주일 뒤에 심층 논의를 진행하겠습니다.

─────────── 보기 ───────────

ㄱ. B시 공공 기관의 악성 민원 대응 매뉴얼 도입 후 담당 직원들의 민원 스트레스 감소 정도

ㄴ. A시와 C시의 행정복지센터 직원들의 민원 업무 만족도 차이

ㄷ. D시의 행정복지센터의 캠코더 사용 고지 정책 도입 후 욕설과 폭언을 하는 민원인의 감소 정도

① ㄱ
② ㄴ
③ ㄱ, ㄷ
④ ㄴ, ㄷ
⑤ ㄱ, ㄴ, ㄷ

187

다음은 어떤 주장을 뒷받침하는 대표적인 예이다. 그 주장으로 가장 적절한 것은?

X－선 사진을 통해 폐질환 진단법을 배우고 있는 의과 대학 학생을 생각해 보자. 그는 암실에서 환자의 가슴을 찍은 X－선 사진을 보면서, 이 사진의 특징을 설명하는 방사선 전문의의 강의를 듣고 있다. 그 학생은 가슴을 찍은 X－선 사진에서 늑골뿐만 아니라 그 밑에 있는 폐, 늑골의 음영, 그리고 그것들 사이에 있는 아주 작은 반점들을 볼 수 있다. 하지만 처음부터 그럴 수 있었던 것은 아니다.

첫 강의에서는 X－선 사진에 대한 전문의의 설명을 전혀 이해하지 못했다. 그가 가리키는 부분이 무엇인지, 희미한 반점이 과연 특정질환의 흔적인지 전혀 알 수가 없었다. 전문가가 상상력을 동원해 어떤 가상적 이야기를 꾸며 내는 것처럼 느껴졌을 뿐이다. 그러나 몇 주 동안 이론을 배우고 실습을 하면서 지금은 생각이 달라졌다. 그는 문제의 X－선 사진에서 이제는 늑골 뿐 아니라 폐도 볼 수 있게 되었다. 그는 탐구심을 갖고 좀 더 노력한다면 폐와 관련된 생리적인 변화, 흉터나 만성 질환의 병리학적 변화, 급성질환의 증세와 같은 다양한 현상들까지도 자세하게 경험하고 알 수 있게 될 것이다. 그는 전문가로서 새로운 세계에 들어선 것이고, 그 사진의 명확한 의미를 지금은 대부분 해석할 수 있게 되었다. 이론과 실습을 통해 새로운 세계를 볼 수 있게 된 것이다.

① 관찰은 배경지식에 의존한다.
② 과학에서의 관찰은 오류가 있을 수 있다.
③ 과학 장비의 도움으로 관찰 가능한 영역은 확대된다.
④ 관찰정보는 기본적으로 시각에 맺혀지는 상에 의해 결정된다.
⑤ X－선 사진의 판독은 과학데이터 해석의 일반적인 원리에 따른다.

188

다음 두 글 '가'와 '나'는 과학적 탐구 방식이 지닌 몇 가지 특성을 보여 준다. '가'와 '나'를 올바르게 비교·분석한 서술로 보기 <u>어려운</u> 것은?

가. 만일 빛이 파동이고 그 매질로 상정되는 에테르가 우주에 가득 차 있다면, 지구는 에테르에 대해 시속 106,000km라는 엄청난 속도로 움직이고 있는 셈이다. 그것이 태양을 중심으로 한 지구 공전의 대략적인 속도이다. 그렇다면 지구의 이런 운동과 평행한 방향으로 광속(光速)을 측정했을 때와 그것과 수직 방향으로 측정했을 때 광속의 값은 다르게 나타날 것이다. 그러나 마이컬슨과 몰리의 실험 결과, 측정된 광속의 값은 그런 방향과 상관없이 일정했다. 따라서 빛이 정적(靜的)인 에테르를 매질로 하는 파동이라는 생각은 수정되지 않을 수 없게 되었다.

나. 폴링이 폴리펩티드 사슬의 구조를 밝힌 것을 보고 크릭은 같은 방법으로 DNA의 구조도 밝힐 수 있으리라고 생각했다. 우선 가장 중요했던 것은 라이너스 폴링이 어떻게 α 나선을 발견했는지를 이해하는 일이었다. 크릭은 곧 폴링의 발견이 상식의 산물이며 결코 복잡한 고등 수학을 통해 끌어낸 결론이 아님을 알게 되었다. 폴링의 성공의 열쇠는 그가 구조 화학의 법칙들과 친숙했다는 점에 있었다. X선 사진만 들여다보고 있었다면 α 나선을 발견할 수 없었을 것이다. 중요한 것은 한 원자의 바로 이웃에 어떤 원자가 자리 잡을 가능성이 가장 큰지를 생각해 보는 일이었다. 폴링의 방법은 종이와 연필을 가지고 계산하는 것이 아니라 유치원 아이들의 장난감 같은 분자 모형을 가지고 이렇게 저렇게 생각해 보는 것이었다.

① '가'와 '나'에는 공통적으로, 과학 이론이 연역 논리를 구성원리로 해서 구축된다는 사실이 드러나 있다.

② '가'와 '나'에는 공통적으로, 이미 알려진 것을 토대로 미지의 것을 탐구한다는 과학 방법론의 기본이 드러나 있다.

③ 과학 탐구의 과정에서는 직접 관찰이 불가능한 대상의 존재가 가정되기도 하는데, '가'와 '나'는 공통적으로 이 점을 예시한다.

④ '가'에 묘사된 상황은 이미 제안된 이론에 대한 검토와 결부된 것인 데 비해 '나'는 이론 자체를 구성해 가는 과정에 대한 서술이라는 점에서 차이가 있다.

⑤ '가'에서는 과학 이론의 운명이 실험 결과에 의해 좌우될 수 있다는 점이 드러나 있는 반면 '나'에서는 과학 이론이 상식으로부터 추론해 낸 산물일 수도 있음을 밝히고 있다.

189

다음의 빈칸에 들어갈 진술로 가장 적절한 것은?

'실은 몰랐지만 넘겨짚어 시험의 정답을 맞힌' 경우와 '제대로 알고 시험의 정답을 맞힌' 경우를 구별할 수 있을까? 또 무작정 외워서 쓴 경우와 제대로 이해하고 쓴 경우는 어떤가? 전자와 후자는 서로 다르게 평가받아야 할까, 아니면 동등한 평가를 받는 것이 마땅한가?

선택형 시험의 평가는 오로지 답안지에 표기된 선택지가 정답과 일치하는가의 여부에만 달려 있다. 이는 위의 첫 번째 물음이 항상 긍정으로 대답되지는 않으리라는 사실을 말해 준다. 그러나 만일 시험관이 답안지를 놓고 응시자와 면담할 기회가 주어진다면, 시험관은 응시자에게 그가 정답지를 선택한 근거를 물음으로써 그가 과연 문제에 관해 올바른 정보와 추론 능력을 가지고 있었는지 검사할 수 있을 것이다.

예를 들어 한 응시자가 '대한민국의 수도가 어디냐?'는 물음에 대해 '서울'이라고 답했다고 하자. 그렇게 답한 이유가 단지 '부모님이 사시는 도시라 이름이 익숙해서'였을 뿐, 정작 대한민국의 지리나 행정에 관해서는 아는 바 없다는 사실이 면접을 통해 드러났다고 하자. 이 경우에 시험관은 이 응시자가 대한민국의 수도에 관한 올바른 정보를 갖고 있다고 인정하기 어려울 것이다. 이 예는 응시자가 올바른 답을 제시하는데 필요한 정보가 부족한 경우이다.

그렇다면, 어떤 사람이 문제의 올바른 답을 추론해내는 데 필요한 모든 정보를 갖고 있었고 실제로도 정답을 제시했다는 것이, 그가 문제에 대한 올바른 추론 능력을 가지고 있다고 할 필요충분조건이라고 할 수 있는가?

어느 도난사건을 함께 조사한 홈즈와 왓슨이 사건의 모든 구체적인 세부사항, 예컨대 범행 현장에서 발견된 흙발자국의 토양 성분 등에 관한 정보뿐 아니라 올바른 결론을 내리는 데 필요한 모든 일반적 정보, 예컨대 영국의 지역별 토양의 성분에 관한 정보 등을 똑같이 갖고 있었고, 실제로 동일한 용의자를 범인으로 지목했다고 하자. 이 경우 두 사람의 추론을 동등하게 평가해야 하는가? 그렇지 않다. 예컨대 왓슨은 모든 정보를 완비하고 있었음에도 불구하고, 이름에 모음의 수가 가장 적다는 엉터리 이유로 범인을 지목했다고 하자. 이런 경우에도 우리는 왓슨의 추론에 박수를 보낼 수 있을까? 아니다.

왜냐하면 _____

① 왓슨은 일반적으로 타당한 개인적 경험을 토대로 추론했기 때문이다.

② 왓슨은 올바른 추론의 방법을 알고 있음에도 불구하고 요행을 우선시했기 때문이다.

③ 왓슨은 추론에 필요한 전문적인 훈련을 받지 못해서 범인을 잘못 골랐기 때문이다.

④ 왓슨은 올바른 추론에 필요한 정보를 가지고 있긴 했지만 그 정보와 무관하게 범인을 지목했기 때문이다.

⑤ 왓슨은 올바른 추론에 필요한 논리적 능력은 갖추고 있음에도 불구하고 범인을 추론하는 데 필요한 관련 정보가 부족했기 때문이다.

190

2008년 PSAT 행정·외무고시 언어논리 3번

두 과학자 진영 A와 B의 진술 내용과 부합하지 않는 것은?

우리 은하와 비교적 멀리 떨어져 있는 은하들이 모두 우리 은하로부터 점점 더 멀어지고 있다는 사실이 확인되었다. 이 사실을 두고 우주의 기원과 구조에 대해 서로 다른 견해를 가진 두 진영이 다음과 같이 논쟁하였다.

A 진영 : 우주는 시간적으로 무한히 오래되었다. 우주가 팽창하는 것은 사실이다. 그렇다고 우리 견해가 틀렸다고 볼 필요는 없다. 우주는 팽창하지만 전체적으로 항상성을 유지한다. 은하와 은하가 멀어질 때 그 사이에서 물질이 연속적으로 생성되어 새로운 은하들이 계속 형성되기 때문이다. 비록 우주는 약간씩 변화가 있겠지만, 우주 전체의 평균 밀도는 일정하게 유지된다. 만일 은하 사이에서 새로 생성되는 은하를 관측한다면, 우리의 가설을 입증할 수 있다. 반면 우주가 자그마한 씨앗으로부터 대폭발에 의해 생겨났다는 주장은 터무니없다. 이처럼 방대한 우주의 물질과 구조가 어떻게 그토록 작은 점에 모여 있을 수 있겠는가?

B 진영 : A의 주장은 터무니없다. 은하 사이에서 새로운 은하가 생겨난다면 도대체 그 물질은 어디서 온 것이라는 말인가? 은하들이 우리 은하로부터 점점 더 멀어지고 있다는 사실은 오히려 우리 견해가 옳다는 것을 입증할 뿐이다. 팽창하는 우주를 거꾸로 돌린다면 우주가 시공간적으로 한 점에서 시작되었다는 결론을 얻을 수 있다. 만일 우주 안의 모든 물질과 구조가 한 점에 있었다면 초기 우주는 현재와 크게 달랐을 것이다. 대폭발 이후 우주의 물질들은 계속 멀어지고 있으며 우주의 밀도는 계속 낮아지고 있다. 대폭발 이후 방대한 전자기파가 방출되었는데, 만일 우리가 이를 관측하였다면, 우리의 견해가 입증될 것이다.

① A에 따르면 물질의 총 질량이 보존되지 않는다.

② A에 따르면 우주는 시작이 없고, B에 따르면 우주는 시작이 있다.

③ A에 따르면 우주는 국소적인 변화는 있으나 전체적으로는 변화가 없다.

④ A와 B는 인접한 은하들 사이의 평균 거리가 커진다는 것을 받아들인다.

⑤ A와 B 모두 자신의 주장을 경험적으로 입증하기 위한 방법을 제안하고 있다.

191

2005년 PSAT 견습직원 언어논리 36번

다음 글에서 을이 갑의 주장을 반박하기 위해서 이용하는 논증과 같은 형식을 갖는 것은?

갑 : 나는 개인의 이기주의적 태도가 사회 전체의 행복에 기여한다고 생각한다. 예를 들어서 작은 물줄기가 모여 큰 강을 이루듯이 각자가 자신의 가정의 행복을 도모할 때 사회 전체가 행복해질 수 있는 것이다.

을 : 나는 그 생각에 반대한다. 다시 말해서, 나는 이기주의적 태도는 사회 전체의 행복에 기여할 수 없다고 생각한다.

갑 : 그렇다면 네 주장의 근거가 무엇인가?

을 : 네 주장대로 이기주의적 태도가 사회 전체의 행복에 기여한다고 가정하자. 예를 들어 극장에서 많은 사람들이 영화를 보고 있었다. 그런데 극장에서 화재가 발생하여 사이렌이 울리고 사람들은 비상구로 몰려들기 시작했다. 비상구가 단 1개뿐이었고 사람들은 무질서한 상태에서 서로 나가려고 했다. 이런 무질서 탓에 한 명도 빠져 나오지 못하고 유독가스에 질식하여 모두 사망하였다. 이 경우에 모든 사람들은 이기주의적 태도로 살아남기 위해서 최선을 다했지만 결국 모든 사람들은 최악의 결과를 얻게 되었다.

① 수출이 증가하면 고용이 늘거나 외화 보유고가 늘어난다. 수출이 감소했다. 따라서 외화 보유고가 줄어든다.

② 당신이 나를 사랑한다면 나에게 청혼을 할 것이라고 생각하자. 당신은 나를 사랑한다. 따라서 당신은 나에게 청혼을 할 것이다.

③ 교통 체증이 감소하거나 대기 오염도가 낮아졌다면 도로에서 차량의 수가 감소하였음을 의미한다. 그러나 도로에서 차량의 수가 감소하지 않았다면 대기 오염의 주원인은 다른 데 있는 것이다.

④ 사람의 성격은 염색체에 의해서 결정된다는 주장이 있다. 그 주장이 옳다면 성격 형성이 성장 과정 및 환경의 영향을 받는다는 것을 보여주는 연구 결과를 설명할 수 없다. 따라서 염색체가 사람의 성격을 전적으로 결정하는 것은 아니다.

⑤ 장수한 사람들은 젊어서부터 꾸준히 자신의 건강관리를 해온 사람들이거나, 그들의 부모도 장수한 사람들이다. 최근 연구발표를 보면, 장수한 사람들은 한결같이 젊어서부터 자신의 건강관리를 해온 사람들이었음을 알 수 있다. 따라서 어떤 사람의 수명과 그의 부모의 수명은 관계가 없을 것이다.

192

다음 갑과 을의 견해에 대한 분석으로 가장 적절한 것은?

갑 : 좋아. 우리 둘 다 전지전능한 신이 존재한다는 가정에서 시작하는군. 이제 철수가 t시점에 행동 A를 할 것이라고 해볼까? 신은 전지전능하니까 철수가 t시점에 행동 A를 할 것임을 알겠지. 그런데 신은 전지전능하므로, 철수가 t시점에 행동 A를 한다는 것은 필연적이야. 그리고 필연적으로 발생하는 것은 자유로운 것이 아니지. 따라서 철수의 행동 A는 자유롭지 않아.

을 : 비록 어떤 행동이 필연적이더라도 그 행동에 누군가의 강요가 없다면 자유로운 행동이 될 수 있어. 그러므로 철수가 t시점에 행동 A를 할 것임이 필연적이라 하더라도, 그것만으로부터 행동 A가 자유롭지 않다고 판단할 수는 없지. 신이나 다른 누군가가 그 행동을 철수에게 강요했는지의 여부를 확인해야 해. 만약 신이 철수가 t시점에 행동 A를 할 것임을 안다면 철수의 행동 A가 필연적이라는 것은 나도 인정해. 하지만 그로부터 신이 철수의 그 행동을 강요했음이 곧바로 도출되지는 않아. 따라서 철수의 행동은 여전히 자유로울 수 있지.

갑 : 필연적인 행동이 자유롭지 않은 이유는 다른 행동을 할 가능성이 차단되었기 때문이야. 만일 전지전능한 신이 존재하고 그 신이 철수가 t시점에 행동 A를 할 것임을 안다면, 철수가 t시점에 행동 A를 할 것이 필연적이라는 것은 너도 인정했지? 그것이 필연적이라면 철수가 t시점에 행동 A 외에 다른 행동을 할 가능성은 없지. 신의 강요가 없을지라도 말이야.

을 : 맞아. 그렇지만 신이 강요하지 않는 한, 철수의 행동 A에는 A에 대한 철수 자신의 의지가 반영되어 있어. 즉, 철수의 행동 A는 철수 자신의 판단에 의한 행동이라는 것이지. 그렇기 때문에 철수의 행동 A는 자유로울 수 있어. 반면에 철수의 행동 A가 강요된 것이라면 행동 A에는 철수 자신의 의지가 반영되어 있지 않았겠지만 말이야. 그러니까 철수의 행동 A가 필연적인지의 여부는 그 행동이 자유로운 것인지의 여부를 가리는 데 결정적인 게 아니야.

① 갑과 을은 전지전능한 신이 존재할 경우 철수의 행동에 철수의 의지가 반영될 수 없다는 데 동의한다.

② 갑은 강요에 의한 행동을 자유로운 것으로 생각하지 않지만, 을은 그것을 자유로운 것으로 생각한다.

③ 갑은 필연적인 행동에는 다른 행동의 가능성이 차단된다고 생각하지만, 을은 필연적인 행동에도 다른 행동의 가능성이 있다고 생각한다.

④ 갑은 만약 전지전능한 신이 존재하지 않는다면 철수의 행동은 자유로울 것이라고 생각하지만, 을은 그러한 신이 존재하더라도 철수의 행동은 자유로울 수 있다고 생각한다.

⑤ 갑은 다른 행동을 할 가능성이 없으면 행동의 자유가 없다고 생각하지만, 을은 그런 가능성이 없다는 것으로부터 행동의 자유가 없다는 것이 도출된다고 생각하지 않는다.

193

다음 글의 (가)와 (나)에 들어갈 진술을 〈보기〉에서 골라 알맞게 짝지은 것은?

사실 진술로부터 당위 진술을 도출할 수 없다는 것을 명시적으로 주장한 최초의 인물은 영국의 철학자 데이비드 흄이었다. 그의 주장은 논리적으로 타당하다고 할 수 있다. 그 이유를 이해하기 위해 일단 명제 P와 Q가 있는데 Q는 P로부터 도출될 수 있는 것이라 가정해 보자. 즉, P가 Q를 논리적으로 함축하는 경우를 생각해 보자. 가령, "비가 오고 구름이 끼어 있다."는 "비가 온다."를 논리적으로 함축한다. 이제 이 두 문장이 다음과 같이 결합되는 경우를 생각해 보자. "비가 오고 구름이 끼어 있지만, 비가 오지 않는다." 이 명제는 분명히 자기모순적인 명제이다. 왜냐하면 "비가 오고 비가 오지 않는다."라는 자기모순적인 명제를 포함하고 있기 때문이다. 이러한 결과를 바탕으로, 우리는 이제 다음과 같이 결론지을 수 있다.

(가)

우리는 이러한 결론을 이용하여, 사실 진술로부터 당위 진술을 도출할 수 없다고 하는 흄의 주장을 이해해 볼 수 있다. 예를 들어, 명제 A를 "타인을 돕는 행동은 행복을 최대화한다."라고 해보자. 이것은 사실 진술로 이루어진 명제이다. 명제 B를 "우리는 타인을 도와야 한다."라고 해보자. 이것은 당위 진술로 이루어진 명제이다. 물론 "B가 아니다."는 "우리는 타인을 돕지 않아도 된다."가 될 것이다. 이제 우리는 이러한 명제들에 대해 앞의 논리를 그대로 적용시켜 볼 수 있다. 즉, "A이지만 B가 아니다."는 자기모순적인 명제가 아니라는 것이다. 따라서 B는 A로부터 도출되지 않는다. 이 점을 일반화시켜 말하자면 다음과 같다.

(나)

보기

ㄱ. Q가 P로부터 도출될 수 있다면, "P이지만 Q는 아니다."라는 명제는 자기모순적인 명제이다.

ㄴ. Q가 P로부터 도출될 수 없다면, "P이지만 Q는 아니다."라는 명제는 자기모순적인 명제가 아니다.

ㄷ. 어떤 행동이 행복을 최대화한다는 것으로부터 그 행동을 행하여야만 한다는 것을 도출할 수 없다.

ㄹ. 어떤 행동을 행하여야만 한다는 것으로부터 그 행동이 행복을 최대화한다는 것을 도출할 수 없다.

ㅁ. "어떤 행동이 행복을 최대화한다."라는 명제와 "그 행동을 행하여야만 한다."라는 명제는 둘 다 참일 수 있다.

	(가)	(나)			(가)	(나)
①	ㄱ	ㄷ		②	ㄱ	ㅁ
③	ㄴ	ㄷ		④	ㄴ	ㄹ
⑤	ㄴ	ㅁ				

194

2014년 PSAT 5급 공채 언어논리 31번

다음 (가)~(다)의 관계에 대한 평가로 옳은 것만을 〈보기〉에서 모두 고르면?

> (가) 만일 한 용어가 유의미하다면, 그 용어가 가리키는 대상의 존재를 물리적으로 확증할 수 있다.
> (나) 어떤 종교적 용어는 그것이 가리키는 대상의 존재를 물리적으로 확증할 수 없다.
> (다) 어떤 종교적 용어는 유의미하다.

보기

ㄱ. (가)와 (나)로부터 어떤 종교적 용어는 무의미하다는 것이 추론된다.
ㄴ. (가)와 (다)로부터 '신(神)'이라는 종교적 용어가 유의미하다는 것이 추론된다.
ㄷ. (가)와 (다)로부터 어떤 종교적 용어는 그것이 가리키는 대상의 존재를 물리적으로 확증할 수 있다는 것이 추론된다.
ㄹ. (가), (나), (다)는 동시에 참일 수 있다.

---

① ㄱ, ㄴ   ② ㄴ, ㄷ   ③ ㄷ, ㄹ
④ ㄱ, ㄴ, ㄹ   ⑤ ㄱ, ㄷ, ㄹ

195

2015년 PSAT 5급 공채 언어논리 15번

다음 글에 대한 분석으로 적절한 것만을 〈보기〉에서 모두 고르면?

> 어떤 사람들은 강한 존재가 약한 존재를 먹고 산다는 것을 의미하는 '약육강식'에 근거하여 동물을 잡아먹는 것을 도덕적으로 정당화하고자 한다. 그들의 논증은 다음과 같다.
> ⓐ 약육강식은 자연법칙이다. 그러므로 ⓑ 생태계 피라미드에서 상층의 존재들은 하층의 존재들을 마음대로 이용해도 된다. 그런데 ⓒ 인간은 생태계 피라미드에서 가장 높은 위치에 있는 존재이다. 결론적으로 ⓓ 인간은 다른 동물들을 얼마든지 잡아먹어도 된다. 그런데 이러한 논증에는 여러 문제점이 있고, 그것들에 대해서 다음과 같이 지적할 수 있다.
> (가) 자연법칙이란 보편적으로 받아들여지는 것이다. 설령 약육강식을 자연법칙으로 받아들이던 시기가 있었다고 할지라도 오늘날에 그것을 자연법칙으로 받아들이는 사람은 거의 없다.
> (나) 어떤 행동이 자연법칙에 따르는 것이라고 해서 그 행동이 도덕적으로 옳은 것이라는 결론으로 나아갈 수는 없다. 사실에 대한 판단에서 도덕적인 판단을 이끌어내는 것은 오류이기 때문이다.
> (다) 물론 인간은 지금 자신의 지능을 활용하여 다른 동물들을 잡아먹거나 포획할 수 있다. 하지만 먼 옛날에는 오히려 인간이 육식동물들의 좋은 먹잇감이었다. 이런 점만 생각해보아도 생태계 피라미드라는 것은 인간의 입장에서 만들어 놓은 일종의 형식이지 그러한 피라미드가 실제로 존재하는 것은 아니라는 것을 알 수 있다.
> (라) 인간이 생태계에서 가장 높은 위치에 있다는 이유로 다른 존재를 잡아먹는 것이 도덕적으로 허용된다고 해보자. 그렇다면, 생태계에서 인간보다 높은 위치에 있는 존재가 나타날 경우 그들이 인간을 잡아먹는 것도 도덕적인 잘못이 아니라고 결론지어야 한다. 그러나 이러한 결론에 동의할 사람은 없다. 즉, 생태계에서 인간보다 높은 위치의 존재가 나타났다고 할지라도 그들이 인간을 잡아먹는 것을 도덕적으로 허용하는 사람은 없다는 것이다.

보기

ㄱ. (가)의 주장이 참이면, ⓐ는 거짓이다.
ㄴ. (나)의 주장은, ⓑ에서 ⓓ를 이끌어내는 것이 오류라는 것이다.
ㄷ. (다)의 주장이 참이면, ⓒ가 거짓이다.
ㄹ. (라)의 주장은, ⓑ와 ⓒ를 받아들일 경우 우리가 받아들이기 힘든 결론이 도출된다는 것이다.

---

① ㄱ, ㄴ   ② ㄱ, ㄷ   ③ ㄷ, ㄹ
④ ㄱ, ㄷ, ㄹ   ⑤ ㄴ, ㄷ, ㄹ

196

다음 글에 나타난 대한민국정부와 일본정부의 주장으로 적절하지 않은 것은?

대한민국정부와 일본정부는 독도 문제와 관련해서 수많은 논쟁을 해왔다. 그동안 대한민국정부는 독도 영유권에 관한 일본정부의 견해를 신중히 검토하였다. 그러나 일본정부가 역사적 사실로서 각종 문헌과 사적을 이용한 것은 다 부정확하고, 또 독도소유에 대한 국제법상의 여러 조건을 충족시켰다는 일본정부의 주장도 역시 전혀 근거가 없다. 우선 울릉도나 독도를 가리키는 '우산국, 우산, 울릉'에 대한 오해와 왜곡이 풀려야 한다. 따라서 대한민국정부는 아래의 증거를 들어 일본정부가 제시한 의견이 독단적인 억측에 기초하고 있다는 것을 말하고자 한다.

우산도와 울릉도가 두 개의 섬이라는 것을 구구하게 설명할 필요가 없다. 그러나 다시 한 번 오해가 없도록 명확하게 하기위해 이제 『세종실록지리지(世宗實錄地理志)』와 『신증동국여지승람(新增東國輿地勝覽)』에 수록된 다음의 기사를 인용하고자 한다. "우산과 울릉의 두 섬이 울진현의 정동쪽 바다 가운데 위치하고 또 이 두 섬이 거리가 그리 멀지 않기 때문에 일기가 청명한 때는 이 두 섬 서로가 바라볼 수 있다." 여기에서 인용된 우산도와 울릉도 두 섬은 울진현의 정동쪽 바다에 위치한 별개의 섬이다. 이 두 섬은 떨어져 있으나 과히 멀지 않기 때문에 일기가 청명할 때는 서로 바라볼 수 있다고 기록되어 있다.

일본정부는 이와 같이 명확히 인정된 사실을 솔직하게 인정하지 않고 도리어 이 사실을 부인할 속셈으로 위 책의 본문에 기록되어 있는 다음 구절만을 맹목적으로 인용하고 있다. 즉 『세종실록지리지』에 기록되어 있는 "신라 때 칭하기를 우산국을 일러 울릉도"라고 한 대목과 『신증동국여지승람』에 기록되어 있는 "일설(一說)에 우산과 울릉은 본디 하나의 섬"이라고 한 대목이 그것이다. 그러나 『세종실록지리지』의 기사는 울릉도와 그 부속 도서를 포함하는 신라 시대의 우산국을 의미하는 것이지 우산도를 말하는 것이 아니다. 그리고 『신증동국여지승람』에서 말한 것은 막연한 일설에 지나지 않는다. 따라서 이 인용문들은 『세종실록지리지』와 『신증동국여지승람』이 편찬되었던 당시 두 섬이 두 개의 명칭으로 확인된 사실에 결코 영향을 미치지 못한다.

① 대한민국정부 : 우산도와 독도는 별개의 섬이다.

② 대한민국정부 : 울릉도와 우산도는 별개의 섬이다.

③ 일본정부 : 우산국과 우산도는 같은 섬이다.

④ 일본정부 : 우산국과 울릉도는 같은 섬이다.

⑤ 일본정부 : 울릉도와 우산도는 같은 섬이다.

197

다음 글의 핵심 논지로 가장 적절한 것은?

지식에 대한 상대주의자들은 한 문화에서 유래한 어떤 사고방식이 있을 때, 다른 문화가 그 사고방식을 수용하게 만들 만큼 논리적으로 위력적인 증거나 논증은 있을 수 없다고 주장한다. 왜냐하면 문화마다 사고방식의 수용 가능성에 대한 서로 다른 기준을 가지고 있기 때문이다. 이를 바탕으로 그들은 서로 다른 문화권의 과학자들이 이론적 합의에 합리적으로 이를 수 없다고 주장한다. 이러한 주장은 한 문화의 기준과 그 문화에서 수용되는 사고방식이 함께 진화하여 분리 불가능한 하나의 덩어리를 형성한다고 믿기 때문에 나타난다.

예를 들어 문화적 차이가 큰 A와 B의 두 과학자 그룹이 있다고 하자. 그리고 A 그룹은 수학적으로 엄밀하고 놀라운 예측에 성공하는 이론만을 수용하고, B 그룹은 실제적 문제에 즉시 응용 가능한 이론만을 수용한다고 하자. 그렇다면 각 그룹은 어떤 이론을 만들 때, 자신들의 기준을 만족할 수 있는 이론만을 만들 것이다. 그 결과 A 그룹에서 만든 이론은 엄밀하고 놀라운 예측을 제공하겠지만, 응용 가능성의 기준에서 보면 B 그룹에서 만든 이론보다 못할 것이다. 즉 A 그룹이 만든 이론은 A 그룹만이 수용할 것이고, B 그룹이 만든 이론은 B 그룹만이 수용할 것이다. 이처럼 문화마다 다른 기준은 자신의 문화에서 만들어진 이론만 수용하도록 만들 것이다. 이것이 상대주의자의 주장이다.

그러나 한 사람이 특정 문화나 세계관의 기준을 채택한다고 해서 그 사람이 반드시 그 문화나 세계관의 특정 사상이나 이론을 고집하는 것은 아니다. 다음과 같은 상상을 해 보자. A 그룹이 어떤 이론을 만들었는데, 그 이론이 고도로 엄밀하고 놀라운 예측에 성공함과 동시에 즉각적으로 응용할 수 있는 것이라 하자. 그렇다면 A 그룹뿐 아니라 B 그룹도 그 이론을 받아들일 것이다. 실제로 데카르트주의자들은 뉴턴 물리학이 데카르트 물리학보다 데카르트적인 기준을 잘 만족했기 때문에 결국 뉴턴 물리학을 받아들였다.

① 과학 이론 중에는 다양한 문화의 평가 기준을 만족하는 것이 있다.

② 과학의 발전 과정에서 이론 선택은 문화의 상대적인 기준에 따라 이루어진다.

③ 과학자들은 당대의 다른 이론보다 탁월한 이론에 대해서는 자기 문화의 기준으로 평가하지 않는다.

④ 과학의 발전 과정에서 엄밀한 예측 가능성과 실용성을 판단하는 기준이 항상 고정된 것은 아니다.

⑤ 문화마다 다른 평가 기준을 따르더라도 자기 문화에서 형성된 과학 이론만을 수용하는 것은 아니다.

198

2016년 PSAT 민간경력 언어논리 22번

다음 글에서 밑줄 친 결론을 이끌어내기 위해 추가해야 할 전제만을 〈보기〉에서 모두 고르면?

이미지란 우리가 세계에 대해 시각을 통해 얻는 표상을 가리킨다. 상형문자나 그림문자를 통해서 얻은 표상도 여기에 포함된다. 이미지는 세계의 실제 모습을 아주 많이 닮았으며 그러한 모습을 우리 뇌 속에 복제한 결과이다. 그런데 우리의 뇌는 시각적 신호를 받아들일 때 시야에 들어온 세계를 한꺼번에 하나의 전체로 받아들이게 된다. 즉 대다수의 이미지는 한꺼번에 지각된다. 예를 들어 우리는 새의 전체 모습을 한꺼번에 지각하지 머리, 날개, 꼬리 등을 개별적으로 지각한 후 이를 머릿속에서 조합하는 것이 아니다.

표음문자로 이루어진 글을 읽는 것은 이와는 다른 과정이다. 표음문자로 구성된 문장에 대한 이해는 그 문장의 개별적인 문법적 구성요소들로 이루어진 특정한 수평적 연속에 의존한다. 문장을 구성하는 개별 단어들, 혹은 각 단어를 구성하는 개별 문자들이 하나로 결합되어 비로소 의미 전체가 이해되는 것이다. 비록 이 과정이 너무도 신속하고 무의식적으로 이루어지기는 하지만 말이다. 알파벳을 구성하는 기호들은 개별적으로는 아무런 의미도 가지지 않으며 어떠한 이미지도 나타내지 않는다. 일련의 단어군은 한꺼번에 파악될 수도 있겠지만, 표음문자의 경우 대부분 언어는 개별 구성 요소들이 하나의 전체로 결합되는 과정을 통해 이해된다.

남성적인 사고는, 사고 대상 전체를 구성요소 부분으로 분해한 후 그들 각각을 개별화시키고 이를 다시 재조합하는 과정으로 진행된다. 그에 비해 여성적인 사고는, 분해되지 않은 전체 이미지를 통해서 의미를 이해하는 특징을 지닌다. 그림문자로 구성된 글의 이해는 여성적인 사고 과정을, 표음문자로 구성된 글의 이해는 남성적인 사고 과정을 거친다. 여성은 대체로 여성적 사고를, 남성은 대체로 남성적 사고를 한다는 점을 고려할 때 표음문자 체계의 보편화는 여성의 사회적 권력을 약화시키는 결과를 낳게 된다.

보기

ㄱ. 그림문자를 쓰는 사회에서는 남성의 사회적 권력이 여성의 그것보다 우월하였다.

ㄴ. 표음문자 체계는 기능적으로 분화된 복잡한 의사소통을 가능하도록 하였다.

ㄷ. 글을 읽고 이해하는 능력은 사회적 권력에 영향을 미친다.

① ㄱ   ② ㄴ   ③ ㄷ
④ ㄱ, ㄴ   ⑤ ㄴ, ㄷ

199

2015년 PSAT 민간경력 언어논리 4번

다음 '철학의 여인'의 논지를 따를 때, ㉠으로 적절한 것만을 〈보기〉에서 모두 고르면?

다음은 철학의 여인이 비탄에 잠긴 보에티우스에게 건네는 말이다.

"나는 이제 네 병의 원인을 알겠구나. 이제 네 병의 원인을 알게 되었으니 ㉠너의 건강을 회복할 수 있는 방법을 찾을 수 있게 되었다. 그 방법은 병의 원인이 되는 잘못된 생각을 바로잡아 주는 것이다.

너는 너의 모든 소유물을 박탈당했다고, 사악한 자들이 행복을 누리게 되었다고, 네 운명의 결과가 불의하게도 제멋대로 바뀌었다는 생각으로 비탄에 빠져 있다. 그런데 그런 생각은 잘못된 전제에서 비롯된 것이다. 네가 눈물을 흘리며 너 자신이 추방당하고 너의 모든 소유물들을 박탈당했다고 생각하는 것은 행운이 네게서 떠났다고 슬퍼하는 것과 다름없는데, 그것은 네가 운명의 본모습을 모르기 때문이다. 그리고 사악한 자들이 행복을 가졌다고 생각하는 것이나 사악한 자가 선한 자보다 더 행복을 누린다고 한탄하는 것은 네가 실로 만물의 목적이 무엇인지 모르고 있기 때문이다. 다시 말해 만물의 궁극적인 목적이 선을 지향하는 데 있다는 것을 모르고 있기 때문이다. 또한 너는 세상이 어떤 통치원리에 의해 다스려지는지 잊어버렸기 때문에 제멋대로 흘러가는 것이라고 믿고 있다. 그러나 만물의 목적에 따르면 악은 결코 선을 이길 수 없으며 사악한 자들이 행복할 수는 없다. 따라서 세상은 결국에는 불의가 아닌 정의에 의해 다스려지게 된다. 그럼에도 불구하고 너는 세상의 통치원리가 정의와는 거리가 멀다고 믿고 있다. 이는 그저 병의 원인일 뿐 아니라 죽음에 이르는 원인이 되기도 한다. 그러나 다행스럽게도 자연은 너를 완전히 버리지는 않았다. 이제 너의 건강을 회복할 수 있는 작은 불씨가 생명의 불길로 타올랐으니 너는 조금도 두려워할 필요가 없다."

보기

ㄱ. 만물의 궁극적인 목적이 선을 지향하는 데 있다는 것을 아는 것

ㄴ. 세상이 제멋대로 흘러가는 것이 아니라 정의에 의해 다스려진다는 것을 깨닫는 것

ㄷ. 자신이 박탈당했다고 여기는 모든 것들, 즉 재산, 품위, 권좌, 명성 등을 되찾을 방도를 아는 것

① ㄱ   ② ㄴ   ③ ㄱ, ㄴ
④ ㄴ, ㄷ   ⑤ ㄱ, ㄴ, ㄷ

200

다음 글의 문맥상 빈칸에 들어갈 진술로 가장 적절한 것은?

오늘날 프랑스 영토의 윤곽은 9세기 샤를마뉴 황제가 유럽 전역을 평정한 후, 그의 후손들 사이에 벌어진 영토 분쟁의 결과로 만들어졌다. 제국 분할을 둘러싸고 그의 후손들 사이에 빚어진 갈등은 제국을 독차지하려던 로타르의 군대와, 루이와 샤를의 동맹군 사이의 전쟁으로 확대되었다. 결국 동맹군의 승리로 전쟁이 끝나면서 왕자들 사이에 제국의 영토를 분할하는 원칙을 명시한 베르됭 조약이 체결되었다. 영토 분할을 위임받은 로마 교회는 조세 수입이나 영토 면적보다는 '세속어'를 그 경계의 기준으로 삼는 것이 더 공정하다는 결론을 내렸다. 그래서 게르만어를 사용하는 지역과 로망어를 사용하는 지역을 각각 루이와 샤를에게 할당했다. 그리고 힘없는 로타르에게는 이들 두 국가를 가르는 완충지대로서, 이탈리아 북부 롬바르디아 지역으로부터 프랑스의 프로방스 지방, 스위스, 스트라스부르, 북해로 이어지는 긴 복도 모양의 영토가 주어졌다.

루이와 샤를은 베르됭 조약 체결에 앞서 스트라스부르에서 서로의 동맹을 다지는 서약 문서를 상대방이 분할 받은 영토의 세속어로 작성하여 교환하고, 곧이어 각자 자신의 군사들로부터 자신이 분할 받은 영토의 세속어로 충성 맹세를 받았다. 학자들은 두 사람이 서로의 동맹에 충실할 것을 상대측 영토의 세속어로 서약했다는 점에 주목한다. 또한 역사적 자료에 의해 ▭▭▭▭▭▭▭▭▭▭▭▭ 그러므로 루이와 샤를 중 적어도 한 명은 서약 문서를 자신의 모어로 작성한 것이 아니다. 게다가 그들의 군대는 필요에 따라 여기저기서 수시로 징집된 다양한 언어권의 병사들로 구성되어 있었으므로 세속어의 사용이 군사들의 이해를 목적으로 한다는 설명도 설득력이 없다. 결국 학자들은 상대측 영토의 세속어 사용이 상대 국민의 정체성과 그에 따른 권력의 합법성을 상호 인정하기 위한 상징행위로서 의미를 갖는다고 결론을 내렸다.

① 게르만어와 로망어는 세속어가 아니었다는 사실이 알려져 있다.

② 루이와 샤를 모두 게르만어를 모어로 사용하였다는 사실이 알려져 있다.

③ 스트라스부르의 세속어는 루이와 샤를의 모어와 달랐다는 사실이 알려져 있다.

④ 루이와 샤를의 모어는 각각 상대방이 분할 받은 영토의 세속어와 일치하였다는 사실이 알려져 있다.

⑤ 각자 자신의 모어로 서약 문서를 작성하는 것은 서로의 동맹에 충실하겠다는 상징행위라는 사실이 알려져 있다.

201

다음 글의 빈칸에 들어갈 진술로 가장 적절한 것은?

〈논 증〉

1. [전제] 근대 국가들은 인구에 있어서나 지역에 있어서나 고대 희랍의 폴리스에 비하여 수백, 수천 배 이상의 규모를 가지고 있었다.

2. [전제] 직접 민주주의의 시행이 어려운 경우, 대의제가 발달한다.

3. [전제] ▭▭▭▭▭▭▭ A ▭▭▭▭▭▭▭

4. [중간 결론] 그러므로 서구에서 근대 민주주의는 대의제 형태로 발전할 수밖에 없었다.

5. [전제] 정보 사회의 도래로 인류는 공간적인 한계를 점차 극복해가고 있다.

6. [전제] 인터넷과 네트워크 기술의 발달은 대규모의 의견 처리를 가능하게 하고 있다.

7. [전제] 공간적 한계를 극복하고 대규모 의견 처리가 가능하면, 직접 민주주의를 시행할 수 있다.

8. [전제] 실현시킬 수만 있다면 직접 민주주의는 대의제보다 더 나은 제도이다.

9. [전제] ▭▭▭▭▭▭▭ B ▭▭▭▭▭▭▭

10. [결론] 머지않은 장래에 직접 민주주의가 다시 도래할 것이다.

① A : 인구와 지역 규모는 정치 제도와 연관되어 있다.
 B : 직접 민주주의는 실현될 수 있는 제도이다.

② A : 인구와 지역 규모가 매우 큰 경우 직접 민주주의는 실현되기 어렵다.
 B : 인류는 더 나은 제도를 선택한다.

③ A : 인구와 지역 규모가 큰 경우 대의제를 통해 민주 체제를 실현할 수 있다.
 B : 인터넷과 네트워크 기술이 발전하면 직접 민주주의는 실현될 수 있다.

④ A : 인구와 지역 규모가 큰 경우에만 대의제가 실현될 수 있다.
 B : 더 나은 제도는 반드시 선택되어야 한다.

⑤ A : 인구 규모가 작은 경우 직접 민주주의가 실현될 수 있다.
 B : 대규모 의견 처리가 가능하면 직접 민주주의는 실현될 수 있다.

202

2007년 PSAT 행정·외무고시 언어논리 31번

다음 글에서 러셀의 추리가 성립하기 위하여 꼭 필요한 가정은?

버트런드 러셀의 '트리스트럼 샌디의 문제'는 무한한 개수의 원소를 가진 집합에 관한 것이다. 러셀은 이렇게 쓰고 있다. "트리스트럼 샌디는 그의 생애의 처음 이틀간의 이야기를 쓰는 데 무려 2년을 보내고서, 이런 속도라면 자기가 엮어낼 수 있는 것보다 이야깃거리가 너무 빨리 쌓여서 영원히 살더라도 결코 이야기를 끝낼 수 없을 것이라고 한탄하였다. 그러나 만일 그가 영원히 살고 이야기 쓰는 일을 싫증 내지 않는다면, 그의 전기의 어떤 부분도 영원히 쓰이지 않은 채로 남아 있는 일은 없을 것이라고 나는 주장하는 바이다."

러셀의 추리는 이렇다. 예를 들어 샌디가 1700년 1월 1일에 태어났고, 1720년 1월 1일부터 전기를 쓰기 시작했다고 하자. 글을 쓰는 첫해, 1720년은 그가 태어난 첫날, 즉 1700년 1월 1일의 이야기를 기록할 것이다. 또한 1721년은 1700년 1월 2일의 이야기를 기록할 것이다. 두 무한 계열은 이런 식으로 계속 진행될 것이다.

결국 태어난 후 모든 날에 대응하는 해가 있고, 쓰기 시작한 후의 모든 해에 대응하는 날이 있게 된다. 샌디가 1988년인 오늘날까지 쓰고 있다면 그는 1700년 9월의 사건들까지 쓰고 있을 것이다. 그렇다면 불멸의 샌디가 오늘의 사건을 기록하는 때는 대략 106840년이 될 것이다. 어떤 미래의 사건도 그것이 언제 기록될지를 계산할 수 있다. 그래서 러셀은 '그의 전기의 어떤 부분도 영원히 쓰이지 않은 채로 남아 있는 일은 없을 것'이라고 말했던 것이다.

① 셀 수 있는 두 무한 집합의 원소들 사이에 일대일 대응이 성립한다.
② 두 무한 집합의 경우, 한 집합이 다른 집합의 부분일 수 있다.
③ 무한 계열을 이루는 원소들로 이루어진 두 무한 집합의 크기를 비교할 수 없다.
④ 두 무한 집합의 원소가 무한 집합일 경우, 두 무한 집합 사이에 대응은 성립하지 않는다.
⑤ 규칙적으로 진행하는 두 무한 집합의 크기에 차이가 있다면 사건과 기록의 시간 간격은 갈수록 커질 수밖에 없다.

203

2006년 PSAT 행정·외무고시 상황판단 7번

다음의 정책 도입 시 그 전제로서 가장 적절하지 <u>않은</u> 것은?

교육인적자원부 학교정책과장은 평소 우리 교육의 문제점 중 하나가 1년 단위로 담임교사와 교과 담당교사가 바뀌기 때문에, 교사와 학생 사이에 깊이 있는 만남 없이 형식적인 관계가 반복되는 것이라고 판단했다. 이에 따라 그는 대안학교의 운영 방식을 도입해 보고자 '작은 학년제'를 생각해 냈다.

'작은 학년제'란 학년이 바뀔 때마다 담임교사가 바뀌는 현행 체제를 탈피하여, 한 학년의 학급 수를 절반으로 줄이고 적어도 3, 4년간 학급을 변경하지 않는 제도이다. 학교정책과장은 '작은 학년제'를 도입함으로써 공동체 의식이 형성되고, 교과 수업·생활지도·진로지도·인성지도·각종 행사 등이 더욱 내실 있고 밀도 있게 운영되며, 학생들 간의 교우관계도 개선되리라고 기대하고 있다.

① 교사 대 학생 비율이 개선되면 수업이 더욱 내실 있고 밀도 있게 운영될 것이다.
② 사람 사이의 신뢰관계는 함께 보내는 시간의 길이에 의해 많은 영향을 받는다.
③ 현재의 학급 운영 방식으로는 교사와 학생들 사이에 깊이 있고 폭넓은 이해와 친밀한 관계가 형성되기 어렵다.
④ '작은 학년제'를 도입하여 운영되는 대안학교의 경우 교사와 학생 사이에 인격적으로 깊이 있는 만남이 이루어진다.
⑤ '작은 학년제' 도입 시 폭넓은 교우관계는 제한되는 면이 있으나, 같은 학급에서 오랜 기간 함께 한 급우 간의 이해는 더욱 깊어진다.

204

다음 글에 대한 분석으로 적절하지 않은 것은?

갑 : 나는 행복이 만족이라는 개인의 심리적 상태라고 본다. 내가 말하는 만족이란 어떤 순간의 욕구가 충족될 때 생겨나는 것으로서, 욕구가 더 많이 충족될수록 최고 만족에 더 접근한다. 동일한 조건에 있는 사람들 중에도 심리적 상태에 따라 더 행복하기도 하고 덜 행복하기도 하다는 것을 보면 내 주장이 옳다는 것을 알 수 있다.

을 : 아니다. 행복은 전체 삶을 놓고 볼 때 도덕적인 삶을 사는 것이다. 그 이유는 다음과 같다. 목표에는 규범적 목표와 비규범적 목표가 있다. 한 인간의 규범적 목표란, 그의 전체 삶이 끝나는 순간에만 그 달성 여부가 결정되는 목표이다. 반면에 비규범적 목표는 그 달성 여부가 삶의 어떤 순간에 결정된다. 예를 들어 만족은 욕구가 달성된 직후에 만족되었는지의 여부가 결정된다. 행복은 비규범적 목표가 아니라 규범적 목표이다. 그리고 도덕적인 삶 역시 전체 삶이 끝나는 순간에 그 달성 여부가 결정되는 규범적 목표이다. 그러므로 ㉠도덕적인 삶과 행복은 같다.

병 : 행복이 개인의 심리적 상태라는 갑의 주장에 반대한다. 나의 근거는 이렇다. 만약 행복이 심리적 상태라면, 그것은 도덕적으로 선한 자에게나 악한 자에게나 마찬가지로 성취될 수 있을 것이다. 예컨대 자신의 만족을 위해 잔악한 짓을 일삼는 악당은 도덕적 표준에 따르면 부도덕하지만, 우리는 그를 행복한 사람이라고 말해야 한다. 하지만 ㉡도덕적으로 타락한 그런 사람은 행복한 사람이 아니다. 행복한 사람은 모두 도덕적인 사람이기 때문이다.

정 : 병의 마지막 문장에는 동의한다. 다만, 행복의 달성에 필요한 조건들은 개인의 도덕성 외에도 많이 있다는 것을 나의 주장으로서 첨언하고 싶다. 그렇지 않다면, 왜 우리 사회와 국가는 궁핍을 없애고 국민의 건강을 증진하려 노력하며, 모든 국민들에게 참정권을 확장하고자 애쓰겠는가? 만일 각자의 도덕성이 우리의 행복을 위해 필요한 전부라면, 역사상 일어났던 수많은 사회 제도의 개혁들이 무의미해지고 말 것이다.

무 : 사회 제도의 개혁이 행복과 유관하다는 데에 대체로 공감한다. 그에 덧붙여서 나는, 사회 구성원 각자의 도덕성은 그 개인이 속한 사회가 추구하는 사회 복지의 실현에 기여함으로써 행복의 달성에 간접적으로 영향을 준다고 주장한다. 다만, 사회 복지는 그 사회에 속한 각 개인의 행복을 달성하기 위한 수단일 뿐 그 자체가 목표는 아니다.

① 갑은 행복의 정도가 욕구의 충족에 의존한다는 것에 동의한다.

② 을의 논증에 다양한 규범적 목표가 있다는 전제를 추가하면 ㉠이 도출된다.

③ 병이 받아들이는 ㉡은 도덕성이 개인의 심리적 상태가 아니라는 것과 양립가능하다.

④ 정은 역사상 있어온 사회 제도의 개혁들이 무의미하지 않았다는 것을 전제한다.

⑤ 무는 사회 복지가 실현되면 그 사회에 속한 개인들이 반드시 행복해진다고 전제하지는 않는다.

205

다음 글의 문맥상 (가)와 (나)에 들어가기에 가장 적절한 것을 〈보기〉에서 골라 알맞게 짝지은 것은?

자연발생설이란 적당한 유기물과 충분한 공기가 있는 환경이라면 생명이 없는 물질로부터 생명체가 생겨날 수 있다는 학설을 말한다. 17세기 이후 자연발생설에 대한 비판은 주로 실험을 통해서 진행되었다. 18세기 생물학자 스팔란차니는 우유나 나물죽과 같은 유기 물질을 충분히 끓이면 그 속에 있는 미생물들이 모두 파괴될 것이라고 가정했다. 그리고 끓인 유기 물질을 담은 플라스크를 금속으로 용접하여 밀폐한 뒤 유기 물질이 부패하는지 관찰하였다. 실험 결과 유기 물질의 부패를 관찰할 수 없었던 스팔란차니는 미생물이 없는 유기 물질에서는 새로운 미생물이 발생할 수 없다고 결론 내렸다. 하지만 이 결과가 자연발생설 지지자들의 주장을 결정적으로 논박한 것은 아니었다. 왜냐하면 자연발생설 지지자들은 | (가) |고 할 수 있었기 때문이다.

이 문제에 직면한 몇몇 19세기 생물학자들은 새로운 실험을 진행하였다. 그들은 우선 스팔란차니의 가정을 받아들였다. 즉 당시 자연발생설 지지자들이나 비판자들 모두 유기 물질을 끓이면 그 속의 미생물은 모두 파괴된다는 것을 받아들였다. 따라서 스팔란차니의 실험과 마찬가지로 유기 물질을 담은 플라스크를 가열하여 유기 물질을 끓였다. 이때 플라스크 안의 공기는 전부 밖으로 빠져나가도록 장치하였다. 그리고 수은을 이용해 정화된 공기를 플라스크에 충분히 주입하였다. 그 뒤 플라스크에 미생물이 발생하는지 관찰하였다. 그러나 이런 실험들의 결과는 엇갈렸다. 어떤 실험에서는 미생물이 발견되기도 하였고, 어떤 실험에서는 미생물이 발견되지 않기도 하였던 것이다. 이런 실험 결과에 대해서 자연발생설의 지지자들과 비판자들은 자신들에게 유리한 방향으로 각각의 실험 결과들을 해석하였다. 가령, 미생물이 발견되지 않은 실험에 대해서 자연발생설의 지지자들은 | (나) |고 결론 내렸으며, 미생물이 발견된 실험에 대해서 자연발생설의 비판자들은 공기를 정화하는 데 사용된 수은이 미생물에 오염되어 있었다고 결론 내렸다.

보기

ㄱ. 유기 물질을 부패하게 만들지 않는 미생물도 존재한다

ㄴ. 플라스크 속에는 생명체의 발생에 필요한 만큼의 공기가 없었다

ㄷ. 유기 물질을 끓일 때 유기물 중 미생물의 발생에 필요한 성분도 파괴되었다

ㄹ. 유기 물질을 끓인다고 하더라도 그 속에 있던 미생물은 사멸하지 않는다

	(가)	(나)			(가)	(나)
①	ㄱ	ㄷ		②	ㄱ	ㄹ
③	ㄴ	ㄱ		④	ㄴ	ㄷ
⑤	ㄹ	ㄴ				

206

다음 글의 ⊙으로 가장 적절한 것은?

A : 요즘 자연과학이 발전함에 따라 뇌과학을 통해 인간에 대해 탐구하려는 시도가 유행하고 있지만, 나는 인간의 본질은 뇌세포와 같은 물질이 아니라 영혼이라고 생각해. 어떤 물질도 존재하지 않지만 나 자신은 영혼 상태로 존재하는 세계를, 나는 상상할 수 있어. 따라서 나는 존재하지만 어떤 물질도 존재하지 않는 세계는 가능해. 나는 존재하지만 어떤 물질도 존재하지 않는 세계가 가능하다면, 나의 본질은 물질이 아니야. 따라서 나는 본질적으로 물질이 아니라고 할 수 있어. 나의 본질이 물질이 아니라면 무엇일까? 그것은 바로 영혼이지. 결국 물질적인 뇌세포를 탐구하는 뇌과학은 인간의 본질에 대해 알려 줄 수 없어.

B : 너는 ⊙잘못된 생각을 암묵적으로 전제하고 있어. 수학 명제를 한번 생각해 봐. 어떤 수학 명제가 참이라면 그 명제가 거짓이라는 것은 불가능해. 마찬가지로 어떤 수학 명제가 거짓이라면 그 명제가 참이라는 것도 불가능하지. 그럼 아직까지 증명되지 않아서 참인지 거짓인지 모르는 골드바흐의 명제를 생각해 봐. 그 명제는 '2보다 큰 모든 짝수는 두 소수의 합이다.'라는 거야. 분명히 이 명제가 참인 세계를 상상할 수 있어. 물론 거짓인 세계도 상상할 수 있지. 그렇지만 이 수학 명제가 참인 세계와 거짓인 세계 중 하나는 분명히 가능하지 않아. 앞에서 말했듯이, 그 수학 명제가 참이라면 그것이 거짓이라는 것은 불가능하고, 그 수학 명제가 거짓이라면 그것이 참이라는 것은 불가능하기 때문이야.

① 인간의 본질은 영혼이거나 물질이다.
② 우리가 상상할 수 있는 모든 세계는 가능하다.
③ 우리가 상상할 수 없는 어떤 것도 참일 수 없다.
④ 물질이 인간의 본질이 아니라는 것은 상상할 수 없다.
⑤ 뇌과학이 다루는 문제와 수학이 다루는 문제는 동일하다.

207

다음 글의 빈 칸에 들어갈 진술로 가장 적절한 것은?

우리의 지각 경험은 우리 마음 밖에 있는 외부 세계의 존재에 대한 믿음을 정당화할 수 있는가? 회의주의자들은 그렇지 않다고 말한다. 당신은 눈 앞에 있는 무언가를 관찰하고 있다. 자세히 보니 당신 눈 앞에 있는 것은 손인 것처럼 보인다. 이런 경험, 즉 앞에 있는 대상이 손인 것처럼 보이는 지각 경험은 앞에 손이 있다는 믿음을 정당화하는가? 회의주의자들에 따르면, 이 질문에 대한 답은 당신이 현재 가지고 있는 다른 믿음에 의존한다. 가령, "앞에 있는 것은 진짜 손이 아니라 잘 꾸며진 플라스틱 손이다.", 혹은 "그것은 정교한 홀로그램이다.", 혹은 (심지어) "당신은 통 속에서 전기 자극을 받고 있는 뇌일 뿐이다." 등과 같은 회의적 대안 가설들을 생각해 보자. 이런 회의적 대안 가설들이 거짓이라는 믿음은 정당화될 수 있는가? 이런 정당화는 무척 어려운 듯이 보인다. 우리는 손처럼 보이는 지각 경험을 설명해낼 수 있는 수많은 대안 가설들을 만들어낼 수 있으며, 그 모든 가설들이 거짓이라는 것에 대한 증거를 획득하기란 매우 어렵다. 이에, 모든 회의적 대안 가설이 거짓이라는 믿음은 정당화될 수 없다. 이런 점에 비추어, 회의주의자들은 손인 것처럼 보이는 지각 경험이 손이 있다는 것에 대한 믿음을 정당화하지 못한다고 주장한다. 이와 같은 회의주의자들의 논증은 다음을 추가로 전제하고 있다.

①

① 우리가 외부 세계의 존재에 대한 믿음을 가지고 있다면 외부 세계는 존재할 수밖에 없다.
② 외부 세계가 존재한다고 하더라도 모든 회의적 대안 가설이 참이라는 믿음은 정당화될 수 있다.
③ 외부 세계의 존재에 대한 믿음이 거짓이라는 것을 정당화하기 위해서 사용할 수 있는 방법에는 지각 경험이 유일하다.
④ 지각 경험을 통해 외부 세계의 존재에 대한 믿음을 정당화하기 위해서는 회의적 대안 가설에 대한 믿음과 외부 세계에 대한 믿음이 양립 가능하다는 것이 증명되어야 한다.
⑤ 모든 회의적 대안 가설이 거짓이라는 믿음이 정당화될 수 없다면, 손인 것처럼 보이는 지각 경험은 손이 있다는 것에 대한 믿음을 정당화하지 못한다.

208

2015년 PSAT 5급 공채 언어논리 26번

다음 글의 문맥상 빈칸에 들어갈 진술로 가장 적절한 것은?

죽음의 편재성(遍在性)이란, 우리가 언제 어디서든 죽을 수 있다는 것을 뜻한다. 죽음의 편재성은 부인할 수 없는 사실이고, 그 사실은 우리에게 죽음의 공포를 불러일으킨다. 보통 우리는 죽음의 공포를 불러일으키는 것을 회피대상으로 생각하고 가급적 피하려고 한다. 예를 들어 자정에서 새벽 1시까지는 아무도 죽지 않는 세계가 있다고 상상해 보자.

아마도 그 세계의 사람들은 매일 그 시간이 오기를 바랄 것이고 최소한 그 시간 동안에는 죽음의 공포를 느끼지 않을 것이다. 이번에는 아무도 죽지 않는 장소가 있는 세계가 있다고 상상해 보자. 아마도 그 장소는 발 디딜 틈도 없이 북적일 것이다. 그 장소에서는 죽음의 공포를 피할 수 있기 때문이다. 이런 점들만 생각해 보아도 죽음의 편재성이 우리에게 죽음의 공포를 불러일으키고, 이로 인해 우리는 죽음의 편재성을 회피대상으로 생각한다는 것을 알 수 있다.

그런데 죽음의 편재성과 관련된 이러한 생각이 항상 맞지는 않다는 것을 보여주는 사례가 있다. 우리는 죽음의 공포를 기꺼이 감수하면서 즐기는 활동들이 있다는 것을 알고 있다. 혹시 그 활동들이 죽음의 공포를 높이기 때문에 매력적으로 보이는 것은 아닐까? 스카이다이버들은 죽음의 공포를 느끼면서도 그것을 무릅쓰고 비행기에서 뛰어 내린다. 그들은 땅으로 떨어지면서 조그마한 낙하산 가방에 자신의 운명을 맡긴다. 이러한 사례가 보여주는 것은 [   ]

그렇다면, 앞서 상상해 본 세계와 관련된 우리의 생각에는 문제가 있다고 할 수 있다. 즉, 죽음의 편재성이 인간에게 죽음의 공포를 불러일으킨다고 해서 죽음의 편재성이 회피대상이라는 결론으로 나아갈 수는 없다는 것이다.

① 스카이다이버들은 죽음에 대한 공포를 느끼지 않는 사람들이라는 것이다.

② 인간에게 죽음의 공포를 불러일으키는 것이 반드시 회피대상은 아니라는 것이다.

③ 죽음의 편재성이 우리에게 죽음의 공포를 불러일으킨다는 것은 거짓이라는 것이다.

④ 죽음의 공포로부터 자유로운 공간이나 시간이 존재한다는 상상은 현실과 동떨어졌다는 것이다.

⑤ 죽음을 피할 수 있는 공간에 사람들이 모이는 이유는 죽음에 대한 공포 때문이라기보다는 죽음에 대한 동경 때문이라고 보아야 한다는 것이다.

209

2019년 PSAT 민간경력 언어논리 8번

다음 글에 대한 분석으로 적절하지 않은 것은?

공포영화에 자주 등장하는 좀비는 철학에서도 자주 논의된다. 철학적 논의에서 좀비는 '의식을 갖지는 않지만 겉으로 드러나는 행동에서는 인간과 구별되지 않는 존재'로 정의된다. 이를 '철학적 좀비'라고 하자. ㉠인간은 고통을 느끼지만, 철학적 좀비는 고통을 느끼지 못한다. 즉 고통에 대한 의식을 가질 수 없는 존재라는 것이다. 그러나 ㉡철학적 좀비도 압정을 밟으면 인간과 마찬가지로 비명을 지르며 상처 부위를 부여잡을 것이다. 즉 행동 성향에서는 인간과 차이가 없다. 그렇기 때문에 겉으로 드러나는 모습만으로는 철학적 좀비와 인간을 구별할 수 없다. 그러나 ㉢인간과 철학적 좀비는 동일한 존재가 아니다. ㉣인간이 철학적 좀비와 동일한 존재라면, 인간도 고통을 느끼지 못하는 존재여야 한다.

물론 철학적 좀비는 상상의 산물이다. 그러나 우리가 철학적 좀비를 모순 없이 상상할 수 있다는 사실은 마음에 관한 이론인 행동주의에 문제가 있다는 점을 보여준다. 행동주의는 마음을 행동 성향과 동일시하는 입장이다. 이에 따르면, ㉤마음은 특정 자극에 따라 이러저러한 행동을 하려는 성향이다. ㉥행동주의가 옳다면, 인간이 철학적 좀비와 동일한 존재라는 점을 인정할 수밖에 없다. 그러나 인간과 달리 철학적 좀비는 마음이 없어서 어떤 의식도 가질 수 없는 존재다. 따라서 ㉦행동주의는 옳지 않다.

① ㉠과 ㉡은 동시에 참일 수 있다.

② ㉠과 ㉣이 모두 참이면, ㉢도 반드시 참이다.

③ ㉡과 ㉥이 모두 참이면, ㉤도 반드시 참이다.

④ ㉢과 ㉥이 모두 참이면, ㉦도 반드시 참이다.

⑤ ㉤과 ㉦은 동시에 거짓일 수 없다.

210
2020년 PSAT 5급 공채 언어논리 35번

다음 글에 대한 분석으로 적절한 것만을 〈보기〉에서 모두 고르면?

영혼이 불멸하냐는 질문에 어떤 철학자는 다음과 같이 대답한다. 정의로움, 아름다움, 선함과 같은 ㉠형상은 물질적 대상이 아니다. 즉, 정의 그 자체나 선함 그 자체는 물질이 아니다. 그는 이런 사실로부터 ㉡이성은 물질적인 것이 아니다라는 것을 이끌어낸다. ㉢형상이 물질적 대상이 아니라면, 그 어떤 물질적인 것도 결코 형상을 이해할 수 없다고 그는 생각했다. 반면 이성과는 달리 육체는 물질적 대상임이 분명하다.

하지만 이성이 비물질적이라 하더라도, 그로부터 물질적 대상인 육체가 죽음으로 소멸해도 ㉣영혼은 불멸한다는 것이 보장되지는 않는다. 그래서 그 철학자는 ㉤이성과 영혼은 같다는 것, 그리고 ㉥만약 이성이 형상을 이해할 수 있고 형상이 불멸한다면, 이성 역시 불멸한다는 것으로부터 영혼의 불멸성을 이끌어낸다.

보기

ㄱ. 이성이 형상을 이해할 수 있다는 것이 전제되면 ㉠과 ㉢으로부터 ㉡이 도출된다.

ㄴ. 오직 불멸하는 이성만이 비물질적이라는 것이 전제되면 ㉡으로부터 ㉣이 도출된다.

ㄷ. 불멸하는 것만이 불멸하는 것을 이해할 수 있다는 것이 전제되면 ㉤과 ㉥으로부터 ㉣이 도출된다.

① ㄱ　　　　② ㄴ　　　　③ ㄱ, ㄷ
④ ㄴ, ㄷ　　　⑤ ㄱ, ㄴ, ㄷ

211
2013년 PSAT 5급 공채 언어논리 19번

다음 글에 나온 라이헨바흐의 논증을 비판하는 방법으로 적절한 것을 〈보기〉에서 모두 고르면?

우리는 지식을 얻는 다양한 방법을 갖고 있는데 만일 우리의 방법이 신뢰할 만하지 않다면 우리는 그 방법을 사용할 때마다 노심초사해야 한다. 여기서 한 방법이 '신뢰할 만하다'는 것은 그 방법이 미래에도 계속 참된 앎을 제공한다는 것을 뜻한다. 우리가 가장 흔히 사용하는 방법은 귀납이다. 이것은 우리의 과거 경험들이 미래에도 반복될 것이라고 추정하는 방법이다. 자연이 한결같다면 귀납의 신뢰성은 보장된다. 흄은 자연이 한결같다는 것을 확신할 근거가 없다는 것을 논증했다. 하지만 라이헨바흐는 귀납이 신뢰할 만한 방법이라는 점을 입증할 수는 없지만 그것이 그 어떤 대안 방법들보다 낫다는 점은 보일 수 있다고 주장한다.

라이헨바흐의 논증은 간단하다. 자연은 한결같거나 한결같지 않다. 자연이 한결같다면 귀납은 확실히 신뢰할 만하고, 자연이 한결같지 않다면 귀납은 신뢰할 만하지 않다. 이제 점을 치는 방법처럼 귀납과는 다른 대안 방법을 채택할 경우 어떻게 될까? 불행히도 자연이 한결같다고 가정하더라도 그런 대안 방법들이 신뢰할 만하다는 것을 입증할 수 없다. 그러므로 자연이 한결같을 경우, 귀납은 신뢰할 만하다는 것이 보장되지만 그 이외의 방법은 신뢰할 만하다는 것이 보장되지 않는다. 이 경우 귀납이 우월하다는 점은 명백하다.

이번에는 자연이 한결같지 않아서 귀납이 때때로 작동하지 않는다고 가정해보자. 라이헨바흐는 귀납이 신뢰할 만하지 않을 경우 대안 방법들도 마찬가지로 신뢰할 만하지 않다고 주장한다. 자연이 한결같지 않음에도 불구하고 대안 방법들 중 하나가 현재까지는 아주 잘 작동했다고 가정해보자. 하지만 그 방법이 미래에도 계속 작동될 것이라는 귀납이 결국 실패하는 것으로 드러난다면, 그 방법은 장차 참된 앎을 산출하지 못한다고 결론 내려야 한다. 다시 말해 귀납이 신뢰할 만하지 않다면 점쟁이의 방법도 신뢰할 만하지 않다. 이를 통해 라이헨바흐는 자연이 한결같지 않다면 대안 방법들도 신뢰할 만하지 않다고 결론 내린다. 그래서 자연이 한결같지 않을 경우, 귀납이든 대안 방법이든 모두 신뢰할 만하지 않다.

만약 귀납을 채택했는데 그것이 실패로 끝난다면, 우리는 아무것도 잃지 않는다. 따라서 귀납을 채택하면 얻는 것뿐이며 잃은 것은 아무 것도 없다. 라이헨바흐는 자연이 한결같거나 귀납이 신뢰할 만하다는 점을 입증했다고 주장하지 않으며, 자연이 한결같다는 것을 미리 가정하지도 않는다. 그는 귀납이 신뢰할 만한 것으로 드러나든 그렇지 않든 지식을 확장하는 최선의 추론 방법임을 보이고자 했다.

보기

ㄱ. 자연이 한결같을 경우, 대안 방법들도 귀납만큼 신뢰할 만하다는 점을 밝힌다.

ㄴ. 자연이 한결같지 않을 경우, 대안 방법들이 신뢰할 만하다는 점을 밝힌다.

ㄷ. 자연이 한결같지 않을 경우, 대안 방법들이 신뢰할 만하지 않다면 귀납도 신뢰할 만하지 않다는 점을 밝힌다.

① ㄴ　　　　② ㄷ　　　　③ ㄱ, ㄴ
④ ㄱ, ㄷ　　　⑤ ㄴ, ㄷ

212

다음 ㉠~㉤에 대한 분석으로 적절하지 않은 것은?

가. 노동의 기계화와 합리화는 기계에 표준적으로 순응하고 한 치의 오차도 없이 복종하는 행동 양식을 만들어냈다. 기계는 자율성과 자발성보다는 오히려 적응과 즉각적인 반응을 요구한다. 만약 산업화가 인간의 일상 활동으로서의 노동을 억압하고 강제하는 데 이바지 하는 것이라면, 산업화의 진보란 지배의 진보나 다름없다. 그러나 ㉠노동은 인간의 활동이기 때문에 반드시 자율적인 행위여야만 한다.

나. ㉡이른바 탈산업사회의 견인차로 지목되는 정보통신 기술 등의 첨단 기술은 고도의 숙련과 책임을, 더 나아가서는 자율성을 노동자에게 부여한다. 예컨대 컴퓨터와 같은 상용화된 설비는 이미 구상과 실행의 분리를 지양함으로써 장인 노동의 부활을 선도할 수 있는 가능성을 보여주기 시작한 지 오래다.

다. 철학자들은 종종 의미 있는 노동의 가능성을 자율성이나 자기실현과 같은 규범적인 가치들과 결부시킨다. 그러나 이런 시각은 개별적인 장인들과 동업조합이 존재했던 시절에나 어울릴 것이다. 다시 말해 그것은 시대착오적이고 감상적인 시각에 불과하다. ㉢노동의 문제는 노동자들의 권리, 자율성, 만족 같은 문제와 무관하다.

라. ㉣전문기술직 종사자들의 자율성은 사실상 통제된 자율성에 불과하다. 그들은 전문적 훈련을 통해 자신의 여러 능력을 발전시키지만 노동에서 그러한 능력은 충분히 발휘되지 않는다. ㉤그들이 자신의 업무를 수행하는 데에는 책임감, 독립심, 자율성 등이 필요하다. 하지만 그들이 수행하는 업무의 목표는 미리 결정된 것이다. 다시 말해 그들에게 요구되는 자율은 순수한 의미의 자율이 아닌 타율 내에서의 자율인 것이다.

① ㉠과 ㉡은 동시에 성립할 수 있다.
② ㉢은 ㉠을 거부한다.
③ ㉢은 ㉠과 ㉡의 절충안이다.
④ ㉣은 ㉡을 비판하고 있다.
⑤ ㉤을 바탕으로 ㉢을 비판할 수 있다.

213

다음 대화에 대한 분석으로 적절한 것만을 〈보기〉에서 모두 고르면?

A : 용기라는 덕목에 대해서 생각해 봅시다. 당신은 용기 있는 사람이라면 누구나 대담하다고 생각하나요?

B : 그럼요. 그런 사람은 많은 사람이 두려워하는 일들을 대담하게 수행하지요.

A : 높은 전봇대에 올라가 고압 전류를 다루는 전기 기사나 맹수를 길들이는 조련사는 모두 대담한 사람들이 맞겠죠?

B : 그럼요. 당연하지요.

A : 그럼 그들이 그렇게 대담할 수 있는 이유가 뭘까요?

B : 그것은 전기 기사는 전기에 대해서, 조련사는 맹수에 대해서 풍부한 지식을 지닌 지혜로운 사람들이기 때문이라고 생각합니다. 지혜로운 사람들이란 누구나 자연스럽게 대담해지지요.

A : 저도 동의합니다. 그런데 혹시 어떤 일에 완전히 무지해서 지혜라고는 전혀 없으면서도 대담하다는 것은 인정할 수밖에 없는 사람을 본 적이 있으십니까?

B : 물론이죠. 있고 말고요.

A : 그럼 그런 사람도 용기가 있다고 해야 할까요?

B : 글쎄요. 그랬다간 용기가 아주 추한 것이 되겠지요. 그런 자라면 용기 있는 사람이 아니라 정신 나간 사람입니다.

A : 그렇다면 [㉠] 라고 추론할 수 있겠군요.

보기

ㄱ. "용기 있는 사람은 누구나 지혜롭다."라는 진술은 ㉠에 들어가기에 적절하다.

ㄴ. B의 견해에 따르면, 지혜롭기는 하지만 용기가 없는 사람은 있을 수 없다.

ㄷ. 만약 B가 마지막 진술만 번복하여 '대담한 사람은 모두 용기가 있다.'라고 인정한다면, 세종대왕이 지혜로운 사람이라는 추가 정보를 통해 그가 용기 있는 사람이라고 추론할 수 있다.

① ㄱ　　　　② ㄴ　　　　③ ㄱ, ㄷ
④ ㄴ, ㄷ　　　⑤ ㄱ, ㄴ, ㄷ

214

2014년 PSAT 민간경력 언어논리 10번

다음 글의 ㉠~㉤ 사이의 관계를 바르게 기술한 것은?

㉠지구에서 유전자가 자연발생할 확률은 $1/10^{100}$보다 작지만, 지구 외부 우주에서 유전자가 자연발생할 확률은 $1/10^{50}$보다 크다. 유전자가 자연발생하지 않았다면 생명체도 자연발생할 수 없다. 그런데 생명체가 자연발생하였다는 것이 밝혀졌다. 따라서 ㉡유전자는 자연발생했다. ㉢지구에서 유전자가 자연발생할 확률이 지구 외부 우주에서 유전자가 자연발생할 확률보다 작으며 유전자가 자연발생하였다면, 유전자가 우주에서 지구로 유입되었을 가능성이 크다. 이를 볼 때, ㉣유전자는 우주에서 지구로 유입되었을 가능성이 크다고 판단할 수 있다. 왜냐하면 ㉤지구에서 유전자가 자연발생할 확률은 지구 외부 우주에서 유전자가 자연발생할 확률보다 훨씬 작다는 것이 참이기 때문이다.

① ㉡이 참이면, ㉤은 반드시 참이다.
② ㉤이 참이면, ㉠은 반드시 참이다.
③ ㉠, ㉡이 모두 참이면, ㉢은 반드시 참이다.
④ ㉡, ㉣이 모두 참이면, ㉤은 반드시 참이다.
⑤ ㉠, ㉡, ㉢이 모두 참이면, ㉣은 반드시 참이다.

215

2016년 PSAT 5급 공채 언어논리 30번

다음 글의 ⓐ~ⓔ에 대한 평가로 적절한 것만을 〈보기〉에서 모두 고르면?

영혼이 영원한 존재라는 것을 증명하기 위해서는 먼저 소멸 가능한 존재에 관해 생각해 볼 필요가 있다. 예를 들어, 종이나 연필은 소멸 가능한 존재이다. 그것들을 소멸시키는 방법은 아주 간단하다. 그것들을 구성요소들로 해체시키면 된다. 소멸 가능한 존재는 여러 구성요소들로 이루어져 있다. 이제 소멸 불가능한, 즉 영원한 존재에 대해 생각해 보자. 예를 들어, 칠판에 적힌 숫자 '3'과는 달리 수 3은 절대로 소멸되지 않는다. 그 이유는 무엇일까? 그것은 바로 수 3은 구성요소들로 이루어진 결합물이 아니기 때문이다. 따라서 ⓐ구성요소들로 이루어진 결합물일 경우에만 소멸 가능하다고 할 수 있다. 결합물에 대해서는 그 구성요소들을 해체한 상태를 상상할 수 있지만, 수 3과 같은 존재는 해체를 통한 소멸을 상상할 수 없다. 그것은 해체할 수 있는 구성요소들이 없는 단순한 존재이기 때문이다. 여기서 '단순한 존재'란 구성요소들로 이루어져 있지 않은 존재를 의미한다.

어떤 것이 결합물인지 단순한 존재인지를 가릴 수 있는 객관적 기준은 무엇일까? 그것은 바로 '변화'라고 할 수 있다. 예를 들어, 우리가 쇠막대기를 구부린다고 해보자. 쇠막대기를 파괴한 것은 아니고 단지 변화시켰을 뿐이다. 우리는 이렇게 어떤 존재를 구성하고 있는 요소들 사이의 관계를 새롭게 형성하는 방식으로 그 존재를 변화시킬 수 있다. 따라서 ⓑ어떤 존재가 변화하지 않는다면, 그 존재는 구성요소들로 이루어진 결합물이 아니다.

변화하는 존재들에는 무엇이 있을까? 종이, 연필 등 우리가 일상적으로 볼 수 있는 모든 것들이다. 반면에 ⓒ우리가 일상적으로 볼 수 없는 것들은 변화하지 않는다. 수 3을 다시 생각해 보자. 칠판에 적힌 숫자 '3'과는 달리 수 3은 절대로 변화하지 않는다. 어제도 홀수였고 내일도 모레도 홀수로 남아 있을 것이다. 수 3이 짝수가 될 가능성은 없다. 영원한 홀수이다. 우리는 영혼에 대해서도 똑같이 말할 수 있다. ⓓ영혼은 일상적으로 볼 수 있는 것이 아니다. 우리가 일상적으로 볼 수 있는 것은 영혼을 가진 사람의 육체와 그것의 움직임일 뿐이다. 이제 우리는 다음과 같은 결론에 다다랐다. ⓔ영혼은 소멸하지 않는 존재이다.

보기

ㄱ. ⓐ, ⓑ, ⓒ를 모두 받아들인다고 해도, 일상적으로 볼 수 없는 것들은 소멸하지 않는다는 것은 도출되지 않는다.

ㄴ. ⓒ에 대한 정당화가 충분하지 않다. 비록 수 3과 같은 수학적 대상이 변화하지 않는다는 것을 받아들인다고 해도, 일상적으로 볼 수 없는 모든 것이 변화하지 않는다는 것을 반드시 받아들일 필요는 없다.

ㄷ. ⓐ, ⓑ, ⓒ, ⓓ를 모두 받아들인다고 해도, ⓔ는 도출되지 않는다.

① ㄱ　　　　② ㄴ　　　　③ ㄱ, ㄷ
④ ㄴ, ㄷ　　　　⑤ ㄱ, ㄴ, ㄷ

216

2012년 PSAT 5급 공채 언어논리 13번

다음 글에 대한 분석으로 적절한 것을 〈보기〉에서 모두 고르면?

사람들은 흔히 개인이 소유한 것에 대한 독점적인 권리를 인정하는 것이 당연하다고 생각한다. ⓐ 각 개인은 타고난 지적 능력, 육체적인 힘, 성격이나 외모, 상속받은 유산 등을 가지고 있다. 그러나 ⓑ 이와 같은 자연적인 자산을 개인이 소유하게 된 것은 우연적이다. 이 자산을 개인이 소유하게 된 것에 대한 정당한 근거나 필연적인 이유가 존재하지 않는다. ⓒ 자신의 노력을 통해서 획득한 것이 아니라는 말이다. 더구나 ⓓ 물려받은 부나 재산은 애당초 공동체의 사회적인 협력이나 협동으로 획득된 것이다. 다시 말해, 대대로 상속된 재산이라 하더라도 그것은 사회적 환경과 시스템 속에서 형성되고 그 가치를 인정받게 된 것이다. 따라서 ⓔ 그와 같은 재산에 대한 권리는 극히 제한적이거나 아예 없다고도 말할 수 있다. 개인은 자신이 속한 사회의 물적제도적 토대를 바탕으로, 자신의 자연적 자산을 활용하여 각종 부를 창출할 수 있다. ⓕ 이 부는 공동체의 공동 자산으로 간주해야 한다. 그렇기 때문에 각 개인이 소유한 부를 오직 자신의 행복 증진만을 위하여 사용해서는 안 된다. ⓖ 이 부는 공동체 구성원 전체의 이익 증대를 위해 사용되어야 한다. 따라서 개인이 일군 것처럼 보이는 재산이라고 하더라도 국가가 나서서 과세를 통해 거둬들여 재분배해야 하는 것이다. 결국, ⓗ 개인의 재산에 대한 정치 공동체의 개입은 도둑질이나 강탈이 아니라 사회적 혜택과 부담을 공정하게 분배하는 국가 본연의 임무이다.

보기

ㄱ. ⓒ는 ⓑ를 부연한다.

ㄴ. ⓓ는 ⓔ를 지지한다.

ㄷ. ⓕ는 ⓐ를 반박한다.

ㄹ. ⓗ는 ⓖ를 부연한다.

① ㄱ, ㄴ   ② ㄱ, ㄹ   ③ ㄷ, ㄹ
④ ㄱ, ㄴ, ㄷ   ⑤ ㄴ, ㄷ, ㄹ

217

2019년 PSAT 5급 공채 언어논리 32번

다음 글에 대한 분석으로 적절한 것만을 〈보기〉에서 모두 고르면?

"1 더하기 1은 2이다."와 "대한민국의 수도는 서울이다."는 둘 다 참인 명제이다. 이 중 앞의 명제는 수학 영역에 속하는 반면에 뒤의 명제는 사회적 규약 영역에 속한다. 그리고 위 두 명제 모두 진리 표현 '~는 참이다'를 부가하여, "1 더하기 1은 2라는 것은 참이다.", "대한민국의 수도는 서울이라는 것은 참이다."와 같이 바꿔 말할 수 있다. 이 '~는 참이다'라는 진리 표현에 대한 이론들 중에는 진리 다원주의와 진리 최소주의가 있다.

진리 다원주의에 의하면 ㉠ 수학과 사회적 규약이라는 서로 다른 영역에 속한 위 두 명제들의 진리 표현은 서로 다른 진리를 나타낸다. 한편, ㉡ 진리 표현은 명제가 속한 영역에 따라서 다른 진리를 나타낸다는 주장은 진리가 진정한 속성일 때에만 성립한다. 만약 진리가 진정한 속성이 아니라면 영역의 차이에 따라 진리를 구별하는 것은 무의미할 것이기 때문이다. 그러므로 진리 다원주의는 ㉢ 진리가 진정한 속성이라는 것을 받아들여야 한다. 한편, ㉣ 언어 사용을 통해 어떤 속성에 대한 모든 것을 알 수 있다면, 그것은 진정한 속성이 아니다. 진리가 진정한 속성이라면 언어 사용을 통해 진리에 관한 모든 것을 알 수 있는 것은 아니다. 진리 최소주의자들은 ㉤ 우리는 언어 사용을 통해 진리에 관한 모든 것을 알 수 있다고 주장한다. 그러므로 만약 진리 최소주의가 옳다면 어떤 결론이 따라 나오는지는 명확하다.

보기

ㄱ. ㉠과 ㉡은 함께 ㉢을 지지한다.

ㄴ. ㉣과 ㉤은 함께 ㉢을 반박한다.

ㄷ. ㉠, ㉡, ㉣은 함께 ㉤을 반박한다.

① ㄱ   ② ㄷ   ③ ㄱ, ㄴ
④ ㄴ, ㄷ   ⑤ ㄱ, ㄴ, ㄷ

III 논증 분석

218 2024년 PSAT 7급 공채 언어논리 19번

다음 글의 ⊙ ~ ⓔ에 대한 분석으로 적절한 것만을 〈보기〉에서 모두 고르면?

우리가 임의의 명제 p를 지지하는 증거를 지니면 p에 대한 우리의 믿음은 인식적으로 정당화되고, p를 지지하는 증거를 지니지 않으면 p에 대한 우리의 믿음은 인식적으로 정당화되지 않는다. p에 대한 믿음이 인식적으로 정당화된 상황에서 p를 믿는 것은 우리의 인식적 의무일까? p를 믿는 것이 우리의 인식적 의무라면 이와 관련해 발생하는 문제는 없을까? 이 질문들과 관련해 의무론 논제, 비의지성 논제, 자유주의 논제를 고려해보자.

○ 의무론 논제 : ⊙만약 우리가 p를 믿는다는 것이 인식적으로 정당화된다면 그것을 믿어야 하고, 만약 우리가 p를 믿는다는 것이 인식적으로 정당화되지 않는다면 그것을 믿어야 하는 것은 아니다. 즉 우리가 p를 믿어야 한다는 것은 우리가 p를 믿는다는 것이 인식적으로 정당화되기 위한 필요충분조건이다. 이것이 의무론 논제라 불리는 이유는 '우리가 p를 믿어야 한다.'는 것을 인식적 의무로 간주하기 때문이다.

○ 비의지성 논제 : ⓛ우리가 p를 믿는다는 것은 자유롭게 선택할 수 있는 것이 아니다. 즉 믿음은 선택의 대상이 아니다. 예를 들어, 갑이 창밖에 있는 나무를 바라보며 창밖에 나무가 있다는 것을 믿는다고 해보자. 이때 갑이 이를 믿지 않으려고 해도 그는 그럴 수 없다.

○ 자유주의 논제 : ⓒ만약 우리가 p를 믿는다는 것이 자유롭게 선택할 수 있는 것이 아니라면, 우리에게 p를 믿어야 할 인식적 의무는 없다. 예를 들어, 창밖에 나무가 있다는 갑의 믿음이 비의지적이라면, 갑에게는 창밖에 나무가 있다는 것을 믿어야 할 인식적 의무가 없다.

그런데 의무론 논제, 비의지성 논제, 자유주의 논제를 모두 받아들이면 ⓔ우리가 p를 믿는다는 것은 인식적으로 정당화되지 않는다는 받아들이기 힘든 결론을 얻는다. 왜 그러한가? 이 논증은 다음과 같이 구성된다. 우선 우리가 p를 믿는다는 것이 자유롭게 선택할 수 있는 것이 아니라고, 즉 우리의 p에 대한 믿음이 비의지적이라고 하자. 그렇다면 자유주의 논제에 따라, 우리에게 p를 믿어야 할 인식적 의무는 없다. 그리고 의무론 논제에 따라, 우리가 p를 믿는다는 것은 인식적으로 정당화되지 않는다. 이러한 결론을 거부하려면 위 세 논제 중 적어도 하나를 거부해야 한다.

철학자 A는 자유주의 논제와 비의지성 논제는 받아들이면서 의무론 논제를 거부하여 위 논증의 결론을 거부한다. A에 따르면 위 논증에서 우리에게 p를 믿어야 할 인식적 의무가 없다는 것은 성립하지만, 우리에게 인식적 의무가 없더라도 그 믿음이 인식적으로 정당화될 수 있는 그런 경우가 있다. 위 예처럼 창밖에 나무가 있다는 것을 믿어야 할 인식적 의무가 없더라도, 창밖의 나무를 실제로 보고 있다는 것으로부터 그 믿음은 충분히 인식적으로 정당화될 수 있다. 따라서 위 논증의 결론은 거부된다.

철학자 B는 의무론 논제와 비의지성 논제는 받아들이면서 자유주의 논제를 거부하여 위 논증의 결론을 거부한다. B에 따르면 위 논증에서 우리의 p에 대한 믿음이 비의지적이더라도 그 믿음에 대한 인식적 의무는 있을 수 있다. 비유적으로 생각해 보자. 돈이 없어서 빚을 갚을지 말지에 대해 선택의 여지가 없다고 하더라도 빚을 갚아야 한다는 의무는 있다. B에 따르면 이러한 방식으로 비의지적인 믿음에 대한 인식적 의무에 대해 말할 수 있다.

보기
ㄱ. ⊙과 ⓒ만으로는 ⓔ이 도출되지 않는다.
ㄴ. ⓛ의 부정으로부터 ⓒ의 부정이 도출된다.
ㄷ. ⓒ과 "'지금 비가 오고 있다.'를 믿는다는 것이 비의지적이다."라는 전제로부터 "우리에게 '지금 비가 오고 있다.'를 믿어야 할 인식적 의무가 없다."는 것이 도출된다.

① ㄱ
② ㄴ
③ ㄱ, ㄷ
④ ㄴ, ㄷ
⑤ ㄱ, ㄴ, ㄷ

2027학년도 LEET 대비

메가로스쿨
잘그른 300제

추리논증

LEET

IV
논쟁 및
반론

유형별 집중풀이 가이드

Step 1	Step 2	Step 3

잘고른 300제 (추리논증)	기출문제 해설집 (추리논증)	잘고른 300제 (추리논증) → 유형별 문제집 (추리논증)
잘고른 300제	**기출문제 해설집**	**잘고른 300제 / 유형별 문제집**
잘고른 300제의 '논쟁 및 반론' 유형의 문제를 모두 학습하고 강약점 유형 파악 및 문제별 접근 전략을 세운다.	아래 유형별 기출문항표를 보고 메가로스쿨 기출문제 해설집을 통해 약점 유형을 다시 풀이한다.	유형별 집중학습을 통해 정확도를 높이고 문제 풀이 시간을 줄이는 나만의 문제별 접근법을 완성한다.

유형별 기출문항표

세부 유형	학년도	기출문제 해설집	문항번호(홀수형 기준)	유형별 문제집
논쟁 분석 및 평가	2026	29	5, 8, 10, 11, 13, 14, 15, 18, 19, 20, 21, 29, 30	160
	2025	53	18, 22, 23, 24, 25	
	2024	77	10, 13, 15, 18, 19, 20, 21, 26, 29	
	2023	101	1, 3, 11, 12, 13, 14, 15, 18, 20, 23, 24, 25	
	2022	125	2, 5, 15, 16, 17, 18, 22	
	2021	149	2, 14, 16, 18, 20	
	2020	173	1, 3, 4, 5, 6, 30	
	2019	197	2, 4, 5, 19, 24, 27, 34	
	2018	221	12, 16, 18	
	2017	241	1, 4, 7, 10, 11, 17, 26, 27	
	2016	261	1, 3, 5, 10, 11, 13, 14, 15, 19	
	2015	281	4, 9, 11, 28, 30, 32	
	2014	301	1, 5, 8, 9, 24, 30	
	2013	321	1, 2, 17, 19, 21, 23	
	2012	341	1, 2, 9, 10	
	2011	361	1, 18, 31	
	2010	381	1, 2, 9, 10	
	2009	401	19, 32, 33	
	예비시험	419	17, 20, 25, 29, 30, 39	
반론 구성	2026	29	4	
	2024	77	22	
	2023	101	2, 6	
	2019	197	25	
	2017	241	12	
	2016	261	16, 17	
	2015	281	29	
	2013	321	20	
	2012	341	23	
	2010	381	17	
	2009	401	14, 15, 21	
	2차 예시	439	4, 11, 16	
	1차 예시	449	9	
오류	2013	321	11	
	예비시험	419	27	

※ 교재별 페이지 번호는 메가로스쿨 2027학년도 대비 출간 교재 기준으로 기재되어 있습니다.

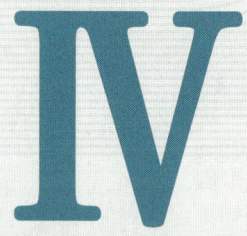

PART

IV

논쟁 및 반론

논쟁 및 반론이란?

두 가지 이상의 주장이 논쟁을 이루는 상황이 주어졌을 때, 각 주장들이 제시하는 논증을 분석할 수 있는 능력, 그리고 각 논증들을 비판, 반박할 수 있는 능력을 평가하고자 하는 유형이다. 논쟁의 쟁점을 파악하는 것, 그리고 각 주장들이 공통으로 가정하고 있는 전제가 무엇인지, 그리고 주어진 논증에 결함이나 오류가 있는지를 찾아낼 수 있는지, 마지막으로 논증의 결함을 찾고 반론이나 재반론을 제기할 수 있는지를 묻는 문항 등이 이 유형에서 출제된다.

논쟁 및 반론 학습법

❶ 논쟁 분석 및 평가하기

논쟁이라는 것은, 논증의 형태로 각자의 견해를 피력하는 것이다. 둘 또는 그 이상의 사람들이 자신의 견해를 피력할 때 각자 상대의 견해에 대해 전적으로 동의하지 않을 수도 있고, 혹은 부분적으로는 동의하는 부분이 있을 수도 있다. 그래서 어떤 쟁점에서 견해가 나뉘고, 또 어떤 쟁점에서 견해가 일치하는지 등 쟁점 사안을 먼저 파악해야 논쟁의 전체적인 흐름과 논쟁 참여자들의 입장을 정확히 파악할 수 있다. 따라서 평상시에도 쟁점이 분명한 텍스트를 자주 접하려고 의식적으로 노력하는 것과, 이때 쟁점을 기준으로 각 입장의 주장과 근거, 그리고 각 입장의 공통점과 차이점을 비교하는 연습을 꾸준히 하는 것이 문제 해결에 도움이 될 것이다.

❷ 반론 구성하기

반론 구성 유형은 한쪽 입장에서 상대방의 주장을 반박할 수 있는 능력을 측정하고자 하는 것이다. 반론을 구성하는 데 있어 가장 먼저 해야 하는 것은, 어떤 사안에서 서로 견해가 다른지를 파악하는 것이다. 이것이 선행되면, 상대방이 어떤 주장과 근거를 들고 있는지를 정리하는 일이 필요하다. 그 후, 이를 토대로 상대편 논증의 설득력을 떨어뜨리는 반론을 구성할 수 있다.

상대의 논증에 반론을 제기하는 전략은 크게 두 가지이다. 먼저, 상대가 전제하고 있는 사안들을 받아들일 수 없다는 것을 보이는 것이다. 즉, 상대가 결론을 뒷받침하기 위해 엮어 놓은 전제들이 거짓이거나 부당하다는 것을 지적하면 상대 주장의 설득력이 떨어질 것이다. 다음으로 상대가 전제하는 것을 받아들일 수는 있는데, 이 전제로부터 결론이 추론되는 과정을 받아들일 수 없음을 보이는 것이다. 그래서 상대 전제를 수용하더라도 상대와 동일한 결론이 도출되지 않는다는 것을 보이면 적절한 반론이 될 수 있다.

유의할 점은 논쟁 참여자 모두가 공통적으로 동의하거나 합의하는 내용은 반론으로 적절하지 않다는 것이다. 그리고 상대를 반론하더라도, 나의 주장은 일관되게 유지되어야 한다는 것이다.

▶ 논쟁 및 반론 문항 예시

35. 다음 글의 논증에 대한 비판으로 적절하지 않은 것은?

> 진화론자들은 지구상에서 생명의 탄생이 30억 년 전에 시작됐다고 추정한다. 5억 년 전 캄브리아기 생명폭발 이후 다양한 생물종이 출현했다. 인간 종이 지구상에 출현한 것은 길게는 100만 년 전이고 짧게는 10만 년 전이다. 현재 약 180만 종의 생물종이 보고되어 있다. 멸종된 것을 포함해서 5억 년 전 이후 지구상에 출현한 생물종은 1억 종에 이른다. 5억 년을 100년 단위로 자르면 500만 개의 단위로 나눌 수 있다. 이것은 새로운 생물종이 평균적으로 100년 단위마다 약 20종이 출현한다는 것을 의미한다. 하지만 지난 100년 간 생물학자들은 지구상에서 새롭게 출현한 종을 찾아내지 못했다. 이는 한 종에서 분화를 통해 다른 종이 발생한다는 진화론이 거짓이라는 것을 함축한다.

① 100년마다 20종이 출현한다는 것은 다만 평균일 뿐이다. 현재의 신생종 출현 빈도는 그보다 훨씬 적을 수 있지만 언젠가 신생 종이 훨씬 많이 발생하는 시기가 올 수 있다.

② 5억 년 전 이후부터 지구상에 출현한 생물종이 1,000만 종 이하일 수 있다. 그러면 100년 내에 새로 출현하는 종의 수는 2종 정도이므로 신생 종을 발견하기 어려울 수 있다.

③ 생물학자는 새로 발견한 종이 신생 종인지 아니면 오래 전부터 존재했던 종인지 판단하기 어렵다. 따라서 신생 종의 출현이나 부재로 진화론을 검증하려는 시도는 성공할 수 없다.

④ 30억 년 전에 생물이 출현한 이후 5차례의 대멸종이 일어났으나 대멸종은 매번 규모가 달랐다. 21세기 현재, 알려진 종 중 사라지는 수가 크게 늘고 있어 우리는 인간에 의해 유발된 대멸종의 시대를 맞이하는 것으로 볼 수 있다.

〈후략〉

12. ㉠에 대한 반론으로 적절한 것만을 〈보기〉에서 있는 대로 고른 것은?

> 인간은 생각하고, 대화하는 등의 '인지 기능'도 하고, 음식을 소화시키고, 이리저리 움직이는 등의 '신체 기능'도 한다. 이 두 기능 모두 인간의 몸이 하는 기능이다. 인간에게 죽음이란 인간의 몸이 하는 기능이 멈추는 사건이다. 그런데 사람에 따라서는 인지 기능은 멈추었지만 신체 기능은 멈추지 않은 시점을 맞기도 한다. 이 시점의 인간은 죽은 것인가? 인간의 몸이 가진 두 기능 중 죽음의 시점을 정하는 데 결정적인 기능은 무엇인가?
>
> 죽음의 시점을 정하는 데 결정적인 요소는 인지 기능이라는 견해를 취해 보자. 이 견해에 따르면 죽음은 인지 기능의 정지이다. 하지만 예를 들어 어젯밤 당신은 아무런 인지 작용도 없는 상태에서 꿈도 꾸지 않는 깊은 잠에 빠져 있었다고 해보자. 죽음이 인지 기능의 정지라면, 당신은 어젯밤에 죽어 있었다고 해야 한다. 하지만 당신은 오늘 여전히 살아 있다. 이런 반례를 피하기 위해서 이 견해를 수정할 필요가 있다. 즉, 죽음은 인지 기능이 일시적으로 정지하는 것이 아니라 영구히 정지하는 것이다. 이 ㉠수정된 견해에 따르면 당신은 어젯밤 죽은 상태에 있지 않았다. 왜냐하면 오늘 당신은 살아 있기 때문이다.

〈보기〉

ㄱ. 철수는 어제 새벽 2시부터 3시까지 꿈 없는 잠을 자고 있다가, 3시에 심장마비로 사망했다. 3시부터 철수는 인지 기능과 함께 신체 기능도 멈추게 된 것이다. ㉠에 따르면 철수는 어제 새벽 2시부터 이미 죽어 있었다. 하지만 이때 철수는 분명 살아 있었다고 해야 한다. 그때 철수를 깨웠다면 그는 일어났을 것이기 때문이다.

ㄴ. '부활'은 모순적인 개념이 아니다. 죽었던 철수가 부활했다고 상상해 보자. 부활한 철수는 다시 인지 기능을 갖게 될 것이다. ㉠에 따르면, 철수는 부활 이전에도 죽어 있던 것이 아니라고 해야 한다. 하지만 철수는 부활 이전에 죽어 있었다. 그렇지 않았다면 철수가 '죽음에서 부활했다'고 말할 수조차 없고 '부활'은 모순적인 개념이 되고 만다.

〈후략〉

상세분석 제시문은 모두 어떤 주장이 먼저 소개되고 글쓴이가 이를 반박하는 구조를 띠고 있다. 그리고 문제가 요구하는 것은 글쓴이의 반박 역시 비판적 관점에서 평가하라는 것이다. 이 점에서 두 문항은 인지 활동 유형 면에서 아주 유사하며, 난이도는 PSAT의 것이 다소 낮은 편이라고 할 수 있다.

❶ 인지 활동 유형의 유사점

두 문항 모두 논쟁 및 반론 유형으로 분류할 수 있으며, 세부 유형으로는 반론을 구성할 수 있는 능력이 있는지를 평가하는 반론 구성 유형이다.

❷ 난이도 수준의 유사점

PSAT의 경우는 글쓴이가 진화론에 대해 '진화론이 거짓이라는 것을 함축한다.'고 하여 진화론을 전적으로 반박하고 있어 주장이 명확하다. 이에 비해 LEET의 경우, 죽음을 정하는 데 결정적인 요소가 인지 기능이라는 점에서는 글쓴이는 자신이 반박하고자 하는 입장과 동일한 입장을 취하고 있다. 다만, 일시적 정지인지 혹은 영구적 정지인지에 대해 입장의 차이가 나뉘기 때문에 글쓴이가 제시된 주장을 반박하는 것이다. 선명하게 찬반이 주어지지 않아 섬세한 논증 구분이 이루어져야 한다는 점에서 LEET의 난이도가 PSAT에 비해 다소 더 높다고 할 수 있다.

219

다음 글에 제시된 A의 주장을 가장 효과적으로 반박하는 진술은?

> A : 인간은 누구나 자신의 욕구를 합리적으로 통제할 수 있습니다. 달리 말해서 자신의 욕구를 합리적으로 통제할 수 없는 존재가 있다면, 그런 존재는 인간이라 할 수 없습니다. 또한 인간은 항상 좋은 것만을 욕구하는 존재입니다.
>
> B : 그건 유지되기 어려운 견해 같습니다. 합리적으로 통제되지 않는 욕구를 경험하는 것은 흔한 일입니다. 특히 범죄는 대부분 자신의 욕구를 통제하지 못해서 발생합니다. 또한 사람들이 원한다고 해서 항상 좋은 것은 아닙니다. 예컨대 마약 중독자가 강력히 원한다고 해서 마약이 좋은 것이 되는 것은 아니지 않습니까?
>
> A : 제 견해를 오해하셨군요. 마약 중독자가 마약을 원하는 것은 마약이 좋은 것이라고 믿기 때문입니다. 또한 범죄자는 자신의 욕구를 합리적으로 통제할 수 없기 때문에 범죄를 저지르는 것이 아니라 단지 자신의 행동이 나쁘다는 것을 몰라서 그런 행동을 저지르는 것뿐입니다.

① 마약 중독자들에게는 처벌이 아닌 치료가 필요하다.
② 합리적인 계획 하에서 범행을 저지르는 경우들도 있다.
③ 몸에 좋지 않다는 것을 알면서도 그것을 원하는 사람들이 있다.
④ 아이를 물어 죽인 개를 사살하는 것도 개에 대한 일종의 처벌이다.
⑤ 인간이 아닌 동물들 중에도 자신의 욕망을 조절하는 동물들이 존재한다.

220

다음 글에 나타난 아우구스티누스의 주장에 대한 비판으로 가장 적절하지 않은 것은?

> 신은 전지(全知), 전능(全能), 전선(全善)한 존재라고 여겨진다. 만일 신이 전지하다면 세상에 존재하는 악에 대해 알고 있을 것이고, 그리고 전선하다면 이러한 악을 제거하길 원할 것이고, 또한 전능하다면 그렇게 할 수 있을 것이다. 그렇다면 도대체 왜 세상에 악이 존재하는 것일까? 중세 철학자 아우구스티누스는 이러한 악의 문제를 해결하기 위해 다음과 같이 주장한다. "의지는 스스로 의지하지 않는 한 결코 악해지지 않는다. 의지의 결함은 외부의 악에 의한 것이 아니라 그 자체가 악이다. 이는 신이 부여한 좋은 본성을 저버리고 나쁜 것을 선택했기 때문이다. 탐욕은 황금에 내재되어 있는 악이 아니라, 정의에 어긋나게 황금을 과도하게 사랑하는 사람에게 내재된 악이다. 사치는 아름답고 멋진 대상 자체에 내재된 악이 아니라, 보다 높은 차원의 기쁨을 주는 대상으로 우리를 인도해 주는 절제를 망각하고 과도하게 감각적 즐거움을 탐닉하는 마음의 잘못이다. 그리고 삼위일체에 의해 세상의 모든 사물은 최상의 상태로, 평등하게, 그리고 변하지 않는 선으로 창조됐다. 어떤 대상은 개별적으로 분리해 볼 때 마치 아름다운 그림 속의 어두운 색과 같이 그 자체는 추해 보일 수 있지만, 전체적으로 볼 때 멋진 질서와 아름다움을 갖고 있는 전체 우주의 일부분을 구성하기 때문에 선한 것이다."

① 다른 사람의 악행의 결과로 고통 받는 사람들이 많다.
② 갓 태어난 아기가 선천적 질병으로 죽는 경우가 비일비재하다.
③ 세상에 존재하는 악은 세상을 조화롭고 아름답게 하기에 적당한 정도라고 보기 어렵다.
④ 지진, 홍수, 가뭄과 같은 자연재해에 아무런 책임이 없는 사람들이 이러한 자연재해 때문에 고통 받는 경우가 많다.
⑤ 많은 악행에도 불구하고 온갖 권력과 쾌락을 누리다가 죽는 사람들이 있다는 것은 선과 악의 대결에서 항상 선이 승리하는 것만은 아님을 보여 준다.

다음 논쟁에 대한 분석으로 적절한 것만을 〈보기〉에서 모두 고르면?

갑 : 17세기 화가 페르메르의 작품을 메헤렌이 위조한 사건은 세상을 떠들썩하게 했지. 메헤렌의 그 위조품이 지금도 높은 가격에 거래된다고 하는데, 이 일은 예술 감상에서 무엇이 중요한지를 생각하게 만들어.

을 : 눈으로 위조품과 진품을 구별할 수 없다고 하더라도 위조품은 결코 예술적 가치를 가질 수 없어. 예술품이라면 창의적이어야 하는데 위조품은 창의적이지 않기 때문이지. 예술적 가치는 진품만이 가질 수 있어.

병 : 메헤렌의 작품이 페르메르의 작품보다 반드시 예술적으로 못하다고 할 수 있을까? 메헤렌의 작품이 부정적으로 평가되는 것은 메헤렌이 사람들을 속였기 때문이지 그의 작품이 예술적으로 열등해서가 아니야.

갑 : 예술적 가치는 시각적으로 식별할 수 있는 특성으로 결정돼. 그런데 많은 사람들이 위조품과 진품을 식별할 수 없다고 해서 식별이 불가능한 것은 아니야. 전문적인 훈련을 받은 사람은 두 작품에서 시각적으로 식별 가능한 차이를 찾아내겠지.

을 : 위작이라고 알려진 다음에도 그 작품을 칭송하는 것은 이해할 수 없는 일이야. 왜 많은 사람들이 〈모나리자〉의 원작을 보려고 몰려들겠어? 〈모나리자〉를 완벽하게 복제한 작품이라면 분명히 그렇게 많은 사람들의 관심을 끌지는 못할 거야.

병 : 사람들이 〈모나리자〉에서 감상하는 것이 무엇이겠어? 그것이 원작이라는 사실은 감상할 수 있는 대상이 아니야. 결국 사람들은 〈모나리자〉가 갖고 있는 시각적 특징에 예술적 가치를 부여하는 것이지.

보기

ㄱ. 예술적 가치로서의 창의성은 시각적 특성으로 드러나야 한다는 데 갑과 을은 동의할 것이다.

ㄴ. 시각적 특성만으로는 그 누구도 진품과 위조품을 구별할 수 없다면 이 둘의 예술적 가치가 같을 수 있다는 데 갑과 병은 동의할 것이다.

ㄷ. 메헤렌의 위조품이 고가에 거래되는 이유가 그 작품의 예술적 가치에 있다는 데 을과 병은 동의할 것이다.

① ㄱ　　　　② ㄴ　　　　③ ㄱ, ㄷ
④ ㄴ, ㄷ　　　⑤ ㄱ, ㄴ, ㄷ

다음의 토론에서 참여자들의 주장을 가장 적절하게 설명한 것은?

A : 인간의 정신이나 심적 현상은 경험을 통해서 후천적으로 형성된다고 하지 않습니까? 이러한 입장에서 보면 결국 인간의 언어 습득은 자극-반응에 의한 습관 형성으로 설명될 수 있겠지요.

B : C 선생님께서는 이에 대해서 어떤 생각을 가지고 계신지요?

C : 말을 배우는 어린아이는 'goed', 'foots', '꽃이가', '먹으자' 등 아무도 사용하지 않는, 따라서 모방으로 배울 수 없는 새로운 어휘를 만들어냅니다. 이 점을 설명할 수 있어야 할 겁니다.

D : 그렇다면 인도의 정글에서 발견된 늑대소녀의 경우를 어떻게 설명할 수 있을까요? 이는 언어사회와 접촉이 없었던 사회적인 고립 상태, 즉 언어적인 자극을 받지 못했던 상태에서는 언어습득이 이루어지지 않았다는 것을 보여주는 단적인 예라고 보입니다.

B : 역시 쉽게 결론내리기 어려운 문제군요. E 선생님 말씀해 주시죠.

E : 생득적인 언어능력을 발현시켜 주는 적정한 연령기에 언어습득의 촉매로서 언어 환경과의 접촉이 없이는, 인간의 언어습득은 불가능하다고 생각합니다. 그러나 한편으로 인간이 가지고 태어난다는 언어습득장치에 대한 믿음을 버리기는 어렵지요.

① A는 D의 의견과 반대되는 입장을 취하고 있다.
② B는 토론자들의 견해가 양립할 수 없다고 주장하고 있다.
③ C는 A의 주장에 대한 반례를 제시하고 있다.
④ D는 C의 의견을 지지하기 위해 구체적인 예를 들고 있다.
⑤ E는 A와 D 주장의 절충적인 입장을 취하고 있다.

223

2005년 PSAT 견습직원 언어논리 40번

다음 두 글에 대한 설명으로 적합하지 <u>않은</u> 것은?

> 가. 만일 에너지 문제를 '공급(supply)'의 문제로 정의하면, 결국 에너지가 부족하기 때문에 대체에너지 자원이 필요하다는 단일한 접근 방식을 취하게 된다. 과학과 기술은 이 문제에 대한 많은 답변을 줄 수 있을 것이고, 또한 석유, 석탄, 우라늄 등의 매장량을 조사하고, 다양한 에너지원의 기술적 이익을 비교하고, 석탄과 석유, 핵 발전의 효율성과 비용을 추정할 수 있을 것이다. 이 문제를 연구하는 과학자는 에너지 생산에 관한 여러 대안들에 대해 많은 양의 과학적 데이터를 수집하는 데 초점을 맞출 것이다. 또한 여러 가지 대안들 중에서 한 가지 대안, 예를 들어 핵융합 증식로가 가장 합리적인 대안으로 부각될 수도 있다. 이러한 선택은 중립적이고 객관적인 과학적 사실에 기초한다고 볼 수도 있을 것이다.
>
> 나. 하지만 에너지 문제를 '수요(demand)'의 문제로 정의하게 되면, 이야기는 달라진다. 에너지 문제를 수요의 문제로 정의할 경우, 에너지 사용의 문제, 에너지원에 맞게 에너지 사용을 조절하는 문제, 에너지 효율에 관한 문제, 그리고 적절한 기술의 문제 등과 같이 다양한 방식으로 접근하게 된다. 이렇게 접근하는 과학자는 가전 제품의 효율성, 가정용 난방, 단열재, 연료 절감 자동차, 대중교통, 태양열과 같은 주제에 초점을 맞출 가능성이 높다. 이 과정에서 나오는 정보는 앞서의 과정에서 나오는 정보만큼 객관적이고 사실적이기는 하지만, 앞서와는 다른 에너지 정책을 제시할 것이다.

① '가'와 '나'의 입장 모두 에너지 문제에 대한 해결 방식을 찾고자 한다.

② '가'와 '나' 모두 타당하고 객관적일 수 있지만, 이로부터 도출되는 정책은 아주 다를 수 있다.

③ '가'와 '나'를 통해 내릴 수 있는 결론은 '우리가 얻는 해결책은 문제에 접근하는 방식에 따라 달라질 수 있다'는 사실이다.

④ '가'와 '나' 모두 에너지 문제를 다루고 있지만, '가'는 이 문제에 대해서 하나의 방식으로, '나'는 다양한 방식으로 접근하고 있다.

⑤ '가'와 '나' 모두 에너지와 관련된 대안을 제공하지만, '가'에 입각한 관점은 효율을 중시하고 '나'에 입각한 관점은 비용을 중시한다.

224

2025년 PSAT 7급 공채 언어논리 25번

다음 글의 〈논쟁〉에 대한 분석으로 적절한 것만을 〈보기〉에서 모두 고르면?

> 갑과 을은 △△국 「주택임차인 보호법」 제3조, 제4조의 해석을 놓고 논쟁하고 있다. 그 조문은 다음과 같다.
>
> > 제3조(대항력) ① 임차인이 임차주택에 대한 주민등록을 마친 때에는 임차주택을 매수한 제삼자에게 임대차 계약의 효력을 주장할 수 있다.
> > ② 임차주택이 경매된 경우에 임차인이 그 경매 대금으로부터 다른 채권자보다 우선적으로 임대차 보증금을 배당 받으려면 임차주택에 대한 주민등록을 마쳐야 하고 확정일자가 기재된 임대차 계약서를 갖춰야 한다.
> > 제4조(계약의 갱신) ① 임대인이 임대차 기간 종료 6개월 전부터 2개월 전까지의 기간에 임차인에게 계약 종료 통지를 하지 않으면 임차인은 임대차 계약이 자동으로 갱신되었다고 주장할 수 있다.
>
> 위 법의 적용 대상인 X주택을 그 소유자인 A가 B에게 임대했다. B는 X주택에 대한 주민등록을 마쳤다. 임대차 계약서에는 A의 자필로 계약일자가 기재되어 있었고 확정일자는 없었다.

〈논 쟁〉

쟁점 1 : 임대차 기간 중 진행된 X주택에 대한 경매 절차를 통해 C가 X주택의 소유자가 되자 B는 C에게 임대차 계약의 효력을 주장한다. 이러한 B의 주장에 대해 갑은 타당하다고 하지만 을은 부당하다고 한다.

쟁점 2 : 임대차 기간 중에 경매된 X주택의 경매 대금으로부터 B가 임대차 보증금을 다른 채권자인 D보다 우선적으로 배당 받을 수 있는지에 대해, 갑은 그렇다고 주장하고 을은 그렇지 않다고 주장한다.

쟁점 3 : 임대차 기간 종료 6개월 전부터 2개월 전까지의 기간에 A가 B에게 계약 종료 통지를 하지 않았다. 임대차 계약 기간이 만료된 후 B는 임대차 계약 종료 통지를 했으나 A는 임대차 계약 갱신을 주장하는 경우, 갑은 임대차 계약이 갱신된 것으로 보아야 한다고 주장하나 을은 임대차 계약이 종료된 것으로 보아야 한다고 주장한다.

---- 보기 ----

ㄱ. 쟁점 1과 관련하여, 경매 절차를 통해 임차주택의 소유권을 취득한 자가 위 법 제3조제1항의 '임차주택을 매수한 제삼자'에 포함된다고 해석하면, 갑의 주장은 옳고 을의 주장은 옳지 않다.

ㄴ. 쟁점 2와 관련하여, 갑은 임대인이 자필로 계약일자를 기재한 것도 위 법 제3조제2항의 확정일자가 기재된 것에 해당한다고 해석하고 을은 그렇지 않다고 해석하고 있다면, 갑과 을의 주장 불일치를 설명할 수 있다.

ㄷ. 쟁점 3과 관련하여, 위 법 제4조제1항의 목적이 임차인의 선택을 최대한 존중하는 것이라고 해석하면, 갑의 주장은 옳지 않지만 을의 주장은 옳다.

① ㄱ   ② ㄷ   ③ ㄱ, ㄴ

④ ㄴ, ㄷ   ⑤ ㄱ, ㄴ, ㄷ

225

다음 글의 A와 B에 대한 분석으로 적절한 것만을 〈보기〉에서 모두 고르면?

'종'이란 어떤 속성을 공유하는 덕분에 유사성을 갖는 개체들의 집합이다. 종에는 '자연종', '사회종' 등이 있다. 그렇다면 노인은 어떤 종인가? 철학자 A는 노인이 자연종이라고 본다. A는 자연종과 관련해 다음 조건을 제시한다. X에 속하는 개체들이 어떤 속성을 공유하고 X의 개체들이 이러한 속성을 공유하는 점이 자연법칙에 의해 설명되면, X는 자연종이다. 예를 들어 금 개체들은 어떤 속성을 공유하며, 이것들이 왜 이러한 속성을 공유하는지는 금의 원자 구조에 의해 자연법칙적으로 설명된다. 따라서 금은 자연종이다. A는 노인도 이와 같은 이유로 자연종이라는 것이다.

철학자 B는 이러한 A의 생각에 반대한다. 우선 그는 A가 제시한 조건이 자연종을 위한 충분조건이 아니라고 본다. 예를 들어 최근 제약회사에서 개발한 '○○백신'에 속하는 개체들은 어떤 속성을 공유하는데, 그 속성은 모두 자연법칙적으로 설명된다. 그럼에도 ○○백신은 인공적으로 만들어진 것으로서 자연종이 아니라는 것이다. B에 따르면 노인 역시 A가 제시한 조건을 만족하더라도 자연종이 아닐 수 있다. 더 나아가 B는 어떤 X가 자연종이 되기 위해서는 어떤 개체가 그 X에 속하는지 그렇지 않은지에 대한 선명한 구분 기준이 존재해야 한다고 본다. 노화는 구분 기준이 모호한 생물학적 과정이므로 노인과 비노인을 구분하는 선명한 경계는 존재하지 않는다. 따라서 노인은 자연종이 아니라는 것이다.

B에 따르면, 노인은 사회종이다. 노인을 사회종이라 할 수 있는 이유는 무엇인가? B는 사회종과 관련해 다음 조건을 제시한다. X에 속하는 개체들이 어떤 속성을 공유하고 X의 개체들이 이러한 속성을 공유하는 것이 사회적 규칙이나 관행에 의해 설명되면, X는 사회종이다. 대한민국에서 노인은 65세 이상이라는 속성을 공유하며, 이 점은 대한민국의 사회적 규칙이나 관행에 의해 설명된다. B는 노인이 이와 같은 이유로 사회종이라는 것이다.

보기

ㄱ. ○○백신에 속하는 개체들이 어떤 속성을 공유하고 그것들이 그러한 속성을 공유하는 것에 대한 자연법칙적 설명이 존재하면, A는 ○○백신이 자연종이라고 본다.

ㄴ. B는 금이 자연종이라면 무엇이 금인지 금이 아닌지에 대한 선명한 구분 기준이 존재한다고 본다.

ㄷ. 대한민국에서 희귀 질환으로 급격히 노화가 진행된 40세 한국인을 A는 노인이 아니라고 보지만, B는 노인이라고 본다.

① ㄱ
② ㄷ
③ ㄱ, ㄴ
④ ㄴ, ㄷ
⑤ ㄱ, ㄴ, ㄷ

226

다음 글의 갑 ~ 병에 대한 분석으로 적절한 것만을 〈보기〉에서 모두 고르면?

코페르니쿠스는 『천구의 회전에 관하여』에서 "다른 방식에서 발견할 수 없는 천구의 운동과 크기 사이의 조화로운 관계를 태양 중심 체계에서는 발견할 수 있다."라며 자신의 이론을 옹호했다. 이에 대하여 갑 ~ 병은 다음과 같은 견해를 제시했다.

갑 : 천구의 운동은 시간 개념인 행성의 회전 주기를, 천구의 크기는 공간 개념인 행성의 회전 반경을 말한다. 지구 중심 체계에서 금성을 보자. 회전 반경은 화성보다 작고 수성보다 크지만, 회전 주기는 화성보다 짧고 수성과 같다. 이처럼 지구 중심 체계에서 회전 주기와 회전 반경의 관계는 일관되지 않지만, 태양 중심 체계에서는 모든 행성에서 회전 반경이 클수록 회전 주기도 커진다. 코페르니쿠스는 이를 조화로운 관계라고 하며, 태양 중심 체계가 미적으로 뛰어나다는 것을 근거로 자신의 이론을 옹호하고 있다.

을 : 지구 중심 체계와 달리 태양 중심 체계에서 회전 주기와 회전 반경 사이에 일관된 관계가 성립한다는 것은 분명하다. 하지만 코페르니쿠스가 미적인 이유만으로 자신의 이론을 옹호하지는 않았을 것이다. 조화로운 관계가 성립해야 하는 이유에 대한 코페르니쿠스의 입장을 추가로 확인해 봐야만 한다.

병 : 그가 태양 중심 체계를 옹호하는 근거 중 하나로 회전 주기와 회전 반경 사이의 일관된 관계가 지닌 미적 특징을 들었다는 것은 부정할 수 없다. 하지만 그 관계는 태양 중심 체계의 과학적 특징도 보여준다. 무언가를 예측할 수 있는 이론은 그렇지 않은 것들보다 과학적이다. 태양 중심 체계는 회전 주기와 회전 반경 사이의 관계를 이용하여 여러 행성들의 움직임을 예측할 수 있다. 하지만 지구 중심 체계로는 그와 같은 예측이 불가능하다. 예측 가능성도 그가 태양 중심 체계를 옹호한 근거 중 하나로 생각해야 한다.

보기

ㄱ. 코페르니쿠스의 태양 중심 체계에서 행성의 회전 주기와 회전 반경 사이에 일관된 관계가 성립한다는 것에 갑, 을, 병 모두 동의한다.

ㄴ. 코페르니쿠스가 조화로운 관계를 미적으로 뛰어나다고 평가했다는 것에 대해서 갑은 동의하지만, 을은 동의하지 않는다.

ㄷ. 코페르니쿠스가 자신의 이론을 옹호하는 데 미적 우월성보다 예측 가능성을 더 중시했다는 것에 갑과 병은 동의한다.

① ㄱ
② ㄷ
③ ㄱ, ㄴ
④ ㄴ, ㄷ
⑤ ㄱ, ㄴ, ㄷ

227

2023년 PSAT 5급 공채 언어논리 40번

다음 〈사례〉가 발생했을 때, 다음 글의 갑 ~ 정의 입장을 적절하게 평가한 것만을 〈보기〉에서 모두 고르면?

갑 : 외계에 지성적 존재가 있다면 지구의 인간들은 그들과 의사소통할 수 있을까요? 우주를 보편적으로 지배하는 원리를 포함하는 이론을 외계인이 지니지 않는다면, 그 외계인은 은하계를 누빌 수 있는 우주선 제작과 같은 기술력을 갖추지 못할 것입니다. 외계인이 지닌 이론은 비록 우리의 것과 다른 방식으로 서술될 수는 있지만 그 내용은 동일할 것입니다. 그런 이론이 포함하는 원리는 우주를 보편적으로 지배합니다. 그리고 그런 이론을 지닌 외계인이 있다고 볼 충분한 이유가 있습니다. 그러므로 외계인이 그런 이론을 지닌다면, 그 외계인과 지구인 사이에는 의사소통이 가능할 것입니다.

을 : 상호 의사소통은 오직 공통된 생활양식을 함께했을 때에만 가능합니다. 그런데 원숭이나 고래 혹은 흰개미처럼 우리와 같은 환경 속에서 진화해 온 존재들조차 우리와 생활양식이 엄청나게 다르지요. 그러니 외계의 환경에서 발생하여 근본적으로 다른 진화 경로를 거쳐 온 이들, 즉 외계인들은 우리와 공통된 생활양식을 절대 함께할 수 없습니다.

병 : 지구에서든 우주 어디에서든, 행성의 운행이나 화학반응을 지배하는 원리는 동일하고 그런 원리를 포함하는 이론을 지닌 외계인이 있을 수 있다고 생각합니다. 하지만 그것으로는 의사소통이 이루어지기에 충분하지 않습니다. 그런 원리를 포함하는 이론을 표현하는 일상 언어를 사용하는 것이 추가되어야 합니다. 왜냐하면 그런 이론을 지니고 있더라도 일상 언어의 결여로 인해 의사소통에 실패하는 경우가 있을 수 있기 때문입니다. 결론적으로, 만약 어떤 외계인이 우주의 보편적 원리를 포함하는 이론을 지니고 그런 이론을 표현하는 일상 언어를 사용한다면, 설령 우리와 그들의 일상 언어가 다르더라도 그런 이론을 표현하는 일상 언어를 사용하는 지구인과 의사소통이 가능할 것입니다.

정 : 우주의 보편 원리를 포함하는 이론을 지니고 그것을 표현하는 일상 언어를 사용하는 외계인과 지구인이 있다고 합시다. 우주의 보편 원리를 포함하는 이론과 그것을 표현하는 일상 언어만으로는 이들 사이에 의사소통이 이루어지는 데 충분하지 않습니다. 그에 더해서 생물학적 유사성까지 충족된다면 의사소통이 가능할 것입니다. 생물학적 유사성을 갖기 위해서는 몇 가지 조건이 만족되어야 합니다. 그 중 한 가지는 신체 구조의 유사성입니다. 우리 지구를 방문한 외계인이 우리 인간과 전혀 다른 신체 구조를 지닌다면 우리는 그들의 행동을 우리 행동과 비교할 수 없고 그로 인해 이해도 할 수 없습니다. 그 점에서 신체 구조의 유사성은 생물학적 유사성을 갖기 위해 필요합니다.

〈사 례〉

지구인 김박사는 우주의 보편 원리를 포함하는 이론을 표현하는 일상 언어를 사용한다. 그는 우주선을 타고 안드로메다에 있는 한 행성에 도착했다. 거기서 만난 외계인 A는 지구인과 전혀 다른 신체 구조를 가지고 있으며 생활양식도 지구인과 매우 다르다. 또한 A는 우주의 보편 원리를 포함하는 이론을 갖고 있지 않다. 그는 지구인의 일상 언어를 쓰지 않고 그 행성의 일상 언어만을 사용한다.

― 〈보기〉 ―

ㄱ. 김박사가 A와 의사소통이 가능하다면, 을의 입장은 약화된다.

ㄴ. 김박사가 A와 의사소통이 가능하다면, 정의 입장은 강화되지 않는다.

ㄷ. 김박사가 A와 의사소통이 불가능하다면, 갑의 입장도 병의 입장도 약화되지 않는다.

① ㄱ   ② ㄷ   ③ ㄱ, ㄴ

④ ㄴ, ㄷ   ⑤ ㄱ, ㄴ, ㄷ

228

다음 논쟁에 대한 분석으로 적절한 것만을 〈보기〉에서 모두 고르면?

갑 : 입증은 증거와 가설 사이의 관계에 대한 것이다. 내가 받아들이는 입증에 대한 입장은 다음과 같다. 증거 발견 후 가설의 확률 증가분이 있다면, 증거가 가설을 입증한다. 즉 증거 발견 후 가설이 참일 확률에서 증거 발견 전 가설이 참일 확률을 뺀 값이 0보다 크다면, 증거가 가설을 입증한다. 예를 들어보자. 사건 현장에서 용의자 X의 것과 유사한 발자국이 발견되었다. 그럼 발자국이 발견되기 전보다 X가 해당 사건의 범인일 확률은 높아질 것이다. 그렇다면 발자국 증거는 X가 범인이라는 가설을 입증한다. 그리고 증거 발견 후 가설의 확률 증가분이 클수록, 증거가 가설을 입증하는 정도가 더 커진다.

을 : 증거가 가설이 참일 확률을 높인다고 하더라도, 그 증거가 해당 가설을 입증하지 못할 수 있다. 가령, X에게 강력한 알리바이가 있다고 해보자. 사건이 일어난 시간에 사건 현장과 멀리 떨어져 있는 X의 모습이 CCTV에 포착된 것이다. 그러면 발자국 증거가 X가 범인일 확률을 높인다고 하더라도, 그가 범인일 확률은 여전히 높지 않을 것이다. 그럼에도 불구하고 갑의 입장은 이러한 상황에서 발자국 증거가 X가 범인이라는 가설을 입증한다고 보게 만드는 문제가 있다. 이 문제는 내가 받아들이는 입증에 대한 다음 입장을 통해 해결될 수 있다. 증거 발견 후 가설의 확률 증가분이 있고 증거 발견 후 가설이 참일 확률이 1/2보다 크다면, 그리고 그런 경우에만 증거가 가설을 입증한다. 가령, 발자국 증거가 X가 범인일 확률을 높이더라도 증거 획득 후 확률이 1/2보다 작다면 발자국 증거는 X가 범인이라는 가설을 입증하지 못한다.

보기

ㄱ. 갑의 입장에서, 증거 발견 후 가설의 확률 증가분이 없다면 그 증거가 해당 가설을 입증하지 못한다.

ㄴ. 을의 입장에서, 어떤 증거가 주어진 가설을 입증할 경우 그 증거 획득 이전 해당 가설이 참일 확률은 1/2보다 크다.

ㄷ. 갑의 입장에서 어떤 증거가 주어진 가설을 입증하는 정도가 작더라도, 을의 입장에서 그 증거가 해당 가설을 입증할 수 있다.

① ㄴ   ② ㄷ   ③ ㄱ, ㄴ

④ ㄱ, ㄷ   ⑤ ㄱ, ㄴ, ㄷ

229

다음 글의 〈논쟁〉에 대한 분석으로 적절한 것만을 〈보기〉에서 모두 고르면?

갑과 을은 △△국 「주거법」 제○○조의 해석에 대해 논쟁하고 있다. 그 조문은 다음과 같다.

제○○조(비거주자의 구분) ① 다음 각 호에 해당하는 △△국 국민은 비거주자로 본다.
1. 외국에서 영업활동에 종사하고 있는 사람
2. 2년 이상 외국에 체재하고 있는 사람. 이 경우 일시 귀국하여 3개월 이내의 기간 동안 체재한 경우 그 기간은 외국에 체재한 기간에 포함되는 것으로 본다.
3. 외국인과 혼인하여 배우자의 국적국에 6개월 이상 체재하는 사람
② 국내에서 영업활동에 종사하였거나 6개월 이상 체재하였던 외국인으로서 출국하여 외국에서 3개월 이상 체재 중인 사람의 경우에도 비거주자로 본다.

〈논 쟁〉

쟁점 1 : △△국 국민인 A는 일본에서 2년 1개월째 학교에 다니고 있다. A는 매년 여름방학과 겨울방학 기간에 일시 귀국하여 2개월씩 체재하였다. 이에 대해, 갑은 A가 △△국 비거주자로 구분된다고 주장하는 반면, 을은 그렇지 않다고 주장한다.

쟁점 2 : △△국과 미국 국적을 모두 보유한 복수 국적자 B는 △△국 C 법인에서 임원으로 근무하였다. B는 올해 C 법인의 미국 사무소로 발령받아 1개월째 영업활동에 종사 중이다. 이에 대해, 갑은 B가 △△국 비거주자로 구분된다고 주장하는 반면, 을은 그렇지 않다고 주장한다.

쟁점 3 : △△국 국민인 D는 독일 국적의 E와 결혼하여 독일에서 체재 시작 직후부터 5개월째 길거리 음악 연주를 하고 있다. 이에 대해, 갑은 D가 △△국 비거주자로 구분된다고 주장하는 반면, 을은 그렇지 않다고 주장한다.

보기

ㄱ. 쟁점 1과 관련하여, 일시 귀국하여 체재한 '3개월 이내의 기간'이 귀국할 때마다 체재한 기간의 합으로 확정된다면, 갑의 주장은 옳고 을의 주장은 그르다.

ㄴ. 쟁점 2와 관련하여, 갑은 B를 △△국 국민이라고 생각하지만 을은 외국인이라고 생각하기 때문이라고 하면, 갑과 을 사이의 주장 불일치를 설명할 수 있다.

ㄷ. 쟁점 3과 관련하여, D의 길거리 음악 연주가 영업활동이 아닌 것으로 확정된다면, 갑의 주장은 그르고 을의 주장은 옳다.

① ㄱ   ② ㄷ   ③ ㄱ, ㄴ

④ ㄴ, ㄷ   ⑤ ㄱ, ㄴ, ㄷ

230

2013년 PSAT 5급 공채 언어논리 7번

다음 글에 나타난 견해들 간의 관계를 바르게 서술한 것은?

고대 그리스의 원자론자 데모크리토스는 자연의 모든 변화를 원자들의 운동으로 설명했다. 모든 자연현상의 근거는, 원자들, 빈 공간 속에서의 원자들의 움직임, 그리고 그에 따른 원자들의 배열과 조합의 변화라는 것이다.

한편 데카르트에 따르면 연장, 즉 퍼져있음이 공간의 본성을 구성한다. 그런데 연장은 물질만이 가지는 속성이기 때문에 물질 없는 연장은 불가능하다. 다시 말해 아무 물질도 없는 빈 공간이란 원리적으로 불가능하다. 데카르트에게 운동은 물속에서 헤엄치는 물고기의 움직임과 같다. 꽉 찬 물질 속에서 물질이 자리바꿈을 하는 것이다.

뉴턴에게 3차원 공간은 해체할 수 없는 튼튼한 집 같은 것이었다. 이 집은 사물들이 들어올 자리를 마련해 주기 위해 비어 있다. 사물이 존재한다는 것은 어딘가에 존재 한다는 것인데 그 '어딘가'가 바로 뉴턴의 절대공간이다. 비어 있으면서 튼튼한 구조물인 절대공간은 그 자체로 하나의 실체는 아니지만 '실체 비슷한 것'으로서, 객관적인 것, 영원히 변하지 않는 것이었다.

라이프니츠는 빈 공간을 부정한다는 점에서 데카르트와 의견을 같이했다. 그러나 데카르트가 뉴턴과 마찬가지로 공간을 정신과 독립된 객관적 실재로 보았던 반면, 라이프니츠는 공간을 정신과 독립된 실재라고 보지 않았다. 그가 보기에는 '동일한 장소'라는 관념으로부터 '하나의 장소'라는 관념을 거쳐 모든 장소들의 집합체로서의 '공간'이라는 관념이 나오는데, '동일한 장소'라는 관념은 정신의 창안물이다. 결국 '공간'은 하나의 거대한 관념적 상황을 표현하고 있을 뿐이다.

① 만일 공간의 본성에 관한 뉴턴의 견해가 옳다면, 라이프니츠의 견해도 옳다.

② 만일 공간의 본성에 관한 데카르트의 견해가 옳다면, 데모크리토스의 견해도 옳다.

③ 만일 공간의 본성에 관한 라이프니츠의 견해가 옳다면, 데카르트의 견해는 옳지 않다.

④ 만일 빈 공간의 존재에 관한 데카르트의 견해가 옳다면, 뉴턴의 견해도 옳다.

⑤ 만일 빈 공간의 존재에 관한 데모크리토스의 견해가 옳다면, 뉴턴의 견해는 옳지 않다.

231

2006년 PSAT 행정·외무고시 언어논리 25번

다음 두 사람의 대화를 통해 알 수 있는 내용은?

A : 현대 의학의 틀을 만들어낸 지난 한 세기 동안 의학의 발전상은 괄목할 만한 것이었습니다. 특히 페니실린 발견 이후 다양한 항생제가 개발되면서 여러 질병들을 치료할 수 있게 되었습니다.

B : 물론 현대 의학이 여러 질병들로부터 인간을 '해방'시킨 것은 사실입니다. 그러나 여기에는 현대의학에 대한 하나의 '신화'가 자리잡고 있다는 점도 간과해서는 안 될 것입니다. 현대 의학의 본질에 대한 좀 더 정밀한 검토가 필요합니다. 현대 의학이 엄청나게 발전한 것은 사실이지만, 아직 질병은 정복되지 않았습니다.

A : 그렇습니다. 암 문제만 하더라도 아직 획기적인 치료제를 개발해내지 못한 것이 사실입니다. 그러나 최근 연구 성과에 비춰 볼 때, 그리 멀지 않은 시간 내에 정복될 수 있을 것이라 믿습니다.

B : 제가 강조하고 싶은 것은 우리가 지금까지 현대 의학의 힘을 과대평가해 왔다는 점입니다. 단적인 예로 항생제만 하더라도 그렇습니다. 항생제에 내성을 지닌 세균들이 지속적으로 발생하고 있다는 점은 현대 의학의 문제점을 적나라하게 보여줍니다.

A : 물론 백 퍼센트 만족스러울 수는 없습니다. 하지만 인간의 평균 수명이 최근까지 큰 폭으로 증가해 온 것 하나만으로도 현대 의학의 공을 높이 평가할 수 있을 것입니다.

B : 하지만 평균 수명의 증가를 또 다른 관점에서 설명하는 의견에도 귀를 기울일 필요가 있습니다. 예컨대 건강 증진을 생활 조건의 향상이라는 측면에서 바라보는 맥퀀이나, 19세기 말에서 20세기 초에 걸쳐 영국에서의 사망률 감소가 노동자들의 실질 임금 증가와 노동 조건 개선에 힘입은 바 크다고 밝힌 블레인의 지적에 관심을 기울일 필요가 있습니다. 특히 고르에 따르면, 프랑스에서 개인당 약품 구매량은 1959년에서 1972년까지 13년 동안 2.7배로 늘어났음에도 불구하고 이 시기를 전후하여 사람들의 평균 수명은 거의 증가하지 않았습니다. 또 일리치의 말처럼, 의사의 개입이 병을 낫게 하기보다는 오히려 약의 부작용이나 잘못된 수술 후유증과 같은 병원성 질환을 초래할 가능성도 있습니다.

① B는 인간의 평균 수명 증가에 미친 의학 외적 요인의 중요성을 고려해야 한다고 지적한다.

② B는 지금까지 정복하지 못했던 난치병 역시 현대 의학의 발전으로 곧 치료 가능할 것이라는 사실에 동의한다.

③ A와 B 두 사람은 모두 현대 의학의 발전이 인간의 복지를 실질적이고 보편적으로 향상시킬 것이라는 점에 동의한다.

④ B는 약품 사용 증가와 그에 따른 부작용이 가까운 시일 내에 평균 수명의 증가에 심각한 악영향을 미칠 것이라고 주장한다.

⑤ B는 현대 의학의 발전이 질병으로부터 인간을 해방시키는 것에 그쳐서는 안 되고, 질병을 완전히 정복하는 수준까지 도달해야 한다고 주장한다.

232

다음 글의 〈논쟁〉에 대한 분석으로 적절한 것만을 〈보기〉에서 모두 고르면?

> 갑과 을은 「위원회의 운영에 관한 규정」 제8조에 대한 해석을 놓고 논쟁하고 있다. 그 조문은 다음과 같다.
>
> > 제8조(위원장 및 위원) ① 위원장은 위촉된 위원들 중에서 투표로 선출한다.
> > ② 위원장과 위원은 한 차례만 연임할 수 있다.
> > ③ 위원장의 사임 등으로 보선된 위원장의 임기는 전임 위원장 임기의 남은 기간으로 한다.

〈논 쟁〉

쟁점 1 : A는 위원을 한 차례 연임하던 중 그 임기의 마지막 해에 위원장으로 선출되어, 2년에 걸쳐 위원장으로 활동하고 있다. 이에 대해, 갑은 A가 규정을 어기고 있다고 주장하지만, 을은 그렇지 않다고 주장한다.

쟁점 2 : B가 위원장을 한 차례 연임하여 활동하던 중에 연임될 때의 투표 절차가 적법하지 않다는 이유로 위원장의 직위가 해제되었는데, 이후의 보선에 B가 출마하였다. 이에 대해, 갑은 B가 선출되면 규정을 어기게 된다고 주장하지만, 을은 그렇지 않다고 주장한다.

쟁점 3 : C는 위원장을 한 차례 연임하였고, 다음 위원장으로 선출된 D는 임기 만료 직전에 사퇴하였는데, 이후의 보선에 C가 출마하였다. 이에 대해, 갑은 C가 선출되면 규정을 어기게 된다고 주장하지만, 을은 그렇지 않다고 주장한다.

보기

ㄱ. 쟁점 1과 관련하여, 갑은 위원으로서의 임기가 종료되면 위원장으로서의 자격도 없는 것으로 생각하지만, 을은 위원장이 되는 경우에는 그 임기나 연임 제한이 새롭게 산정된다고 생각하기 때문이라고 하면, 갑과 을 사이의 주장 불일치를 설명할 수 있다.

ㄴ. 쟁점 2와 관련하여, 갑은 위원장이 부적법한 절차로 당선되었더라도 그것이 연임 횟수에 포함된다고 생각하지만, 을은 그렇지 않다고 생각하기 때문이라고 하면, 갑과 을 사이의 주장 불일치를 설명할 수 있다.

ㄷ. 쟁점 3과 관련하여, 위원장 연임 제한의 의미가 '단절되는 일 없이 세 차례 연속하여 위원장이 되는 것만을 막는다'는 것으로 확정된다면, 갑의 주장은 옳고, 을의 주장은 그르다.

① ㄱ   ② ㄷ   ③ ㄱ, ㄴ
④ ㄴ, ㄷ   ⑤ ㄱ, ㄴ, ㄷ

233

다음 갑~병의 견해에 대한 분석으로 적절한 것만을 〈보기〉에서 모두 고르면?

> 갑 : 현대 사회에서 '기술'이라는 용어는 낯설지 않다. 이 용어는 어떻게 정의될 수 있을까? 한 가지 분명한 사실은 우리가 기술이라고 부를 수 있는 것은 모두 물질로 구현된다는 것이다. 기술이 물질로 구현된다는 말은 그것이 물질을 소재 삼아 무언가 물질적인 결과물을 산출한다는 의미이다. 나노기술이나 유전자조합기술도 당연히 이 조건을 만족하는 기술이다.
>
> 을 : 기술은 반드시 물질로 구현되는 것이어야 한다는 말은 맞지만 그렇게 구현되는 것들을 모두 기술이라고 부를 수는 없다. 가령, 본능적으로 개미집을 만드는 개미의 재주 같은 것은 기술이 아니다. 기술로 인정되려면 그 안에 지성이 개입해 있어야 한다. 나노기술이나 유전자조합기술을 기술이라 부를 수 있는 이유는 둘 다 고도의 지성의 산물인 현대과학이 그 안에 깊이 개입해 있기 때문이다. 더 나아가 기술에 대한 우리의 주된 관심사가 현대 사회에 끼치는 기술의 막강한 영향력에 있다는 점을 고려할 때, '기술'이란 용어의 적용을 근대 과학혁명 이후에 등장한 과학이 개입한 것들로 한정하는 것이 합당하다.
>
> 병 : 근대 과학혁명 이후의 과학이 개입한 것들이 기술이라는 점을 부인하지 않는다. 하지만 그런 과학이 개입한 것들만 기술로 간주하는 정의는 너무 협소하다. 지성이 개입해야 기술인 것은 맞지만 기술을 만들어내기 위해 과학의 개입이 꼭 필요한 것은 아니다. 오히려 기술은 과학과 별개로 수많은 시행착오를 통해 발전해 나가기도 한다. 이를테면 근대 과학혁명 이전에 인간이 곡식을 재배하고 가축을 기르기 위해 고안한 여러 가지 방법들도 기술이라고 불러야 마땅하다. 따라서 우리는 '기술'을 더 넓게 적용할 수 있도록 정의할 필요가 있다.

보기

ㄱ. '기술'을 적용하는 범위는 셋 중 갑이 가장 넓고 을이 가장 좁다.

ㄴ. 을은 '모든 기술에는 과학이 개입해 있다.'라는 주장에 동의하지만, 병은 그렇지 않다.

ㄷ. 병은 시행착오를 거쳐 발전해온 옷감 제작법을 기술로 인정하지만, 갑은 그렇지 않다.

① ㄱ   ② ㄴ   ③ ㄱ, ㄷ
④ ㄴ, ㄷ   ⑤ ㄱ, ㄴ, ㄷ

234

2019년 PSAT 5급 공채 언어논리 29번

다음 글의 ㈀으로 가장 적절한 것은?

> 갑 : 우리는 타인의 언어나 행동을 관찰함으로써 타인의 마음을 추론한다. 예를 들어, 우리는 철수의 고통을 직접적으로 관찰할 수 없다. 그러면 철수가 고통스러워한다는 것을 어떻게 아는가? 우리는 철수에게 신체적인 위해라는 특정 자극이 주어졌다는 것과 그가 신음 소리라는 특정 행동을 했다는 것을 관찰힘으로써 철수가 고통이라는 심리 상태에 있다고 추론하는 것이다.
>
> 을 : 그러한 추론이 정당화되기 위해서는 내가 보기에 ㈀A 원리가 성립한다고 가정해야 한다. 그렇지 않다면, 특정 자극에 따른 철수의 행동으로부터 철수의 고통을 추론하는 것은 잘못이다. 그런데 A 원리가 성립하는지는 아주 의심스럽다. 예를 들어, 로봇이 우리 인간과 유사하게 행동할 수 있다고 하더라도 로봇이 고통을 느낀다고 생각하는 것은 잘못일 것이다.
>
> 병 : 나도 A 원리는 성립하지 않는다고 생각한다. 아무런 고통을 느끼지 못하는 사람이 있다고 해 보자. 그런데 그는 고통을 느끼는 척하는 방법을 배운다. 많은 연습 끝에 그는 신체적인 위해가 가해졌을 때 비명을 지르고 찡그리는 등 고통과 관련된 행동을 완벽하게 해낸다. 그렇지만 그가 고통을 느낀다고 생각하는 것은 잘못일 것이다.
>
> 정 : 나도 A 원리는 성립하지 않는다고 생각한다. 위해가 가해져 고통을 느끼지만 비명을 지르는 등 고통과 관련된 행동은 전혀 하지 않는 사람도 있기 때문이다. 가령 고통을 느끼지만 그것을 표현하지 않고 잘 참는 사람도 많지 않은가? 그런 사람들을 예외적인 사람으로 치부할 수는 없다. 고통을 참는 것이 비정상적인 것은 아니다.
>
> 을 : 고통을 참는 사람들이 있고 그런 사람들이 비정상적인 것은 아니라는 데는 나도 동의한다. 하지만 그러한 사람의 존재가 내가 얘기한 A 원리에 대한 반박 사례인 것은 아니다.

① 어떤 존재의 특정 심리 상태 X가 관찰 가능할 경우, X는 항상 특정 자극에 따른 행동 Y와 동시에 발생한다.

② 어떤 존재의 특정 심리 상태 X가 항상 특정 자극에 따른 행동 Y와 동시에 발생할 경우, X는 관찰 가능한 것이다.

③ 어떤 존재에게 특정 자극에 따른 행동 Y가 발생할 경우, 그 존재에게는 항상 특정 심리 상태 X가 발생한다.

④ 어떤 존재에게 특정 심리 상태 X가 발생할 경우, 그 존재에게는 항상 특정 자극에 따른 행동 Y가 발생한다.

⑤ 어떤 존재에게 특정 심리 상태 X가 발생할 경우, 그 존재에게는 항상 특정 자극에 따른 행동 Y가 발생하고, 그 역도 성립한다.

235

2019년 PSAT 5급 공채 언어논리 36번

다음 글의 A ~ D에 대한 분석으로 적절한 것만을 〈보기〉에서 모두 고르면?

> A : '정격연주'란 음악을 연주할 때 그것이 작곡된 시대에 연주된 느낌을 정확하게 구현하는 것을 목표로 하는 연주이다. 그럼 어떻게 정격연주가 가능할까? 그 방법은 옛 음악을 작곡 당시에 공연된 것과 똑같이 재연하는 것이다. 이런 연주는 가능하며, 그렇다면 우리는 음악이 삭곡되었던 때와 똑같은 느낌을 구현할 수 있을 것이다.
>
> B : 옛 음악을 작곡 당시에 연주된 것과 똑같이 재연하는 것은 이상일 뿐이지 현실화할 수 없다. 18세기 오페라 공연에서 거세된 사람만 할 수 있었던 카스트라토 역을 오늘날에는 도덕적인 이유에서 여성 소프라노가 맡아서 노래한다. 따라서 과거와 현재의 연주 관습상 차이 때문에, 옛 음악을 작곡 당시와 똑같이 재연하는 것은 불가능하다.
>
> C : 똑같이 재연하지 못한다고 해서 정격연주가 불가능한 것은 아니다. 작곡자는 명확히 하나의 의도를 갖고 작품을 창작한다. 작곡자가 자신의 작품이 어떻게 들리기를 의도했는지 파악해 연주하면, 작곡된 시대에 연주된 느낌을 정확하게 구현할 수 있다. 따라서 작곡자의 의도를 파악할 수 있다면 정격연주를 할 수 있다.
>
> D : 작곡자의 의도대로 한 연주가 작곡된 시대에 연주된 느낌을 정확하게 구현하지 못할 수 있다. 작곡된 시대에 연주된 느낌을 정확하게 구현하려면 작곡자의 의도뿐만 아니라 당시의 연주 관습도 고려해야 한다. 전근대 시대에 악기 구성이나 프레이징 등은 작곡자의 의도만이 아니라 연주자와 연주 상황에 따라 관습적으로 결정되었다. 따라서 작곡자의 의도와 연주 관습을 모두 고려하지 않는다면 정격연주를 실현할 수 없다.

―――――――――― 보기 ――――――――――

ㄱ. A와 C는 옛 음악을 과거와 똑같이 재연한다면 과거의 연주 느낌이 구현될 수 있다는 것을 부정하지 않는다.

ㄴ. B는 어떤 과거 연주 관습은 현대에 똑같이 재연될 수 없다는 것을 인정하지만 D는 그렇지 않다.

ㄷ. C와 D는 작곡자의 의도를 파악한다면 정격연주가 가능하다는 것에 동의한다.

① ㄱ   ② ㄴ   ③ ㄱ, ㄷ

④ ㄴ, ㄷ   ⑤ ㄱ, ㄴ, ㄷ

236

다음 A, B 두 사람의 논쟁에 대한 분석으로 가장 적절한 것은?

A1 : 최근 인터넷으로 대표되는 정보통신기술 혁명은 과거 유례를 찾을 수 없을 정도로 세상이 돌아가는 방식을 근본적으로 바꿔놓았다. 정보통신기술 혁명은 물리적 거리의 파괴로 이어졌고, 그에 따라 국경 없는 세계가 출현하면서 국경을 넘나드는 자본, 노동, 상품에 대한 규제가 철폐될 수밖에 없는 사회가 되었다. 이제 개인이나 기업 혹은 국가는 과거보다 훨씬 더 유연한 자세를 견지해야 하고, 이를 위해서는 강력한 시장 자유화가 필요하다.

B1 : 변화를 인식할 때 우리는 가장 최근의 것을 가장 혁신적인 것으로 생각하는 경향이 있다. 인터넷 혁명의 경제적, 사회적 영향은 최소한 지금까지는 세탁기를 비롯한 가전제품만큼 크지 않았다. 가전제품은 집안일에 들이는 노동시간을 대폭 줄여줌으로써 여성들의 경제활동을 촉진했고, 가족 내의 전통적인 역학관계를 바꾸었다. 옛것을 과소평가해서도 안 되고 새것을 과대평가해서도 안 된다. 그렇게 할 경우 국가의 경제정책이나 기업의 정책은 물론이고 우리 자신의 직업과 관련해서도 여러 가지 잘못된 결정을 내리게 된다.

A2 : 인터넷이 가져온 변화는 가전제품이 초래한 변화에 비하면 전 지구적인 규모이고 동시적이라는 점에 주목해야 한다. 정보통신기술이 초래한 국경 없는 세계의 모습을 보라. 국경을 넘어 자본, 노동, 상품이 넘나들게 됨으로써 각 국가의 행정 시스템은 물론 세계 경제 시스템에도 변화가 불가피하게 되었다. 그런 점에서 정보통신기술의 영향력은 가전제품의 영향력과 비교될 수 없다.

B2 : 최근의 기술 변화는 100년 전에 있었던 변화만큼 혁명적이라고 할 수 없다. 100년 전의 세계는 1960~1980년에 비해 통신과 운송 부문에서의 기술은 훨씬 뒤떨어졌으나 세계화는 오히려 월등히 진전된 상태였다. 사실 1960~1980년 사이에 강대국 정부가 자본, 노동, 상품이 국경을 넘어 들어오는 것을 엄격하게 규제했기에 세계화의 정도는 그리 높지 않았다. 이처럼 세계화의 정도를 결정하는 것은 정치이지 기술력이 아니다.

① 이 논쟁의 핵심 쟁점은 정보통신기술 혁명과 가전제품을 비롯한 제조분야 혁명의 영향력 비교이다.

② A1은 최근의 정보통신기술 혁명으로 말미암아 자본, 노동, 상품이 국경을 넘나드는 것이 보편적 현상이 되었다는 점을 근거로 삼고 있다.

③ B1은 A1이 제시한 근거가 다 옳다고 하더라도 A1의 주장을 받아들일 수 없다고 주장하고 있다.

④ B1과 A2는 인터넷의 영향력에 대한 평가에는 의견을 달리 하지만 가전제품의 영향력에 대한 평가에는 의견이 일치한다.

⑤ B2는 A2가 원인과 결과를 뒤바꾸어 해석함으로써 현상에 대한 잘못된 진단을 한다고 비판하고 있다.

237

다음 대화에 대한 분석으로 적절하지 않은 것은?

가영 : 확보된 증거에 비추어볼 때 갑과 을 두 사람 중 적어도 한 사람에게 사고의 책임이 있을 개연성이 무척 높기는 하지만, 갑에게 책임이 없다고 밝혀진 것만으로는 을의 책임 관계를 확정할 수 없습니다.

나정 : 책임 소재에 관한 어떤 증거도 없는 경우라면 모르지만, 둘 중 한 사람에게 사고의 책임이 있다는 것을 꽤 지지하는 증거가 확보된 경우에는 그렇게 말할 수 없습니다. '갑 아니면 을이다. 그런데 갑이 아니다. 그렇다면 을이다.'라고 추론해야지요.

가영 : 그 논리적 추론이야 물론 당연합니다. 하지만 문제는 우리가 지금 토론하고 있는 상황이 그 추론의 결론을 반드시 수용해야 하는 경우가 아니라는 것입니다. '갑 아니면 을이다.'가 확실히 참이라고 말할 수 없기 때문이지요.

나정 : 앞에서 증거에 의해 '갑, 을 두 사람 중 적어도 한 사람에게 사고의 책임이 있을 개연성이 무척 높다.'라고 전제하지 않았습니까? 그런 경우에 '갑 아니면 을이다.'를 참이라고 수용해야 하는 것 아닌가요?

가영 : 그렇지 않습니다. 아무리 개연성이 높은 판단이라고 할지라도 결국에는 거짓으로 밝혀지는 경우가 드물지 않습니다. 가령, 나중에 을에게 책임이 없음을 확실히 입증하는 증거가 나타나는 상황을 배제할 수 없습니다. 그런 증거가 나타나는 경우, 둘 중 적어도 한 사람에게 책임이 있다고 보았던 최초의 전제의 개연성이 흔들리고 그 전제를 참이라고 수용할 수 없게 됩니다.

나정 : 여러 가지 상황 때문에 우리가 취할 수 있는 증거는 제한적일 수밖에 없으며, 이에 제한된 증거만으로 책임 관계의 판단을 확정하는 것은 쉽지 않습니다. 하지만 그렇다고 언제까지 판단을 미룰 수는 없습니다. 우리는 확보된 증거를 이용해 전제들의 개연성을 파악해야 하고 그 전제들로부터 논리적으로 추론하여 결론을 이끌어 내야 합니다. 나타나지도 않은 증거를 기다릴 일이 아니라, 확보된 증거를 충분히 고려해 을에게 사고의 책임을 물어야 한다는 것입니다.

① 가영과 나정은 모두 책임 소재의 규명에서 증거의 역할을 부정하지 않는다.

② 가영은 책임 소재를 규명하는 과정에서 사용되는 전제의 개연성은 달라질 수 있다고 주장한다.

③ 가영과 달리 나정은 어떤 판단의 개연성이 충분히 높다면 그 판단을 수용할 수 있다고 주장한다.

④ 나정은 가영의 견해에 따를 경우 책임 소재에 관한 판단이 계속 미결 상태로 표류할 수도 있다고 주장한다.

⑤ 나정과 달리 가영은 참인 전제들로부터 논리적 추론을 이용해서 도출된 결론이 거짓일 수 있다고 주장한다.

238

2016년 PSAT 5급 공채 언어논리 34번

다음 글의 ㉠에 대한 두 비판을 평가한 것으로 적절한 것만을 〈보기〉에서 모두 고르면?

경제 불평등은 어떻게 해결할 수 있을까? '㉠<u>로빈후드 각본</u>'이라고 불리는 방법은 막대한 부를 소유한 사람에게 세금을 통해 돈을 걷어 가난한 사람에게 나눠주는 것을 말한다. 가령 수조 원대의 자산가에게 10억 원을 받아 형편이 어려운 100명에게 천만 원씩 나눠준다고 가정해보자. 그 자산가에게 10억 원이라는 돈은 크게 아쉽지 않지만, 형편이 어려운 사람들에게 천만 원이라는 돈은 무척 소중하다. 따라서 이런 재분배 방식을 통해 사회 전체의 공리는 상승하여 최대화될 것이다.

이런 로빈후드 각본은 두 가지 방식으로 비판받을 수 있다. 첫 번째는 자산가들에게 많은 세금을 부과해 재분배하는 방식이 자산가의 일과 투자에 대한 의욕을 꺾어 생산성의 감소로 이어질 수 있다는 것이다. 이렇게 생산성이 감소한다면, 사회 전체의 경제 이익이 줄어 전체 공리도 감소할 것이다. 따라서 로빈후드 각본은 사회 전체의 공리를 최대화하는 데 적합하지 않다. 두 번째는 부자에게 세금을 부과해 가난한 사람들을 돕는 행위가 기본권을 침해할 수 있다는 것이다. 자산가가 동의하지 않은 상태에서 그의 돈을 가져가는 행위는 자산가의 자유를 침해하는 강압 행위이다. 자유는 조금도 침해될 수 없는 절대적 가치이며 다수를 위해 소수의 희생을 강요하는 것은 절대 불가하다. 따라서 로빈후드 각본에 의한 부의 재분배는 인간의 기본권을 훼손하는 것이다.

〈보기〉

ㄱ. 세금을 통한 재분배 방식이 생산성을 감소시킬 뿐만 아니라 빈부 격차를 심화시킨다면, 첫 번째 비판은 강화된다.

ㄴ. 부의 재분배가 기본권의 침해보다 투자 의욕 감소에 더 큰 영향을 준다면, 두 번째 비판은 약화된다.

ㄷ. 행복한 삶을 추구할 수 있는 권리를 보호하기 위한 부의 재분배가 사회 갈등을 해소시켜 생산성이 증가한다면, 첫 번째 비판은 약화되지만 두 번째 비판은 약화되지 않는다.

① ㄱ   ② ㄴ   ③ ㄱ, ㄷ

④ ㄴ, ㄷ   ⑤ ㄱ, ㄴ, ㄷ

239

2013년 PSAT 5급 공채 언어논리 17번

다음 글에서 B가 A의 논증을 비판하기 위해 사용할 수 있는 주장으로 적절하지 <u>않은</u> 것은?

두 사람의 과학자가 외계인의 존재에 대해 논쟁하였다. 물리학자 A는 이렇게 반문하였다. 우주에 우리와 같은 지성을 갖춘 존재들이 넘쳐난다면 그들은 어디에 있는가? A가 생각한 것은 외계 지적 생명체가 지구 바깥에 아주 많이 있다면, 적어도 그들 중 일부는 기술적으로 우리보다 앞서 있을 것이라는 점이다. 그들은 우주를 탐사하는 장치를 만들었을 것이고, 우주선으로 우주여행을 할 수 있었을 것이다. 그렇다면 우리가 오래 전에 외계 지적 생명체의 증거를 보았어야 하지만, 아직까지 그러한 증거는 발견된 적이 없다. 따라서 A는 외계 지적 생명체가 존재하지 않는다고 결론을 내렸다.

이에 대해 천문학자 B는 다음과 같이 반박하였다. 우리의 태양, 행성, 또는 우리의 물리 화학적 구조에 특별한 것이 없으므로, 그와 비슷한 대상과 행성들도 많이 있을 것이다. 그리고 우리와 마찬가지로 탄소에 기반을 두고 진화한 생물이 은하계에 많이 있을 것이다. 그렇다면 은하계의 많은 곳에는 우리와 크게 다르지 않은 존재들이 분명히 있을 것이다. 따라서 B는 은하계에 지성을 갖춘 인간과 같은 생명체가 많이 있을 것이라 결론을 내렸다.

① 생물학의 법칙은 전 우주에서 동일하게 적용된다.

② 행성 간의 거리 때문에 외계 생명체와의 상호작용이 일어나기 어렵다.

③ 외계 생명체의 증거를 포착할 만큼 우리의 측정기술이 발전하지 못했을 수도 있다.

④ 외계 지적 생명체는 우주 탐사 장치를 만들 정도로 기술을 발달시키지 못했을 수 있다.

⑤ 외계 지적 생명체의 증거가 없다고 해서 외계 지적 생명체가 존재하지 않는다고 단정할 수 없다.

240

다음 글에 나타난 견해 (가)와 (나)에 대한 평가로 적절하지 <u>않은</u> 것은?

영희와 철수는 각자 인사동에 있는 어떤 미술관에 가려 한다. 영희는 지난 번 미술관에 갔던 기억을 되살려 그 위치를 생각해 내고는 미술관으로 향한다. 철수는 위치를 잘 기억 하지 못하는 특이한 질환이 있어서 기억해야 할 장소에 관한 위치정보를 늘 스마트폰에 저장해둔다. 그래서 철수는 이번에도 스마트폰에 저장된 미술관의 위치를 확인하고는 미술관으로 향한다. 이 두 사람은 미술관의 위치정보에 관한 믿음 A를 갖고 있는가? 이 물음에 대한 두 가지 견해를 살펴보자.

〈견해 (가)〉
○ 영희는 믿음 A를 가지고 있지만 철수는 그렇지 않다.

영희는 기억을 되살려 미술관의 위치를 생각해내기 전에 이미 믿음 A를 갖고 있었다. 믿음을 갖고 있느냐의 여부는 그 믿음의 내용을 계속 의식하고 있느냐에 달려있지는 않다. 미술관으로 향하는 영희의 행위는 "미술관에 가고 싶다."는 욕구 B와 믿음 A에 의해 설명될 수 있다. 반면 철수에게는 믿음 A를 귀속시킬 수 없고, 그의 행위는 믿음 A가 아니라 "미술관의 위치가 스마트폰에 저장되어 있다."는 믿음 C, 스마트폰에 저장된 정보에 대한 그의 신뢰 D, 미술관에 가고 싶다는 욕구 B 등의 항목을 통해 설명된다.

〈견해 (나)〉
○ 철수도 영희와 마찬가지로 믿음 A를 가지고 있다.

철수의 행위도 영희의 경우와 똑같이 믿음 A와 "미술관에 가고 싶다."는 욕구 B를 통해 설명된다. 두 사람의 차이는 믿음 내용의 소재(所在) 차이뿐이다. 즉 영희의 경우 믿음 A의 내용이 두뇌에 저장되어 있었고, 철수의 경우 스마트폰에 저장되어 있었다. 그런데 만일 스마트폰에 저장된 미술관의 위치정보를 칩에 저장하여 철수의 머리에 이식했다고 하자. 이 경우 칩에 저장된 정보는 철수의 믿음으로 인정될 수 있을 것이다. 그런데 칩이 머릿속에 있는가 그렇지 않은가는 철수가 믿음 A를 가지고 있는지를 판별하는 기준이 될 수 없다. 따라서 철수의 스마트폰에 저장된 미술관의 위치 정보도 믿음 A로 인정되어야 한다. 누군가 이를 부인하려면 두 경우 사이의 '본질적인 차이'가 제시되어야 할 것인데, 여기서는 그런 차이가 눈에 띄지 않는다.

① 욕구와 믿음을 통하여 행위를 설명한다는 점에서 (가)와 (나)는 다르지 않지만, 철수에게 귀속시키는 믿음 내용은 서로 다르다.

② 미술관의 위치정보가 영희의 경우에 두뇌에 저장되어 있고, 철수의 경우에 그 정보가 스마트폰에 저장되어 있다는 차이는, (나)에 의하면 '본질적인 차이'에 해당하지 않는다.

③ 스마트폰을 찾아보기 이전에 믿음 A를 실제로 이식하고 있지 않았다는 이유로 철수에게 믿음 A를 귀속시킬 수 없다고 (나)를 비판한다면, (가)의 영희도 그런 비판을 받을 수 있다.

④ 영희와 철수의 행위에 대한 (가)와 (나)의 설명력이 동일하다고 가정하고, "설명에 필요한 항목의 개수가 적을수록 좋다"는 경제성의 원리를 받아들인다면, (나)에 비해 (가)가 우월하다.

⑤ 영희의 경우에는 기억을 떠올리는 데에 외적인 행위나 지각이 필요 없지만, 철수의 경우에는 스마트폰을 보고 조작하는 지각이나 행위가 개입된다는 차이를 '본질적인 차이'로 본다면 (나)는 약화된다.

241

다음 갑 ~ 병의 견해에 대한 분석으로 적절한 것만을 〈보기〉에서 모두 고르면?

갑 : 인간과 달리 여타의 동물에게는 어떤 형태의 의식도 없다. 소나 개가 상처를 입었을 때 몸을 움츠리고 신음을 내는 통증 행동을 보이기는 하지만 실제로 통증을 느끼는 것은 아니다. 동물에게는 통증을 느끼는 의식이 없으므로 동물의 행동은 통증에 대한 아무런 느낌 없이 이루어지는 것이다. 우리는 늑대를 피해 도망치는 양을 보고 양이 늑대를 두려워한다고 말한다. 그러나 두려움을 느낀다는 것은 의식적인 활동이므로 양이 두려움을 느끼는 일은 일어날 수 없다. 양의 행동은 단지 늑대의 몸에서 반사된 빛이 양의 눈을 자극한 데 따른 반사작용일 뿐이다.

을 : 동물이 통증 행동을 보일 때는 실제로 통증을 의식한다고 보아야 한다. 동물은 통증을 느낄 수 있으나 다만 자의식이 없을 뿐이다. 우리는 통증을 느낄 수 있는 의식과 그 통증을 '나의 통증'이라고 느낄 수 있는 자의식을 구별해야 한다. 의식이 있어야만 자의식이 있지만, 의식이 있다고 해서 반드시 자의식을 갖는 것은 아니다. 세 번의 전기충격을 받은 쥐는 그때마다 통증을 느끼지만, '내'가 전기충격을 세 번 받았다고 느끼지는 못한다. '나의 통증'을 느끼려면 자의식이 필요하며, 통증이 '세 번' 있었다고 느끼기 위해서도 자의식이 필요하다. 자의식이 없으면 과거의 경험을 기억하는 일은 불가능하기 때문이다.

병 : 동물이 아무것도 기억할 수 없다는 주장을 인정하고 나면, 동물이 무언가를 학습할 수 있다는 주장은 아예 성립할 수 없을 것이다. 그렇게 되면 동물의 학습에 관한 연구는 무의미해질 것이다. 하지만 어느 이웃에게 한 번 발로 차인 개는 그를 만날 때마다 그 사실을 기억하고 두려움을 느끼며 몸을 피한다. 그렇다면 무언가를 기억하기 위해 자의식이 꼭 필요한 것일까. 그렇지는 않아 보인다. 실은 인간조차도 아무런 자의식 없이 무언가를 기억하여 행동할 때가 있다. 하물며 동물은 말할 것도 없을 것이다. 또한, 과거에 경험한 괴로운 사건은 '나의 것'이라고 받아들이지 않고도 기억될 수 있다.

보기

ㄱ. 갑과 병은 동물에게 자의식이 없다고 여긴다.

ㄴ. 갑과 을은 동물이 의식 없이 행동할 수 있다고 여긴다.

ㄷ. 을에게 기억은 의식의 충분조건이지만, 병에게 기억은 학습의 필요조건이다.

① ㄱ   ② ㄷ   ③ ㄱ, ㄴ

④ ㄴ, ㄷ   ⑤ ㄱ, ㄴ, ㄷ

242

2006년 PSAT 행정·외무고시 언어논리 38번

다음 상황에서 교수는 영수에게 10점을 더 주기로 한 자신의 결정을 아래 논증과 같이 정당화하였다. 교수와 동일한 도덕적 원칙에 입각하여 교수의 결정을 비판한다고 할 때 가장 적절한 것은?

체육과 4학년 영수는 자신이 행정학 과목에서 10점이 모자라서 F학점을 받게 된다는 것을 알게 되었다. F학점을 받으면 영수는 졸업을 할 수 없고 그에게 보장된 코치직도 맡을 수 없게 된다. 그래서 영수는 담당 교수를 찾아가 "교수님께서 제게 10점을 더 주신다고 하더라도 저는 아무에게도 그 사실을 말하지 않을 것입니다. 저는 결혼을 했고 아이도 하나 있습니다. 졸업을 하지 못하면 저는 예정된 직장을 잃게 되고 저의 가족은 상당한 어려움을 겪게 될 것입니다. 사실 저는 돈이 없어 중퇴를 해야 할지도 모릅니다. 저는 이번 학기에도 일주일에 40시간씩 일했습니다." 라고 말했다.

〈교수의 논증〉

인간의 행위를 평가하는 원칙은 개별 행위가 결과적으로 최대의 유용성 또는 다른 행위보다 더 많은 유용성을 산출해야 한다는 것이다. 내가 영수의 요청대로 10점을 더 준다면 최대의 유용성이 산출될 것이다.

우선 영수는 졸업할 수 있을 것이고 약속된 직장을 얻어 남편·아버지로서의 역할을 제대로 할 수 있을 것이다. 그러므로 영수와 그의 가족에게는 당연히 이익이 될 것이다.

한편 다른 학생들의 점수에는 아무 변화도 없을 것이므로 영수가 발설하지 않는 한 아무도 나를 비난하지 않을 것이다. 또 행위의 도덕적 정당성은 최대의 유용성에 있으므로 나는 양심의 가책을 느낄 필요도 없다. 따라서 영수에게 10점을 더 주는 것이 옳다.

① 영수가 연민에 호소하고 있다는 사실을 간과했다.
② 영수가 얻는 이익보다 다른 학생들이 입는 피해가 클 수 있다는 사실을 간과했다.
③ 성적 평가에서는 공정성이 제 1의 원칙이 되어야 한다는 사실을 간과했다.
④ 이런 결정을 내리는 데 드는 정신적 비용은 영수의 이익에 비해 미미하다는 점을 무시했다.
⑤ 이런 일을 심각하게 고민한다고 해서 교수 자신의 이익이 증대되는 것은 아니라는 점을 간과했다.

243

2006년 PSAT 행정·외무고시 언어논리 21번

다음 글에서 A사는 인터넷 종량제의 필요성을 주장하고 있다. A사가 제시한 근거에 대한 적절한 반론을 〈보기〉에서 모두 고르면?

최근 누리꾼 사이에서 인터넷 종량제에 관한 논쟁이 뜨겁다. 인터넷 사용 시간과 데이터 전송량만큼 요금을 부과하겠다는 종량제는 사용량에 관계없이 일정 요금을 부과하는 정액제보다 일견 합리적으로 보인다. 하지만 이는 우리의 인터넷 문화를 근본적으로 바꿀 만큼 파괴력이 큰 사안이기도 하다.

A사는 최근 국회에 제출한 보고서에서 인터넷 사용자 중 사용량 상위 5%가 전체 사용량의 50%를 차지하는 데 비해 하위 50%가 겨우 5%를 사용하는 현실은 '제2의 디지털 디바이드'※를 가져올 수 있다고 지적하면서, 이 문제를 해결하는 방안으로 종량제를 거론하고 있다. 또한 A사는 사용량에 따라 요금을 부담시키는 종량제를 인터넷 중독 현상의 확산에 대한 해법이자 과다 사용자로 인한 인터넷 저속화 현상에 대한 대안으로 제시하고 있다.

그렇다면 과연 종량제가 모든 문제를 해결할 수 있을까. A사 경영연구소의 논문에 따르면, 경쟁이 치열한 시장에서는 정액제를 채택하는 것이 사업자에게 유리하고 유럽과 같이 비교적 경쟁이 덜한 시장에서는 종량제를 채택하는 것이 유리하다. 초고속 인터넷 시장이 A사와 B사의 양강(兩强)으로 재편된 지금 A사의 종량제 주장은 사업자로서 당연한 선택으로 보인다. 하지만 정액제의 포기가 가져올 영향도 고려해야만 한다.

※ 디지털 디바이드 : 정보 격차. 디지털 시대에 정보 접근과 정보 이용이 가능한 자와 그렇지 못한 자 사이에 나타나는 경제적·사회적 불균형.

보기

ㄱ. A사와 B사의 양강 구도 하에서 종량제의 채택은 통신 시장의 경쟁을 과열시켜 결국 정액제로의 회귀를 불러 올 것이다.
ㄴ. 담뱃값 인상과 흡연의 상관관계에서 경험하는 것과 마찬가지로 요금 인상을 통해 인터넷 중독의 위험이 얼마나 경감될지는 의심스럽다.
ㄷ. 인터넷 저속화에 대한 사용자의 불만은 사용이 집중되는 특정 시간대의 사용 시간을 제한하는 '변형된 정액제'를 통해 해결 가능하다.
ㄹ. 인터넷 접속 시간과 데이터 전송량 같은 요소들로 측정된 인터넷 사용량은 디지털 디바이드를 판단하는 충분한 기준이 될 수 없다.

① ㄱ, ㄴ   ② ㄴ, ㄷ   ③ ㄷ, ㄹ
④ ㄱ, ㄴ, ㄷ   ⑤ ㄴ, ㄷ, ㄹ

다음 글의 논지에 대한 반론으로 가장 적절한 것은?

공화정 체제는 영원한 평화에 대한 바람직한 전망을 제시한다. 그 이유는 다음과 같다. 전쟁을 할 것인가 말 것인가를 결정하려면 공화제 하에서는 국민의 동의가 필요한데, 이 때 국민은 자신의 신상에 다가올 전쟁의 재앙을 각오해야 하기 때문에 그런 위험한 상황을 감수하는 데 무척 신중하리라는 것은 당연하다. 전쟁의 소용돌이에 빠져들 경우, 국민들은 싸움터에 나가야 하고, 자신들의 재산에서 전쟁 비용을 염출해야 하며, 전쟁으로 인한 피해를 고생스럽게 복구해야 한다. 또한 다가올 전쟁 때문에 지금의 평화마저도 온전히 누리지 못하는 부담을 떠안을 수밖에 없다.

그러나 군주제 하에서는 전쟁 선포의 결정이 지극히 손쉬운 일이다. 왜냐하면 군주는 국가의 한 구성원이 아니라 소유자이며, 전쟁 중이라도 사냥, 궁정 연회 등이 주는 즐거움을 아무 지장 없이 누릴 수 있을 것이기 때문이다. 따라서 군주는 사소한 이유로, 예를 들어 한낱 즐거운 유희를 위해 전쟁을 결정할 수도 있다. 그리고 전혀 대수롭지 않게, 늘 만반의 준비를 하고 있는 외교 부서에 격식을 갖추어 전쟁을 정당화하도록 떠맡길 수 있다.

① 군주는 외교적 격식을 갖추지 않고도 전쟁을 감행할 수 있다.
② 전쟁을 방지하기 위해서는 공화제뿐만 아니라 국가 간의 협력도 필요하다.
③ 장기적인 평화는 국민들을 경제 활동에만 몰두하게 하여, 결국 국민들을 타락시킬 것이다.
④ 공화제 국가라도 군주제 국가와 인접해 있을 때에는 전쟁이 일어날 가능성이 높다.
⑤ 공화제 하에서도 국익이나 애국주의를 내세운 선동에 의해 국민들이 전쟁에 동의하게 되는 경우가 적지 않다.

다음 논증을 비판하는 방안으로 적절하지 않은 것은?

사이버공간은 관계의 네트워크이다. 사이버공간은 광섬유와 통신위성 등에 의해 서로 연결된 컴퓨터들의 물리적인 네트워크로 구성되어 있다. 그러나 사이버공간이 물리적인 연결만으로 이루어지는 것은 아니다. 사이버공간을 구성하는 많은 관계들은 오직 소프트웨어를 통해서만 실현되는 순전히 논리적인 연결이기 때문이다. 양쪽 차원 모두에서 사이버공간의 본질은 관계적이다.

인간 공동체 역시 관계의 네트워크에 의해 결정된다. 가족끼리의 혈연적인 네트워크, 친구들 간의 사교적인 네트워크, 직장 동료들 간의 직업적인 네트워크 등과 같이 인간 공동체는 여러 관계들에 의해 중첩적으로 연결되어 있다.

사이버공간과 마찬가지로 인간의 네트워크도 물리적인 요소와 소프트웨어적 요소를 모두 가지고 있다. 예컨대 건강관리 네트워크는 병원 건물들의 물리적인 집합으로 구성되어 있지만, 동시에 환자를 추천해주는 전문가와 의사들 간의 비물질적인 네트워크에 크게 의존한다.

사이버공간을 유지하려면 네트워크 간의 믿을 만한 연결을 유지하는 것이 결정적으로 중요하다. 다시 말해, 사이버공간 전체의 힘은 다양한 접속점들 간의 연결을 얼마나 잘 유지하느냐에 달려 있다. 이것은 인간 공동체의 힘 역시 접속점 즉 개인과 개인, 다양한 집단과 집단 간의 견고한 관계 유지에 달려 있다는 점을 보여준다. 사이버 공간과 마찬가지로 인간의 사회 공간도 공동체를 구성하는 네트워크의 힘과 신뢰도에 결정적으로 의존한다.

① 사이버공간의 익명성이 인간 공동체에 위협이 될 수도 있음을 지적한다.
② 유의미한 비교를 하기에는 양자 간의 차이가 너무 크다는 것을 보여준다.
③ '네트워크'의 개념이 양자의 비교 근거가 될 만큼 명확하지 않다는 것을 보여준다.
④ 사이버공간과 인간 공동체 간에 있다고 주장된 유사성이 실제로는 없음을 보인다.
⑤ 사이버공간과 인간 공동체의 공통점으로 거론된 네트워크라는 속성이 유비추리를 뒷받침할 만한 적합성을 갖추지 못했음을 보인다.

246

다음 논증을 올바르게 비판한 것을 모두 고르면?

(전제 1)
만일 국제 평화가 유지된다면, UN은 불필요하다.
또 만일 국가 간에 전쟁이 일어난다면, UN은 전쟁 방지라는
목적을 성취하지 못한 것이기 때문에 불필요하다.

(전제 2)
국가 간에는 평화 아니면 전쟁 상태만 존재한다.

(결론)
따라서 UN은 불필요하다.

보기

ㄱ. UN은 전쟁을 방지하는 것 이외의 다른 목적들도 갖고 있다. 예
   컨대 기아에 직면한 국가를 돕는 것 같은 목적을 성취한다면,
   UN의 존재 가치는 충분하다.

ㄴ. UN이 불필요하다는 결론은 두 전제로부터 타당하게 도출되지
   않는다. 즉 두 전제를 모두 참이라고 가정해도 결론이 거짓일 수
   있다.

ㄷ. 국제 평화가 이루어지든지 아니면 국가 간 전쟁이 일어나든지 둘
   중 하나라는 전제가 틀렸다. UN의 중재를 통해, 전면적인 전쟁
   도 아니고 그렇다고 평화도 아닌, 긴장 상태를 해소시킬 수 있다.

① ㄱ   ② ㄱ, ㄴ   ③ ㄱ, ㄷ
④ ㄴ, ㄷ   ⑤ ㄱ, ㄴ, ㄷ

247

다음 글에 나타나 있는 특허청의 규정을 감안할 때, S전자 특허팀 관계
자의 주장에 대한 직접적인 반론으로 가장 적당한 것은?

특허청은 "제 경비를 제외한 순수 실시수입액(발명을 상품화
해 벌어들인 돈)의 100분의 15 이상을 발명 종업원에게 준다."는
내용의 규정을 만들었다.

- 중략 -

이에 대해 S전자 특허팀 관계자는 "기업에 속한 연구원의 본연
의 업무가 연구 개발인데 그 성과물에 대해 지나치게 많이 보상
하라는 것은 현실성이 없다."고 반박했다. 대기업은 1년에 보통
수천 건의 종업원 발명을 접수하며 이 중 5~10%를 상품에 응
용한다. 대부분의 대기업은 "발명 기술에 관한 모든 권리를 회사
에 양도한다."는 각서를 쓰도록 종업원에게 요구하고 있는 실정
이다.

---

① 기업에 속한 연구원의 연구 성과에 대한 지적 재산권은 회사에 속
   하는 것이 당연하다.

② 기업에서 획기적인 발명에 대해 수천만 원에서 1억 원 가량의 보
   상금을 성과급 형식으로 지급한 예는 거의 없다.

③ 직무 발명에 대하여 충분한 성과급을 보장하는 보상금 지급기준을
   법으로 정하는 것은 기업 경영의 자율성을 저해하고 오히려 연구
   개발을 저해할 가능성이 크다.

④ 미국 기업들은 사내의 과학자들과 엔지니어들의 창의적인 기술로
   돈을 벌었을 경우 개발자들에게 로열티나 스톡옵션 등으로 수익을
   나누어 주어 신기술 개발 성과를 거두고 있다.

⑤ 회사에 수십억 원의 이익을 가져다주는 억대 연봉의 보험사 영업
   사원이 나오는 이유는 영업 활동에 따른 충분한 성과급을 지급하
   기 때문인데, 영업 활동과 연구 활동의 성과급에 대하여 같은 원
   칙을 적용하기는 무리가 있다.

248

다음 글에 제시된 비판 (가)~(다)와 이에 대한 〈대응〉으로 가장 적절한 것은?

사례연구는 독특한 특성을 가진 개인, 집단, 프로그램, 정책결정 등 소수 사례에 대한 심층적 연구를 말한다. 그런데 사례연구는 다음과 같은 이유에서 연구방법으로 그다지 바람직하지 못하다는 비판을 받고 있다.

(가) 사례연구는 엄밀성이 부족하다. 증거가 편의에 따라 사용되기 쉽고 이로 인해 자의적인 결론이 도출될 우려가 있기 때문이다. 어떠한 사례연구든지 조사자는 수집된 모든 증거자료를 있는 그대로 공정하게 제시해야만 하는데, 조사자에 따라 연구자료를 특정 의도에 맞게 가공하는 일이 있다.

(나) 사례연구에 대한 두 번째 비판은 연구결과가 과학적 일반화의 기초를 거의 제공해주지 못한다는 점이다. 이와 관련하여 흔히 '하나의 사례로부터 도출된 결론을 어떻게 일반화할 것인가'라는 의문이 제기된다.

(다) 사례연구에 대해 제기되는 세 번째 비판은 자료를 수집하는 데 너무 많은 시간이 걸릴 뿐만 아니라, 이렇게 수집된 방대한 자료를 분류하고 분석하는 데 많은 인력과 시간이 소요된다는 것이다.

〈대 응〉

A : 이 비판은 사례연구를 민속지적 방법론이나 참여관찰법과 혼동하는 데서 비롯된 것이다. 사례연구가 반드시 현지조사 자료에만 의존하는 것은 아니다. 전화, 인터넷 등을 활용하여 도서관과 연구실을 떠나지 않고도 타당성 있는 연구가 가능할 뿐 아니라, 최근에는 고성능 컴퓨터가 폭넓게 활용되어 연구의 효율성이 증대되고 있다.

B : 이는 실험이나 표본조사 등 다른 연구방법에서도 마찬가지다. 또한 사례연구에서는 자료수집 단계 이전부터 보고서 작성에 이르기까지 현장 조사에서 얻은 결과와 기타 자료들 간의 끊임없는 연결을 시도한다. 연구 말미에는 도출되는 대안과 다양한 증거자료들 간의 삼각검증을 실시하고, 보고서 초안이 만들어진 후에는 연구 대상자들과 전문가들로부터 검증을 받는 과정을 거친다.

C : 사례연구가 이러한 약점이 있는 것은 사실이지만 이는 실험에 의한 연구에 대해서도 제기될 수 있는 문제다. 과학적 사실이란 대개 일련의 실험들을 통해 확립된다. 마찬가지로 사례연구도 복수의 사례를 연구함으로써 이론에 접근할 수 있다.

	(가)	(나)	(다)
①	A	B	C
②	A	C	B
③	B	A	C
④	B	C	A
⑤	C	B	A

249

다음과 같은 주장에 대하여 제시할 수 있는 비판으로 적절하지 <u>않은</u> 것은?

자치경찰제는 지방자치단체에 자치경찰대를 설치하여 현행 경찰시스템을 국가경찰과 자치경찰로 이원화하는 것이다. 이 제도 하에서 범죄 수사는 국가경찰이 맡고, 자치경찰은 질서 유지를 위한 단속만을 담당한다.

이러한 자치경찰제는 지방자치단체의 예산으로 운영되며, 지역 특성에 적합한 치안 서비스를 제공함으로써 주민의 복리를 증진할 수 있는 제도이다. 또한 주민선거로 선출된 자치단체장이 자치경찰에 대한 인사권을 행사할 뿐 아니라, 지방의회에 의한 통제와 감시가 용이해짐으로써 경찰조직 운영의 민주화를 촉진하는 효과가 있다.

한편, 자치경찰관은 한 지역에서 오랫동안 근무할 수 있기 때문에 해당 지역 주민들과의 친밀도를 높일 수 있으며, '지역주민의 경찰'이라는 의식을 통해 봉사정신을 향상시킬 수 있어 치안 서비스의 질적 향상을 이룰 수 있다.

① 자치경찰이 자치단체장 선거에 악용될 가능성이 높아질 수 있다.
② 지방재정이 부족한 자치단체에서는 오히려 치안 서비스의 질이 저하될 수 있다.
③ 자치경찰이 기초질서 위반행위를 철저하고 공정하게 단속하기가 어려워질 수 있다.
④ 자치경찰이 실질적인 권한이 없는 이빨 빠진 호랑이로 전락할 우려가 있다.
⑤ 모든 지역에 획일적인 치안 서비스가 제공되어 주민들의 만족도가 낮아질 수 있다.

250

변호사가 반론을 위해 추가로 사용할 수 있는 사례로 가장 적절한 것은?

검찰은 10년 전 발생한 이리나 씨 살인 사건의 범인을 추적하던 중 범인이 박을수라는 것을 밝혀내었다. 하지만 박을수는 7년 전 김갑수로 개명 신청하였다. 또한 5년 전에 일본인으로 귀화하여 대한민국 국적을 잃었고 주민등록까지 말소되었다. 하지만 검찰은 김갑수를 10년 전 살인 사건의 피의자로 기소했다. 김갑수는 성형수술로 얼굴과 신체의 모습이 달라졌을 뿐만 아니라 지문이나 홍채 등 개인 신체 정보로 활용되는 생체 조직을 다른 사람의 것으로 바꾸었다.

김갑수의 변호사는 법정에서 다음과 같이 변호했다. "비록 10년 전 박을수가 그 사건의 살인범이라 하더라도 지금의 피고인은 몸뿐만 아니라 성격도 박을수와 완전히 딴판입니다. 심지어 피고인의 가족도 그를 박을수로 여기지 않습니다." 변호사의 논변을 이루는 전제들은 모두 참이다. 판사는 변호사의 전제들로부터 "따라서 현재의 피고인은 살인을 저지른 그 박을수가 아니다."라는 결론을 도출해서는 안 되는 이유가 있는지 살펴보았다. 성형수술로 신체 일부가 달라졌을 뿐만 아니라 성격마저 딴판으로 변한 현재의 피고인을 10년 전의 박을수와 동일한 인물로 간주해야 하는가?

검사는 김갑수와 박을수가 동일 인물이라면서 다음 사례를 들었다. "불국사의 다보탑은 천오백 년의 시간 동안 낡고 훼손되었을 뿐만 아니라 몇 차례의 보수 작업을 통해 상당한 수준의 물리적 변화를 겪었습니다. 하지만 그것은 다보탑 2.0 같은 것이 아니라 여전히 다보탑입니다."

이에 대해 변호사는 다음 사례를 들어 반론했다. "한 화가가 유화 작품 한 점을 제작하고 있다고 합시다. 그는 일단 작품을 완성했지만 그림의 색조에 변경을 가하기로 마음먹고 화폭 전반에 걸쳐 새로운 색을 덧입히기 시작했습니다. 또 그 과정에서 화면의 새로운 색조와 어울리지 않는 모티프를 제거했습니다. 이렇게 해서 나온 작품을 원래 작품과 '동일한' 작품이라고 부르기 어려울 것입니다. 경우에 따라서 화가가 그림에 새로 찍은 점 몇 개가 그림을 완전히 다른 작품으로 만들 수 있습니다."

① 생수 한 통에 독극물을 넣어 독약으로 만든 경우
② 구겨진 지폐를 다려서 빳빳한 새 지폐처럼 만든 경우
③ 첫째 아이 이름을 '철수'로 지으려다 '칠수'로 지은 경우
④ 유명 화가의 작품에 관람 온 아이가 자기 이름을 쓴 경우
⑤ 관절염 환자가 인공관절 수술을 받아 잘 걸을 수 있게 된 경우

251

을은 자신이 이전에 내세웠거나 혹은 갑에게 동의해 주었던 주장을 모두 유지하면서 갑을 반박하려고 한다. 밑줄 친 부분에서 을이 펼 수 있는 주장으로 적절한 것은?

갑 : 사물에 처음으로 이름을 붙이는 사람이 있다고 할 때, 그가 붙이는 이름을 두고 올바르다거나 혹은 잘못되었다고 말할 수 있을까?

을 : 어떤 대상에 처음으로 이름을 붙이는 사람은 자기 마음대로 이름을 붙이는 것 아니겠나? 그 사람이 토끼를 보고 '거북이'라고 이름 붙인다고 해서 그 이름이 잘못된 이름이라고는 할 수 없지.

갑 : 이름을 붙인다는 것이 인간의 행위라는 것에는 동의하지?

을 : 물론이지.

갑 : 인간이 행위를 할 때는 항상 목적이 있고, 그 목적을 달성하려면 자연의 법칙을 잘 따라야 한다는 것에도 동의하지?

을 : 동의하네.

갑 : 누군가 나무를 베는 행위를 한다고 생각해 보게. 그가 그의 목적을 달성하기 위해서는 자연의 법칙을 따라야 할 것이네. 만약 누군가 종이로 나무를 베려고 한다면, 그건 자연의 법칙을 따르는 것이 아니지. 그런 이유에서, 그 행위는 목적을 달성할 수 없고, 따라서 그것은 잘못된 행위인 것이야. 이런 방식으로 우리는 올바른 행위와 잘못된 행위를 구분할 수 있지 않겠나?

을 : 맞네, 맞아.

갑 : 이름을 붙이는 것 역시 인간의 행위라는 것이 당연하다면, 올바른 이름을 붙일 수도 있고 잘못된 이름을 붙일 수도 있겠지.

을 : 하지만 _____

① 사물에 이름을 붙이는 것은 어떤 목적을 위해서 하는 행위가 아니므로 잘못된 이름은 없지.

② 법칙을 따르지 않더라도 우연히 결과가 원하는 바와 일치할 때 그 행위는 적절하다고 할 수 있으므로 잘못된 이름은 없지.

③ 이름과 대상의 관계는 자의적이므로 많은 사람이 그 이름을 사용하는 데 동의한다면 어떤 이름도 상관없기 때문에 잘못된 이름은 없지.

④ 토끼에 '토끼'라는 이름을 붙이건 '거북이'라는 이름을 붙이건 자연의 법칙을 위배하지 않으면서 우리의 목적을 달성할 수 있다네. 그러니 잘못된 이름은 없다네.

⑤ 나무를 베기 위해서 종이를 이용하는 것은 비효율적이지만 그렇다고 나무를 베기에 좋은 것이 단 하나만 있는 것은 아니므로 올바른 이름은 여러 가지가 있을 수 있다네.

다음 글의 핵심 주장을 논리적으로 반박하는 글을 쓸 때 선택할 수 있는 알맞은 전략을 〈보기〉에서 모두 고르면?

우리는 자유주의 사상의 자기중심성과 "닫혀 있음"을 극복하기 위하여 "환대"라는 개념을 활용할 수 있다. 여기서 말하는 환대는 칸트가 주장한 환대가 아니라 데리다와 레비나스가 주장한 환대를 가리킨다. 칸트의 환대 개념은 원래 "이방인을 자기 땅에 맞아들이는 자의 의무인 동시에 누구든 낯선 땅에서 적대적으로 대우받지 않을 권리"를 의미하는데, 이것은 근본적으로 "내가 손님이 될 때를 염두에 둔 대칭적 상호성 원리"에 기반을 두고 있다. 따라서 이러한 환대는 "충돌과 갈등을 자기 관점에서 조정하고자 하는 하나의 허울"에 불과하다. 왜냐하면, 그것은 "타자와 공동체 내부의 차별성"을 전제하면서 단지 "배척되지 않을 소극적 권리"만을 부여하기 때문이다. 이러한 이유로 칸트의 환대 개념은 자유주의 사상의 자기중심성과 "닫혀 있음"을 벗어날 수 없다.

자유주의의 그러한 한계를 극복하기 위해서 우리는 칸트의 환대 개념으로부터 데리다와 레비나스의 환대 개념으로 나아가야 한다. 데리다와 레비나스가 제시하는 환대 개념은 상호적 권리로서의 환대가 아니라 "무조건적이고 유보 없는 환대"를 의미한다. 그것은 "어떠한 상호적 방식의 제약도 부과하지 않는 비대칭성"에 기반을 두고 있다. 따라서 그 개념은 나와 공통된 것만을 받아들이고 타자를 자기화하려는 동일화의 지배 논리를 넘어서며, 이 점에서 자유주의의 문제를 극복할 수 있다. 결국 우리는 권리 체계 이전에 타자가 있음을 보여주는 레비나스의 타자성의 철학에 기반을 둘 때, 권리를 출발점으로 삼는 자유주의에서 벗어날 수 있다. 이렇게 자기 자리를 내어주는 타자에 대한 비대칭적 수용으로서의 환대야말로 자본주의적 교환 관계와 자유주의적 이념의 문제를 해결할 수 있거나 그게 아니라면 최소한 비판할 수 있는 새로운 유토피아의 원리의 토대를 제공할 수 있다.

"나는 약자인 타자에게 나의 자리를 내주며 타자를 대접한다. 그럼으로써 나는 타자를 돕는 것이지만, 그 타자는 내가 그러한 행위를 통해 나의 경계를 넘어설 수 있도록 해줌으로써 나를 나의 경계 밖으로 이끌어 준다. 나보다 더 부족한 존재인 타자가 오히려 나를 돕는 것이다." 이러한 환대 개념은 봉사자가 도움이 필요한 사람을 일방적으로 돕기만 하는 것이 아니라 봉사를 통해 봉사자 스스로가 행복을 얻고 변화할 수 있다는 점에서 진정한 사회봉사의 이념이 될 수 있다. 헤겔의 "주인과 종의 변증법"이라는 개념을 빌어 말하면, 우리는 그것을 "주인과 이방인의 변증법", 또는 "봉사자와 도움 수요자의 변증법"이라고 표현할 수 있다.

보기

ㄱ. 데리다와 레비나스의 환대 개념 역시 자기중심성을 가질 수 있다는 점에서 칸트의 개념과 큰 차이가 없음을 밝힌다.

ㄴ. 상호적 방식의 제약이 완전히 제거된 비대칭성에 근거한 환대는 현실적으로 실현 불가능한 개념임을 밝힌다.

ㄷ. 헤겔이 주장한 "주인과 종의 변증법" 개념은 레비나스와 데리다의 환대 개념과 직접적 관계가 없음을 밝힌다.

ㄹ. 진정한 사회봉사 이념에 반드시 비대칭성이 요구되는 것은 아님을 밝힌다.

ㅁ. 대칭적 상호성 원리에 기반을 둔 환대 개념은 자유주의의 적극적 자유를 보장할 수 없음을 밝힌다.

① ㄱ, ㄴ　　　　② ㄴ, ㄹ　　　　③ ㄷ, ㅁ
④ ㄱ, ㄴ, ㄹ　　　⑤ ㄷ, ㄹ, ㅁ

IV

253   2005년 PSAT 행정·외무고시 언어논리 28번

다음은 특허청 심사관이 특허출원인에게 보낸 의견제출통지서의 일부이다. 특허출원인이 대법원 판례를 근거로 하여 상기 의견제출통지서의 거절이유를 반박하고자 할 때, 의견서에서 주장할 내용으로 타당하지 않은 것끼리 묶은 것은?

특 허 청
의 견 제 출 통 지 서

이 출원에 대한 심사 결과 아래와 같은 거절이유가 있어 이를 통지하오니 의견이 있거나 보정이 필요할 경우에는 발송일자로부터 2개월이 되는 날까지 의견서 또는/및 보정서를 제출하여 주시기 바랍니다.

[이 유]

이 출원의 특허청구범위 제1항에 기재된 발명은 그 출원 전에 이 발명이 속하는 기술분야에서 통상의 지식을 가진 자가 아래에 지적한 것에 의하여 용이하게 발명할 수 있는 것이므로 특허법 제29조 제2항의 규정에 의하여 특허를 받을 수 없습니다.

– 아 래 –

이 출원의 특허청구범위 제1항에 기재된 발명은 2002. 5. 11. 출원된 것으로 도라지 열수추출물 10~30중량%, 감미료인 자일리톨 70~90중량%로 이루어지는 캔디에 관한 것이나, 이는 한국 공개특허공보 제2002－○○○○호(2002. 3. 20. 공개, 이하 인용발명이라 함)에 게재된 도라지 추출물 2중량%, 설탕 5중량%를 포함하는 음료의 기술 구성으로부터 이 출원이 속하는 기술분야에서 통상의 지식을 가진 자가 용이하게 발명할 수 있는 것입니다. 끝.

대법원 판례 : 특허법 제29조 제2항의 규정은 특허출원된 발명이 선행의 공지기술로부터 용이하게 도출될 수 있는 창작일 때에는 진보성을 결여한 것으로 보고 특허를 받을 수 없도록 하려는 취지인 바, 그 진보성의 유무를 가늠하는 창작의 난이의 정도는 그 기술적 구성의 차이와 작용효과를 고려하여 판단하여야 하며, 출원된 기술의 구성이 공지된 선행기술과 차이가 있을 뿐만이 아니라 그 작용효과에 있어서도 선행기술에 비하여 현저하게 향상, 진보된 것인 때에는 기술의 진보발전을 도모하는 특허제도의 목적에 비추어 그 발명이 속하는 기술의 분야에서 통상의 지식을 가진 자가 용이하게 발명할 수 없는 것으로서 진보성이 있는 것으로 보아야 한다. (97.11. 28. 97후 1972 판결)

출원인 의견서 : 본 출원인이 발명한 (ㄱ) 캔디는 인용 발명인 음료와는 발명이 속하는 기술분야가 다른 것이므로 음료의 기술을 캔디에 적용하는 것은 캔디가 속하는 기술분야에서 통상의 지식을 가진 자가 용이하게 할 수 있는 것이 아닙니다. 또한 (ㄴ) 제가 발명한 캔디는 도라지가 목 건강에 좋다는 동의보감의 효과를 근거로 한 것으로, (ㄷ) 인용발명인 음료와 도라지 추출물의 함량 및 감미료의 종류, 함량이 달라 구성에서도 차이를 보이고 있습니다. 또한 (ㄹ) 제가 발명한 캔디는 이미 외국과도 1만 달러어치의 수출계약을 체결하였으므로 본 캔디의 우수성을 입증할 수 있으며, (ㅁ) 캔디는 음료보다 구강 내에서 머무는 시간이 상대적으로 더 길어서 인용발명에 비해 목 보호에 효과적입니다.

---

① (ㄱ), (ㄷ)
② (ㄴ), (ㄹ)
③ (ㄹ), (ㅁ)
④ (ㄱ), (ㄴ), (ㅁ)
⑤ (ㄱ), (ㄷ), (ㄹ)

254

다음 글의 주장을 약화하는 것만을 〈보기〉에서 모두 고르면?

베이즈주의는 확률을 이용해서 과학의 다양한 가설들을 평가하는 과학 방법론의 한 분야이다. 그것은 새로운 정보의 유입에 따른 과학적 가설의 확률 변화 메커니즘을 제시한다. 새로운 정보가 유입되기 전 확률을 사전확률, 유입된 후의 확률을 사후확률이라고 한다. 따라서 베이즈주의가 제시하는 메커니즘은 사전확률과 새로운 정보로부터 사후확률을 결정하는 것이라고 할 수 있다. 베이즈주의자들이 사전확률을 결정할 때 고려해야 할 기준은, "A가 참일 확률과 A가 거짓일 확률의 합이 1이어야 한다."는 것과 같은 확률론의 기본 규칙을 준수해야 한다는 것뿐이다. 그럼 동일한 가설에 대해서 두 과학자가 극단적으로 다른 사전확률을 부여하는 것도 단지 확률론의 기본 규칙을 어기지 않는다는 이유로 허용될 수 있는가? 그렇다고 할 때 베이즈주의는 주관적이고 임의적인 사전확률을 허용하는 것으로 볼 수 있다. 바로 이 점에서 베이즈주의 과학 방법론은 과학의 객관성을 확보할 수 없다고 비판받는다.

하지만 동일한 가설에 부여하는 사전확률이 다르다는 것이, 그 사전확률의 결정이 완전히 임의적이라는 것을 함축하진 않는다. 물론 개개의 과학자들이 동일한 가설에 다른 사전 확률을 부여할 때 가설에 대한 느낌에 의존할 수 있다. 이때 그 느낌은 가설을 제시한 사람에 대한 판단에서 비롯된 것일 수 있다. 하지만 과학자들이 사전확률을 부여할 때 의존하는 것은 느낌과 같은 것이 아니다. 그보다는 과학 공동체가 공유하고 있는 배경지식이 사전확률을 결정하는 데 있어 결정적인 역할을 한다.

베이즈주의 비판자들이 문제 삼는 주관적인 사전확률이란 배경지식을 고려한 것이 아니라, 가설을 제시한 사람에 대한 느낌과 같은 요소만 고려한 경우이다. 하지만 현실 과학자들의 사전확률은 언제나 배경지식을 토대로 한다. 만약 동일 가설에 대해서 두 과학자가 극단적으로 다른 사전확률을 가지고 있다면, 아마도 그 둘은 완전히 다른 배경지식을 가지고 있기 때문일 것이다. 그렇지만 동시대 과학자들이 완전히 다른 배경지식을 가지고 있는 경우는 거의 없다. 따라서 과학자들은 동일한 가설에 대해서 비슷한 사전확률을 부여하게 될 것이며, 이에 사전확률의 주관성 문제는 크게 완화될 것이다. 그러므로 베이즈주의 과학 방법론이 객관성을 확보할 수 없다는 주장은 성급하다.

─────── 보기 ───────

ㄱ. 동일한 배경지식을 가졌다는 것보다는 느낌과 같은 요소가 사전확률 결정에 더 중요한 영향을 미친다.

ㄴ. 특정 가설에 대해 동일한 사전확률을 부여한 사람들이 다른 느낌을 가지는 경우가 있다.

ㄷ. 동일한 배경지식을 가지고 있는 개개의 과학자들이 베이즈주의의 확률 변화 메커니즘을 따라 확률을 수정한다면, 그들 각각이 동일한 가설에 부여하는 확률들은 점차 일치할 것이다.

① ㄱ   ② ㄴ   ③ ㄱ, ㄷ
④ ㄴ, ㄷ   ⑤ ㄱ, ㄴ, ㄷ

255

다음 글의 주장에 대한 비판으로 적절한 것만을 〈보기〉에서 모두 고르면?

유클리드 기하학에서 공리들은 직관적으로 자명하여 증명을 필요로 하지 않는다. 그리고 공리들로부터 연역적으로 증명된 정리는 감각 경험의 지지를 필요로 하지 않는다. 그러므로 유클리드 기하학의 지식은 철저하게 선험적이다. 플라톤은 이에 관해 탁월한 논의를 전개했다. 그는 기하학적 진리에 관한 우리의 지식이 감각 경험으로부터 얻은 증거에 근거할 수 없다고 주장했다. 감각 경험을 통해서는 기하학적 도형인 점, 직선 또는 정삼각형을 접할 수 없기 때문이다. 점이란 위치만 있고 면적이 없기에 보이지 않는다. 또한 직선이란 폭이 없고 절대적으로 곧아야 하는데 우리가 종이 위에서 보는 직선은 언제나 어느 정도 폭이 있고 또 항상 조금은 구부러져 있다. 마찬가지로 종이 위의 정삼각형도 아무리 뛰어난 제도사가 그려 놓아도 세 변의 길이가 완전히 동등하지는 않다.

─────── 보기 ───────

ㄱ. 유클리드 기하학과 비(非)유클리드 기하학은 전혀 다른 공리 체계에 기초하고 있지만 각각 자체적으로 정합적인 지식을 구성한다. 이러한 사실은 기하학이 실재 세계를 반영할 이유가 없음을 보여준다.

ㄴ. 대다수의 사람들이 유클리드 기하학의 공리는 직관적으로 자명하므로 증명 없이 받아들이는데, 그러한 직관이 인간의 경험에 영향을 받는다는 사실은 유클리드 기하학이 경험에 의지하고 있다는 것을 드러낸다.

ㄷ. '1+1=2'는 감각 경험과 무관하게 얻어지는 지식이지만 일상생활에서 활용이 가능하다. 실재 세계에 적용된다고 해서 경험적인 지식은 아니다.

① ㄴ   ② ㄷ   ③ ㄱ, ㄴ
④ ㄱ, ㄷ   ⑤ ㄱ, ㄴ, ㄷ

256

2007년 PSAT 행정·외무고시 언어논리 35번

다음 글에 나오는 논증을 반박하는 것이 <u>아닌</u> 것은?

> 윤리와 관련하여 가장 광범위하게 받아들여진 사실 가운데 하나는 옳은 것과 그른 것에 대한 광범위한 불일치가 과거부터 현재까지 항상 있어 왔고, 아마도 앞으로도 계속 있을 것이라는 점이다. 가령 육식이 올바른지 여부를 두고 한 문화에 속해 있는 사람들의 판단은 다른 문화에 속해 있는 사람들의 판단과 굉장히 다르다. 뿐만 아니라 한 문화에 속한 사람들의 판단은 시대마다 아주 다르기도 하다. 심지어 우리는 동일한 문화와 시대 안에서도 하나의 행위에 대해 서로 다른 윤리적 판단을 하는 경우를 볼 수 있다. 이러한 사실이 의미하는 바는 사람들의 윤리적 기준이 시간과 장소, 그리고 그들이 살고 있는 상황에 따라 달라진다는 것이다. 그러므로 올바른 윤리적 기준은 그것을 적용하는 사람에 따라 상대적이다. 이것이 바로 윤리적 상대주의의 핵심 논지이다. 따라서 우리는 윤리적 상대주의가 참이라는 결론을 내려야 한다.

① 사람들의 윤리적 판단은 그들이 사는 지역에 따라 크게 다르지 않다.

② 윤리적 판단이 다르다고 해서 윤리적 기준도 반드시 달라지는 것은 아니다.

③ 윤리적 상대주의가 옳다고 해서 사람들의 윤리적 판단이 항상 서로 다른 것은 아니다.

④ 인류학자들에 따르면 문화에 따른 판단의 차이에도 불구하고 일부 윤리적 기준은 보편적으로 신봉되고 있다.

⑤ 서로 다른 윤리적 판단이 존재하는 경우에도 그 중에 올바른 판단은 하나뿐이며, 그런 올바른 판단을 옳게 만들어 주는 객관적 기준이 존재한다.

257

2016년 PSAT 5급 공채 언어논리 35번

다음 글의 논증에 대한 비판으로 적절하지 <u>않은</u> 것은?

> 진화론자들은 지구상에서 생명의 탄생이 30억 년 전에 시작됐다고 추정한다. 5억 년 전 캄브리아기 생명폭발 이후 다양한 생물종이 출현했다. 인간 종이 지구상에 출현한 것은 길게는 100만 년 전이고 짧게는 10만 년 전이다. 현재 약 180만 종의 생물종이 보고되어 있다. 멸종된 것을 포함해서 5억 년 전 이후 지구상에 출현한 생물종은 1억 종에 이른다. 5억 년을 100년 단위로 자르면 500만 개의 단위로 나눌 수 있다. 이것은 새로운 생물종이 평균적으로 100년 단위마다 약 20종이 출현한다는 것을 의미한다. 하지만 지난 100년 간 생물학자들은 지구상에서 새롭게 출현한 종을 찾아내지 못했다. 이는 한 종에서 분화를 통해 다른 종이 발생한다는 진화론이 거짓이라는 것을 함축한다.

① 100년마다 20종이 출현한다는 것은 다만 평균일 뿐이다. 현재의 신생 종 출현 빈도는 그보다 훨씬 적을 수 있지만 언젠가 신생 종이 훨씬 많이 발생하는 시기가 올 수 있다.

② 5억 년 전 이후부터 지구상에 출현한 생물종이 1,000만 종 이하일 수 있다. 그러면 100년 내에 새로 출현하는 종의 수는 2종 정도이므로 신생 종을 발견하기 어려울 수 있다.

③ 생물학자는 새로 발견한 종이 신생 종인지 아니면 오래 전부터 존재했던 종인지 판단하기 어렵다. 따라서 신생 종의 출현이나 부재로 진화론을 검증하려는 시도는 성공할 수 없다.

④ 30억 년 전에 생물이 출현한 이후 5차례의 대멸종이 일어났으나 대멸종은 매번 규모가 달랐다. 21세기 현재, 알려진 종 중 사라지는 수가 크게 늘고 있어 우리는 인간에 의해 유발된 대멸종의 시대를 맞이하는 것으로 볼 수 있다.

⑤ 생물학자들이 발견한 몇몇 종은 지난 100년 내에 출현한 종이라고 판단할 이유가 있다. DNA의 구성에 따라 계통수를 그렸을 때 본줄기보다는 곁가지 쪽에 배치될수록 늦게 출현한 종임을 알 수 있기 때문이다.

258

다음 갑 ~ 병 중 Y의 입장에 대한 반박으로 적절한 것만을 모두 고르면?

행위의 도덕적 옳고 그름을 평가하는 대표적인 입장 중의 하나는 공리주의이다. 공리주의는 행위의 유용성을 평가하여 도덕적 옳고 그름을 판단하려는 입장이다. 이 중 양적으로 유용성을 고려하여 도덕적 옳고 그름을 판단하려 하는 여러 세부 입장들이 있다. X는 유용성을 판단함에 있어서 "어떤 행위자가 행한 행위가 도덕적으로 올바른 것일 필요충분조건은 그 행위가 그 행위자가 선택할 수 있는 다른 모든 행위에 비해 많은 행복을 산출하고 동시에 적은 고통을 산출한다는 것이다."라는 입장이다. 하지만 이러한 입장은 설득력이 없다. 왜냐하면 X의 입장을 받아들일 경우 도덕적으로 올바른 행위가 무엇인지 적절하게 판단할 수 없는 상황이 존재하기 때문이다. 예를 들어, 어떤 행위자가 선택할 수 있는 행위가 총 셋인데 그 행위 각각이 산출하는 사회 전체의 행복의 양과 고통의 양이 다음과 같다고 해 보자.

행위 선택지	행복의 양	고통의 양
A1	100	99
A2	90	10
A3	10	9

어떤 행위를 선택하는 것이 올바른 것일까? 사람들 대부분은 A2를 선택하는 것이 올바르다고 답한다. 그러나 X의 입장은 A2를 선택하는 것이 올바르다는 것을 보여주지 못한다. 왜냐하면 A2의 행복의 양은 A1의 행복의 양보다 적고, A2의 고통의 양은 A3의 고통의 양보다 많아서 A2는 X의 입장을 충족시켜 주는 행위가 아니기 때문이다. 그뿐만 아니라 X의 입장을 따를 경우 A1이나 A3도 도덕적으로 올바른 행위가 아니게 된다. 결국 세 선택지 중 어떤 것을 선택해도 도덕적으로 올바르지 않게 되는 셈이다.

반면 Y의 입장은 X의 입장이 처하게 되는 위와 같은 문제를 해결할 수 있는 방법으로 제시되었다. 이 입장에 따르면, 어떤 행위자가 행한 행위가 도덕적으로 올바른 것일 필요충분조건은 그 행위가 그 행위자가 선택할 수 있는 다른 모든 행위보다 큰 유용성을 갖는다는 것이며 여기서 유용성이란 행복의 양에서 고통의 양을 뺀 결과를 나타낸다. 세 행위 선택지 중 행복의 양에서 고통의 양을 뺀 결과값이 A2가 가장 크기 때문에, Y의 입장에 따르면 A2를 선택하는 것이 올바른 것이라고 결론지을 수 있다. 따라서 X의 입장보다 Y의 입장이 더 낫다고 할 수 있다.

갑 : 가능한 행위 선택지가 A1, A2, A3일 때 A1의 행복의 양이 90이고 고통의 양이 50, A2의 행복의 양이 50이고 고통의 양이 10, A3의 행복의 양이 70이고 고통의 양이 30인 상황을 고려해 보자. Y의 입장은 X의 입장과 비슷한 문제에 부딪힌다. 그 점에서 Y의 입장은 적절하지 않다.

을 : 도덕적 행위, 즉 유용성이 가장 크다고 판단하여 한 행위를 나중에 되돌아보면 행위자는 언제나 미처 생각하지 못한 선택지가 가장 큰 유용성을 지닌다는 것을 깨닫는다. 이는 우리가 이미 선택한 행위는 올바르지 않다는 것을 함축하고 이를 통해 우리는 도덕적으로 올바른 행위를 한 번도 할 수 없다는 불합리한 결론에 도달하도록 한다. 불합리한 결론을 도출하는 입장은 잘못된 이론이기 때문에 Y의 입장은 적절하지 않다.

병 : 행복의 양에서 고통의 양을 뺀 유용성이 음수로 나올 경우도 많다. 그러한 경우에는 Y의 입장에 근거해도 주어진 선택지 중 어떤 것이 도덕적으로 올바른 것인지 판단할 수 없다. 그 점에서 Y의 입장은 적절하지 않다.

① 갑   ② 병   ③ 갑, 을

④ 을, 병   ⑤ 갑, 을, 병

IV

259

다음 글의 〈이론〉에 대한 반례에 해당하는 것만을 〈보기〉에서 모두 고르면?

단백질 접힘은 단백질이 고유한 3차 구조를 형성하여 기능을 수행하는 데 매우 중요하다. 단백질이 비정상적인 접힘 구조를 형성하는 것을 단백질의 변성이라고 하는데 단백질이 변성되면 원래의 기능을 수행하지 못할 뿐 아니라, 경우에 따라서는 변성된 단백질이 전혀 다른 기능을 나타내어 질병을 유발하기도 한다. 최근 신경계 질환 중 하나인 질병 D는 신경세포에 존재하는 정상 단백질 P의 변성과 연관이 있을 수 있다는 연구 결과가 제시되었다. 이 연구 결과를 바탕으로 어떤 과학자는 질병 D가 발병할 수 있는 다양한 메커니즘 중 하나로 다음 〈이론〉을 제시하였다.

〈이 론〉

유전자 X의 돌연변이가 생기면 정상 단백질 P는 돌연변이 단백질 P로 바뀐다. 일단 돌연변이 단백질 P가 신경세포에 존재하면 정상 단백질 P와 결합하고, 결합된 정상 단백질 P를 변성시켜 비정상 단백질 P로 바꾸게 된다. 그러면 비정상 단백질 P는 또 다른 정상 단백질 P를 비정상 단백질 P로 바꾸고, 이 과정이 연속적으로 일어나면서 정상 단백질 P의 대부분이 비정상 단백질 P로 바뀌게 된다. 이렇게 되면 비정상 단백질 P가 서로 모여 신경세포에서 단백질 응집을 일으킨다. 이러한 비정상 단백질 P의 단백질 응집이 일어나면, 신경세포에 독성을 유발하게 되어 신경세포가 죽게 되므로 질병 D를 초래한다.

보기

ㄱ. 신경세포에서 비정상 단백질 P의 단백질 응집이 일어나도 신경세포에 독성을 유발하지 않았다는 연구 결과

ㄴ. 질병 D가 나타난 환자의 신경세포에서 비정상 단백질 P의 단백질 응집이 나타나지 않았다는 연구 결과

ㄷ. 돌연변이 단백질 P가 나타나는 요인으로 유전자 X의 돌연변이와 무관한 다른 요인을 발견하였다는 연구 결과

① ㄱ   ② ㄴ   ③ ㄱ, ㄷ
④ ㄴ, ㄷ   ⑤ ㄱ, ㄴ, ㄷ

260

다음 글을 토대로 〈편지〉에 포함된 주장들을 논박하는 진술로 적절한 것은?

윤리학에서 말하는 '의무 이상의 행동'이란 도덕이 요구하는 범위를 넘어 특별히 선한 행위를 하는 것을 말한다. 예를 들어 누군가를 구하기 위해 자신의 목숨을 걸고 폭풍우 치는 바다에 뛰어드는 것은 도덕이 요구하는 것 이상의 행동이다. 의무 이상의 행동은, 하면 당연히 칭찬을 받지만 하지 않아도 도덕적으로 비난을 받지는 않는다. 그에 비해 의무적으로 해야 하는 일은 도덕이 요구하는 범위 내에 있는 행동으로서, 이를 행하는 경우에는 칭찬을 받을 수도 있고 그렇지 않을 수도 있지만, 만약 하지 않는다면 도덕적으로 비난을 받는다. 가령 연못에 빠진 아이를 어렵지 않게 구할 수 있을 때는 누구라도 마땅히 구해야 하며 만약 그 아이를 보고도 구하지 않는다면 도덕적으로 비난받을 일이 된다. 의무적으로 해야 하는 일과 의무 이상의 행동 사이에 차이가 있다는 것은 분명하다.

〈편 지〉

김희생 일병의 유가족께

우리 군 당국은 십여 명의 동료들을 구하기 위해 수류탄을 덮쳐 자신의 목숨을 잃은 김희생 일병에게 훈장을 추서하지 않기로 결정했습니다. 과거에는 그런 행위에 훈장을 내리기도 했으나, 본 위원회는 그런 행위를 군인의 임무에 대한 예외적 헌신을 요구하는 행위로 간주하는 것이 잘못된 판단이라는 결론을 내렸습니다. 모든 군인은 언제나 부대 전체의 이익을 위해 행동할 의무가 있습니다. 따라서 군 당국이 김희생 일병에게 훈장을 수여하는 것은 김희생 일병의 행동을 의무를 넘어선 행동으로 판정하는 것에 해당하며, 결과적으로는 병사들에게 경우에 따라선 부대 전체의 이익을 위해 행동하지 않아도 된다고 암시하는 것과 같게 됩니다. 이것은 명백히 잘못된 암시입니다.

군 포상심의위원회 위원장 김원칙 대령

① 의무적으로 해야 하는 행동에 대한 칭찬은 반드시 필요하다.

② 희생 병사와 그 가족에게 보상을 해 주는 것은 의무 이상의 행동이다.

③ 군의 일관적인 작전 수행을 위해서 병사는 의무의 도덕적 범위에 대한 관행에서 벗어나선 안 된다.

④ 부대 전체의 이익을 위해 자신의 모든 것을 헌신하지 않는 병사는 누구라도 도덕적으로 비난받아야 한다.

⑤ 김 일병의 행동과 동일한 행동을 할 수 있었지만 하지 않았던 동료들 중 그 누구도 도덕적으로 비난받지 않았다.

MEMO

IV

2027학년도 LEET 대비

메가로스쿨
잘고른 300제

추리논증

LEET

V
논증평가 및 문제 해결

2027학년도 LEET 대비

메가로스쿨
잘고른 300제

추리논증

유형별 집중풀이 가이드

Step 1	Step 2	Step 3

잘고른 300제 추리논증	기출문제 해설집 추리논증	잘고른 300제 추리논증 → 유형별 문제집 추리논증
잘고른 300제	**기출문제 해설집**	**잘고른 300제 / 유형별 문제집**
잘고른 300제의 '논증 평가 및 문제 해결' 유형의 문제를 모두 학습하고 강약점 유형 파악 및 문제별 접근 전략을 세운다.	아래 유형별 기출문항표를 보고 메가로스쿨 기출문제 해설집을 통해 약점 유형을 다시 풀이한다.	유형별 집중학습을 통해 정확도를 높이고 문제 풀이 시간을 줄이는 나만의 문제별 접근법을 완성한다.

유형별 기출문항표

세부 유형	학년도	기출문제 해설집	문항번호(홀수형 기준)	유형별 문제집
강화약화	2026	29	17, 37, 38	
	2025	53	2, 10, 13, 16, 26, 28, 29, 30	
	2024	77	1, 6, 14, 24, 27, 28	
	2023	101	9, 21, 22, 27, 28, 29, 37	
	2022	125	1, 19, 28, 29, 30, 31, 38, 39	
	2021	149	1, 15, 24, 25, 28, 34, 35, 36, 37	
	2020	173	17, 19, 27, 34, 36, 37	
	2019	197	17, 18, 23, 33, 39	
	2018	221	11, 20, 32, 33, 34	
	2017	241	23, 25, 34	
	2016	261	18, 20, 21, 23, 25, 26, 27	
	2015	281	22, 23, 24	
	2014	301	25, 26, 27, 29	
	2013	321	28, 29, 30, 31, 33	
	2012	341	15, 20, 24, 25, 27	190
	2011	361	6, 10, 17, 24, 25	
	2010	381	20, 25	
	2009	401	3, 20, 23, 38	
	예비시험	419	7, 10, 12, 15, 18	
	1차 예시	449	10	
논증 평가	2024	77	5	
	2022	125	21	
	2021	149	13	
	2020	173	22, 24, 25	
	2019	197	22	
	2017	241	14, 16	
	2014	301	10	
	2011	361	26	
문제 해결	2015	281	3	

※ 교재별 페이지 번호는 메가로스쿨 2027학년도 대비 출간 교재 기준으로 기재되어 있습니다.

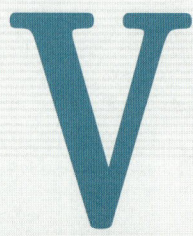

PART

V

논증 평가 및 문제 해결

논증 평가 및 문제 해결이란?

하나의 논증에 대한 심층적인 평가를 요구한다. 제시된 연역논증이 부당한 논증인 경우 추론의 어느 단계에서 잘못을 범하고 있는지, 실험이나 관찰의 결과가 가설의 참 또는 거짓을 확증 또는 반증하는지, 확증과 반증의 강도를 평가할 수 있는지(강화 또는 약화), 역설을 해소할 대안을 모색할 수 있는지 묻는 문항을 포함한다.

논증 평가 및 문제 해결 학습법

논증 평가 및 문제 해결의 유형 중 가장 자주 출제 되는 강화 또는 약화 문제 접근법에 대하여 알아보자. 강화는 새로운 정보가 논증의 결론이 참일 개연성을 더욱 높이는 것이고, 약화는 그 반대이다. 귀납논증은 전제와 결론의 관계가 개연적이라는 특징을 가지므로 강화 또는 약화의 문제는 주로 귀납논증을 대상으로 한다. 개연성은 전제들이 결론을 지지해 주는 정도와 관련되어 있으므로 만일 개연성을 높이는 방법이 있다면 논증은 강화되고, 그 반대의 경우는 논증은 약화된다.

귀납논증에서 보기 또는 선택지가 전제 **또는 결론을 뒷받침할 경우** 개연성이 높아지므로 논증은 강화되고, **전제 또는 결론을 부정하거나 전제 또는 결론과 모순될 경우** 개연성은 낮아지므로 논증은 약화된다. 그리고 보기 또는 선택지가 논증의 결론과 관련성이 없는 경우는 개연성에 영향을 주지 않으므로 논증은 강화되지도 약화되지도 않는다.

자주 출제되는 귀납논증 유형에 따른 강화/약화를 살펴보자.

❶ 귀납적 일반화 : 관찰된 일부 사례(전제)로부터 보편적인 일반 진술(결론)을 이끌어내는 논증 방식
　(1) 관찰된 일부 사례와 유사한 사례가 새롭게 추가되면 논증은 강화된다.
　(2) 관찰된 일부 사례와 반대 또는 모순되는 사례가 추가되면 논증은 약화된다.

❷ 가설추론 : 가설을 수립하고 그 가설이 참이라면 예측 가능한 사실을 추론한 다음에, 예측한 사실이 관찰 또는 실험으로 나타날 수 있음을 밝혀(전제), 가설이 참이라는 결론을 이끌어 내는 논증 방식
　(1) 가설이 참이라면 일어날 수 있는 관찰 또는 실험결과가 추가되면 가설은 강화된다.
　(2) 가설이 거짓이라면 일어날 수 있는 관찰 또는 실험결과가 추가되면 가설은 약화된다.

❸ 유비추론 : 어떤 두 대상이나 현상이 유사한 속성을 공통적으로 가지고 있다는 사실에 근거하여(전제), 어떤 특정한 속성이 두 대상이나 현상에서도 유사하리라는 결론을 이끌어 내는 논증 방식
　(1) 관찰된 사례수나 유사한 속성수가 증가하면 논증은 강화된다.
　(2) 유사한 속성이 없다거나 그 정도가 낮음을 보이면 논증은 약화된다.

▶ 논증 평가 및 문제 해결 문항 예시

37. 다음 글을 토대로 〈사례〉를 바르게 평가한 것은?

결정론이란, 만일 한 시점에서 우주의 전체 상태가 완전히 기술된다면 법칙의 도움을 받아 미래의 어떤 사건도 모두 예측할 수 있다는 입장이다. 이것은 뉴턴에 의해 주장되었고 라플라스에 의해 상세하게 분석되었다. 결정론의 문제는 철학사에서 자유의지의 문제와 밀접하게 관련되어 있다. 만일 모든 사건이 선행하는 원인사건에 의해 결정된다면, '선택'이란 아무런 의미도 갖지 못한다고 라플라스는 주장한다. 그에 따르면 자유의지란 환상에 불과하다. 우리는 선택을 한다고 생각하지만, 그 선택은 선행하는 사건에 의해 이미 결정되어 있으며, 실제로는 그런 선택에 따르도록 강요되어 있다는 것이다. 라플라스는 하나의 사건이 이미 일어난 선행사건과 법칙에 의해서 결정된다는 이론적 의미에서의 '결정'을 '강요'와 혼동하고 있다. 만일 특정한 순간의 우주의 상태가 주어지고, 그러한 상태에 대한 완전한 기술과 모든 법칙들을 알고 있는 사람이 있다면, 그는 미래의 어떠한 사건도 예측해 낼 수 있을 것이다. 그러나 이러한 엄격한 의미에서의 결정론이 성립한다 하더라도, 사람들의 행위를 예측할 수 있다는 것으로부터 그 행위가 강요되었다는 결론은 나오지 않는다. 예측 가능성과 강요는 별개의 것이다.

〈상 황〉

바흐의 작품을 대단히 좋아하는 친구가 있다. 나는 세계 정상의 음악가들이 바흐의 작품들을 연주하는 연주회에 초대를 받았고 다른 사람을 데려가도 된다. 내가 그 친구에게 연주회에 가자고 한다면, 그는 확실히 갈 것이다. 내가 그렇게 예측하는 이유는 그의 성격을 알고 심리학의 법칙들을 알고 있기 때문이다. 내가 예측한 대로 그가 나와 함께 간다면, 그는 강요받아서 가는 것인가? 아니다. 비록 내가 그의 행위를 예측했을지라도 그는 강요받은 것이 아니다.

① 이 사례는 글의 논지를 강화하고, 라플라스의 견해와 양립가능하다.
③ 이 사례는 글의 논지를 약화하고, 라플라스의 견해와 양립불가능하다.

〈후략〉

14. 다음 글에 대한 분석으로 옳은 것만을 〈보기〉에서 있는 대로 고른 것은?

우리 행위가 우리 자신의 자유로운 선택의 결과일 때에만 우리는 그 행위에 도덕적 책임을 진다. 그러나 만약 인간 행위가 결정론적 인과 법칙에 의해 전적으로 지배된다면, 어떻게 내 행위가 자유로운 행위였다 할 수 있는지의 질문이 제기될 수 있다. 이에 대해 "우리가 자유 의지를 가지고 있고 자유롭게 행위한다는 것을 우리는 누구보다 잘 알고 있습니다. 여기에는 아무 문제가 없습니다."라고 주장하는 것은 문제의 해결이 아니다. 만약 우리가 우리의 의지가 자유롭다는 것을 정말로 안다면, 우리의 의지가 자유롭다는 것은 참일 수밖에 없다. 사실이 아닌 어떤 것을 알 수는 없기 때문이다. 그러나 "우리의 의지는 자유롭지 않으므로 어느 누구도 우리 의지가 자유롭다는 것을 알지 못한다."는 주장 역시 가능하다. 사람들이 자신들이 자유롭게 행위한다고 믿는다는 것은 분명한 사실이다. 그러나 자유롭게 행위한다고 느낀다는 것이 우리가 실제로 자유롭다는 점을 입증하지는 못한다. 그것은 단지 우리가 행위의 원인에 대해 인식하고 있지 못함을 보여줄 뿐이다.

〈보기〉

ㄱ. 이 글에 따르면, 자유로운 선택에 의한 것이지만 도덕적 책임을 지지 않는 행위는 있을 수 없다.
ㄴ. 이 글에 따르면, 우리가 무언가를 안다는 것은 그것이 참임을 함축한다.
ㄷ. 우리가 자유롭게 행했다고 여기는 많은 행위들을 인과 법칙적으로 설명할 수 있다면, 이 글의 논지는 약화된다.

상세분석   제시문은 모두 결정론과 관련된 하나의 입장을 제시하고 있다. 제시문의 주장을 파악하고, 주어진 사례나 일반적 사실이 제시문의 주장을 강화 또는 약화하는지 여부를 판단하도록 한다는 점에서 두 문항은 내용 영역과 인지 활동 유형 모두에서 유사성을 보인다.

❶ 인지 활동 유형의 유사점
두 문항 모두 논증 평가 및 문제 해결 유형에 해당하며, 세부적으로는 주장이나 가설의 강화 또는 약화를 판단할 수 있는지 묻는 유형으로 분류할 수 있다. 제시된 주장으로 설명할 수 있는 사례이거나 제시된 가설로 예측 가능한 사례가 주어졌을 때, 그러한 사례는 주장 혹은 가설을 뒷받침하고, 그러한 사례로 인하여 주장 혹은 가설이 강화될 수 있다.

❷ 난이도 수준의 유사점
PSAT의 경우 제시문의 주장으로 설명할 수 있는 사례임을 판단하기 쉽도록 비교적 명료한 사례가 주어지고 이에 대한 해석도 일부 제시되어 문제 해결이 수월한 편이다. 이에 비해 LEET의 경우, 제시문의 주장 자체를 파악하기 위한 독해의 난도가 높다. 선택지에 주어진 일반적 사실이 참일 경우나 거짓일 경우 모두를 제시문의 주장이 설명하고 있기 때문에 이를 강화나 약화로 판단하라는 선택지를 접했을 때 혼란을 겪을 수 있다는 점이 특징적이다.

261

2025년 PSAT 5급 공채 언어논리 32번

다음 A와 B에 대한 평가로 적절한 것만을 〈보기〉에서 모두 고르면?

회사에서의 내부자 고발은 어떤 사람이 자신이 속한 회사의 법적 또는 도덕적 잘못을 외부에 공개하는 행위를 말한다. 그렇다면 도덕적으로 정당화된 내부자 고발이란 무엇인가? 도덕적으로 정당화된 내부자 고발에 대한 다음의 두 견해가 있다.

A : 내부자 고발의 도덕적 정당성은 다음의 조건을 모두 만족할 경우 그리고 오직 그 경우에만 확보된다. 첫째, 고발자가 속한 회사가 대중이나 사회에 심각한 피해를 입히고 있어야 한다. 둘째, 고발자가 해당 회사의 잘못을 직속 상관이나 회사 내 다른 구성원에 보고했지만, 그 어떤 조치도 취해지지 않았어야 한다. 셋째, 회사의 잘못에 대한 증거를 가지고 있어야 한다. 마지막으로 고발자는 내부자 고발이 자신이 속한 회사가 사회에 미치는 심각한 피해를 방지할 것이라고 믿을 충분한 이유가 있어야 한다. 이 중 마지막 조건이 가장 핵심이다. 결국 내부자 고발이 도덕적으로 정당화되기 위한 핵심은 고발자가 내부자 고발을 통해 해당 회사가 대중들이나 사회에 가하는 추가적인 피해를 방지하고자 하는 데 있다.

B : 내부자 고발의 도덕적 정당성은 다음의 조건을 모두 만족할 경우 그리고 오직 그 경우에만 확보된다. 첫째, 고발자가 폭로하려는 내용이 고발자가 속한 부서의 업무이어야 한다. 둘째, 고발자는 자신이 폭로하려는 내용이 심각하게 잘못된 것이라 믿고 있어야 한다. 셋째, 고발자는 자신이 폭로하려는 내용에 관한 적절한 증거를 가지고 있어야 한다. 마지막으로, 만약 고발자가 잘못을 폭로하지 않으면, 고발자는 자신이 속한 회사의 잘못에 계속 일조할 것이라고 믿을 충분한 이유를 지녀야 한다. 이 중 마지막 조건이 가장 핵심이다. 결국 내부자 고발의 도덕적 정당성의 핵심은 고발자가 해당 회사가 범한 잘못에 가담하지 않고자 하는 데 있다.

─── 보기 ───

ㄱ. 회사가 대중이나 사회에 입히고 있는 피해가 심각하지 않은데도 불구하고 그 회사에 대한 내부자 고발이 도덕적으로 정당하다고 인정되는 사례는 A의 주장을 약화한다.

ㄴ. 고발자가 속한 부서가 잘못하고 있다는 것에 대한 적절한 증거가 없어서 내부자 고발이 도덕적으로 정당하다고 인정되지 않는 사례는 B의 주장을 약화한다.

ㄷ. 회사 내 다른 구성원에게 회사의 잘못을 알려 그 잘못에 계속 일조하지 않을 방법이 있음에도 알리지 않고 제기한 내부자 고발이 정당하다고 인정되는 사례는 A와 B의 주장을 둘 다 강화한다.

① ㄱ
② ㄷ
③ ㄱ, ㄴ
④ ㄴ, ㄷ
⑤ ㄱ, ㄴ, ㄷ

262

2025년 PSAT 5급 공채 언어논리 35번

다음 글의 갑과 을에 대한 평가로 적절한 것만을 〈보기〉에서 모두 고르면?

배우자를 찾아야 하는 유성생식은 그렇지 않은 무성생식에 비해 비효율적인 생식방법이다. 그럼에도 우리는 자연에서 유성생식하는 생물을 쉽게 찾을 수 있다. 다음은 유성생식이 존재하는 이유에 대한 갑과 을의 견해이다.

갑 : 유성생식은 배우자끼리의 유전자 교환을 통해 그 자손들이 무성생식보다 더 많은 유전적 다양성을 확보하게 하여 자손에게 무성생식보다 더 다양한 형질을 가질 수 있게 한다. 자손들이 예상하지 못한 환경 변화에 마주했을 때 자손의 형질이 다양할수록 그중 일부라도 살아남을 가능성이 커진다. 이렇게 되면 자손 집단이 전멸할 가능성이 줄어들어 그 집단은 생존에 유리해진다.

을 : 유전적으로 동일한 생물들은 살아가는 방식과 필요한 자원이 동일해 자원에 대한 극심한 경쟁을 하게 된다. 반대로 유전적으로 달라져 형질이 달라지면 살아가는 방식과 필요한 자원도 달라진다. 어떤 생물의 자손들이 모두 같은 형질을 갖고 있다면 자손들끼리 같은 자원을 두고 경쟁해 생존 경쟁이 치열해질 수밖에 없고 이러한 자손들은 공멸할 가능성이 크다. 그런데 자손들이 유전적으로 어느 정도 달라지면 형질이 달라져 이러한 경쟁이 완화된다. 무성생식으로도 돌연변이를 통해 자손들의 유전자가 달라질 수 있으나 그 정도가 아주 작아 유성생식만큼은 경쟁을 완화하지 못한다.

─── 보기 ───

ㄱ. 유성 및 무성생식이 모두 가능한 생물 종 A에 대해, 변화가 미미한 환경에서 생존해 온 집단보다 변화가 큰 환경에서 생존해 온 집단에서 유성생식을 하는 비율이 높다면, 갑의 견해는 약화된다.

ㄴ. 유성 및 무성생식이 모두 가능한 생물 종 B에 대해, 유성생식만 하는 집단보다 무성생식만 하는 집단에서 생존 경쟁이 더 치열하다면, 을의 견해는 약화된다.

ㄷ. 유성 및 무성생식이 모두 가능한 생물 종 C에 대해, 자손의 유전적 다양성이 유성생식으로 나타난 자손보다 무성생식으로 나타난 자손에서 크다면, 갑과 을의 견해 모두 약화된다.

① ㄱ
② ㄷ
③ ㄱ, ㄴ
④ ㄴ, ㄷ
⑤ ㄱ, ㄴ, ㄷ

263

다음 글의 가설 A와 B에 대한 평가로 적절한 것은?

부드러운 풀들이 자라는 초본 생태계의 종 다양성은 토양의 비옥한 정도와 초식 동물의 존재 여부에 따라 달라질 수 있다. 일반적으로 종 다양성은 비옥하지 않은 토양보다 비옥한 토양에서, 그리고 초식 동물이 있을 때보다 없을 때 더 클 것이라고 생각하기 쉽다. 하지만 과학자 갑은 이와 다른 견해를 제시한다. 예를 들어, 토양이 비옥하여 키 큰 식물들이 많아지면 그 아래쪽에 위치한 키 작은 식물들이 햇빛을 받을 수 없어 살 수 없게 되고 그 결과로 종 다양성이 오히려 감소한다는 것이다. 다른 한편으로, 키 큰 식물이 많은 비옥한 목초지에 초식 동물이 서식하면 키 큰 식물의 잎을 뜯어 먹어 키 작은 식물들이 햇빛을 받아 살 수 있게 되고 이로 인해 종 다양성이 커진다는 것이다.

갑은 이러한 견해를 토대로 다음과 같은 가설 A와 B를 세우고 초식 동물들이 살고 있는 목초지에 초본 생태계를 모방한 생태 모형을 제작하여 〈실험〉을 수행하였다.

〈가 설〉

A : 초식 동물이 없는 초본 생태계에서는, 토양이 비옥하지 않은 경우보다 비옥한 경우에 종 다양성이 작다.

B : 토양이 비옥한 초본 생태계에서는, 초식 동물이 없는 경우보다 있는 경우에 종 다양성이 크다.

〈실 험〉

갑은 목초지에 아래와 같은 네 가지 초본 생태 모형 1~4를 제작했다. 울타리를 치면 초식 동물이 들어갈 수 없어 그 안은 초식 동물이 없는 상태가 되고, 울타리를 치지 않으면 초식 동물이 들어갈 수 있어 그 안은 초식 동물이 있는 상태가 된다. 그 이외의 다른 조건은 네 가지 모형에서 모두 동일하게 했다.
○ 모형 1 : 비옥한 토양, 울타리를 침.
○ 모형 2 : 비옥한 토양, 울타리를 치지 않음.
○ 모형 3 : 비옥하지 않은 토양, 울타리를 침.
○ 모형 4 : 비옥하지 않은 토양, 울타리를 치지 않음.

갑은 일정 시간 후 각 모형의 식물 종을 조사하여 종 다양성을 수치화하였다. 수치가 높을수록 종 다양성이 크다.

① 종 다양성 수치가 모형 1보다 모형 2에서 더 높다면, B는 약화된다.
② 종 다양성 수치가 모형 1보다 모형 2에서 더 높다면, A는 강화된다.
③ 종 다양성 수치가 모형 3보다 모형 1에서 더 높다면, A는 약화된다.
④ 종 다양성 수치가 모형 3보다 모형 4에서 더 높다면, B는 강화된다.
⑤ 종 다양성 수치가 모형 4보다 모형 2에서 더 높다면, A는 약화된다.

264

다음 글에 대한 분석으로 적절한 것만을 〈보기〉에서 모두 고르면?

감정과 생리적 반응의 관계는 지난 100년 동안 심리학자들과 생리학자들의 지속적인 관심사였다. 어떤 학자는 감정 유발 자극에 따라 특정한 생리적 반응이 나타나고, 그러한 반응이 대뇌에 전달되어 감정을 체험하게 된다는 가설 A를 발표했다. 이 가설은 특정한 생리적 반응에 의해 특정한 감정이 발생함을 전제한다. 예를 들어 어떤 자극에 따라 울기 때문에 슬픔의 감정을 체험하며 또 다른 어떤 자극에 따라 몸이 떨리기 때문에 두려움의 감정을 체험한다는 것이다.

다른 학자는 가설 B를 발표했는데 그에 따르면 감정을 유발하는 자극이 감각 신경을 통해 시상하부에 들어오면 대뇌피질을 자극하는 동시에 자율신경계에도 전달된다. 이 경우 대뇌피질에 전달된 신경 흥분은 감정체험을 일으키고 자율신경계의 일종인 교감신경계에 전달된 신경 흥분은 생리적 변화를 유발하게 된다는 것이다.

또 다른 학자의 경우 감정은 생리적 반응과 무관하며 인지적 해석에 따라 결정된다는 가설 C를 발표하였다. 가설 C는 외부 자극에 대해 한 개인이 이를 어떻게 해석하고 평가하느냐에 따라 감정의 강도와 질이 결정된다고 설명한다. 동일한 자극에 대해 해석하고 평가하는 방법에 따라 서로 다른 감정을 체험하게 된다는 것이다.

보기

ㄱ. 어떠한 자극에 따라 얼굴이 붉어지는 반응이 분노를 발생시킨다고 밝혀졌다면 A는 강화된다.

ㄴ. 달려오는 자동차에 대하여 어떠한 생리적 반응이 나타나지 않았으나 두려움을 느꼈다면 A는 약화되고 B는 강화된다.

ㄷ. 개가 짖는 소리를 듣고 개가 공격할 것이라고 믿은 사람은 두려움을 느낀 반면, 짖는 소리가 반가움의 표현이라고 믿은 사람은 기쁨을 느꼈다면 A는 강화되지 않으며 C는 강화된다.

① ㄱ
② ㄴ
③ ㄱ, ㄷ
④ ㄴ, ㄷ
⑤ ㄱ, ㄴ, ㄷ

265

2010년 PSAT 행정·외무고시 언어논리 17번

다음 글의 중심 주장을 강화하는 진술은?

변호사인 스티븐 와이즈는 그의 저서에서 사람들에 대해서는 권리를 인정하면서도 동물에 대해서는 그렇게 하지 않는 법을 지지할 수 없다고 주장했다. 이렇게 하는 것은, 자유인에 대해서는 권리를 인정하면서도 노예에 대해서는 그렇게 하지 않는 법과 마찬가지로 불합리하다는 것이다. 동물학자인 제인 구달은 이 책을 동물의 마그나 카르타라고 극찬했으며, 하버드 대학은 저자인 와이즈를 동물권법 교수로 임용했다.

와이즈는 동물의 권리에 대해 이야기하면서 권리와 의무와 같은 법적 관계를 논의하기 위한 기초가 되는 법철학에 대해서는 별로 다루고 있지 않다. 그가 의존하고 있는 것은 자연과학이다. 특히 유인원이 우리 인간과 얼마나 비슷한지를 알려주는 영장류 동물학의 연구 성과에 기초하여 동물의 권리에 대해 이야기하고 있다.

인간이 권리를 갖는 이유는 우리 인간이 생물학적으로 인간종(種)의 일원이기 때문이기도 하지만, 법적 권리와 의무의 주체가 될 수 있는 '인격체'이기 때문이다. 예를 들어 자연인(自然人)이 아닌 법인(法人)이 권리와 의무의 주체가 되는 것은 그것이 인간종의 일원이기 때문이 아니라 법적으로 인격체로 인정받기 때문이다. 인격체는 생물학에서 논의할 개념이 아니라 법철학에서 다루어야 할 개념이다.

인격체는 공동체의 일원이 될 수 있는 개체를 의미한다. 공동체의 일원이 되기 위해서는 협상, 타협, 동의의 능력이 필요하고, 이런 능력을 지닌 개체에게는 권리와 의무 그리고 책임 등이 부여된다. 이러한 개념을 바탕으로 사회 질서의 근원적 규칙을 마련할 수 있고 이 규칙은 우리가 사회생활을 영위하기 위한 전략을 규정한다. 하지만 이런 전략의 사용은, 우리와 마찬가지로 규칙에 기초하여 선택된 전략을 사용할 수 있는 개체를 상대할 경우로 국한된다.

우리 인간이 동물을 돌보거나 사냥하는 것은, 공동체의 규칙에 근거하여 선택한 결정이다. 비록 동물이 생명을 갖는 개체라 하더라도 인격체는 아니기 때문에 동물은 법적 권리를 가질 수 없다.

① 애완견에게 유산을 상속하는 것도 법적 효력을 갖는다.

② 여우사냥 반대운동이 확산된 결과 에스키모 공동체가 큰 피해를 입었다.

③ 동물들은 철학적 사유도 못하고 물리학도 못하지만, 인간들 가운데에도 그러한 지적 능력이 없는 사람은 많다.

④ 어떤 동물은 인간에게 해를 입히거나 인간을 공격하기도 하지만 우리는 그 동물에게 법적 책임을 묻지 않는다.

⑤ 늑대를 지적이고 사회적인 존재라고 생각한 아메리카 인디언들은 자신들의 초기 문명기에 늑대 무리를 모델로 하여 사회를 만들었다.

266

2010년 PSAT 행정·외무고시 상황판단 22번

다음은 어느 변호사의 글이다. 이 변호사의 입장을 지지해 주는 것을 〈보기〉에서 모두 고르면?

현행 변호사법에서는 원칙적으로 변호사만이 원고를 대리하여 소송을 수행할 수 있도록 하고 있다. 그러나 A 국회의원은 소송가액* 2천만 원 이하의 소액사건의 경우에 법무사도 소송을 대리할 수 있도록 소액사건심판법의 개정안을 제출하였다. 개정안의 취지는 민사사건 중에서 상당수가 서민들의 민생분쟁인 소액사건임을 고려하여 서민들이 소액사건에서 좀 더 저렴한 수임료를 지급하고 법률서비스를 제공받을 수 있도록 한다는 것이다. 이 개정안은 그 취지에도 불구하고 다음과 같은 문제가 있다.

먼저 법무사법과 소액사건심판법 개정안이 소액사건을 '간단한' 소송사건이라고 접근하고 있는 점에 동의할 수 없다. 법률가라면 누구든지 소송가액이 적은 소송이 필연적으로 간단한 소송이라고 생각하지 않는다. 그리고 개정안을 발의한 의원들의 주장과 달리 국민들이 진정으로 원하는 것은 소송에서의 충실한 주장과 증명이다. 제대로 된 법률교육을 이수하지 않은 법무사, 변리사, 노무사, 세무사 등 유사직역 종사자에게 소송대리권을 부여하게 되면 궁극적으로 국민들에게 도움이 되지 않는다. 변호사가 과다한 수임료를 받는다는 주장도 타당하지 않다. 변호사의 수임료는 사건의 난이도와 사건처리에 소요되는 시간 및 비용, 당사자의 경제적 이익이나 경제적 부담능력 등을 기준으로 변호사와 의뢰인이 적당한 선에서 결정한다. 변호사가 도시에 편중되어 있어 국민의 변호사 접근권이 막혀 있다는 주장도 사실과 다르다. 변호사가 비약적으로 많아졌다는 사실을 고려한다면 법률수요가 있는 곳에 변호사가 당연히 찾아갈 것이기 때문이다.

※ 소송가액 : 원고가 청구하는 금액

보기

ㄱ. 변호사가 많지 않은 지역은 법률수요가 많지 않은 지역이다.

ㄴ. 사건의 난이도는 수임료의 결정에 영향을 미친다.

ㄷ. 법무사는 변호사보다 더 넓은 지역에 분포되어 있다.

ㄹ. 법무사의 경우에 변호사보다 제대로 된 법률교육을 받지 않았다.

ㅁ. 소액사건의 경우 의뢰인들은 양질의 법률서비스보다 저렴한 수임료의 법률서비스를 원한다.

① ㄱ, ㄷ   ② ㄱ, ㄴ, ㄹ   ③ ㄱ, ㄴ, ㅁ

④ ㄴ, ㄷ, ㄹ   ⑤ ㄷ, ㄹ, ㅁ

267

다음 글에서 필자가 내린 결론을 적절하게 평가한 것들을 <보기>에서 모두 고르면?

우리 연구팀은 지난 10년 동안 흡연과 폐암 사이의 관계를 경험적으로 연구해 왔다. 국내에 거주하는 30세에서 60세 나이의 성인 중 하루에 담배를 반 갑을 피우는 사람 100명, 한 갑을 피우는 사람 100명, 두 갑을 피우는 사람 100명을 각각 임의로 표집하여 세 개의 표본을 구성했다. 그 표본들에 대해 지난 10년 동안 폐암 발병률을 조사해 보았더니 담배를 많이 피우는 사람들로 구성된 표본일수록 폐암 발병률이 더 증가한다는 사실이 드러났다. 이러한 사실로부터 흡연이 폐암의 주요한 인과적 원인이라고 결론 내렸다.

보기

ㄱ. 별도의 대조 실험에서 비흡연자들의 폐암 발병률이 매우 낮다는 결과를 얻는다면 그 결론은 강화된다.

ㄴ. 흡연이 폐암 이외에도 다른 부정적 효과들을 낳는다는 것이 드러나면 그 결론은 약화된다.

ㄷ. 흡연 의존성과 폐암을 모두 야기하는 원인이 존재한다는 것이 드러나더라도 그 결론은 강화되지 않는다.

ㄹ. 동일한 실험 방식을 이용한 쥐 실험에서 담배연기에 더 많이 노출된 쥐일수록 폐암 발병률이 증가하는 것이 드러나더라도 그 결론은 약화되지 않는다.

ㅁ. 공해 물질이나 유해한 먼지와 같은 다른 요인들이 폐암과 상관된다는 것이 드러나면 그 결론은 강화된다.

① ㄱ, ㄹ   ② ㄴ, ㄷ   ③ ㄹ, ㅁ

④ ㄱ, ㄴ, ㅁ   ⑤ ㄱ, ㄷ, ㄹ

268

다음 글에 나타난 희수의 주장을 뒷받침하는 것을 <보기>에서 모두 고르면?

희수 : 미국의 경우 전체 서점 5,000여 개 중에서 반즈앤노블(Barnes and Noble)과 보더스(Borders)라는 두 개 대형서점의 매장만 2,500개 정도 됩니다. 우리나라에서도 대형서점들이 적극적으로 매장을 늘려가는 추세지요. 그러나 이런 변화가 소형서점의 몰락을 가져오는 것은 아닙니다. 보유한 책의 종류가 적고 가격 경쟁에 불리한 면이 있기는 하지만, 소형서점도 분야를 특화하거나 고객에게 밀착하여 더 나은 서비스를 제공함으로써 충분히 살아남을 수 있습니다.

지연 : 소형서점이 생존하려면 특화하는 수밖에 없다고 말씀하셨는데, 그게 그렇게 간단한 문제가 아니랍니다. 책방을 열어야겠다고 마음먹고 나니, 저도 소자본으로 한다면 전문서점을 해야 서점계에 자리 잡을 수 있을 것 같았습니다. 그런데 암만 생각해도 아직 전문서점이 살아남기엔 힘들겠다는 생각이 들었습니다. 가령 시집만을 전문으로 다루는 서점이 살아남을 수 있을까요? 안 되죠. 철학만, 좀 폭을 넓혀서 인문과학만이라고 해도 역시 마찬가지일 겁니다. 그런 측면에서 저는 희수 씨가 말씀하신 것이 왠지 계속 마음에 걸리네요.

희수 : 제가 아까 '특화'라고 한 것은 특정 장르를 취급하는 서점만 말씀드린 것이 아니라, 고객에게 인상을 남기는 서점, 서비스가 아주 좋은 서점 같이, 여러 가지 다양한 방식으로 자기 특색을 만들어낼 수 있는 서점이 있어야 한다는 거예요. 평범한 서점은 미래가 없다고 봐야죠. 뭔가 남과 다른, 특색 있는 요소를 만들어내야 합니다. 열 명도 앉기 힘들 만큼 좁은 식당을 운영하는 주인도 변화하는 손님들의 입맛을 만족시키기 위해 끊임없이 새로운 아이디어를 찾고 특이한 메뉴를 개발하여 살아남고자 노력합니다. 책을 판다는 것이 특권이 아닙니다. 고객의 욕구를 충족시킬 때만 살아남을 수 있기 때문에 훨씬 더 많은 노력이 필요합니다.

보기

ㄱ. 변화하지 않는 서점들은 고객의 욕구를 충족시키지 못했기 때문에 냉엄한 시장 현실에 의해서 도태될 수밖에 없었다.

ㄴ. 책이란 것은 출판사에서 나올 때 형태가 갖추어져 있고 내용노 똑같기 때문에 가격이 서점 선택에 가장 중요한 요소가 된다.

ㄷ. 최근 들어 사람들의 책 선택 경향이 소설, 처세서 등 특정 분야의 베스트셀러로 집중되고 있다.

ㄹ. 서점에 카페 개념을 접목하여 편안하게 책을 읽고 마음에 들면 사 갈 수도 있는 서점들이 최근 들어 큰 인기를 끌고 있다.

① ㄱ, ㄴ   ② ㄱ, ㄷ   ③ ㄱ, ㄹ

④ ㄴ, ㄷ   ⑤ ㄴ, ㄹ

269

다음 실험 결과를 일반화하여 가설을 세운다고 할 때 그 가설로부터 추론할 수 있는 내용으로 **부적절한** 것은?

다이안 매키와 레일라 위스는 미국 학생들에게 총기 규제 강화에 대하여 찬반 여부를 묻는 질문을 던졌다. 그 중 절반에게는 긍정적인 기분을 유발하기 위해 코미디 프로그램을 보여 주고, 나머지 절반에게는 감정상 중립적인 다른 프로그램을 보여 주었다. 그런 다음 두 그룹의 학생들에게 애초 자신이 가졌던 의견과 반대되는 관점의 논증을 제시했다. 총기 규제 강화에 찬성했던 학생들에게는 반대 측의 논증을, 총기 규제 강화에 반대했던 학생들에게는 찬성 측의 논증을 제시한 것이다. 그 중 절반에게는 약한 논증을, 나머지 절반에게는 강한 논증을 제시하였다. 또 일부에게는 제시된 논증을 읽기에 빠듯한 시간을 주고, 나머지에게는 원하는 만큼 시간을 주었다. 논증을 읽은 후 총기 규제에 대한 학생들의 입장이 변했는지 알아보았다.

전반적으로 모든 학생이 약한 논증보다는 강한 논증에 더 많은 영향을 받았다. 그러나 생각할 시간이 적고 긍정적 기분이었던 학생들의 경우 둘 사이의 차이가 매우 적었다. 약한 논증에 대해서는 다른 모든 집단의 학생이 훨씬 설득력이 떨어진다고 대답한 반면, 기분은 좋지만 시간은 빠듯한 상황에 있었던 학생은 약한 논증 역시 강한 논증 못지않게 설득력이 있다고 대답했다. 나아가 이 집단의 경우 다른 집단의 학생에 비해 논증을 제시한 화자의 명성에 큰 비중을 두고 논증을 읽는다는 사실이 밝혀졌다. 시간이 넉넉했을 경우, 기분이 좋았던 학생도 그렇지 않은 상태의 학생과 마찬가지로, 약한 논증을 설득력 없는 것으로 받아들였다는 점은 기분보다는 시간이 중요한 변수라는 사실을 보여 준다. 한편 매키와 위스는, 필요한 시간을 원하는 만큼 허용한 집단 내에서도 실제로 논증 검토에 소비한 시간을 비교한 결과, 기분이 좋았던 학생이 그렇지 않은 학생에 비해 많은 시간을 소비했다는 사실을 밝혀냈다.

① 시간이 충분할 경우, 감정 상태는 사람들의 논증 평가에 영향을 미친다.
② 기분이 좋고 생각할 시간이 적으면 사람들은 말하는 사람의 명성 같은 것에 더 의존하게 된다.
③ 기분이 좋지 않을 경우, 시간이라는 요소는 사람들의 논증 평가에 그다지 영향을 미치지 않는다.
④ 사람들이 중립적인 기분에 있거나 생각할 수 있는 시간이 많을 때 약한 논증은 그리 설득력을 갖지 못한다.
⑤ 기분이 좋고 생각할 시간이 적은 사람들은 그렇지 않은 사람들보다 약한 논증을 설득력이 있는 논증으로 더 잘 받아들인다.

270

다음 글에 나타난 남 교수의 견해를 가장 약화시키는 진술은?

얼마 전 최 교수와 남 교수는 다음과 같은 도덕적 딜레마 상황을 설정하고 남자 아이와 여자 아이의 반응을 조사했다.

박 씨의 아내는 어떤 약을 먹지 않으면 목숨을 잃게 될지도 모를 병을 앓고 있다. 그런데 그 약은 박 씨가 도저히 구입할 수 없을 정도로 비싸다. 약사는 박 씨에게 공짜로 약을 주지 않는다. 박 씨는 아내의 생명을 구하기 위하여 약을 훔쳐야 하는가?

13세 소년 정우는 박 씨가 약을 훔쳐야 하며, 그런 뒤에 도둑질에 대한 벌을 받아야 한다고 말했다. 정우의 반응은 남자들이 보이는 가장 흔한 반응이었다. 최 교수의 분석에 따르면, 정우는 사회 규칙을 존중하는 동시에 재산 존중에 관한 원칙과 인명 존중의 원칙을 분리하고 도덕적 차원의 등급을 매겨 판단하고 있었다.

반면 정우와 같은 또래의 소녀 은아는 박 씨가 어떻게 행동해야 하는지에 대해 쉽게 결론을 내리지 못했다. 그녀는 박 씨와 그의 아내, 그리고 약사의 관계에 관심을 집중하면서, 한 동네에 살면서도 박 씨 가족의 처지를 외면하는 약사를 비난했다. 이는 또한 여성들에게서 나타나는 전형적인 반응이기도 했다. 최 교수는 대부분의 소년들이 추상적인 규칙과 원리의 차원에서 사고한다는 점에서 소녀들보다 높은 도덕감 발달 단계에 있다고 평가한다.

이에 대해 남 교수는 소년의 판단에 대한 최 교수의 분석에는 대체로 동의하면서도 그가 소녀의 반응을 올바르게 해석하지 못했다고 지적한다. 남 교수의 분석에 따르면 이런 사례는 여성이 남성과 달리 구체적이고 개별적인 관계의 관점에서 도덕적인 문제를 바라본다는 사실을 말해 준다. 또 그가 보기에는 사람들 간의 구체적이고 개인적인 관계라는 맥락 속에서 판단하는 은아가 쉽게 결론을 내리지 못했던 것은 도덕감의 발달 수준과 무관한 사항이었다.

① 여성은 월경과 임신, 출산 그리고 자녀 양육 등의 경험으로 인해 인명의 손실에 대해 일반적으로 남성보다 더 구체적인 감정을 갖게 된다.
② 오늘날 수많은 여성들이 환경 운동에 참여하고 있는데, 이런 참여의 배경에는 생태계 보전이 인류의 최대 의무 가운데 하나라는 신념이 깔려 있다.
③ 전쟁은 남에게 자신의 규범을 강요하기 좋아하는 남성의 본성에서 발생한다는 점을 고려할 때, 과거의 전쟁에 비해 현대의 전쟁이 더욱 참혹해지는 책임은 남성에게 있다.
④ 최근 운동 경기의 열광적인 팬 가운데 여성이 차지하는 비중이 급격히 증가하여, 좋아하는 팀을 응원하기 위해 자비로 해외 원정 응원까지 떠나는 여성들을 흔히 보게 되었다.
⑤ 여성의 윤리적 판단은 대부분 가정 내에서, 그리고 친구 관계에서 반복되는 윤리적 경험으로부터 형성되는 반면, 남성들은 사회 문제나 정치적 문제에 관한 토론을 통해 윤리적 관점을 구축하게 되는 경우가 많다.

271

다음 글의 ㉠을 약화하는 것으로 가장 적절한 것은?

분석은 자연과 사회의 다양한 현상에 대하여 왜 그런 현상이 나타나는지를 설명하기 위한 방법이다. 널리 쓰이는 것은 요소 분석으로, 설명의 대상을 적절한 요소들로 나누어 살피는 분석법이다. 요소 분석의 요체는 분석 대상인 전체와는 다른 속성을 지니면서도 합쳐지면 전체를 구성하는 부분, 즉 '요소'들을 찾아 제시하는 데 있다. 분석자는 그러한 요소들의 속성을 결합하여 대상 전체의 속성을 설명하려 할 것이다.

그런데 어째서 물이 불을 끌 수 있는가 하는, 물의 속성에 관한 물음을 해명하려는 화학자가 있다고 해 보자. 만일 그가 물을 산소와 수소라는 두 요소로 분석했다면, 그는 수소가 타는 속성을 지닌 기체이고 산소도 연소를 돕는 속성을 지녔다는 사실 앞에서 당황하게 될 것이다. 산소와 수소라는 요소들로 물이 불을 끌 수 있는 이유를 설명할 수 없기 때문이다. 이것은 요소 분석이 지닌 한계를 암시한다. 전체의 속성을 이해하려는 이가 그것을 구성하는 요소들에만 주목할 경우, 이와 유사한 당혹감을 느끼게 될 위험이 크다. 해명되어야 할 속성이 분석 과정에서 증발해 버리고 요소들 간의 관계를 피상적으로 서술하는 일에 그치게 될 위험이 있는 것이다. 그런 분석으로는 설명에 도달할 수 없다.

따라서 ㉠우리는 새로운 종류의 분석, 즉 단위 분석을 선택해야 한다. 단위 분석은 복잡하면서도 모종의 통일성을 지닌 전체를 '단위'로 나누는 분석이다. 단위란 앞에서 화학자의 분석이 주목했던 요소와 달리, 전체의 고유한 속성들을 고스란히 갖추고 있으면서 더 이상 나눌 수 없는, 전체의 살아 있는 부분을 가리킨다. 현상을 제대로 설명하려면 먼저 그런 부분들을 찾아내야 한다. 그렇게 할 때, 요소 분석의 한계를 극복하고 분석의 목적을 실현할 수 있다.

① 분석 대상을 시간 요소로 나누어 살피더라도 인과관계는 드러나지 않기 때문에 설명에 도움이 되지 않는다.

② 요소들의 결합으로 대상 전체가 어떻게 구성되는지 보여주는 데 성공하더라도 그것은 대상의 속성을 설명하는 일과 다르다.

③ 요소 분석에서는 전체를 설명하기 위하여 요소들 간의 상호 관계까지 추가로 해명해야 하기 때문에 설명의 경제성이 삭감된다.

④ 단위가 전체의 속성들을 그대로 지닌다면 설명되어야 할 대상 자체와 다를 바 없으므로 단위 분석은 설명에 기여하지 못한다.

⑤ 설명의 적절성은 설명을 요구하는 구체적인 문제의 특성에 따라 달라지기 때문에 설명에는 다양한 단위 분석이 존재할 수 있다.

272

다음 글의 주장을 강화하는 것만을 〈보기〉에서 모두 고르면?

우리는 물체까지의 거리 자체를 직접 볼 수는 없다. 거리는 눈과 그 물체를 이은 직선의 길이인데, 우리의 망막에는 직선의 한쪽 끝 점이 투영될 뿐이기 때문이다. 그러므로 물체까지의 거리 판단은 경험을 통한 추론에 의해서 이루어진다고 보아야 한다. 예컨대 우리는 건물, 나무 같은 친숙한 대상들의 크기가 얼마나 되는지, 이들이 주변 배경에서 얼마나 공간을 차지하는지 등을 경험을 통해 이미 알고 있다. 우리는 물체와 우리 사이에 혹은 물체 주위에 이런 친숙한 대상들이 어느 정도 거리에 위치해 있는지를 우선 지각한다. 이로부터 우리는 그 물체가 얼마나 멀리 떨어져 있는지를 추론하게 된다. 또한 그 정도 떨어진 다른 사물들이 보이는 방식에 대한 경험을 토대로, 그보다 작고 희미하게 보이는 대상들은 더 멀리 떨어져 있다고 판단한다. 거리에 대한 이런 추론은 과거의 경험에 기초하는 것이다.

반면에 물체가 손이 닿을 정도로 아주 가까이에 있는 경우, 물체까지의 거리를 지각하는 방식은 이와 다르다. 우리의 두 눈은 약간의 간격을 두고 서로 떨어져 있다. 이에 우리는 두 눈과 대상이 위치한 한 점을 연결하는 두 직선이 이루는 각의 크기를 감지함으로써 물체까지의 거리를 알게 된다. 물체를 바라보는 두 눈의 시선에 해당하는 두 직선이 이루는 각은 물체까지의 거리가 멀어질수록 필연적으로 더 작아진다. 대상까지의 거리가 몇 미터만 넘어도 그 각의 차이는 너무 미세해서 우리가 감지할 수 없다. 하지만 팔 뻗는 거리 안의 가까운 물체에 대해서는 그 각도를 감지하는 것이 가능하다.

보기

ㄱ. 100미터 떨어진 지점에 민수가 한 번도 본 적이 없는 대상만 보이도록 두고 다른 사물들은 보이지 않도록 민수의 시야 나머지 부분을 가리는 경우, 민수는 그 대상을 보고도 얼마나 떨어져 있는지 판단하지 못한다.

ㄴ. 아무것도 보이지 않는 캄캄한 밤에 안개 속의 숲길을 걷다가 앞쪽 멀리서 반짝이는 불빛을 발견한 태훈이가 불빛이 있는 곳까지의 거리를 어렵잖게 짐작한다.

ㄷ. 태어날 때부터 한쪽 눈이 실명인 영호가 30센티미터 거리에 있는 낯선 물체 외엔 어떤 것도 보이지 않는 상황에서 그 물체까지의 거리를 옳게 판단한다.

① ㄱ   ② ㄷ   ③ ㄱ, ㄴ

④ ㄴ, ㄷ   ⑤ ㄱ, ㄴ, ㄷ

273

2025년 PSAT 7급 공채 언어논리 20번

다음 글의 ㉠에 대한 평가로 적절한 것만을 〈보기〉에서 모두 고르면?

곤충 X는 유충에서 변태를 거쳐 성충이 된다. X의 변태에 관여하는 호르몬으로는 α와 β가 있다. 과학자 A가 조사한 결과는 다음과 같았다. X의 유충 시기에 α, β 각각의 혈중 농도는 변함없이 일정하였고, 성충 시기에도 α, β 각각의 혈중 농도는 변함없이 일정하였으나, 변태 시기 동안 α의 혈중 농도는 증가한 반면에 β의 혈중 농도는 감소하였다. X의 유충 시기에는 α의 혈중 농도가 β의 혈중 농도보다 낮았다. 이에 A는 ㉠X의 유충 시기보다 성충 시기에 α와 β의 혈중 농도 차이가 더 작다는 가설을 세웠다.

보기

ㄱ. X의 성충 시기에 α의 혈중 농도가 β의 혈중 농도보다 높다는 실험 결과가 나오면, ㉠은 강화된다.

ㄴ. X의 성충 시기에 β의 혈중 농도가 α의 혈중 농도보다 높다는 실험 결과가 나오면, ㉠은 강화된다.

ㄷ. X의 성충 시기에 α와 β의 혈중 농도가 같다는 실험 결과가 나오면, ㉠은 강화된다.

① ㄱ
② ㄴ
③ ㄱ, ㄷ
④ ㄴ, ㄷ
⑤ ㄱ, ㄴ, ㄷ

274

2025년 PSAT 5급 공채 언어논리 37번

다음 글의 〈실험 결과〉를 가장 잘 설명하는 것은?

위가 비었을 때 분비되는 그렐린은 식욕을 일으키는 호르몬으로 알려져 있다. 뇌에서 그렐린은 효소 AMPK를 인산화하고, 인산화된 AMPK는 물질 ROS의 생성을 저해하고, ROS의 생성 저해는 α 뉴런을 활성화하고, α 뉴런이 활성화되면 식욕이 촉진된다. 한 과학자는 그렐린이 식욕을 일으키는 메커니즘에 뇌 속에 있는 단백질 X와 Y가 관여한다는 가설을 세웠다. 그는 이를 확인하기 위해 정상 쥐 M에서, X를 만드는 유전자를 제거한 돌연변이 쥐 MX, Y를 만드는 유전자를 제거한 돌연변이 쥐 MY를 만들었다. 그리고 쥐들이 식욕이 없는 상태에서 다음과 같은 〈실험〉을 수행하여 〈실험 결과〉를 얻었다.

〈실 험〉
실험 1 : M, MX, MY 각각에 생리식염수 또는 S1(생리식염수 + 그렐린)을 주입하고 쥐들의 뇌에서 AMPK의 인산화 여부를 확인하였다.
실험 2 : M, MX, MY 각각에 생리식염수, S1, S2(생리식염수 + 그렐린 + P 억제제)를 주입하고 쥐의 먹이 섭취 여부를 확인하였다. P 억제제는 뇌에서 ROS의 생성을 저해한다.

〈실험 결과〉

□ AMPK 인산화 여부

구분	M	MX	MY
생리식염수	×	×	×
S1	○	○	×

※ ○ : 인산화됨, × : 인산화 안 됨

□ 쥐의 먹이 섭취 여부

구분	M	MX	MY
생리식염수	×	×	×
S1	○	×	×
S2	○	○	○

※ ○ : 섭취함, × : 섭취 안 함

① 그렐린이 AMPK를 인산화할 때 X가 필요하고, 인산화된 AMPK가 ROS의 생성을 저해할 때 X가 필요하다.

② 그렐린이 AMPK를 인산화할 때 X가 필요하고, 인산화된 AMPK가 ROS의 생성을 저해할 때 Y가 필요하다.

③ 그렐린이 AMPK를 인산화할 때 Y가 필요하고, 인산화된 AMPK가 ROS의 생성을 저해할 때 X가 필요하다.

④ 그렐린이 AMPK를 인산화할 때 Y가 필요하고, 인산화된 AMPK가 ROS의 생성을 저해할 때 Y가 필요하다.

⑤ 그렐린이 AMPK를 인산화할 때 X와 Y가 모두 필요하고, 인산화된 AMPK가 ROS의 생성을 저해할 때 X와 Y가 모두 필요하지 않다.

275

다음 글의 ㉠과 ㉡에 대한 평가로 적절한 것만을 〈보기〉에서 모두 고르면?

이산화 주석(SnO₂)을 이용한 음주 측정기는 음주자의 날숨에 포함된 에탄올이 이산화 주석의 표면에 달라붙으면 이산화 주석의 전기 전도도가 변하는 성질을 이용한다. 이산화 주석의 표면에는 이산화 주석의 전자를 빼앗은 산소가 음이온의 형태로 달라붙어 있다. 이 상태에서 날숨의 기체가 음주 측정기 안으로 들어가면 이산화 주석에 달라붙어 있던 산소 이온은 에탄올과 반응하는데, 이 반응 과정에서 산소 이온이 이산화 주석에 전자를 내어 준다. 따라서 에탄올 기체에 노출되면 이산화 주석의 전기 전도도가 서서히 커지다가 최댓값에 도달한다. 이때 전기 전도도의 최댓값은 에탄올 기체의 농도가 진할수록 크지만 유한한 값이다.

이산화 주석을 이용한 음주 측정기에서 전기 전도도의 변화는 저항값의 변화로 측정하는 것이 일반적이다. 전기 전도도보다는 저항값의 변화 측정이 용이하기 때문이다. 전기 전도도는 저항값에 반비례한다. 음주 측정기에서 측정한 저항값을 통해 날숨의 에탄올 농도를 알 수 있다.

이러한 음주 측정기에서 에탄올에 노출되기 전의 저항값과 에탄올에 노출된 후 도달한 저항의 최솟값의 차이를 에탄올에 노출되기 전의 저항값으로 나눈 값을 음주 측정기의 감도라 한다. 음주 측정기가 에탄올에 노출된 후 저항의 최솟값에 도달하는 데 걸린 시간을 음주 측정기의 반응시간이라 한다. 또한 날숨에 에탄올 이외의 다른 기체가 섞이더라도 에탄올 농도 측정 시 에탄올에 의한 저항값의 감소가 유지되는 정도를 선택도라고 한다. 예를 들어 에탄올 이외에 다른 기체가 날숨에 섞였을 때 음주 측정기의 감도가 많이 변한다면 선택도가 낮은 것이다. 감도, 반응시간, 선택도는 음주 측정기의 성능을 파악할 수 있는 중요한 지표이다.

두 회사 A와 B는 각각 이산화 주석을 이용한 음주 측정기 MA와 MB를 개발하여 출시하고자 한다. A는 ㉠MA가 MB에 비해, 감도는 같으나 반응시간이 더 짧다고 주장한다. 반면 B는 ㉡MB가 MA에 비해, 반응시간은 같으나 선택도가 더 크다고 주장한다.

보기

ㄱ. 음주자의 날숨 샘플 S에 노출되기 전에는 저항값이 MA가 MB의 2배이고 S에 노출된 후 도달한 저항의 최솟값이 MA와 MB가 같다는 결과가 나오면, ㉠은 약화된다.

ㄴ. 에탄올 기체만 추가한 공기 샘플 S1과 S1에서 에탄올 기체 이외의 공기 일부를 같은 부피의 메테인 기체로 대체한 샘플 S2의 에탄올 농도 측정 시 전기 전도도의 증가량이 MB에서와 달리 MA에서 차이가 난다는 결과가 나오면, ㉡은 약화된다.

ㄷ. 음주자의 날숨 샘플 S에 노출되었을 때 전기 전도도가 최댓값에 도달하는 데 걸린 시간이 MA와 MB가 같다는 결과가 나오면, ㉠은 약화되고 ㉡은 강화된다.

① ㄴ   ② ㄷ   ③ ㄱ, ㄴ

④ ㄱ, ㄷ   ⑤ ㄱ, ㄴ, ㄷ

276

다음 글의 ㉠에 대한 평가로 적절한 것만을 〈보기〉에서 모두 고르면?

혼합물은 여러 물질이 섞여 있는 것이다. 혼합물 안에 어떤 물질이 있는지 알아보는 방법 중 하나는 흡수 분광법이다. 이 방법은 물질마다 빛을 흡수하는 성질이 다르다는 것을 이용한다. 흡수 분광법에서는 다양한 진동수를 가진 빛을 혼합물에 입사시키고, 어떤 진동수의 빛이 흡수되었는지를 분석하여 혼합물 내의 물질 조성을 알아낸다.

이때 한 물질이 다양한 진동수의 빛을 흡수하는 경우도 있고, 진동수가 같은 빛을 서로 다른 물질이 흡수하는 경우도 있다. 또한 혼합물에서 두 가지 물질 사이에 상호작용이 있는 경우 혼합물이 추가로 빛을 흡수할 수 있다. 이때 추가로 흡수하는 빛의 진동수는 각 물질이 흡수하는 빛의 진동수와 같을 수도 있고 다를 수도 있다.

한 과학자는 물질 A ~ C 중 두 개의 물질로만 구성된 혼합물 X와 혼합물 Y의 물질 조성을 알아내기 위해 X와 Y를 대상으로 흡수 분광법 실험을 수행하였다. 실험 결과, X는 진동수 Ⅰ, Ⅱ, Ⅲ의 빛만을 흡수하였고, Y는 진동수 Ⅰ과 Ⅱ의 빛만을 흡수하였다. 과학자는 A가 진동수 Ⅰ과 Ⅱ의 빛만을 흡수하고, B가 진동수 Ⅲ의 빛만을 흡수하고, C가 진동수 Ⅱ의 빛만을 흡수한다고 가정하였다. 이 실험 결과와 가정을 바탕으로 과학자는 ㉠X는 A와 B로 구성되어 있고, Y는 A와 C로 구성되어 있다고 주장하였다.

보기

ㄱ. A는 진동수 Ⅰ의 빛을 흡수하지 않고 C는 진동수 Ⅰ의 빛을 추가로 흡수한다는 사실이 밝혀진다면, ㉠은 약화된다.

ㄴ. A와 B의 혼합물은 상호작용에 의해 진동수 Ⅲ의 빛을 추가로 흡수한다는 사실이 밝혀진다면, ㉠은 약화된다.

ㄷ. A와 C의 혼합물은 상호작용에 의해 진동수 Ⅲ의 빛을 추가로 흡수하고 B는 진동수 Ⅲ의 빛을 흡수하지 않는다는 사실이 밝혀진다면, ㉠은 약화된다.

① ㄱ   ② ㄴ   ③ ㄱ, ㄷ

④ ㄴ, ㄷ   ⑤ ㄱ, ㄴ, ㄷ

277

2025년 PSAT 5급 공채 언어논리 18번

다음 글의 가설 A와 B에 대한 평가로 적절한 것만을 〈보기〉에서 모두 고르면?

보통의 쥐는 물질 α의 양이 뇌의 영역 Ⅰ보다 뇌의 영역 Ⅱ에서 더 적다. 한 과학자는 쥐가 행동 K를 할 때 이 두 영역 속에 있는 물질 α의 역할이 중요하다고 생각한 후, 다음 가설 A와 B를 설정하고 실험을 수행하였다.

〈가 설〉

A : 쥐의 뇌의 영역 Ⅰ에서 물질 α의 양이 증가하면 그 쥐가 행동 K를 할 가능성이 커지고, 영역 Ⅱ에서 물질 α의 양이 감소하면 그 쥐가 행동 K를 할 가능성이 커진다.

B : 쥐의 뇌의 영역 Ⅰ과 영역 Ⅱ에서 물질 α의 양 차이가 커질수록 그 쥐가 행동 K를 할 가능성이 커진다.

〈실 험〉

물질 α의 생성을 촉진하는 유전자를 쥐의 뇌에 주입하면 주입된 부위에서만 물질 α의 양이 증가하고, 물질 α의 분해를 촉진하는 유전자를 쥐의 뇌에 주입하면 주입된 부위에서만 물질 α의 양이 감소한다. 과학자는 보통의 쥐를 다음과 같이 세 그룹으로 나누고 실험을 수행하였다.

○ 그룹 1 : 아무런 처리를 하지 않았다.

○ 그룹 2 : 영역 Ⅰ에 물질 α의 생성을 촉진하는 유전자를 주입하였다.

○ 그룹 3 : 영역 Ⅱ에 물질 α의 분해를 촉진하는 유전자를 주입하였다.

이후 각 그룹의 쥐들에서 행동 K를 하는 쥐의 비율을 측정하였다.

보기

ㄱ. 측정된 비율이 그룹 2와 그룹 3 모두 그룹 1과 차이가 없었다면, A는 강화된다.

ㄴ. 측정된 비율이 그룹 2와 그룹 3 모두 그룹 1보다 낮았다면, A는 약화된다.

ㄷ. 측정된 비율이 그룹 2와 그룹 3 모두 그룹 1보다 높았다면, B는 약화된다.

① ㄱ   ② ㄴ   ③ ㄱ, ㄷ

④ ㄴ, ㄷ   ⑤ ㄱ, ㄴ, ㄷ

278

2023학년도 경찰대편입 언어논리 16번

다음 논증을 아래 〈실험〉의 결과로 평가한 것으로 가장 적절한 것은?

선분 하나를 왼쪽에서 오른쪽으로 길게 그은 다음, 왼쪽 끝에 숫자 '만'이 있고 오른쪽 끝에는 숫자 '억'이 있다고 하자. 이 선분 위에 숫자 '백만'을 놓으라고 하면 어디에 두겠는가? 이 요청에 '백만'을 '억'보다 '만'에 가깝게 두는 사람들이 있고, 선분 중간에 두는 사람들도 있다. 전자의 경우, 사람들은 더하기 관점에서 그런 선택을 했다고 할 수 있다. 만에 얼마를 더해야 백만이 되는지, 그리고 백만에 얼마를 더해야 억이 되는지를 비교해보면 '백만'이 '억'보다는 '만'에 훨씬 가까워야 한다고 생각하는 것이다. 반면, 후자의 경우는 사람들이 곱하기 관점에서 생각한 결과다. 만의 100배가 백만이고, 백만의 100배가 억이기 때문에, 숫자 '백만'은 선분의 딱 중간에 두어야 한다고 생각한 것이다. 흥미로운 점은, 후자에 속하는 사람들이 전자에 속하는 사람들보다 훨씬 많다는 것이다. 이는 문명에 상관없이 발견되는 현상이며, 수에 대해서 제대로 배우지 않은 아이들에게도 나타나는 보편적인 현상이다. 따라서 우리는 이 현상을 호모 사피엔스가 아닌 다른 종에서도 발견할 수 있을 것이다.

〈실 험〉

여러 실험군의 쥐를 두 개의 지렛대가 있는 우리 안에 두고 여러 신호음을 규칙적으로 들려줬다. 어떨 때는 두 번, 어떨 때는 여덟 번. 신호음이 두 번 울릴 때 쥐가 첫째 지렛대를 누르면 쥐에게 먹이가 주어지고, 신호음이 여덟 번 울릴 때는 둘째 지렛대를 눌러야 먹이가 주어지도록 했다. 어느 정도 학습 시간을 거친 후 쥐들은 원칙을 이해하고 적절하게 지렛대를 작동하게 되었다. 이 쥐들에게 신호음을 두 번이나 여덟 번이 아닌 다른 횟수로 들려주고, 쥐의 움직임을 관찰하였다.

① 신호음이 세 번 울릴 때 쥐가 첫째 지렛대를 누른다면, 논증은 약화된다.

② 신호음이 세 번 울릴 때 쥐가 어느 쪽을 누를지 망설이는 모습을 보인다면, 논증은 강화된다.

③ 신호음이 네 번 울릴 때 둘째 지렛대를 누른다면, 논증은 강화된다.

④ 신호음이 네 번 울릴 때 쥐가 어느 쪽을 누를지 망설이는 모습을 보인다면, 논증은 강화된다.

⑤ 신호음이 다섯 번 울릴 때 쥐가 어느 쪽을 누를지 망설이는 모습을 보인다면, 논증은 강화된다.

279

다음 ㉠을 약화하는 진술로 가장 적절한 것은?

침팬지, 오랑우탄, 피그미 침팬지 등 유인원도 자신이 다른 개체의 입장이 됐을 때 어떤 생각을 할지 미루어 짐작해 보는 능력이 있다는 연구 결과가 나왔다. 그동안 다른 개체의 입장에서 생각을 미루어 짐작해 보는 능력은 사람에게만 있는 것으로 여겨져 왔다. 연구팀은 오랑우탄 40마리에게 심리테스트를 위해 제작한 영상을 보여주었다. 그들은 '시선 추적기'라는 특수 장치를 이용하여 오랑우탄들의 시선이 어디를 주목하는지 조사하였다. 영상에는 유인원의 의상을 입은 두 사람 A와 B가 싸우는 장면이 보인다. A와 싸우던 B가 건초더미 뒤로 도망친다. 화가 난 A가 문으로 나가자 B는 이 틈을 이용해 옆에 있는 상자 뒤에 숨는다. 연구팀은 몽둥이를 든 A가 다시 등장하는 장면에서 피험자 오랑우탄들의 시선이 어디로 향하는지를 분석하였다. 이 장면에서 오랑우탄 40마리 중 20마리는 건초더미 쪽을 주목했다. B가 숨은 상자를 주목한 오랑우탄은 10마리였다. 이 결과를 토대로 연구팀은 피험자 오랑우탄 20마리는 B가 상자 뒤에 숨었다는 사실을 모르는 A의 입장이 되어 건초더미를 주목했다는 ㉠해석을 제시하였다. 이 실험으로 오랑우탄에게도 다른 개체의 생각을 미루어 짐작하는 능력이 있는 것으로 볼 수 있으며, 이러한 점은 사람과 유인원의 심리 진화 과정을 밝히는 실마리가 될 것으로 보인다.

① 상자를 주목한 오랑우탄들은 A보다 B와 외모가 유사한 개체들임이 밝혀졌다.

② 사람 40명을 피험자로 삼아 같은 실험을 하였더니 A의 등장 장면에서 30명이 건초더미를 주목하였다.

③ 새로운 오랑우탄 40마리를 피험자로 삼고 같은 실험을 하였더니 A의 등장 장면에서 21마리가 건초더미를 주목하였다.

④ 오랑우탄 20마리는 단지 건초더미가 상자보다 자신들에게 가까운 곳에 있었기 때문에 건초더미를 주목한 것임이 밝혀졌다.

⑤ 건초더미와 상자 중 어느 쪽도 주목하지 않은 나머지 오랑우탄 10마리는 영상 속의 유인원이 가짜라는 것을 알고 있었다.

280

다음 글의 논지를 강화하는 것만을 〈보기〉에서 모두 고르면?

인간의 복잡하고 정교한 면역계는 세균이나 바이러스 같은 병원체의 침입에 맞서서 우리를 지켜 주지만, 병원체가 몸 안으로 들어오고 난 다음에야 비로소 침입한 병원체를 제거하는 과정을 시작한다. 이 과정은 염증이나 발열 같은 적잖은 생물학적 비용과 위험을 동반한다. 인류의 진화 과정은 개체군의 번영을 훼방하는 이런 비용을 치러야 할 상황을 미리 제거하거나 줄이는 방향으로 진행되었다. 이 과정은 인류에게 병원체를 옮길 만한 사람과 어울리지 않고 거리를 두려는 자연적인 성향을 만들어냈다. 그 결과 누런 콧물이나 변색된 피부처럼 병원체에 감염되었음을 암시하는 단서를 보이는 대상에 대해 혐오나 기피의 정서가 작동하여 감염 위험이 줄어들게 된다.

그러나 이와 비슷한 위험은 병에 걸린 것으로 보이지 않는 대상에도 있다. 기생체와 숙주 사이에 진행된 공진화의 과정은 지역에 따라 상이한 병원체들과 그것들에 대한 면역력을 지닌 거주민들을 만들어냈다. 처음에는 광범위한 지역에 동일한 기생체와 숙주들이 분포했더라도 지역에 따라 상이한 기생체가 숙주의 방어를 깨고 침입하는 데 성공하고 숙주는 해당 기생체에 대한 면역을 갖게 되면서 지역에 따라 기생체의 성쇠와 분포가 달라지고 숙주의 면역계도 다르게 진화한다. 결과적으로 그 지역의 토착 병원균들을 다스리는 면역 능력을 비슷하게 가진 사람들이 한 곳에 모여 살게 되었다. 그러므로 다른 지역의 토착 병원균에 적응하여 살아온 외지인과 접촉했다가는 자신의 면역계로 감당할 수 없는 낯선 병원균에 무방비로 노출될 수 있고, 이런 위험은 피하는 것이 상책이다. 그래서 앞서 언급한 질병의 외형적 단서들에 대해서 뿐만이 아니라 단지 어떤 사람이 우리 집단에 속하지 않는 외지인임을 알려주는 단서, 예컨대 이곳 사람들과 다른 문화나 가치관을 가졌다고 보이는 경우 그런 사람을 배척하거나 꺼리는 기제가 작동한다. 외지인을 배척하고 같은 지역 사람들끼리 결속하는 성향은 전염성 질병으로부터 스스로를 보호하는 효율적인 장치였다.

보기

ㄱ. 문화와 가치체계의 동질성을 기준으로 한 지역 간 경계가 토착성 전염성 병원균의 지리적 분포의 경계와 일치하였다.

ㄴ. 병원체의 분포 밀도가 낮아 생태적으로 질병의 감염 위험이 미미한 지역일수록 배타적인 집단주의 성향이 더 강하게 나타났다.

ㄷ. 특정 지역의 거주민들을 대상으로 한 심리 실험에서 사람들은 원전사고나 기상이변으로 인한 위험에 보편적으로 민감하게 반응한 반면, 전염병의 감염으로 인한 위험을 평가할 때는 뚜렷한 개인차를 보였다.

① ㄱ 　　　② ㄴ 　　　③ ㄱ, ㄷ

④ ㄴ, ㄷ 　　　⑤ ㄱ, ㄴ, ㄷ

281

2016년 PSAT 5급 공채 언어논리 14번

다음 글의 ⊙을 지지하는 것으로 적절한 것은?

공상과학 소설가였던 허버드는 1950년에 펴낸 그의 책 『다이어네틱스 현대 정신 치료학』에서 하나의 정신 이론이자 정신 질환을 치료하는 방법으로서 다이어네틱스를 제안했다. 이것은 사이언톨로지의 교의가 됐다. 그런데 ⊙다이어네틱스는 신뢰할 만하지 않다는 평가를 받았다. 다음은 다이어네틱스의 주요 내용이다.

정신은 '분석정신'과 '반응정신' 두 부분을 가지고 있다. 반응정신은 생각하는 기능을 수행할 수 없다. 반응정신이 할 수 있는 것은, 수면상태에서처럼 분석정신이 작동하지 않을 때 감각에 입력된 내용을 뇌의 특정 부위에 기록하는 것뿐이다. 그럼에도 불구하고 그것은 청각, 후각 등 오감을 통해 입력된 모든 것을 기록하는 아주 성능 좋은 기록기이다. 이렇게 기록된 것을 엔그램이라고 한다. 예를 들어 어떤 사람이 머리를 부딪쳐서 정신을 잃었다고 해보자. 그때 근처에 있던 모터가 시끄럽게 돌아가고 있었다. 자신도 모르게 반응정신이 작동하여 이 소음이 기록된 하나의 엔그램이 탄생하게 된다. 그런데 나중에 비슷한 환경에서 정신을 잃을 정도는 아니지만 머리를 세게 부딪쳤을 때 예전에 기록된 엔그램으로 인해 주위에 모터가 없는데도 시끄러운 모터 소리 비슷한 소음을 듣는 경험을 하게 된다. 이처럼 어떤 사람이 엔그램이 기록될 때와 비슷한 경험을 하게 되면 그 사람은 그때와 비슷한 일을 겪는 느낌을 받는다. 바로 이러한 엔그램의 작용이 정신 질환의 원인이 된다. 한편 반응정신은 출생 전 태아 상태에서부터 작동하며, 따라서 인간은 이미 상당히 축적된 엔그램을 지니고 태어난다.

이러한 이론에 입각해 다이어네틱스 치료법은 다음과 같이 진행된다. 조용한 공간에서 청취자 역할을 하는 치료사가 질의응답 과정을 통해 치료를 받는 사람의 엔그램에 접근한다. 이 중 문제가 있는 엔그램을 치료 받는 사람의 분석정신 앞으로 끌어내면 그 엔그램은 완전히 삭제되어 더 이상 문제를 일으키지 않게 된다. 정신을 망가뜨리는 엔그램들이 모두 제거된 사람은 정신적으로 깨끗한 상태가 된다.

허버드의 책이 출판된 후 약 6년 동안 수백 명이나 되는 사람들이 치료사가 되는 훈련을 받았으며, 미국 전역의 수십 곳에 다이어네틱스 치료 센터가 세워졌다. 그리고 대부분의 센터가 이 치료방법을 통해 다양한 유형의 정신 질환을 치료했다고 주장했다.

① 엔그램은 영구적인 것이 아니며 삭제되기도 한다는 것이 밝혀졌다.
② 상당수의 정신 질환이 태아 시절의 경험에서 비롯되었다는 것이 밝혀졌다.
③ 엔그램의 기억에는 의식하지 못한 상태에서 기록된 것이 많이 있다는 것이 밝혀졌다.
④ 다이어네틱스 치료 센터는 프라이버시 보호 규정에 따라 환자의 신상 정보를 공개하지 않았다.
⑤ 뇌기능 검사를 통해 반응정신의 작동 결과를 기록하는 뇌 부위가 없다는 결과를 얻었다.

282

2016년 PSAT 5급 공채 언어논리 16번

다음 글의 관점 A ~ C에 대한 평가로 적절한 것만을 〈보기〉에서 모두 고르면?

위험은 우리의 안전을 위태롭게 하는 실제 사건의 발생과 진행의 총체라고 할 수 있다. 위험에 대해 사람들이 취하는 태도에 대해서는 여러 관점이 존재한다.

관점 A에 따르면, 위험 요소들은 보편타당한 기준에 따라 계산 가능하고 예측 가능하기 때문에 객관적이고 중립적인 것으로 인식될 수 있다. 그 결과, 각각의 위험에 대해 개인이나 집단이 취하게 될 태도 역시 사고의 확률에 대한 객관적인 정보에 의해서만 결정된다. 하지만 이 관점은 객관적인 발생가능성이 높지 않은 위험을 민감하게 받아들이는 개인이나 사회가 있다는 것을 설명하지 못한다.

한편 관점 B는 위험에 대한 태도가 객관적인 요소뿐만 아니라 위험에 대한 주관적 인지와 평가에 의해 좌우된다고 본다. 예를 들어 위험이 발생할 객관적인 가능성은 크지 않더라도, 그 위험의 발생을 스스로 통제할 수 없는 경우에 사람들은 더욱 민감하게 반응한다. 그뿐만 아니라 위험을 야기하는 사건이 자신에게 생소한 것이어서 그에 대한 지식이 부족할수록 사람들은 그 사건을 더 위험한 것으로 인식하는 경향이 있다. 하지만 이것은 동일한 위험에 대해 서로 다른 문화와 가치관을 가지고 있는 사회 또는 집단들이 다른 태도를 보이는 이유를 설명하지 못한다.

이와 관련해 관점 C는 위험에 대한 태도가 개인의 심리적인 과정에 의해서만 결정되는 것이 아니라, 개인이 속한 집단의 문화적 배경에도 의존한다고 주장한다. 예를 들어 숙명론이 만연한 집단은 위험을 통제 밖의 일로 여겨 위험에 대해서 둔감한 태도를 보이게 되며, 구성원의 안전 문제를 다른 무엇보다도 우선시하는 집단은 그렇지 않은 집단보다 위험에 더 민감한 태도를 보이게 될 것이다.

보기

ㄱ. 관점 A와 달리 관점 B는 위험에 대한 사람들의 태도가 객관적인 요소에 영향을 받지 않는다고 주장한다.

ㄴ. 관점 B와 관점 C는 사람들이 동일한 위험에 대해서 다른 태도를 보이는 사례를 설명할 수 있다.

ㄷ. 관점 A는 민주화 수준이 높은 사회일수록 사회 구성원들이 기후변화의 위험에 더 민감한 태도를 보인다는 것을 설명할 수 있지만, 관점 C는 그렇지 않다.

① ㄱ   ② ㄴ   ③ ㄱ, ㄷ
④ ㄴ, ㄷ   ⑤ ㄱ, ㄴ, ㄷ

283

다음 글의 논지를 약화하는 것만을 〈보기〉에서 모두 고르면?

M이 내린 인가처분은 학교법인 B가 법학전문대학원 설치인가를 받기 위해 제출한 입학전형 계획을 그대로 인정함으로써 청구인 A의 헌법상의 기본권인 직업선택의 자유를 제한하는 것처럼 보인다. 그러나 학교법인 B는 헌법 제31조 제4항에 서술된 헌법상의 기본권인 '대학의 자율성'의 주체이다. 이 사건처럼 두 기본권이 충돌하는 경우, 헌법의 통일성을 유지한다는 취지에서, 상충하는 기본권이 모두 최대한 그 기능과 효력을 발휘할 수 있도록 하는 조화로운 방법이 모색되어야 한다. 따라서 해당 인가처분이 청구인 A의 직업선택의 자유를 제한하는 정도와 대학의 자율성을 보호하는 정도 사이에 적정한 비례를 유지하고 있는지를 살펴본다.

청구인 A는 해당 인가처분으로 인하여 청구인이 전체 법학전문대학원 중 B대학교 법학전문대학원 정원인 100명만큼 지원할 수 없게 되어 법학전문대학원에 진학할 기회가 줄어든다고 주장하고 있다. 그러나 여자대학이 아닌 법학전문대학원의 경우에도 여학생의 비율이 평균 40%에 달하고 있는 점으로 미루어, B대학교 법학전문대학원이 여성과 남성을 차별 없이 모집하였을 경우를 상정하더라도 청구인 A가 이 인가처분으로 인해 받는 직업선택의 자유의 제한 정도가 어느 정도인지 산술적으로 명확하게 계산하기는 어렵지만 청구인이 주장하는 2,000분의 100에는 미치지 못할 것으로 보인다. 반면 청구인 A는 B대학교 이외에 입학정원 총 1,900명의 전국 24개 여타 법학전문대학원에 지원할 수 있고 입학하여 소정의 교육을 마친 후 변호사시험을 통해 법조인이 될 수 있는 충분한 가능성이 있으므로, 이 인가 처분으로 청구인이 받는 불이익이 과도하게 크다고 보기 어렵다. 따라서 이 인가처분은 청구인 A의 직업선택의 자유와 B대학교의 대학의 자율성 사이에서 적정한 비례 관계를 유지하고 있다 할 것이다.

학생의 선발, 입학의 전형도 사립대학의 자율성의 범위에 속한다는 점, 여성 고등교육 기관이라는 B대학교의 정체성에 비추어 여자대학교라는 정책의 유지 여부는 대학 자율성의 본질적인 부분에 속한다는 점, 이 사건 인가처분으로 인하여 청구인 A가 받는 불이익이 크지 않다는 점 등을 고려하면, 이 사건 인가처분은 청구인의 직업선택의 자유와 대학의 자율성이라는 두 기본권을 합리적으로 조화시킨 것이며 양 기본권의 제한에 있어 적정한 비례를 유지한 것이라고 할 것이다. 따라서 이 사건 인가처분은 청구인 A의 직업선택의 자유를 침해하지 않고, 그러므로 헌법에 위반된다고 할 수 없다.

보기

ㄱ. 청구인의 불이익은 사실상의 불이익에 불과하고 기본권의 침해에 해당하지 않는다.

ㄴ. 권리를 향유할 주체가 구체적 자연인인 경우의 기본권은 그 주체가 무형의 법인인 경우보다 우선하여 고려되어야 한다.

ㄷ. 상이한 기본권의 제한 간에 적정한 비례관계가 성립하는지를 평가하기 위해서는 비교되는 두 항을 계량할 공통의 기준이 먼저 제시되어야 한다.

① ㄱ   ② ㄷ   ③ ㄱ, ㄴ

④ ㄴ, ㄷ   ⑤ ㄱ, ㄴ, ㄷ

284

다음 논증에 대한 설명으로 옳은 것만을 〈보기〉에서 모두 고르면?

과거에는 실제로 존재한다고 간주되던 것들이 오늘날에는 허구적인 것으로 취급받게 된 경우들이 있다. 잘 알려져 있는 것처럼, 과거의 과학자들은 나무가 타는 것과 같은 연소 현상을 설명하기 위해서 플로지스톤 이론을 만들어냈다. 당시 과학자들은 '플로지스톤'이라는 개념을 이용해서 연소 현상을 설명했으며, 플로지스톤이 실제로 존재한다고 생각했다. 하지만 오늘날 플로지스톤이 실제로 존재한다는 것을 믿는 자연과학자는 없으며, 그런 개념은 현대 자연과학에서 사라져 버렸다. 이는 표준적인 현대 화학이론이 '플로지스톤'이라는 개념을 동원하지 않고서도 연소 현상을 플로지스톤 이론보다 더 잘 설명하기 때문이다. 가령 현대 화학이론은 플로지스톤 이론이 설명할 수 있는 현상은 물론, 그보다 훨씬 많은 연소 현상들을 설명해낸다.

우리는 '믿음', '욕구' 등과 같은 통속 심리이론 속 개념들도 동일한 운명에 처할 것이라는 점을 알 수 있다. 일상적으로 우리는 행동 현상을 설명하기 위해서 '믿음', '욕구' 등 통속 심리이론에서 다루는 개념들을 사용한다. 예를 들어, 영화관으로 향하는 행동 현상은 영화감상에 대한 '욕구'와 '믿음' 등 통속 심리이론의 개념을 이용해 설명된다. 그런데 오늘날 신경과학이론은 통속 심리이론과 전혀 다른 방식으로 행동 현상을 설명한다. 즉 최근 신경과학이론은 '믿음', '욕구' 등에 호소하지 않고 신경들 사이의 연결과 그 구조를 통해서 인간의 행동 현상을 설명한다. 그렇다면 '믿음', '욕구' 등도 '플로지스톤'과 비슷한 운명을 겪게 될 것이다. 즉 우리는 통속 심리이론의 '믿음', '욕구'와 같은 개념들을 사용할 필요가 없게 될 것이며, 결국 그런 것들은 과학에서 사라져 버릴 것이다.

보기

ㄱ. 위 논증은 통속 심리이론보다 신경과학이론이 행동 현상을 더 잘 설명할 수 있게 될 것이라는 점을 전제한다.

ㄴ. 행동 현상과 자연 현상 사이의 근본적인 차이가 밝혀진다면 위 논증은 강화된다.

ㄷ. 통속 심리이론에 의해 설명되는 행동 현상 중 신경과학이론에 의해서는 설명될 수 없는 행동 현상이 많이 있다면 위 논증은 약화된다.

① ㄱ   ② ㄴ   ③ ㄱ, ㄷ

④ ㄴ, ㄷ   ⑤ ㄱ, ㄴ, ㄷ

285

2015년 PSAT 5급 공채 언어논리 20번

위 글의 (나)에서, 영희의 가설과 근거 사이의 관계에 대한 평가로 적절하지 <u>않은</u> 것은?

(가) 우리나라의 고분, 즉 무덤은 크게 나누어 세 가지 요소로 구성되어 있다. 첫째는 목관(木棺), 옹관(甕棺)과 같이 시신을 넣어두는 용기이다. 둘째는 이들 용기를 수용하는 내부 시설로 광(壙), 곽(槨), 실(室) 등이 있다. 셋째는 매장시설을 감싸는 외부 시설로 이에는 무덤에서 지상에 성토한, 즉 흙을 쌓아 올린 부분에 해당하는 분구(墳丘)와 분구 주위를 둘러 성토된 부분을 보호하는 호석(護石) 등이 있다.

일반적으로 고고학계에서는 무덤에 대해 '묘(墓) – 분(墳) – 총(塚)'의 발전단계를 상정한다. 이러한 구분은 성토의 정도를 기준으로 삼은 것이다. 매장시설이 지하에 설치되고 성토하지 않은 무덤을 묘라고 한다. 묘는 또 목관묘와 같이 매장시설, 즉 용기를 가리킬 때도 사용된다. 분은 지상에 분명하게 성토한 무덤을 가리킨다. 이 중 성토를 높게 하여 뚜렷하게 구분되는 대형 분구를 가리켜 총이라고 한다.

고분 연구에서는 지금까지 설명한 매장시설 이외에도 함께 묻힌 피장자(被葬者)와 부장품이 그 대상이 된다. 부장품에는 일상품, 위세품, 신분표상품이 있다. 일상품은 일상생활에 필요한 물품들로 생산 및 생활 도구 등이 이에 해당한다. 위세품은 정치, 사회적 관계를 표현하기 위해 사용된 물품이다. 당사자 사이에만 거래되어 일반인이 입수하기 어려운 물건으로, 피장자가 착장(着裝)하여 위세를 드러내던 것을 착장형 위세품이라고 한다. 생산도구나 무기 및 마구 등은 일상품이기도 하지만 물자의 장악이나 군사력을 상징하는 부장품이기도 하다. 이것들은 피장자의 신분이나 지위를 상징하는 물건으로 일상품적 위세품이라고 한다. 이러한 위세품 중에 6세기 중엽 삼국의 국가체제 및 신분질서가 정비되어 관등(官等)이 체계화된 이후 사용된 물품을 신분표상품이라고 한다.

(나) 영희는 삼국 시대를 연구하고 있다. 그녀는 (가)의 글을 읽고 다음의 세 가설을 세웠다.

A : 시신을 넣어두는 용기는 목관, 옹관뿐이다.
B : 삼국 모두 묘 – 분 – 총의 발전단계를 보이며 성토가 높은 것은 신분의 높음을 상징한다.
C : 관리들의 의관(衣冠)에 관련된 부장품은 신분표상품이다.

그리고 자료 조사를 통해 가설들을 약화하는 근거가 발견되지 않으면 해당 가설을 수용할 생각이다. 영희가 최근 얻은 근거는 다음과 같다.

a. 신라의 황남대총은 왕릉이다.
b. 백제는 총에 해당하는 분이 없다.
c. 부여 가증리에서 석관(石棺)이 있는 초기 백제 유적이 발견되었다.
d. 삼국의 체제 정립 이전인 원삼국 시대 유물인 세발토기(土器)가 부장품으로 발견되었다.

① 근거 a는 가설 B를 강화한다.
② 근거 c는 가설 A를 약화한다.
③ 근거 d는 가설 C를 강화한다.
④ 근거 b와 c에 비추어 수용될 수 있는 가설은 한 개이다.
⑤ 근거 a~d에 비추어 수용될 수 있는 가설은 한 개다.

286

다음 글의 논증에 대한 분석으로 적절한 것만을 〈보기〉에서 모두 고르면?

인간복제 반대론자는 인간을 복제하는 것이 비자연적이며 따라서 도덕적으로 옳지 못하다고 말한다. 그러나 이러한 입장을 취하기 위해서는 인간을 복제하는 행위가 비자연적인 이유와 비자연적인 행위가 도덕적으로 옳지 못한 이유를 설명해야 한다.

어떤 의미에서 인간을 복제하는 행위가 비자연적인가? 첫 번째 답변은 인간복제가 자연법칙을 위반한다는 것이다. 그러나 이와 같이 해석함으로써 인간복제에 대한 반대 입장을 취할 수는 없다. 자연법칙을 위반한다는 것이 인간 복제에 대한 반론이 될 수 있다는 것은 자연법칙을 위반하는 행위를 하지 말아야 한다는 의미이다. 그러나 자연법칙은 인간에 의해 만들어진 법칙과는 달리 의무를 부과하고 있지 않다. 따라서 그것을 위반하는 것도 불가능하다.

그렇다면 어떤 해석이 가능한가? 그 대안으로 '인위적'이라는 해석을 고려할 수 있다. 인간의 손에 의해 계획되고 통제된 것은 자연적이지 않다는 관점에서, 인간을 복제하는 것은 인위적이며 그런 의미로 비자연적이라는 것이다. 이렇게 해석한다면, 첫 번째 해석이 안고 있는 문제점은 사라진다. 그러나 이렇게 해석하더라도 비자연적 행위가 그 자체로 옳지 않다고 할 수 있는가 하는 문제는 여전히 남는다. 모든 인위적인 행위가 옳지 않다고 볼 수는 없기 때문이다.

비자연적이라는 것을 '생물학적으로 비자연적'이라는 의미로 해석하는 방법도 있을 수 있다. 정자를 제공한 측과 동일한 유전자를 가진 후세가 태어나는 일은 자연에서는 발생하지 않는다. 그러나 과연 그로부터 인간을 복제하는 것이 도덕적으로 옳지 않다는 결론이 도출되는가? 인간복제를 반대하는 논증에서, "인간을 복제하는 일이 자연에서는 발생하지 않는다."는 것은 사실을 기술하는 전제인 반면에, "인간을 복제해선 안 된다."는 것은 윤리적 당위를 주장하는 결론이다. 하지만 타당한 논증의 결론이 윤리적인 주장이라면 그 결론을 지지하는 전제도 윤리적인 성격을 띠어야 한다. 따라서 비자연적이라는 데 의존해서는 인간복제에 대한 반대 논거를 마련할 수 없다.

ㄱ. "증언할 때 진실을 말해야 한다."는 것은 위반 가능하지만, "공기는 열을 받으면 팽창한다."는 것은 위반 가능하지 않다는 사례는 위 논증을 강화한다.

ㄴ. "수술을 하는 행위는 인위적이지만 그 행위가 그 자체로 옳지 않다고 볼 수 없다."는 진술은 위 논증을 강화한다.

ㄷ. 위 논증에 따르면, 많은 사람들이 집단 따돌림 행위를 싫어한다는 사실이 집단 따돌림 행위가 도덕적으로 옳지 않다는 결론을 정당화해 준다.

① ㄱ   ② ㄷ   ③ ㄱ, ㄴ
④ ㄴ, ㄷ   ⑤ ㄱ, ㄴ, ㄷ

287

다음 논증에 대한 평가로 적절한 것을 〈보기〉에서 모두 고르면?

원두커피 한 잔에는 인스턴트커피의 세 배인 150mg의 카페인이 들어있다. 원두커피 판매의 요체인 커피전문점수는 2012년 현재 9천 4백여 개로 최근 5년 새 여섯 배나 급증했다. 그런데 같은 기간 동안 우울증과 같은 정신질환과 수면장애로 병원을 찾은 사람 또한 크게 늘었다. 몸 속에 들어온 커피가 완전히 대사되기까지는 여덟 시간 정도가 걸린다. 많은 사람들이 아침, 점심뿐만 아니라 저녁 식사 후 6시나 7시 전후에도 커피를 마신다. 그런데 카페인은 뇌를 각성시켜 집중력을 높인다. 따라서 많은 사람들이 잠자리에 드는 시간인 오후 10시 이후까지도 뇌는 각성 상태에 있다.

카페인은 우울증이나 공황장애와도 관련이 있다. 우울증을 앓고 있는 청소년은 건강한 청소년보다 커피, 콜라 등 카페인이 많은 음료를 네 배 정도 더 섭취했다. 공황장애 환자에게 원두커피 세 잔에 해당하는 450mg의 카페인을 주사했더니 약 60%의 환자로부터 발작 현상이 나타났다. 공황장애 환자는 심장이 빨리 뛰면 극도의 공포감을 느끼기 쉬운데, 이로 인해 발작 현상이 나타난다. 카페인은 심장을 자극하여 심박수를 증가시킨다. 이러한 사실에 비추어 볼 때, 커피에 들어있는 카페인은 수면장애를 일으키고, 특히 정신질환자의 우울증이나 공황 장애를 악화시킨다고 볼 수 있다.

ㄱ. 수면장애로 병원을 찾은 사람들이 커피를 마시지 않는다는 사실이 밝혀질 경우, 위 논증의 결론은 강화되지 않는다.

ㄴ. 건강한 청소년은 섭취하지 않는 무카페인 음료를 우울증을 앓고 있는 청소년이 많이 섭취하는 것으로 밝혀질 경우, 위 논증의 결론은 강화된다.

ㄷ. 발작 현상이 공포감과 무관하다는 사실이 밝혀질 경우, 위 논증의 결론은 강화된다.

① ㄱ   ② ㄷ   ③ ㄱ, ㄴ
④ ㄴ, ㄷ   ⑤ ㄱ, ㄴ, ㄷ

288

2007년 PSAT 행정·외무고시 언어논리 39번

다음의 밑줄 친 주장을 반박하는 가장 적절한 사례는?

어떤 명제 P를 안다고 말하는 것은 무엇인가? 이에 대한 고전적인 설명은, 다음에 설명될 세 조건이 충족되면 'P를 안다'고 말할 수 있다는 것이다. 이를 '지식에 대한 세 가지 요소 이론'이라고 한다. 수학의 명제를 예로 들어 보기로 하자. 내가 65537은 소수(1과 자기 자신 이외에는 약수를 가지지 않는 수)임을 안다고 하자. 이 경우에 다음의 세 조건이 성립해야 한다.

첫째, 65537이 소수라는 것이 참이어야 한다. 65537이 소수가 아니라면 내가 그것을 사실로서 안다고 할 수 없음은 명백하다.

둘째, 나는 65537이 소수임을 믿는다. 내가 그것을 믿지도 않는다면 그것을 안다고 할 수 없을 것이다. 지구가 평평하다고 믿는 사람에 대해서 그들이 지구가 둥글다는 것을 안다고 말할 수는 없기 때문이다.

셋째, 65537이 소수라는 내 믿음을 정당화할 수 있어야 한다. 즉 나에게는 그것을 믿을 타당한 이유가 있어야 한다. 계산상의 착오나 육감에 근거해서, 또는 하늘의 별자리를 보고 믿거나 일시적인 정신착란 때문에 믿어서는 안 된다. 이 세 번째 조건인 정당화 조건이 없다면, 어떤 것을 운 좋게 맞추거나, 잘못된 이유로 사실인 것을 믿게 되는 경우를 지식에 포함시키게 된다. 케네디의 암살 사건과 레이건의 암살 미수 사건 이후에 자기들이 그 사건을 예측했다고 주장하는 심령술사가 여럿 있었다. 어떤 이는 비슷한 날짜에 두 대통령이 위험에 처하게 될 것이라고 예측했고 이 예측을 출판하거나 사건 전 기자회견에서 발표하기도 했다. 심령술사들은 해마다 너무 많은 예측을 발표하기 때문에 그 중에 맞는 것이 있을 수도 있다. 이것이 '지식'이라고 해도 그리 쓸모 있는 것은 아닐 것이다.

결론적으로 내가 어떤 것을 안다면 그에 관한 위의 세 조건을 충족시킬 것이고, 역으로 이 세 조건을 충족시킨다면 나는 그것을 안다고 할 수 있다는 것이다. 과학의 역사는 앎에 관한 위 세 조건의 진리값을 각각 치환한 사례를 모두 보여준다. 한 조건이 성립한다는 것을 T로, 성립하지 않는다는 것을 F로 나타내고, 세 조건의 순서를 진리, 믿음, 정당화라고 하자.

TTT는 참이고, 믿어지며, 그 믿음이 정당성을 갖는 경우이다. 이것을 일반적으로 정당화된 참된 믿음이라고 하고, 고전적인 설명은 이 경우를 진정한 지식이라고 한다. 이 범주에 대부분의 과학적 믿음, 어쨌거나 옳다고 여겨지는 과학의 믿음이 들어간다. FFF는 거짓이며, 불신되며, 정당화되지 않는 경우이다. '영구 운동기계를 만들 수 있다'거나 '달은 찹쌀로 되어 있다'와 같은 엉터리 명제를 사람들이 믿지 않는 것이 이 경우에 해당한다.

TFT는 참이고 믿을 만한 정당한 근거가 있음에도 불신되는 경우를 나타낸다. 이 경우에 해당하는 사례도 많은데, 프랑스 학술원이 운석의 존재를 인정하지 않은 것이나 물리학자 허버트 딩글이 상대성 이론을 괴상한 이유로 거부한 것도 여기에 해당한다. TTF는 참이고 믿어지지만, 믿을 만한 정당한 근거가 없는 경우이다. 심령술사들의 운 좋은 짐작처럼 합리적이지 못한 이유로 우연히 맞는 결론을 찾은 경우이다. 이러한 사례 역시 많다. 또한 TFF는 참이지만 정당성이 없어 불신되는 경우를 나타낸다. 어떤 사람이 어떤 것을 정당한 이유를 가지고 의심하였는데 그럼에도

불구하고 그것이 진리로 드러나는 경우이다. 여러 세대를 통하여 원자에 대한 데모크리토스의 믿음을 거부하였던 철학자들을 그 사례로 들 수 있겠다. FFT는 특이한 경우인데, 이는 거짓이기는 하나, 믿을 만한 합당한 이유가 있어 정당성이 있지만 실제로는 믿음을 얻지 못한 경우이다. 중세 교회가 태양이 우주의 중심이라는 코페르니쿠스의 정당화된 주장을 불신한 것이 바로 이러한 경우이다.

① 선이는 수학 선생님께서 슈퍼컴퓨터에 의해서 π가 유한소수임이 밝혀졌다고 말해서 'π가 유한소수이다'라고 믿는데, 수학 선생님께서 선이에게 농담을 한 경우

② 석이는 꿈에서 돌아가신 할아버지가 오늘 보는 시험의 1번 문제 정답이 1번이라고 알려주셔서 '오늘 보는 시험의 1번 문제 정답은 1번이다'라고 믿는데, 실제로 1번이 정답인 경우

③ 민이는 주사위가 3이 나올 수밖에 없도록 마술사가 조작하는 것을 보았기 때문에 '이번에 마술사가 주사위를 던지면 3이 나올 것이다'라고 믿는데, 실제로 마술사가 주사위를 던지자 3이 나온 경우

④ 경이는 경찰 복장의 두 남자가 경찰차에서 내리는 것을 창을 통해 보고 '골목에 경찰이 와 있다'라고 믿는데, 경이가 본 경찰 복장의 남자들은 영화배우이고, 그 골목 보이지 않는 곳에 실제 경찰이 와 있는 경우

⑤ 숙이는 연못에 다섯 마리의 오리가 무리 지어 있음을 보고 '연못에 다섯 마리의 오리가 있다'라고 믿는데, 실제로 숙이가 보고 있는 연못에는 네 마리의 오리와 플라스틱으로 만들어진 오리모형이 하나 있는 경우

289

다음의 '까마귀의 역설'을 해소하는 방안으로 적절하지 않은 것은?

"까마귀는 모두 검다."(H1)라는 가설을 생각해보자. 이 가설을 입증해주는 관찰사례는 어떤 것일까? 이에 대답하기는 아주 쉬워 보인다. 만약 a가 까마귀이고 색이 검다면 그 가설을 입증해주고 b가 까마귀인데 검지 않다면 그 가설을 반증해준다고 보아야 할 것이다. 나아가 까마귀가 아니면서 검은 대상 c나 까마귀도 아니고 검지도 않은 대상 d는 모두 '무관한 사례'라고 할 수 있을 것이다. 이런 조건들을 입증이 만족시켜야 할 '니코드 조건'이라고 부른다.

이번에는 "검지 않은 것은 모두 까마귀가 아니다."(H2)라는 가설을 생각해보자. 앞에 나온 니코드 조건을 그대로 적용하면, 사례 d처럼 검지 않고 까마귀가 아닌 것은 이 가설을 입증한다고 보아야 하는 반면, 사례 b처럼 검지 않고 까마귀인 것은 이 가설을 반증해준다고 보아야 할 것이다. 그리고 검은 대상은 그것이 까마귀이든 아니든(즉 사례 a이든 사례 c이든) 상관없이 모두 무관한 사례라고 해야 할 것이다.

그런데 H1과 H2는 논리적으로 서로 '동치'인 가설들이다. 즉 H1과 H2는 언제든지 서로 바꿔 쓸 수 있는 동등한 가설들이다. 하지만 니코드 조건에 따르면, 사례 a와 d는 각각 H1과 H2 가운데 하나만을 입증하고 다른 하나에 대해서는 중립적이다. 이는 니코드 조건에 따를 경우 입증이 가설의 내용뿐만 아니라 표현 방식에도 의존하게 된다는 것을 의미한다. 이는 바람직하지 않은 결과로 보인다. 이런 문제점을 피하려면, "어떤 사례가 한 가설을 입증하면, 그 사례는 그 가설과 논리적으로 동치인 모든 가설들 역시 입증한다."는 조건, 즉 '동치 조건'을 받아들여야 할 것으로 보인다.

이제 '동치 조건'을 받아들인다고 가정하고, 니코드 조건과 방금 규정한 동치 조건을 결합시켜 보자. H1과 H2는 동치이므로, d는 H1도 입증한다고 해야 한다. 따라서 우리는 검은색도 아니고 까마귀도 아닌 대상, 예컨대 빨간 장미나 푸른 나뭇잎 등도 "까마귀는 모두 검다."라는 가설을 입증한다고 해야 한다. 그러나 이것은 이상하다.

우리는 이런 이상한 결론을 더 확장할 수도 있다. H1은 논리적으로 "까마귀이거나 까마귀가 아닌 대상은 모두 까마귀가 아니거나 검은색이다."(H3)와도 동치이다. 그런데 어떤 대상이든 '까마귀이거나 까마귀가 아니다.'에 해당될 것이므로, 결국 '까마귀가 아니거나 검은색'이기만 하면 무엇이든 H1을 입증한다는 얘기가 된다. 즉 오늘 아침에 본 노란색 자동차나 검은 고양이도 "까마귀는 모두 검다."라는 가설을 입증한다고 해야 한다. 이것이 바로 '까마귀의 역설'이라고 불리는 입증의 역설이다.

① 입증사례가 되기 위해서는 니코드 조건 외에도 충족시켜야 할 조건이 더 있음을 밝힌다.

② 검지 않은 까마귀는 H1의 반증사례가 되는 반면, H2와 H3의 반증사례는 될 수 없음을 밝힌다.

③ 한 사례가 어떤 가설을 입증한다고 해서 그 가설과 동치인 다른 가설도 입증한다고 볼 수 없음을 밝힌다.

④ H1과 H3은 서로 동치이지만, 양자가 입증사례를 공유하려면 논리적 동치 이상의 내용적 일치가 요구됨을 밝힌다.

⑤ H1과 H2는 각각 까마귀와 검지 않은 것에 관한 주장이기 때문에 별개로 입증되어야 할 독립적인 가설임을 밝힌다.

290

다음 ⊙을 약화하는 것만을 〈보기〉에서 모두 고르면?

2001년 인간 유전체 프로젝트가 완료된 후, 영국의 일요신문 『옵저버』는 "드디어 밝혀진 인간 행동의 비밀, 열쇠는 유전자가 아니라 바로 환경"이라는 제목의 기사를 실었다. 유전체 연구 결과, 인간의 유전자 수는 애당초 추정치인 10만 개에 크게 못 미치는 3만 개로 드러났다. 해당 기사는 인간 유전체 프로젝트의 핵심 연구자였던 크레이그 벤터 박사의 ⊙주장을 다음과 같이 인용하였다. "유전자 결정론이 옳다고 보기에는 유전자 수가 턱없이 부족합니다. 인간 행동과 형질의 놀라운 다양성은 우리의 유전자 속에 들어있지 않다는 것이죠. 환경에 그 열쇠가 있습니다. 우리의 행동 양식은 유전자가 환경과 상호작용함으로써 비로소 결정되죠. 인간은 유전자의 지배를 받는 존재가 아닌 것이죠. 우리는 자유의지를 발휘할 수 있는 존재인 것입니다." 여러 신문들이 같은 기사를 실었다. 이를 계기로, 본성 대 양육이라는 해묵은 논쟁은 인간의 행동을 결정하는 것이 유전인지 아니면 환경인지 하는 논쟁의 형태로 재점화되었다. 인간이란 결국 신체를 구성하는 물질에 의해 구속받는 존재인지 아니면 인간에게 자유의지가 허락되는지를 놓고도 열띤 토론이 벌어졌다.

보기

ㄱ. 자유의지가 없는 동물 중에는 인간보다 더 많은 유전자 수를 가지고 있는 경우도 있다.

ㄴ. 유전자에게 지배되지 않더라도 인간의 행동이 유전자와 환경의 상호작용으로 결정된다면, 그 행동은 인간 스스로의 자유로운 의지에 따라 행한 것이라고 볼 수 없다.

ㄷ. 다양한 인간 행동은 일정한 수의 유형화된 행동 패턴들의 중층적 조합으로 분석될 수 있고, 발견된 인간 유전자의 수는 유형화된 행동 패턴들을 모두 설명하기에 적지 않다.

① ㄱ   ② ㄴ   ③ ㄱ, ㄷ

④ ㄴ, ㄷ   ⑤ ㄱ, ㄴ, ㄷ

291

`2016년 PSAT 5급 공채 언어논리 33번`

다음 글의 ㉠에 대한 평가로 적절하지 않은 것은?

중생대의 마지막 시기인 백악기(K)와 신생대의 첫 시기인 제3기(T) 사이에 형성된, 'K/T경계층'이라고 불리는 점토층이 있다. 이 지층보다 아래쪽에서는 공룡의 화석이 발견되지만 그 위에서는 전혀 발견되지 않는다. 도대체 그 사이에 무슨 일이 벌어진 것일까? 우리는 물리학자 앨버레즈가 1980년에 『사이언스』에 게재한 논문 덕분에 이 물음에 대한 유력한 답을 알게 되었다.

앨버레즈는 동료들과 함께 지층이 퇴적된 시간을 정확히 읽어내는 방법을 연구하고 있었다. 일반적으로 지층의 두께는 퇴적 시간과 비례하지 않는다. 얇은 지층이 수백 년에 걸쳐 서서히 퇴적된 것일 수도 있고, 수십 미터가 넘는 두께의 지층이라도 며칠, 심지어 몇 시간의 격변에 의해 형성될 수 있기 때문이다. 앨버레즈는 이 문제를 이리듐 측정을 통해 해결하려 했다. 이리듐은 아주 무거운 금속으로, 지구가 생성되던 때 핵 속으로 가라앉아 지구 표면에는 거의 남아 있지 않다. 오늘날 지표면에서 미량이나마 검출되는 이리듐은 우주 먼지나 운석 등을 통해 오랜 시간에 걸쳐 지구 표면에 내려앉아 생긴 것이다. 앨버레즈는 이리듐 양의 이러한 증가 속도가 거의 일정하다고 보고, 이리듐이 지구 표면에 내려앉는 양을 기준으로 삼아 지층이 퇴적되는 데 걸린 시간을 측정하려 했다.

조사 결과 지표면의 평균 이리듐 농도는 0.3ppb이었고 대체로 일정했다. 그런데 이탈리아 북부의 어느 지역을 조사했을 때 그곳의 K/T경계층에서 특이한 점이 발견되었다. 평균보다 무려 30배나 많은 이리듐이 검출된 것이다. 원래 이 경우 다른 지층이 형성될 때보다 K/T경계층의 퇴적이 30분의 1 정도의 속도로 아주 느리게 진행되었다고 결론을 내려야 했지만, 다른 증거들을 종합할 때 이 지층의 형성이 그렇게 오래 걸렸다고 볼 이유가 없었다. 그래서 이들은 다른 결론을 선택했다. 이 시기에 지구 밖에서 한꺼번에 대량의 이리듐이 왔다는 것이었다. 이리듐의 농도를 가지고 역산한 결과, 앨버레즈는 ㉠약 6,500만 년 전 지름 10킬로미터 크기의 소행성이 지구와 충돌했고 이 충돌에서 생긴 소행성과 지각의 무수한 파편들이 대기를 떠돌며 지구 생태계를 교란함으로써 대멸종이 일어나 공룡이 멸종했다는 결론에 도달했다. 공룡 멸종의 원인에 대한 이런 견해는 오늘날 과학계가 수용하고 있는 최선의 가설이다.

① 만일 신생대 제3기(T) 이후에 형성된 지층에서 공룡 화석이 대량으로 발견될 경우 약화된다.

② 고생대 페름기에 일어난 대멸종이 소행성 충돌과 무관하게 진행되었다는 사실이 입증되더라도 강화되지 않는다.

③ 동일한 시간 동안 우주먼지로 지구에 유입되는 이리듐의 양이 일정하지 않고 큰 변화폭을 지닌다는 사실이 입증되면 약화된다.

④ 앨버레즈가 조사한 이탈리아 북부의 지층이 K/T경계층이 아니라 다른 시기에 형성된 지층이었음이 밝혀질 경우 약화된다.

⑤ K/T경계층 형성 시기 이외에 공룡이 존재했던 다른 시기에도 지름 10킬로미터 규모의 소행성이 드물지 않게 지구에 충돌했음이 입증될 경우 강화된다.

292

`2015년 PSAT 5급 공채 언어논리 30번`

다음 논증 (가)와 (나)에 대한 평가로 적절한 것만을 〈보기〉에서 모두 고르면?

○ 사고실험 : 무게와 낙하 속도의 관계를 탐구하고자 한다. 물체 A는 물체 B보다 더 무겁다. 아래 그림과 같이 물체 C는 물체 A와 물체 B를 무게가 없는 줄로 이어 놓은 것이다. 즉, C는 A부분과 B부분으로 구성되어 있다. A, B, C를 어떤 정해진 동일한 높이에서 떨어뜨릴 때 바닥까지 이르는 데 걸린 시간을 각각 t_A, t_B, t_C라고 하자. 이제 C를 어떤 정해진 동일한 높이에서 떨어뜨린다.

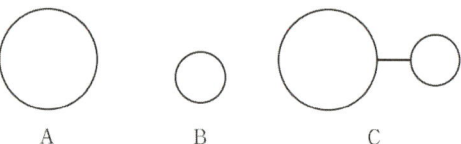

A   B   C

○ 논증 (가) : 무거운 물체일수록 더 빨리 떨어지거나 그렇지 않다. 무거운 물체일수록 더 빨리 떨어진다고 가정하자. C를 떨어뜨리면 C의 A부분은 B부분보다 무거워 A부분이 B부분보다 더 빨리 떨어질 것이다. B부분은 A부분보다 가벼워 A부분보다 더 천천히 떨어지려 하기 때문에 A부분이 떨어지는 속도를 지연시킬 것이다. 따라서 t_C는 t_A보다는 크고, t_B보다는 작을 것이다. 이것은 더 무거운 C가 A보다 더 늦게 떨어진다는 것을 뜻한다.

○ 논증 (나) : 가벼운 물체일수록 더 빨리 떨어지거나 그렇지 않다. 가벼운 물체일수록 더 빨리 떨어진다고 가정하자. C를 떨어뜨리면 C의 B부분은 A부분보다 가벼워 B부분이 A부분보다 더 빨리 떨어질 것이다. A부분은 B부분보다 무거워 B부분보다 더 천천히 떨어지려 하기 때문에 B부분이 떨어지는 속도를 지연시킬 것이다. 따라서 t_C는 t_B보다는 크고, t_A보다는 작을 것이다. 이것은 더 가벼운 A가 C보다 더 늦게 떨어진다는 것을 뜻한다.

보기

ㄱ. 논증 (가)가 타당하다면, 무거운 물체일수록 더 늦게 떨어진다는 사실을 도출할 수 있다.

ㄴ. 논증 (나)가 타당하다면, 가벼운 물체일수록 더 빨리 떨어지는 것은 아니라는 사실을 도출할 수 있다.

ㄷ. 논증 (가)와 (나)가 동시에 타당할 수는 없다.

① ㄱ   ② ㄴ   ③ ㄷ
④ ㄱ, ㄷ   ⑤ ㄴ, ㄷ

293

아래 실험에 비추어 볼 때, 로렌츠의 주장에 대한 평가로 적절하지 <u>않은</u> 것은?

연못가를 산책하다 보면 새끼오리들이 어미오리를 쫓아가는 모습을 흔히 볼 수 있습니다. 새끼오리들은 어떻게 자기 어미를 알고 쫓아갈 수 있을까요? 1900년대 초반까지만 하더라도 오리는 자기 어미를 쫓아다니는 유전인자를 타고 나는 것으로 보았습니다. 그런데 콘라트 로렌츠는 실험을 통해 이런 생각을 바꾸어 놓는 새로운 주장을 하였습니다. 로렌츠의 주장에 따르면, 오리는 자기 어미를 쫓아가도록 하는 유전자를 타고난 것이 아닙니다. 단지 자기 어미를 쫓아갈 수 있는 소인(素因)을 가지고 태어났을 뿐입니다. 이 말이 의미하는 바가 무엇인지 짐작할 수 있겠습니까? 새끼오리가 자기 어미를 쫓아가도록 학습경험을 주면 그것을 학습하는 반면, 그 경험이 제공되지 않으면 그렇게 하지 못한다는 뜻입니다. 게다가 이 학습경험에서는 '타이밍'이 매우 중요합니다. 로렌츠는 부화 후 '12시간 또는 13시간'이 오리에게 결정적이라는 점을 밝혀냈습니다. 병아리와 오리가 자기 어미를 쫓아가는 것을 부화 후 12시간에서 13시간 사이에 학습하게 된다는 것이지요. 그렇다면 오리가 어미를 쫓아가도록 만드는 학습기제는 어떤 것일까요? 오리들은 부화해서 12시간 또는 13시간 사이에 첫 번째로 보이는 움직이는 물체에 각인됩니다. 즉, 오리들은 부화 후 12시간 또는 13시간 사이에 제일 먼저 보게 되는 움직이는 물체를 따라다니는 행동을 학습하게 되어 있다는 것입니다.

로렌츠의 실험이 이를 보여 주고 있습니다. 그는 오리들을 부화시킨 후 어미오리는 격리시켰습니다. 대신 자신이 새끼 오리들 주위를 어슬렁거렸죠. 그랬더니 나중에 오리들이 자기 어미를 쫓아가지 않고 로렌츠를 쫓아왔습니다. 결국 오리의 행동은 결코 유전에 의해서만 결정되지 않는다는 것입니다. 하나의 움직이는 물체에 각인될 수 있는 소인, 즉 능력은 타고났지만 그것이 실제 수행으로 나타나기 위해서는 학습이 필요하다는 것이겠지요. 이 학습시기에서 어떤 경험을 주느냐에 따라 오리가 로렌츠를 쫓아갈 수도 있고 자기 어미를 쫓아갈 수도 있다는 말입니다. 로렌츠는 실험을 통해 새끼 오리가 어미를 쫓아가는 데는 유전, 환경, 타이밍 세 가지가 함께 영향을 미친다고 주장하였습니다. 그의 실험은 과거 우리가 따로따로 얘기하던 유전, 환경, 그리고 타이밍의 세 요소를 동시에 고려해야 한다는 점을 잘 보여 주고 있습니다.

① 실제 어미가 아닌 다른 어미를 따라다니는 새끼오리들을 조사했더니 그 오리들은 부화 직후부터 그 다른 어미와 지냈다는 점이 밝혀졌다면, 로렌츠의 주장은 더 설득력을 얻는다.

② 항상 혼자 다니는 새끼오리들을 조사한 결과 이들은 부화 후 만 하루 동안 움직이는 물체와 완전히 격리되어 있었다는 점이 밝혀졌다면, 로렌츠의 주장은 더 설득력을 얻는다.

③ 부화 후 10시간 동안 격리되었다가 그 이후부터는 실제 어미와 지낸 새끼오리들은 이후 실제 어미를 따라다닌다는 것이 밝혀졌다면, 로렌츠의 주장은 더 설득력을 얻는다.

④ 부화 후 만 하루 동안 실제 어미와 완전히 격리되어 있던 새끼 오리들도 이후에 실제 어미를 따라다니는 것으로 밝혀졌다면, 로렌츠의 주장은 설득력이 떨어진다.

⑤ 부화 후 하루가 지나 다른 어미와 지내기 시작한 새끼오리들의 경우 다른 어미를 따라다니지 않는 것으로 밝혀졌다면, 로렌츠의 주장은 설득력이 떨어진다.

294

다음 글을 토대로 〈보기〉의 진술들을 평가한 것으로 적절하지 <u>않은</u> 것은?

공리주의자는 동일한 강도의 행복을 동등하게 고려한다. 즉 공리주의자들은 '나'의 행복이 '너'의 행복보다 더 도덕적 가치가 있다고 생각하지 않는다. 이런 점에서 볼 때 공리주의에서 행복이 누구의 것인가는 중요하지 않다. 하지만 누구의 행복인가 하는 질문이 행복 주체의 범위로 이해될 때에는 다르다. 이미 실제로 존재하고 있는 생명체의 행복만을 고려할 것인가, 아니면 앞으로 존재할 생명체의 행복까지 고려할 것인가? 이와 관련해서 철학자 싱어는 행복의 양을 증가시키는 방법에 대한 공리주의의 두 가지 견해를 구별한다. 하나는 '실제적 견해'로서, 이에 따르면 도덕적으로 중요한 것은 이미 실제로 존재하는 사람이 갖는 행복이지 아직 태어나지 않은 사람들의 행복이 아니다. 이와 구별되는 다른 견해는 '전체적 견해'이다. 이 견해에 따르면 이미 존재하고 있는 사람들의 행복의 양을 늘리는 것뿐 아니라 새로운 존재를 만들어 행복의 양을 늘리는 것도 도덕적으로 옳은 행동이다. 왜냐하면 실제로 존재하는 사람들의 불행과 아직 태어나지 않은 사람들의 행복은 상쇄될 수 있기 때문이다.

보기

A : 굶주리며 살고 있는 다른 나라 아이를 입양하여 행복하게 키우는 것은 도덕적으로 옳은 일이다. 하지만 자신의 아이를 낳아서 그 아이가 행복하도록 만드는 것도 도덕적으로 옳다.

B : 아이를 낳아 행복하게 기른다면 장차 행복의 총량은 증대되겠지만 미래에 실현될 그 아이의 행복이 오늘 굶주리고 사는 아이의 불행을 상쇄할 수는 없다. 따라서 행복한 아이를 낳는 것은 오늘의 사회를 도덕적으로 개선하는 방안이 될 수 없다.

C : 자신의 아이를 낳아 잘 키우는 것이 도덕적으로 옳다. 내 아이의 행복이 다른 아이의 행복보다 도덕적으로 더 가치 있기 때문이다.

① 전체적 견해를 받아들이면 A를 받아들일 수 있다.

② 전체적 견해를 받아들이면 B를 받아들일 수 없다.

③ 전체적 견해를 받아들이면 C를 받아들일 수 있다.

④ 실제적 견해를 받아들이면 B를 받아들일 수 있다.

⑤ 실제적 견해를 받아들이면 C를 받아들일 수 없다.

295

다음 글의 논지를 약화하는 진술은?

무기물의 세계는 인과법칙의 지배를 받기 때문에, 과거와 현재가 미래를 결정한다. 그러나 생명체의 생장과 발달 과정에서는 현재의 상태가 미래의 목적에 맞게끔 조정되고, 그런 식으로 현재가 미래에 의해 결정되는 것처럼 보인다. 이처럼 미래가 현재를 결정한다는 견해가 '목적론'이다. 그러나 '결정된다'는 말을 인과법칙과 일관된 방식으로 사용한다면, 우리는 미래가 현재를 결정한다고 말할 수 없다. 어떤 목적이든 그 실현 과정은 인과법칙에 따라 이루어져야 하며, 이런 관점에서 볼 때 생명체에서도 현재의 모습은 미래에 의해서가 아니라 이미 존재하는 어떤 청사진의 구현 과정에서 결정될 뿐이다.

실제로 우리는 인과법칙과 상충하는 요소를 끌어들이지 않고도 생명에 관한 목적론적 설명을 대체할 수 있다. 우연이 낳는 변화와 자연에 의한 선택이라는 개념으로 진화를 설명한 다윈의 업적이 바로 그것이다. 현존하는 종들을 하나의 체계적인 질서 속에 위치시켜 보면, 인간이 이 질서의 맨 위쪽에 있고, 그 밑에 영장류, 이어 포유동물이 있다. 이런 계열은 조류, 파충류, 어류를 지나 여러 형태의 해양생물로 이어지고 마침내 아메바 같은 단세포생물에 이른다. 다윈에 따르면 현존하는 종들 간의 이런 체계적 질서는 종 발생의 역사적 질서를 반영한다. 그리고 목적론적 과정에 의해서가 아니라 인과법칙을 따르는 진화의 과정을 통해 단세포생물로부터 오랜 세월을 거쳐 고등생물이 나타났다. 다양한 시대의 지층에 대한 지질학적 탐구의 성과 역시 이런 추리를 적극적으로 지지한다.

① 다윈의 설명은 목적론적 설명을 대체하는 힘을 지니지만 인과법칙 이외에 목적론적 개념을 필요로 하지 않는다.
② 개체 간의 차이는 환경 조건의 변화에 생명체가 적응하는 과정에서 나타나고 생존에 유리한 개체와 불리한 개체를 만든다.
③ 아무리 긴 시간이 주어져도 단순한 구조물로부터 고도의 복잡성과 자기복제 능력을 지닌 체계가 우연히 발생할 가능성은 사실상 없다.
④ 자연의 우연적 변화를 통해 새로운 종이 출현한다고 해도 그러한 과정에 인과법칙과 모순되는 특별한 힘이 작용했다고 볼 이유는 없다.
⑤ 지질학은 그 지층이 형성되던 시대에 살았던 동식물의 생태에 관한 기록을 왜곡 없이 보존하고 있을 뿐만 아니라 지층의 구조는 그 지층을 형성한 시간 질서를 반영한다.

296

갑 ~ 무가 A팀의 조사를 바탕으로 펼치는 논증에 대한 평가로 적절하지 않은 것은?

갑 : 최신 연구에 의하면 유기농 식품이 건강에 별 도움이 되지 않는다고 한다. A팀은 유기농 식품과 일반 식품을 비교하는 약 200개의 논문을 조사하였다. 이 중에는 임신 중 유기농 식품 섭취가 신생아의 아토피 피부염이나 다른 알레르기 질환을 유발한다는 조사 결과가 있었다. 어떤 연구는 유기농 식품 섭취가 오히려 특정 박테리아의 감염 가능성을 높인다고 보고한다. 따라서 유기농 식품이 건강에 별 도움이 되지 않는다는 A팀의 결론은 매우 설득력이 있다.

을 : 유기농 식품이 건강에 이롭다는 결정적인 증거는 부족할지 모른다. 하지만 갑이 제시한 증거는 유기농 식품의 유해성에 관한 것이다. 또한 A팀이 검토한 연구는 2년 이하의 짧은 기간 동안 섭취한 유기농 식품의 영향을 대상으로 한다. 2년은 건강에 대한 전체적인 영향을 평가하기에는 충분하지 않다. 따라서 유기농 식품이 유익한 것이 아니라고 결론짓는 것은 성급하다.

병 : 유기농 식품이 특별히 유익한 것은 아니라는 다른 증거도 있다. A팀이 조사한 논문 중 상당수는 잔류 농약 성분의 수준에 관한 것이었다. 이 조사에서 유기농 식품의 잔류 농약 성분 수준이 일반 식품의 그것에 비해 상대적으로 낮은 것으로 나타났지만 A팀은 이 차이에 의미를 부여하지 않았고, 그것은 올바른 판단이었다. 그 이유는 일반 식품 또한 잔류 농약 기준치를 넘지 않았고 기준치 이하에서는 두 식품의 인체에 대한 유해성을 논하는 것이 무의미하기 때문이다.

정 : 유해성 여부만으로 결론을 내리는 것은 여전히 성급하다. 유기농 식품의 영양소에 대해서도 따져봐야 한다. 유기농 식품에 관련된 많은 연구들이 유기농 식품이 비타민같은 영양소를 더 많이 가진다고 한다. 유해성에 대한 연구들의 한계와 영양소 측면을 종합적으로 고려할 때, 유기농 식품은 건강에 도움이 된다고 할 수 있다.

무 : A팀이 검토한 어떤 연구는 일반 토마토보다 유기농 토마토에서 더 많은 잔류 항생제가 검출되므로 유기농 토마토가 오히려 유해하다고 한다. 하지만 다른 곡물과 채소에 대한 보다 광범위한 연구들이 갑, 을, 병, 정이 언급했던 연구들과 반드시 일치하는 것은 아니다. 이렇듯 유기농 식품에 관한 연구 결과가 엇갈리는 이유는 유기농 농사 방법뿐 아니라 유전적 다양성, 토질, 기타환경 등 다양한 요소들이 농산물에 영향을 주기 때문이다. 따라서 유기농이냐 아니냐를 건강에 더 좋은 식품이냐 아니냐를 결정하는 단일한 기준으로 삼을 수는 없다.

① 을의 논증은 갑의 논지를 약화한다.
② 병의 논증은 갑의 논지를 강화한다.
③ 정의 논증은 병이 간과한 측면을 지적한다.
④ 무의 논증은 갑과 병의 논지를 강화한다.
⑤ 무의 논증은 정의 논지를 약화한다.

297

다음 논증에 대한 분석으로 적절한 것은?

최근 라이너스 폴링은 α-케로틴 분자가 나선 구조를 가지고 있음을 밝혀냈다. DNA가 α-케로틴과 흡사한 화학적 특성들을 지녔다는 점을 고려할 때, DNA 분자 역시 나선 구조일 것이다. 그리고 그런 가정 하에 DNA의 X선 회절사진을 볼 때 나선 가닥의 수는 둘 아니면 셋이다. 나선 구조 속에 염기가 배열될 수 있는 위치는 두 가지다. 중추가 안쪽에 있고 염기가 바깥쪽에 있거나, 아니면 염기들의 중추의 안쪽에 배열되어 있을 것이다. 따라서 DNA의 가능한 구조는 모두 네 가지다. 이 가운데 염기가 바깥쪽에 있는 삼중나선 구조는 문제를 가지고 있다. 왜냐하면 자연 상태의 DNA 분자는 많은 수의 물 분자와 결합하고 있음이 분명한 반면, 이 삼중나선 모형이 옳다면 DNA 분자와 결합할 수 있는 물 분자의 개수가 너무 적게 되기 때문이다. 따라서 DNA 분자가 이와 같은 구조일 가능성은 배제된다. 거의 모든 중요한 생물학적 대상이 쌍을 이루고 있음을 고려한다면 DNA 분자 역시 쌍을 이루고 있다고 생각할 수 있다. DNA 분자가 이중나선 구조라면 염기들은 안쪽에 있는가, 바깥쪽에 있는가? 여기서 우리는 DNA의 X선 회절사진에 다시 한 번 주목해야 한다. 로잘린드 프랭클린이 DNA에 X선을 쪼여 얻은 이미지는 염기들이 나선 구조의 중추 안쪽에 있지 않다면 설명될 수 없는 것이었다. 이리하여 우리는 DNA 분자가 염기들이 안쪽에 있는 이중나선 구조라는 결론에 도달할 수 있다.

① DNA 분자의 구조가 염기가 안쪽에 배열된 삼중나선 형태일 가능성은 논박되지 않았다.

② 화학적 특성이 유사한 경우 분자의 구조도 유사하다는 전제를 부정해도 논증은 약화되지 않는다.

③ DNA 분자의 염기가 중추 안쪽에 있다는 사실이 DNA 분자가 이중나선 구조라는 주장의 근거로 사용되었다.

④ DNA 분자의 X선 회절사진 이미지는 DNA 분자의 구조가 삼중나선이 아니라는 판단의 근거로 사용되었다.

⑤ DNA 분자의 X선 회절사진이 판단의 근거로 인정되지 않는다면 DNA 분자의 구조가 나선형이라는 주장이 약화된다.

298

다음 대화 내용을 근거로 옳게 추론한 것을 〈보기〉에서 모두 고르면?

갑 : 가족은 혼인제도에 의해 성립된 집단으로 두 명의 성인 남녀와 그들이 출산한 자녀 또는 입양한 자녀로 이루어져야만 해. 이러한 가족은 공동의 거주, 생식 및 경제적 협력이라는 특성을 갖고 있어.

을 : 가족은 둘 이상의 사람들이 함께 거주하면서 지속적인 관계를 유지하는 집단을 말해. 이들은 친밀감과 자원을 서로 나누고 공동의 의사결정을 하며 가치관을 공유하는 등의 특성이 있지.

병 : 핵가족은 전통적인 성역할에 기초하여 아동양육, 사회화, 노동력 재생산 등의 기능을 가장 이상적으로 수행할 수 있는 가족 구조야. 그런데 최근 우리사회에서 발생하는 출산율 저하, 이혼율 증가, 여성의 경제활동 참여율 증가 등은 전통적인 가족 기능의 위기를 가져오는 아주 심각한 사회문제야. 그래서 핵가족 구조와 기능을 유지할 수 있는 정책이 필요해.

정 : 전통적인 가족 개념은 가부장적 위계질서를 가지고 있었어. 하지만 최근에는 민주적인 가족관계를 형성하고자 하는 의지가 가족 구조를 변화시키고 있지. 게다가 여성의 자아실현 욕구가 증대하고 사회·경제적 구조의 변화에 따라 남성 혼자서 가족을 부양하기 어려운 것이 현실이야. 그래서 한 가정 내에서 남성과 여성이 모두 경제활동에 참여할 수 있도록 지원하는 국가의 정책이 필요하다고 생각해.

보기

ㄱ. 갑에 의하면 민족과 국적이 서로 다른 두 남녀가 결혼하여 자녀를 입양한 가정은 가족으로 인정하기 어렵다.

ㄴ. 을과 병은 동성(同性) 간의 결합을 가족으로 인정하고 지지할 것이다.

ㄷ. 병은 아동보육시설의 확대정책보다는 아동을 돌보는 어머니에게 매월 일정액을 지급하는 아동수당 정책을 더 선호할 것이다.

ㄹ. 정은 무급의 육아휴직 확대정책보다는 육아도우미의 가정파견을 전액 지원하는 국가정책을 더 선호할 것이다.

① ㄱ, ㄷ   ② ㄴ, ㄹ   ③ ㄷ, ㄹ

④ ㄱ, ㄴ, ㄷ   ⑤ ㄴ, ㄷ, ㄹ

V

299

2007년 PSAT 행정·외무고시 언어논리 19번

다음 글에 나타난 두 과학자의 주장에 대한 평가로 적절하지 않은 것은?

갈릴레오 이후 천문학자들은 보다 큰 망원경을 제작하여 별들을 관측하기 시작하였다. 그러던 중 마치 구름처럼 보이는 천체를 관측하였는데, 이를 '성운'이라 불렀다. 성운은 처음에는 몇몇 별들의 집합체로 추정되었다. 성운의 모양은 다양한데 우리 은하의 모양과 비슷한 것도 있다.

우리 은하는 가운데가 도톰한 원반과 같은 모양을 하고 있는데 원반 면과 나란한 방향으로는 성운들이 관측되지 않았다. 즉 어떤 성운도 관측되지 않는 '금지 구역'이 존재하는 것이다.

문제는 성운들이 우리 은하 내부에 존재하는 별들의 집합인지, 아니면 우리 은하 외부에 존재하는 또 다른 은하인지 하는 것이었다. 1920년 미국과학학회는 서로 다른 두 주장을 펴는 과학자 A와 B를 초청하여 토론회를 개최하였다. 성운의 정체에 대해 두 과학자는 다음과 같이 주장하였다.

A : 만일 성운들이 우주 공간에 균일하게 분포되어 있다면, 우주의 어느 방향을 보든지 균일한 분포로 성운들이 관측되어야 할 것이다. 특정 방향으로 성운들이 관측되지 않는다면 성운들은 우주 공간에 균일하게 분포되어 있지 않다고 해야 한다. 성운들이 금지 구역에서 관찰되지 않는 것은 우리 은하의 독특한 구조 때문이다. 우리 은하는 도톰한 원반을 구성하는 보통 별들과 원반의 아래위에 분포되어 있는 성운들로 이루어져 있다. 성운들은 단지 우리 은하를 구성하는 또 다른 천체들일 뿐 우리 은하 외부에 있는 것이 아니다. 이것은 우리 은하가 우주에서 유일한 은하라는 믿음을 유지하게 한다.

최근 안드로메다 성운에서 발견된 신성※의 밝기에 관한 정보는 흥미롭다. 이 신성의 밝기는 안드로메다 성운 밝기의 10분의 1로 관측되었다. 만약 이 밝기가 하나의 별이 가질 수 있는 최대 밝기라면 안드로메다 성운에 있는 별의 개수는 최소 열 개 정도일 것이다.

문제는 안드로메다 성운에 최대 몇 개의 별이 있느냐는 것인데, 현재까지 관측된 바로는 안드로메다 성운에서 가장 어두운 별의 밝기는 안드로메다 성운의 전체 밝기의 대략 1000분의 1 정도였으므로, 관측 사실에 입각할 때, 안드로메다 성운은 최대 1000개 정도의 별들로 이루어졌을 것이다. 그러나 우리 은하는 수백만 개의 별들로 구성되어 있다. 따라서 안드로메다 성운은 우리 은하와 같은 지위의 은하가 아니라 단지 모양만 우연히 우리 은하와 비슷한 대략 1000개 이하의 별들의 집합체일 뿐이다.

B : 성운들이 우리 은하와 더불어 우주 공간에 균일하게 분포되어 있을 것이라는 가정을 쉽게 버리는 것은 현명하지 못하다. 성운들이 특정 지역에서 관측되지 않는다고 해서 그 지역에 실제로 성운들이 존재하지 않는다고 생각할 이유는 없다. 금지 구역은 단지 우리 은하 안에 있는 수많은 별들과 성간 물질 때문에 멀리 있는 다른 성운들의 빛이 지구에 잘 전달되지 않아서 생긴 것일 뿐이다.

A가 언급한 신성이 별 하나가 가질 수 있는 최대의 밝기라고 하더라도 그것은 안드로메다 성운에 있는 가능한 별의 개수의 최소값을 줄 뿐이다. 문제는 A가 말한 별의 개수의 최대값인데, 이것을 위해 우리가 안드로메다 성운에서 가장 어두운 별을 찾아야 한다. 성운 내에서 별 하나만을 분별해내어 관측하기란 별이 어두울수록 대단히 힘들다. 아마도 별 하나만을 분별해내는 관측을 통해 안드로메다 성운에 있는 별의 개수의 최대값을 아는 것은 실현 불가능할 지도 모른다. 안드로메다 성운 이외에도 우리 은하와 모양이 같은 성운들이 더 있다는 것을 우리는 알고 있다. 따라서 그러한 성운들은 우리 은하와 독립된 은하들이다.

※ 신성(新星) : 평소에는 어둡다가 평소 밝기보다 갑자기 밝아진 별

① A와 B 중 누가 옳은가에 따라 은하의 유일성 여부가 판명된다.

② 우리 은하와 같은 모양의 성운이 더 많이 발견되면 B의 주장은 약화된다.

③ 금지 구역에 성운들이 존재한다는 사실이 확인된다면 B의 주장은 강화된다.

④ B는 금지 구역이 존재하는 원인을 A와 다르게 봄으로써 A의 주장을 반박하고 있다.

⑤ 개량된 최신 망원경으로 안드로메다 성운을 관측했더니 안드로메다 성운의 전체 밝기의 백만 분의 일 밝기의 별이 발견되었다면 A의 주장은 약화된다.

300

2007년 PSAT 행정·외무고시 언어논리 32번

다음 세 사람의 입장을 옳게 평가한 것은?

> A : 개인은 자신과 특별히 관계되는 것에 대해 권리를 지닌다. 누구의 행동이든 다른 사람의 권리를 침해하면, 그것은 규제의 대상이 된다. 다시 말해 어떤 행동이 타인의 권리를 침해한다는 사실은 그 행동이 규제의 대상이 될 수 있는 충분조건이 된다.
>
> B : 개인의 행동이 다른 사람의 권리를 전혀 침해하지 않는다면 그것은 규제의 대상이 될 수 없다. 바꾸어 말해 어떤 사람의 행동이 타인의 권리를 침해할 경우에만, 그것은 규제의 대상이 될 수 있다. 즉 어떤 행동이 타인의 권리를 침해한다는 사실은 그 행동이 규제의 대상이 되기 위한 필요조건이 된다.
>
> C : 사회에서 사람이 하는 일 가운데 타인에게 아무런 영향도 끼치지 않는 것은 없다. 전적으로 고립되어 사는 사람은 없다. 설령 자신의 잘못된 행동이나 어리석은 일로 다른 사람에게 직접 해를 주지 않는다 하더라도 바람직하지 못한 본보기가 되어 다른 사람에게 해를 줄 수 있고, 그래서 다른 사람의 권리를 침해할 수 있기 때문이다. 그러므로 사람이 하는 일은 모두 규제의 대상이 되어야 한다.

① A가 규제의 대상이라고 보는 행위 가운데 C는 규제의 대상이 되지 않는다고 할 행위도 있다.

② B는 규제의 대상이 되는 행위의 범위를 A보다 더 넓게 잡는 사람이다.

③ 타인의 권리를 침해하더라도 규제의 대상이 되지 않는 행위가 있다면, 이는 A의 입장의 반례가 된다.

④ 마땅히 규제의 대상이 되어야만 하는데 타인의 권리를 침해하지 않는 행위가 있다면, B의 입장은 강화된다.

⑤ 타인의 권리를 침해해서 규제의 대상이 되고 있는 행위가 있다면, 이는 C의 입장의 반례가 된다.

마지막 날까지 성적이 오르는
LEET 타입별
학습플랜

혹시… 내 얘기인 것 같다면?

메가로스쿨 자가 진단을 통해
나에게 필요한 학습플랜을 알아보자!

LEET 타입
자가진단하기

같은 성적이라도 약점과 강점은 서로 다르므로
메가로스쿨 자가 진단을 통해 나에게 필요한 학습 플랜을 알아보자.

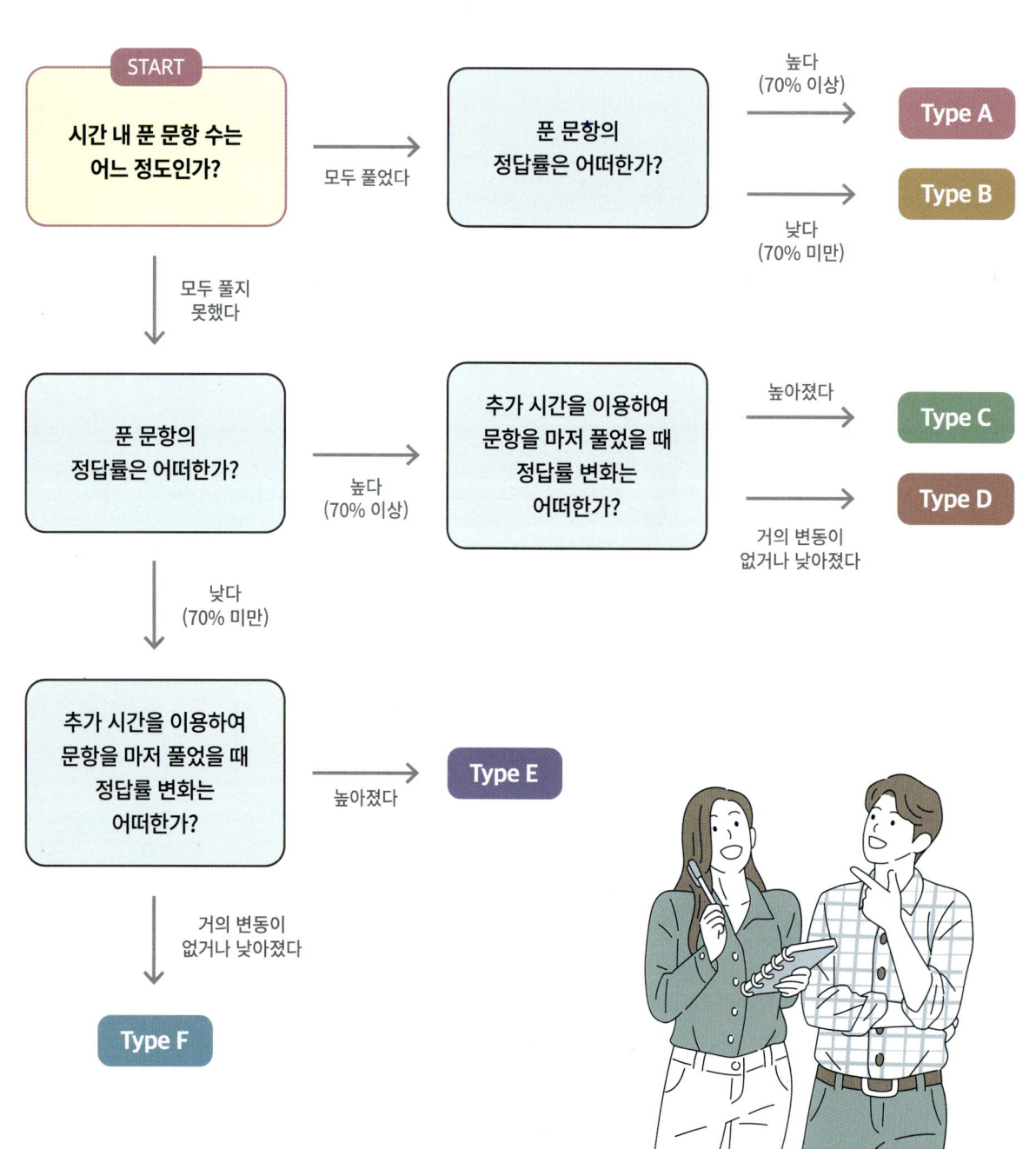

START

시간 내 푼 문항 수는
어느 정도인가?

→ 모두 풀었다 →

푼 문항의
정답률은 어떠한가?

높다
(70% 이상) → **Type A**

낮다
(70% 미만) → **Type B**

↓ 모두 풀지
못했다

푼 문항의
정답률은 어떠한가?

→ 높다
(70% 이상) →

추가 시간을 이용하여
문항을 마저 풀었을 때
정답률 변화는
어떠한가?

높아졌다 → **Type C**

거의 변동이
없거나 낮아졌다 → **Type D**

↓ 낮다
(70% 미만)

추가 시간을 이용하여
문항을 마저 풀었을 때
정답률 변화는
어떠한가?

→ 높아졌다 → **Type E**

↓ 거의 변동이
없거나 낮아졌다

Type F

문제 풀이 속도와 정확도 모두 안정적

기본적인 독해력이나 문제해결력이 어느 정도 갖추어져 있음을 의미한다.

특히 처음 LEET를 접한 수험생이 시간 내에 이러한 정답률을 보인다면 자신감을 갖고 고득점을 목표로 삼는 것이 좋다. 하지만 이 타입에 속하더라도 틀린 문항에 대해 어느 부분에서 어떻게 틀렸는지를 점검하는 것이 반드시 필요하다.

Study PLAN

오답노트를 통해 현재의 풀이 감각을 유지하되 약점은 철저히 보완해야 한다. 킬러 문항을 정복하자.

평균이 높아진 최근 LEET 경향에 따라 만점을 목표로 해야 원하는 성과를 낼 수 있다. 이 경우 만점을 목표로, 고난도의 추론 문항과 신유형에 대비할 수 있도록 **최대한 다양한 문항**을 풀어보는 것이 좋다. 또한 킬러 문항을 피하거나 혹은 **특정 유형의 문제를 포기하는 경우 결코 고득점을 얻을 수 없다.** 반복해서 틀리는 유형이나 자신이 없는 내용영역에 대해서 피하지 않고 깊게 공부해볼 것을 권한다. 킬러 문항의 경우 손쉬운 공략법은 없으며, **유사한 문제를 꾸준히 풀어보는 것이 정도이자 지름길**이다.

풀이 감각을 유지하기 위해 전국모의고사로 경쟁자의 위치와 나의 수준을 평가하는 것이 중요하다.

무엇보다 성적이 오르지 않거나 성적이 낮은 수험생에게도 오답노트가 필요하지만, 성취 수준이 높은 수험생에게도 오답노트는 유용하게 활용될 수 있다.

오답을 분석해 보면 자주 틀리는 문제가 보일 것이다. 자주 틀리는 문제를 분석한 후에 **어떠한 유형에서 자주 틀리는지를 따로 모아 정리해 두어야 한다.**

단순하게 틀린 문제를 오려 붙이고 답을 써놓는 것은 옮겨쓰기에 불과하다. 오답노트에는 문제를 풀면서 어디까지 생각했고, 왜 그런 생각을 했으며, 틀린 부분의 근거를 제시문에서 도출하여 기록해 두는 것이 중요하다. 바로 이 부분이 문제를 틀리게 되는 시점이기 때문이다.

Recommend

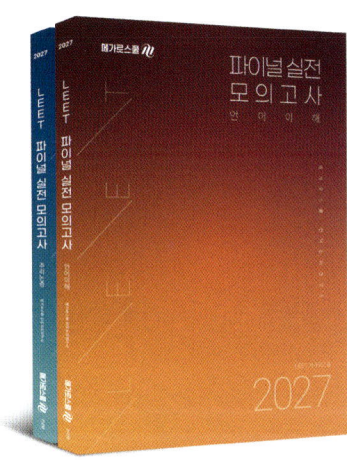

▶ 파이널 실전 모의고사는 LEET 평균과 유사한 3회분의 실전 모의고사와, 2회분의 고난도 모의고사로 구성되어 있다. 다양한 난도의 시험에서 시간 관리를 해봄으로써 어떤 난도의 시험에서도 흔들리지 않는 시험 운영력을 향상시킬 수 있을 것이다.

모든 문항을 다 풀지만 실점 문항도 많다

시간 내 모든 문항을 풀어냈으므로 시간 관리 감각이 떨어지는 것은 아니다. 그러나 LEET에서의 **'시간 단축 능력'과 '정확한 문제 해결력'은 별개의 능력이 아니다.** 시간을 단축시켜주는 것은 결국 실력이기 때문이다. 그래서 이 타입의 경우, 본고사에서 낯설거나 생소한 유형/소재가 등장하였을 때 실질적으로 득점을 하지 못하면서 시간에 쫓길 가능성이 크다.

문제 풀이만 반복하는 것은 시간을 단축시켜줄 뿐 실력을 높여주지도, 또 정답률을 높이지도 못하므로 정확도를 높이는 데 주력해야 한다.

Study PLAN

정확도를 높여야 한다.
자주 실수하는 부분이 있다면 반드시 교정하자.

한 문제라도 철저히 풀어보고 분석해야 한다.
필요하다면 몇 회독을 했더라도 기출문제를 다시 펴고 정오답 근거를 구조화하여 직접 해설을 작성해낼 수 있어야 한다. LEET를 모르는 친구에게 설명을 해준다는 생각으로 제시문을 소화해내야 한다.

기출문제 중 본인이 이해가 잘 되지 않거나 부족한 부분에 대해서는 한 번 더 반복해서 학습한 후 모의고사 문제풀이에 들어가는 것을 권한다.

제시문에 주어진 정보의 범위를 넘어서는 추론을 해서도, 제시문에 주어지지 않은 정보를 끌어들여 추론을 해서도 안 된다는 **LEET식 사고**를 깊게 체화할 필요가 있다. 제시문에 주어진 정보를 정확히 파악하는 능력을 기르고 싶다면, 모의고사 문제풀이 단계에서도 선택지의 정오에 확신이 없는 문제들을 따로 선별하여, 사고 과정을 직접 작성한 후 해설지의 논리와 비교하는 훈련이 필요하다. **한 문제라도 정확히 분석하는 것이 결국 속도를 높이는 것**이므로, 조급해 하며 문제 풀이의 양에 집중하지 않아도 될 것이다.

Recommend

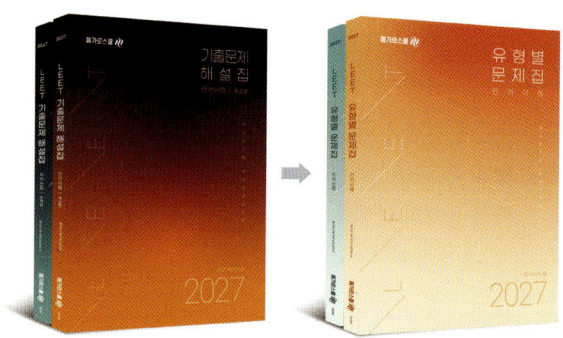

▶ 기출 분석은 아무리 강조해도 부족함이 없으므로, 유난히 어려워하는 유형의 기출문제 해설을 직접 작성한 후, 메가로스쿨 기출문제 해설집과 협의회의 해설서 논리를 삼중으로 비교 검토하는 학습을 제안한다. 이후 유형별 문제집의 문제들을 유형/내용 영역별로 풀고 유형별 기출 논리를 완성해 가는 학습도 도움이 될 것이다.

정확도는 높지만 한 문항을 푸는 데 소요되는 시간이 많다

LEET식 사고가 체화되어 있어 정오 판단 기준은 정립되어 있다. 하지만 빠르게 지나가야 할 문제도 신중히 시간을 들이는 타입이므로, 본고사가 예년보다 쉽게 출제될 경우 공부한 만큼 성취율이 나오지 않을 가능성이 있다.

따라서 이제는 전체 시험에서의 운영 능력을 향상해야 한다.

Study PLAN

시간 관리 능력을 키워야 한다.

유형/내용영역별로 모아둔 문제를 집중적으로 풀면서 문제별로 나만의 접근법과 풀이법을 만들어 둘 필요가 있다.

▶법조문이 제시문으로 나온 문제는 구조 분류 후, 예외 체크만 한 후 선택지로 넘어 가는 것

▶강화약화 문제는 제일 먼저 주장이나 가설부터 찾은 후, 가설과 사례를 분리하고 선택지를 판단하는 것

▶반대로 철학 문제는 제시문의 면밀한 정독이 끝난 후 선택지 판단을 하는 것 등

사람마다, 성취 수준마다, 전공마다 문제 접근법은 다르다. 다른 사람의 완벽한 노하우가 나에겐 장애물이 될 수 있다.

LEET에 자주 나오는 내용을 사전에 학습하면 관련된 내용이 문제로 출제될 때 빠르게 접근할 수 있다. 그 후 유형별로 문제를 집중적으로 풀어나가면서, 나만의 문제 접근법을 만들어야 시간을 벌 수 있는 문제와 시간을 더 써야 하는 문제를 구분할 수 있다.

Recommend

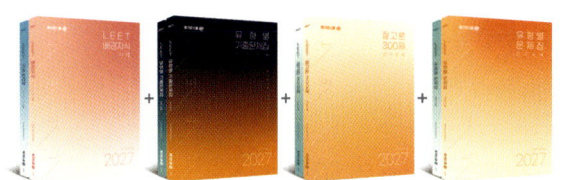

▶ 유형별 기출문제집, 잘고른300제, 유형별 문제집이 유형/내용 영역별로 문제를 모아둔 교재이므로, 2~4주 플랜으로 세 교재를 동시에 집중 학습하는 것을 제안한다.

[LEET 배경지식&기초논리학 with 기출을 통해 LEET에 빈출되는 내용 숙지 ⇒ 유형별 기출문제집으로 유형/내용영역별 기출문제의 풀이 방법 습득 ⇒ 유사 기출인 잘고른 300제로 나만의 문제접근법 정립 ⇒ 유형별 문제집을 통해 유형별로 묶어 풀어보면서 완성]

난도가 높은 문항은 스킵하고 푸는 타입일 가능성이 높다

푼 문제는 정답률이 높고, 안 푼 문제는 시간을 충분히 가졌음에도 정답률이 현저히 낮다는 것은 특정 유형이나 소재의 문제를 쉽게 포기하는 전략을 썼기 때문일 수 있다. 그러나 본고사 난도가 어떤 수준으로 출제될지는 누구도 모르는 것이므로, 이 전략으로는 평소 포기했던 유형의 비중이 높게 출제되거나, 저난도로 출제될 경우 다른 수험생에 비해 등수가 낮아질 수 있다. **취약한 소재나 유형을 너무 쉽게 포기해서는 안 된다.** 충분히 보완할 시간이 있다.

Study PLAN

약한 유형을 집중적으로 학습하자.

수험생마다 까다로운 제재나 유형이 존재한다. 어떤 유형이나 제재는 열심히 공부하였지만 기본적으로 정보량이 많아 득점률이 떨어질 위험이 있다. 하지만, 어떤 유형은 충분한 연습을 통해 접근법을 파악하면 득점으로 연결될 수 있다.

후자의 대표적인 유형이 추리논증의 **'수리형' 문항**이다. 법조문 및 사회, 과학, 인문 전반에서 수리적 언어 사이에 반복되는 일정한 연결 고리나 법칙을 찾게 하는 문제 비중이 높아지고 있다. 언어 형태로 주어진 정보를 표나 그래프의 수리적 형태로 바꾸어 표현할 수 있으면 문제를 보다 효율적으로 풀 수 있는데, 이 과정에서 수학적 지식은 요구되지 않으므로 고도의 수식이나 계산은 필요치 않다. 따라서 이러한 유형은 대량의 반복 연습을 통해 충분히 득점으로 연결될 수 있다.

그리고 언어이해와 추리논증 모두 제시문은 논증의 논리적 성격을 가지고 있다. 논증의 논리적 성격을 파악하고 **논증의 논지와 필수적인 정보**를 찾는 훈련을 집중적으로 해나가면, 정보량이 많은 제시문도 수월하게 접근할 수 있다. 이런 연습을 하려면 논증의 형태를 띤 글을 많이 접해야 하는데, 기출문제를 제외하고는 논증의 형태의 글을 찾기가 쉽지 않다. 따라서 기출문제의 제시문을 재료로 삼아 이를 집중 분석할 필요가 있다. 논증이라면 주장에 대한 근거가 있기 마련이므로, **주장을 찾았으면 근거가 되는 진술과 근거가 되지 않는 진술, 그리고 주장과 근거가 모두 아닌 진술을 명확히 구분하여 분석해야** 할 것이다.

또한 **전제 간 결합 관계**에 따라 **결론** 도출이 어떻게 되는지를 면밀히 분석해야 한다. 기출문제 제시문을 분석할 때는 결론과 전제, 그리고 소결론이 대결론의 전제가 되는 구조, 긴 제시문의 전체적인 구조를 파악할 수 있어야 한다.

Recommend

▶ 약점 문항이 묻는 것을 정확히 파악하고 정오를 판단하는 연습을 충분히 하기 위해 유형별 기출문제집과 잘고른 300제를 풀이하여 학습한다. 만약 약점이 되는 부분이 언어이해의 '규범'이거나 추리논증의 '강화약화'라면, 유형 전략서를 통해 보완한다. 그리고 유형별 문제집을 통해 유형별로 학습한다면 도움이 될 것이다. 유형별로 문제를 모아 풀면서, 특정 유형의 문제를 푸는 과정에서 발견되는 반복되는 규칙을 찾으면 정답이 찾아지는 경우가 많으므로 이러한 나만의 접근법을 정립하는 데 초점을 두어야 한다.

[유형별 기출문제집에서 나의 약점 유형만 뽑아 집중적으로 풀기 ⇒ 잘고른 300제의 해당 유형 풀기 ⇒ 유형 전략서로 약한 유형 집중 보완 ⇒ 유형별 문제집의 실전문제를 통해 약점 보완 확인 및 점검]

어떤 문항을 먼저 푸느냐에 따라 점수 변화가 크다

시간 내 푼 문제는 정답률이 현저히 낮고, 시간 제한 없이 푼 문제는 정답률이 높다. 이는 2개의 경우로 분석할 수 있는데 우선, 시간 내 문제를 해결해야 하는 '시험' 자체에 대한 훈련이 부족하기 때문일 수 있다. 다음으로 시간 내에 푼 문제가 고난도 문제라면 난도가 높은 문항에 시간은 시간대로 쓰면서 동시에 고난도 문제를 해결할 능력이 부족한 것을 의미할 수도 있다.

첫 번째 경우라면, LEET가 요구하는 사고를 가졌으므로 일정 시간 내에 문제를 해결해야 하는 **'시험'에 대한 훈련,** 즉 남은 기간 동안 전국모의고사를 통해 본고사 현장과 같은 분위기에서 실력을 평가해보고, 시험 운영 전략을 세워 나간다면 고득점을 받을 수 있을 것이다.

그러나 두 번째 경우라면, 어떤 문제가 어려운 문제이며 시간을 많이 써도 내가 맞힐 가능성이 낮은 것인지를 구분하지 못하고 있다는 의미일 수 있다.

이 경우 **LEET 시험을 구성하고 있는 유형을 먼저 공부**하여 익숙해진 후, 문제별로 접근 전략을 짜야 한다. 본고사에서는 어떤 문제가 먼저 나올지 모르므로 문제 풀이 시 정확도를 높이는 훈련과 함께 시간 내에 풀 수 있는 문항의 개수를 점차 늘려갈 수 있도록 학습 플랜을 마련할 필요가 있다.

Study PLAN

유형/내용별로 나에게 유리한 문제와 아닌 문제를 구분할 수 있어야 한다.

유형/내용영역별로 모아둔 문제를 집중적으로 풀면서 문제별로 나만의 접근법과 풀이법을 만들어 둘 필요가 있다.

LEET에 자주 나오는 내용을 사전에 학습하면 관련된 내용이 문제로 출제될 때 빠르게 접근할 수 있다. 예를 들어, **법조문**이 제시문으로 나온 문제는 구조 분류 후, 예외 체크만 한 후 선택지로 넘어 가는 것, **강화약화** 문제는 가설부터 찾은 후 가설과 사례를 분리하고 선택지를 판단하는 것, 반대로 철학 문제는 제시문의 면밀한 정독이 끝난 후 선택지 판단을 하는 것 등등 **나만의 문제 접근법**을 만들어야 시간을 벌 수 있는 문제와 시간을 더 써야 하는 문제를 구분할 수 있다.

Recommend

▶ 우선 기출문제의 출제 원리를 파악해야 한다. 그 다음으로 자신만의 풀이 방법을 확립하는 것이 중요하다.

[LEET 배경지식&기초논리학 with 기출을 통해 LEET에 빈출되는 내용 숙지 ⇒ 기출문제 해설집을 통한 기출문제의 출제 원리 파악 → 유형 전략서를 통해 언어이해의 기본이 되는 '규범' 영역 학습 / 추리논증의 기본이 되는 '강화약화' 영역 학습 ⇒ 유형별 기출문제집을 통해 기출문제를 유형별로 나누어 풀이하여 유형별 풀이 방법 확립 ⇒ 살고른 300제를 통해 확립된 풀이 방법을 적용]

문제 풀이 속도와 정확도 모두 불안

저득점의 원인이 반드시 시간 부족에 있다고 보기 어려운 경우이다.

시간 내 풀지 못한 문항이 많다는 것은 한 문항을 푸는 데 적지 않은 시간을 들였다는 것을 의미한다. 시간을 많이 들여 푼 문항들마저 오답인 경우가 많다면 풀이 과정의 정확도와 속도를 모두 높일 수 있는 훈련이 필요하다.

문제 풀이 속도를 높이는 방법은 따로 있지 않고, 문제 해결력을 높이면 속도는 일정 수준까지는 충분히 뒤따라온다. 그러므로 조급해하기보다는 양질의 문제를 통해 **LEET의 출제 구조와 선택지 정오를 면밀히 분석하여 정확하게 푸는 훈련**을 하는 것이 고득점으로 향하는 바른 학습법이다.

Study PLAN

기출문제의 정오부터 분석한다.

LEET 문항의 출제 원리와 이에 부합하는 사고 과정을 충분히 **학습한다는 것은 과목별로 다소 상이할 수 있다.**

언어이해의 경우, 가장 기본이 되는 것은 **제시문과 선택지의 관계**를 분석하는 것이다. 제시문과 선택지의 관계는 크게 '의미상 대등한 변형'과 '핵심 정보를 유지하는 압축'으로 나누어 볼 수 있다. '**의미상 대등한 변형**'이란 선택지에 사용된 단어나 어구가 제시문에서 사용된 단어나 어구와 동일한 의미로 해석 가능한지 판단하도록 하며, '**핵심 정보를 유지하는 압축**'은 제시문에 제시된 정보들의 관계가 선택지에서도 유지되고 있는지 등을 판단하도록 한다.

문제 해결에 필요한 정보는 제시문에 명시되어 있으므로, **선택지의 정오를 판단하기 위한 근거가 될 만한 내용을 제시문에서 조회**하는 것이 문제 해결에 있어 가장 우선된다. 이후 조회한 내용과 선택지 내용을 비교·대조하여 의미상 일치 여부를 판단한다. 이때 제시문에 사용된 어휘나 어구가 서로 의미 변화 없이 대체 가능한 것들로 변환되어 선택지에 사용되었는지, 제시문에 제시된 정보와 선택지에 제시된 정보들 사이의 논리적 관계가 변환 이후에도 그대로 유지되고 있는지, 정보들 사이의 논리적 관계에 오류는 없는지를 판단할 수 있어야 한다.

이 분석이 충실히 갖추어진다면, 이후 추론, 평가 유형에 속하는 모든 문항의 득점을 위한 발판이 마련되었다고 할 수 있다. 이 해결 능력을 충분히 함양하지 않으면 나머지 유형의 문항에서도 정답률을 높이기 어려우니, 고득점을 위해서는 반드시 기출문제를 이렇게 분석할 수 있어야 한다.

추리논증의 경우 제시문이 대부분 논증으로 구성되어 있으므로, 선택지 판단을 하기에 앞서 제시문을 **전제와 결론, 주장과 근거**로 구분하여 그 구조를 분석하는 훈련을 할 필요가 있다. 많은 문제를 분석하기에 시간이 부족하다면, 단 1개를 학습하더라도 충실히 하는 것이 본시험에서 보다 더 도움이 될 것이다.

Recommend

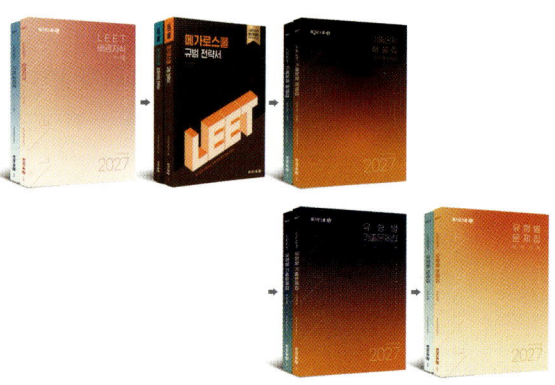

▶ LEET의 기초가 되는 출제원리를 먼저 습득한 후, 기출문제를 분석하여 LEET의 기초를 마련하는 것이 중요하다.

[LEET 배경지식&기초논리학 with 기출을 통해 LEET에 빈출되는 내용 숙지 ⇒ 유형 전략서를 통해 언어이해의 기본이 되는 '규범' 영역 학습 / 추리논증의 기본이 되는 '강화약화' 영역 학습 ⇒ 기출문제 해설집을 통한 기출문제의 출제 원리 파악 ⇒ 유형별 기출문제집과 유형별 문제집을 통해 유형별 풀이 방법 확립]